Zoon van de Schaduwen

Van Juliet Marillier zijn verschenen:

Dochter van het Woud*
Trilogie van de Zeven Wateren – Boek 1
Zoon van de Schaduwen*
Trilogie van de Zeven Wateren – Boek 2
Kind van de Profetie*
Trilogie van de Zeven Wateren – Boek 3

Drager van de Wolvenvacht
De Saga van de Eilanden van het Licht – Deel 1
Drager van het Vossenmasker
De Saga van de Eilanden van het Licht – Deel 2

Des magiërs leerling
De Kronieken van Bridei – Eerste boek
Het Zwaard van Fortriu
De Kronieken van Bridei – Tweede boek
De Schaduwbron
De Kronieken van Bridei – Derde boek

Wildewoud
Cybele's geheim

*In POEMA-POCKET verschenen

TRILOGIE VAN DE ZEVEN WATEREN

BOEK II

Zoon van de Schaduwen

JULIET MARILLIER

POEMA POCKET

POEMA-POCKET is een onderdeel van Luitingh ~ Sijthoff

Zesde druk

Oorspronkelijke titel: *Son of the Shadows*
Vertaling: Pauline Moody
Omslagontwerp: Wouter van der Struys
Omslagillustratie: Neal Armstrong

ISBN 978 90 245 5333 4

www.boekenwereld.com & www.poemapocket.com

Voor Godric, reiziger en man van de aarde;
en voor Ben, een echte zoon van Manannán mac Lir

OPMERKING VAN DE AUTEUR

Keltische godheden

Dit boek bevat tal van verwijzingen naar goden, godinnen en helden uit de Ierse mythologie. De lezer heeft wellicht baat bij een korte inleiding in deze materie en bij wat hulp bij de uitspraak van het Ierse Gaelic, waarbij mag worden aangetekend dat er van een bepaalde naam verschillende spellings- en uitspraakvarianten kunnen bestaan, die alle zijn toegestaan.

Túatha Dé Danann — *toe*-a-ha dee *dann*-an
(Het Feeënvolk)
Dit volk van de godin Dana of Danu was het laatste geslacht van Anderwereldse wezens dat in Ierland gewoond heeft. Zij hadden twee oude geslachten verslagen, de Fir Bolg en de Fomhóire, in de twee veldslagen van Moytirra, maar werden na de komst van de eerste Kelten zelf verdreven naar verscholen gedeelten van het landschap, zoals grotten en grafheuvels.

Fomhóire — fo-*vo*-reh
(De Ouden)
Een oud geslacht dat uit de zee kwam om Ierland te bewonen. Zij worden in latere geschriften ten onrechte beschreven als lelijk en mismaakt. Later werden ze verslagen door de Túatha Dé Danann en verbannen.

Brighid *brie*-jid
Een jeugdige lentegodin die verbonden is met vruchtbaarheid en voeding. In latere christelijke geschriften werd zij gelijkgesteld aan de heilige Brigid, de stichteres van een klooster in Kildare.

Dana (Danu) *dan*-a, *dan*-oe
Moedergodin van de Túatha Dé Danann, verbonden met de aarde.

Morrigan *morr*-i-gan
Een godin van oorlog en dood. Nam onder andere graag de vorm aan van een kraai of raaf.

Lugh *loe*
Keltische zonnegod. In Lugh stroomde het bloed van zowel Túatha Dé als Fomhóire. Een held met veelzijdige vermogens.

Dagda *dog*-da
Een gerespecteerd leider en aanvoerder van de Túatha Dé.

Díancécht di-an *kjecht*
God van de genezing en opperarts van de Túatha Dé. Hij maakte een zilveren hand voor de geslagen held Nuada.

Manannán mac Lir *man*-un-aun mac lier
Een zeegod, zeeman en krijger, die tevens genezende vermogens bezat.

Keltische feestdagen

Keltische godheden worden vaak verbonden aan de grote feesten die de keerpunten van het druïdische jaar markeren. Deze dagen hebben niet alleen rituele betekenis, maar zijn nauw verbonden met de cyclus van zaaien, telen, oogsten en bewaren van gewassen, en hebben een tegenhanger in de levenscycli van mens en dier.

Samhain (1 november) *Sow*an
Geeft het begin van het Keltische nieuwe jaar aan. De donkere

maanden beginnen; het zaad is in afwachting van het ontkiemen van nieuw leven. Dit is een tijd van bezinning en het opmaken van de balans; een tijd om de doden te eren, een tijd waarin de grenzen tussen leven en dood gemakkelijker kunnen worden overgegaan, zodat er communicatie tussen mensenwereld en geestenwereld mogelijk is.

Imbolc (1 februari) Imulk, Imbulk
Feest van de melkgevende ooien, gewijd aan de godin Brighid. Een dag van nieuw begin, waarop vaak begonnen werd met ploegen.

Beltaine (1 mei) *Bjal*tena
Op deze dag begint de lichte helft van het jaar. Een zeer betekenisvolle dag, die in verband staat met zowel vruchtbaarheid als dood. De dag waarop de Túatha Dé Danann voor het eerst voet aan wal zetten in Ierland. Rond Beltaine zijn veel gewoonten en gebruiken ontstaan, zoals meipaal en werveldansen, het neerleggen van geschenken zoals melk, eieren en cider voor Anderwereldse wezens, en, net als met Imbolc, het doven en opnieuw ontsteken van de vuren in huis.

Lugnasad (1 augustus) *Loe*nasa
Dit aan de god Lugh gewijde oogstfeest ontstond uit de begrafenisspelen die hij hield ter ere van zijn pleegmoeder Tailtiu. Ook de moedergodin Dana wordt met Lugnasad geëerd. Veel gebruiken worden toegepast om te zorgen voor een goede en veilige oogst. Hiertoe behoort vaak het rituele snijden van de laatste schoof graan. Er worden ook vaak wedstrijden en spelen gehouden.

Naast de vier bovengenoemde vuurfeesten zijn de zonnewenden en equinoxen belangrijke keerpunten in het jaar, en elk ervan wordt op speciale wijze ritueel gevierd. Het zijn:
Meán Geimhridh (21 december) winterzonnewende
Meán Earraigh (21 maart) voorjaarsequinox
Meán Samhraidh (21 juni) zomerzonnewende
Meán Fómhair (21 september) najaarsequinox

Een paar andere namen en termen die in dit boek voorkomen:

Aengus Óg	*een*-gus *ohg*
Caer Ibormeith	kair *ie*-vor-mee
Cú Chulainn	koe *choe*-lin
Scáthach	*skah*-thuch
Aisling	*ash*-ling
Ciarán	*kie*-ur-aun
Fionn Uí Néill	fjun ie *nee*-il
Liadan	*lie*-a-dan
Niamh	*nie*-av
Sídhe Dubh	shie dov

bogle
Een koboldachtig wezen.

Bran mac Feabhail — bran mak *fev*-il
Een achtste-eeuwse tekst beschrijft de reis van deze held naar verre, wonderlijke gebieden. Bij zijn terugkeer naar Ierland ontdekte Bran dat er intussen in het aardrijk eeuwen verstreken waren.

brithem
Rechter.

clurichaun — *kloe*-ri-chaun
Een kleine, ondeugende geest, een soort kabouter.

Deosil — *dzjesh*-il
Met de zon mee; met de klok mee.

fianna — *fien*-ja
Bende jonge jagers/krijgers. Van een bepaalde groep fianna werd gezegd dat ze werden aangevoerd door de legendarische held Fionn mac Cumhaill. Het woord werd gebruikt voor zwervende vechtersbendes die in de bossen en velden leefden en er hun eigen regels op na hielden.

filidh *fil*-ie
Extatische, visionaire dichters en zieners binnen de druïdische traditie.

grimoire
Tovenaarsboek met toverkunsten.

nemeton
Heilig gedeelte van het bos waar druïden wonen.

riastradh *rie*-a-strath
Razernij in de strijd.

selkie
Dit woord kan op een zeehond slaan of op een lid van het geslacht van zeehondmensen, die hun huid kunnen afleggen om een tijdlang mens te worden. Als de huid gestolen wordt of verloren gaat, kan de selkie niet terug naar de zee.

Tir Na n'Og *tier* na *nohg*
Land van jeugd. Een Anderwerelds rijk aan de andere kant van de westelijke zee.

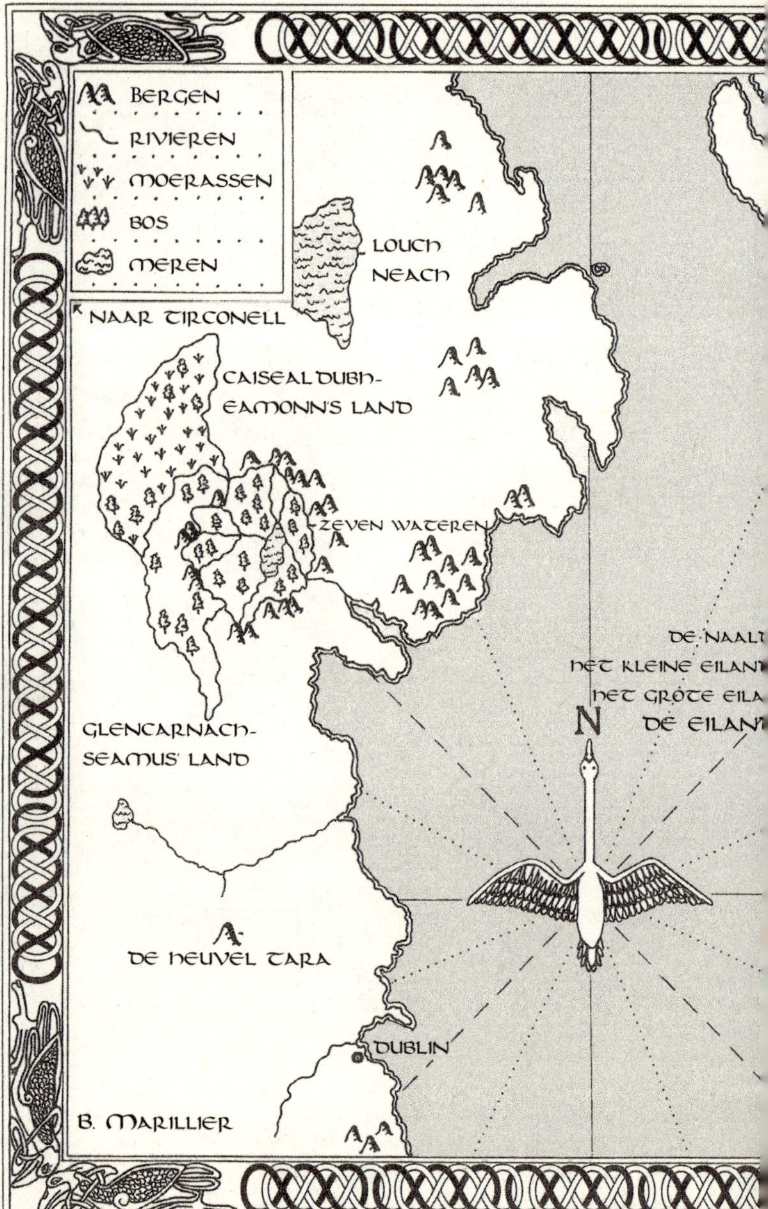

BERGEN
RIVIEREN
MOERASSEN
BOS
MEREN
LOUCH NEACH
NAAR TIRCONELL
CAISEAL DUBH-
EAMONN'S LAND
ZEVEN WATEREN
DE NAAL
HET KLEINE EILAN
HET GROTE EILA
DE EILAN
N
GLENCARNACH-
SEAMUS' LAND
DE HEUVEL TARA
DUBLIN
B. MARILLIER

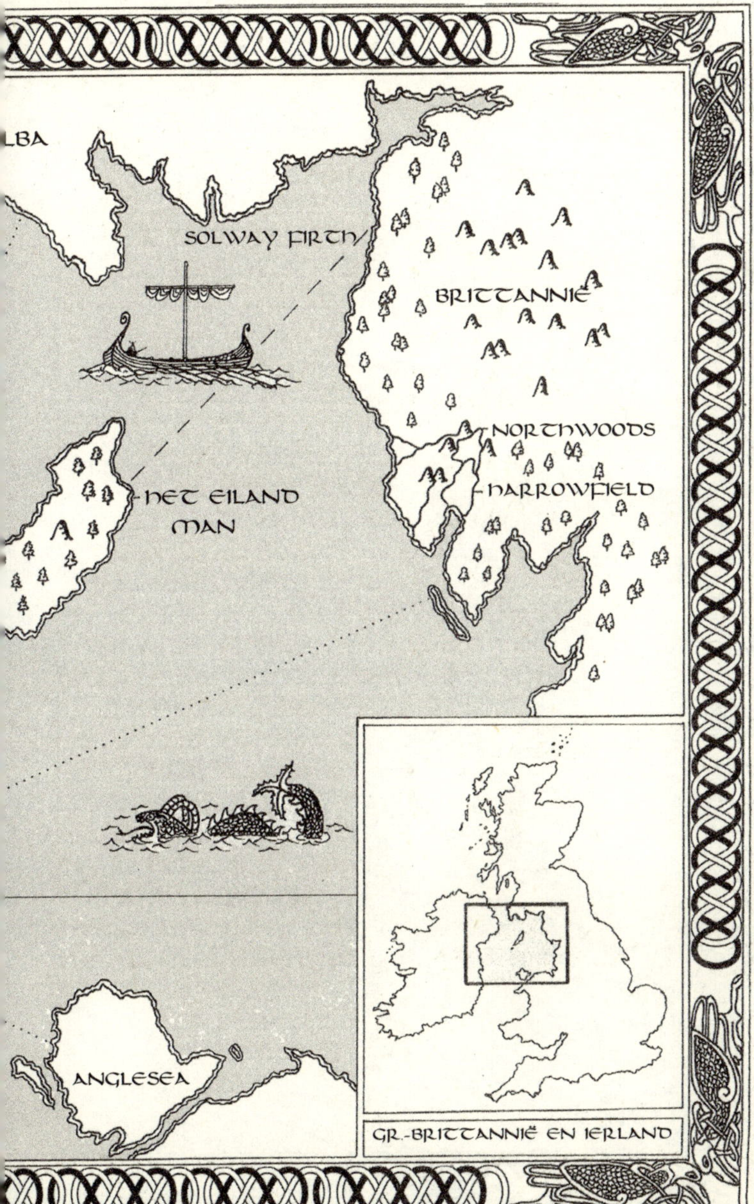

LBA
SOLWAY FIRTH
BRITTANNIE
NORTHWOODS
HARROWFIELD
HET EILAND
MAN
ANGLESEA
GR.-BRITTANNIË EN IERLAND

HOOFDSTUK EEN

Mijn moeder kende alle verhalen die ooit in Erin bij het haardvuur waren verteld, en nog veel meer. De mensen stonden zwijgend rond de haard om te luisteren terwijl zij vertelde, na een lange dag hard werken, en genoten van de kleurige wandtapijten die ze met haar woorden weefde. Ze verhaalde de vele avonturen van de held Cú Chulainn, en ze vertelde over Fionn MacCumhaill, die een groot krijger was en listig bovendien. In sommige huishoudens waren zulke verhalen alleen voor mannen bestemd. Maar niet in het onze, want mijn moeder kon zo met woorden toveren dat iedereen erdoor betoverd werd. Maar er was één verhaal dat ze nooit wilde vertellen, en dat was haar eigen verhaal. Mijn moeder was het meisje dat haar broers had gered van de vervloeking van een tovenares, en daarbij bijna haar eigen leven had verloren. Zij was het meisje wier zes broers drie lange jaren als dieren in het wild hadden doorgebracht en alleen door haar zwijgen en lijden waren teruggehaald. Het was niet nodig dit verhaal te vertellen en weer te vertellen, want het had een plaats gekregen in de hoofden van de mensen. Bovendien waren er in elk dorp wel een of twee die de broer hadden gezien die gedurende korte tijd was teruggekeerd met de glanzende vleugel van een zwaan op de plaats van zijn linkerarm. Zelfs zonder dit bewijs wist iedereen dat het verhaal waar was, en ze zagen mijn moeder voorbijgaan, een tengere gestalte met haar mand vol zalven en dranken, en knikten met diep respect in hun ogen.

Als ik mijn vader vroeg of hij een verhaal wilde vertellen, lachte hij altijd, haalde zijn schouders op en zei dat hij niet overweg kon met woorden, en bovendien kende hij maar één verhaal, of misschien twee, en die had hij al verteld. Dan keek hij even naar mijn moeder, en zij keek naar hem, zoals ze wel vaker deden, op een bepaalde manier waardoor het leek alsof ze zonder woorden praatten, en dan leidde mijn vader me met iets anders af. Hij leerde me houtsnijden met een klein mes, hij leerde me hoe je een boom moest planten en hij leerde me vechten. Mijn oom vond dat heel vreemd. Dat mijn broer Sean leerde vechten was goed, maar waarom zouden Niamh en ik onze vuisten en onze voeten moeten kunnen gebruiken, en een stok of een kleine dolk kunnen hanteren? Waarom daar tijd aan verspillen terwijl er nog zoveel andere dingen waren die we konden leren?

'Geen dochter van mij zal zich onbeschermd buiten deze bossen wagen,' had mijn vader tegen mijn oom Liam gezegd. 'Mannen zijn niet te vertrouwen. Ik zou geen krijgers van mijn meisjes willen maken, maar ik zal hun ten minste de middelen geven om zich te verdedigen. Heb je zo'n slecht geheugen?'

Ik vroeg niet wat hij bedoelde. We hadden allemaal al vroeg ontdekt dat het niet verstandig was om op zulke momenten tussen Liam en hem te komen.

Ik leerde snel. Ik volgde mijn moeder op haar rondgang door de dorpen en leerde van haar hoe ik een wond moest hechten, een spalk moest maken en kroep of netelroos moest behandelen. Ik keek naar mijn vader en ontdekte hoe je een uil, een hert en een egel maakte uit een mooi stuk eikenhout. Ik oefende de vechtkunst met Sean, wanneer ik hem zover kon krijgen, en kreeg allerlei kunstjes onder de knie die werkten, ook al was je tegenstander groter en sterker. Het leek vaak of iedereen op Zeven Wateren groter was dan ik. Mijn vader maakte een stok voor me die precies de goede maat had, en ik mocht zijn kleine dolkmes hebben. Daarover was Sean een paar dagen uit zijn humeur. Maar het was niets voor hem om een wrok te koesteren. Bovendien was hij een jongen en had hij zijn eigen wapens. Wat mijn zus Niamh betreft, je wist nooit wat zij dacht.

'Denk erom, kleintje,' zei mijn vader ernstig tegen me, 'dit mes kan doden. Ik hoop dat je het nooit voor een dergelijk doel hoeft te gebruiken; maar als het moet, gebruik het dan op een snelle en doortastende manier. Hier op Zeven Wateren heb je weinig van het kwaad gezien, en ik hoop dat je met dit mes nooit een man hoeft te treffen om jezelf te verdedigen. Maar misschien zul je dit op een dag nodig hebben; houd het scherp en blinkend en oefen je vaardigheden voor het geval dat er zo'n dag komt.'

Ik had de indruk dat er een schaduw over zijn gezicht trok, en zijn ogen kregen een verre uitdrukking, zoals weleens meer gebeurde. Ik knikte zwijgend en stak het kleine, dodelijke wapen weg in zijn schede.

Deze dingen leerde ik van mijn vader, die door de mensen Iubdan werd genoemd, al heette hij eigenlijk anders. Als je de oude verhalen kende, begreep je dat zijn naam een grap was, die hij minzaam accepteerde. Want de Iubdan uit de verhalen was een piepklein mannetje, dat in moeilijkheden raakte toen hij in een kom pap viel, al kon hij zich later wreken. Mijn vader was heel lang en krachtig gebouwd, en zijn haar had de kleur van herfstbladeren in de middagzon. Hij was een Brit, maar dat vergaten de mensen. Toen hij zijn nieuwe naam kreeg, ging hij deel uitmaken van Zeven Wateren, en degenen die zijn naam niet gebruikten, noemden hem de Grote Man.

Ik had zelf ook wel wat langer willen zijn, maar ik was klein, mager en donker van haar, het soort meisje dat mannen nauwelijks bekeken. Niet dat dat me iets uitmaakte. Ik had meer dan genoeg om me bezig te houden, zonder zover vooruit te denken. Niamh was degene die ze met hun ogen volgden, want zij was lang en breedgeschouderd, gemaakt naar het beeld van onze vader, en ze had een lange vracht glanzend haar en een lichaam dat op de juiste plaatsen weelderige welvingen had. Zonder het zelf te weten liep ze op een manier die de mannen deed kijken.

'Dat wordt me nog wat met haar,' mompelde onze keukenmeid Janis boven haar potten en pannen. Maar Niamh was niet zo tevreden met zichzelf.

'Is het niet erg genoeg dat ik een halve Brit ben,' zei ze boos, 'zonder er ook nog zo uit te zien? Zie je dit?' Ze trok aan haar dikke vlecht en de rood-gouden strengen vielen uiteen tot een glanzend gordijn. 'Wie zou mij voor een dochter van Zeven Wateren houden? Ik had wel een Saks kunnen zijn, met deze kop met haar! Waarom kon ik niet klein en sierlijk zijn zoals moeder?'

Ik bestudeerde haar een paar tellen, terwijl ze felle slagen met de haarborstel begon te maken. Voor iemand die zo ontevreden was over haar uiterlijk besteedde ze wel veel tijd aan het uitproberen van nieuwe haardrachten en andere jurken en linten.

'Schaam je je omdat je de dochter van een Brit bent?' vroeg ik aan haar.

Ze keek me woest aan. 'Dat is nou echt weer iets voor jou, Liadan. Altijd zeggen waar het op staat, hè? Jij hebt gemakkelijk praten, jij bent zelf een kleine kopie van moeder, haar kleine rechterhand. Geen wonder dat vader zo dol op je is. Voor jou is het eenvoudig.'

Ik liet haar woorden over me heen gaan. Zo kon ze soms zijn, alsof er te veel gevoelens in haar waren die op de een of andere manier naar buiten moesten. De woorden zelf betekenden niets. Ik wachtte.

Niamh gebruikte haar haarborstel alsof ze zichzelf ermee wilde kastijden. 'En Sean ook,' zei ze, terwijl ze woest naar zichzelf in de spiegel van gepolijst brons staarde. 'Hoorde je wat vader over hem zei? Hij zei dat hij de zoon is die Liam nooit heeft gehad. Hoe vind je die? Sean past hier, hij weet precies waar hij heen gaat. Erfgenaam van Zeven Wateren, geliefde zoon met niet één maar twee vaders – en zo ziet hij er ook uit. Hij zal alles precies doen zoals het hoort – met Aisling trouwen, waar iedereen erg blij mee zal zijn, aanvoerder zijn van de mannen, misschien zelfs degene worden die de Eilanden voor ons terugverovert. Zijn kinderen zullen in zijn voetsporen treden, enzovoort, enzovoort. Brighid bewaar me, wat is het vervelend! Zo voorspelbaar allemaal.'

'Je kunt het niet allebei tegelijk hebben,' zei ik. 'Of je wilt hier passen, of niet. Bovendien zijn we nu eenmaal de dochters van Zeven Wateren, of je het leuk vindt of niet. Ik weet zeker dat Eamonn graag met je zal trouwen, als het zover is, met of zonder goudblond haar. Ik heb niet gehoord dat hij bezwaar maakte.'

'Eamonn? Huh!' Ze liep naar het midden van de kamer, waar een lichtbundel de eiken vloerplanken goud kleurde, en op deze plek begon ze langzaam rond te draaien, zodat haar witte gewaad en haar schitterend glanzende haar als een wolk om haar heen bewogen. 'Verlang jij er ook niet naar dat er eens iets anders gebeurt, iets wat zo opwindend en nieuw is dat het je meevoert als een grote golf, iets waardoor je leven een vlammende gloed krijgt zodat de hele wereld het kan zien? Iets wat je vreugde of doodsangst inboezemt, wat je van je veilige paadje optilt en je op een grote, woeste weg zet waarvan niemand weet waar hij heen leidt? Verlang jij daar nooit naar, Liadan?' Ze draaide en draaide, en ze had haar armen om zichzelf heen geslagen alsof dit de enige manier was om haar gevoelens te beheersen.

Ik ging op de rand van het bed zitten en bleef rustig naar haar kijken. Na een poos zei ik: 'Je moet wel oppassen. Zulke woorden zouden de Feeën kunnen verleiden zich in je leven te mengen. Dat gebeurt. Je kent moeders verhaal. Zij kreeg zo'n kans en ze greep hem aan, en het was alleen aan haar moed en die van vader te danken dat ze niet gestorven is. Om hun spelletjes te overleven moet je heel sterk zijn. Voor haar en voor vader is het goed afgelopen. Maar in dat verhaal waren er ook verliezers. Haar zes broers bijvoorbeeld. Van hen zijn er nog maar twee over, of misschien drie. Wat er gebeurd is, heeft hen allemaal beschadigd. En er zijn nog anderen omgekomen. Je zou er beter aan doen bij de dag te leven. Ik vind het spannend genoeg te helpen een lammetje op de wereld te laten komen, of kleine eikjes sterk te zien worden in de voorjaarsregens. Een pijl precies in de roos te schieten of een kind te genezen van kroep. Waarom zou je meer vragen, als het zo goed is wat we hebben?'

Niamh maakte haar armen los en haalde een hand door haar haar, waarmee het werk van de borstel in een oogwenk ongedaan was gemaakt. Ze zuchtte. 'Je praat net als vader, jij, het is soms om misselijk van te worden,' zei ze, maar haar stem klonk niet onvriendelijk. Ik kende mijn zus goed. Ik liet me niet vaak door haar van mijn stuk brengen.

'Ik heb nooit begrepen hoe hij het heeft kunnen doen,' vervolgde ze. 'Alles zomaar opgeven. Zijn landerijen, zijn macht, zijn positie, zijn familie. Gewoon alles weggeven. Hij zal nooit meester van Zeven Wateren zijn, dat is Liams plaats. Zijn zoon zal het waarschijnlijk erven; Iubdan zelf zal nooit meer zijn dan de Grote Man, die heel rustig zijn bomen plant en zijn kuddes verzorgt, en de wereld aan zich voorbij laat gaan. Hoe heeft een echte man ervoor kunnen kiezen om het leven zo te laten schieten? Hij is zelfs nooit meer teruggeweest naar Harrowfield.'

Ik glimlachte in mezelf. Was ze blind, dat ze niet zag hoe het tussen die twee was, tussen Sorcha en Iubdan? Hoe kon ze hier dag in dag uit leven, en zien hoe ze naar elkaar keken, en dan niet begrijpen waarom hij gedaan had wat hij had gedaan? Bovendien zou Zeven Wateren zonder zijn beheer niet meer zijn dan een goed bewaakt fort. Onder zijn leiding waren onze landerijen welvarend geworden. Iedereen wist dat wij het beste rundvee fokten en de fijnste gerst verbouwden van heel Ulster. Door het werk van mijn vader kon mijn oom Liam zijn vazalschappen opbouwen en zijn veldtochten voeren. Ik dacht niet dat het erg zinvol was om dit aan mijn zus uit te leggen. Als ze het nu nog niet wist, zou ze het nooit weten.

'Hij houdt van haar,' zei ik alleen. 'Zo eenvoudig ligt dat. En toch is het meer. Ze praat er nooit over, maar het Feeënvolk heeft er van meet af aan de hand in gehad. En het zal zich er weer in mengen.'

Eindelijk had ik Niamhs aandacht. Met haar mooie blauwe ogen een beetje toegeknepen keek ze me recht aan. 'En nu praat je net als zij,' zei ze op beschuldigende toon. 'Als ze op het punt staat een verhaal te vertellen. Een leerrijk verhaal.'

'Dat ga ik niet doen,' zei ik. 'Je bent er niet voor in de stemming. Wat ik alleen wilde zeggen, was dat we verschillend zijn, jij en ik en Sean. Door iets wat het Feeënvolk deed, hebben onze ouders elkaar ontmoet en zijn ze getrouwd. Omdat dat gebeurd is, zijn wij drieën er gekomen. Misschien is het volgende deel van het verhaal voor ons.'

Niamh huiverde terwijl ze naast me kwam zitten en haar rokken over haar knieën gladstreek.

'Omdat wij niet van Brittannië en niet van Erin zijn, maar tegelijkertijd van beide,' zei ze langzaam. 'Denk jij dat een van ons het kind uit die profetie is? Degene die de Eilanden aan ons volk zal teruggeven?'

'Ik heb het wel horen zeggen.' Het werd zelfs vaak gezegd, nu Sean bijna een man was en zich ontpopte als een even goed vechter en leider als zijn oom Liam. Bovendien waren de mensen toe aan wat spanning. De vete om de Eilanden smeulde al sinds ver voor de tijd van mijn moeder, want het was lange jaren geleden dat de Britten deze geheimste der geheime plekken op ons volk hadden veroverd. De verbittering van de mensen was alleen maar groter geworden, omdat we er zo dichtbij waren geweest te herwinnen wat ons rechtens toekwam. Want toen Sean en ik kinderen waren, nog geen zes jaar oud, hadden Liam en twee van zijn broers, geholpen door Seamus Roodbaard, met vereende krachten een dappere veldtocht ondernomen die het betwiste gebied tot doel had. Ze waren er dichtbij gekomen, tergend dichtbij. Ze hadden voet aan wal gezet op het Kleine Eiland en daar in het geheim hun kamp opgeslagen. Ze hadden de grote vogels zien zweven en zwenken boven de Naald, de kale rotspunt die gegeseld werd door ijzige winden en spattend oceaanschuim. Ze hadden vanuit zee een felle aanval uitgevoerd op het Britse kamp op het Grote Eiland, en uiteindelijk waren ze teruggeslagen. In deze slag waren twee broers van mijn moeder omgekomen. Cormack was geveld door een zwaardslag die zijn borst spleet tot aan zijn hart en was in Liams armen gestorven. En Diarmid, die het verlies van zijn broer wilde wreken, vocht als bezeten en werd na een langdurig gevecht door de Britten gevangengenomen. Liams mannen vonden zijn lichaam later, drijvend in het ondiepe water, toen ze aan boord gingen van hun kleine boot en vluchtten voor de enorme overmacht, uitgeput en ongelukkig. Hij was door verdrinking gestorven, maar pas nadat de vijand zich met hem had vermaakt. Ze wilden zijn lichaam niet aan mijn moeder laten zien toen ze hem thuisbrachten.

Deze Britten waren het volk van mijn vader. Maar Iubdan had geen deel aan deze oorlog. Hij had ooit gezworen dat hij nooit de wapenen zou opnemen tegen zijn eigen mensen, en hij was een man van zijn woord. Voor Sean was het anders. Mijn oom Liam was nooit getrouwd, en mijn moeder zei dat dat ook nooit zou gebeuren. Er was ooit een meisje geweest dat hij had liefgehad. Maar toen waren hij en zijn broers onder de betovering gekomen. Drie jaar is een lange tijd wanneer je pas zestien bent. Toen hij eindelijk weer de gedaante van een man kreeg, was zijn liefste getrouwd en al moeder van een zoon. Ze had de wens van haar vader gehoorzaamd, omdat ze geloofde dat Liam dood was. Daarom zou hij geen vrouw nemen. En hij had geen eigen zoon nodig, want hij hield met evenveel hartstocht van zijn neef als welke vader ook zou kunnen, en voedde hem zonder het te weten op naar zijn eigen beeld. Sean en ik waren op dezelfde dag geboren, hij iets eerder dan ik. Maar nu we zestien waren, was hij ruim een hoofd groter. Hij was al bijna een man, met sterke schouders en een strak, hard lichaam. Liam had ervoor gezorgd dat hij zeer bedreven was in de krijgskunsten. Ook had Sean geleerd een veldtocht op te zetten, een rechtvaardig oordeel te vellen, het denken van vazal en vijand te doorgronden. Liam had soms iets aan te merken op het jeugdig ongeduld van zijn neef. Maar Sean was een toekomstig leider, daar twijfelde niemand aan.

Wat onze vader betreft, die glimlachte en liet hen begaan. Hij begreep het gewicht van de erfenis die Sean eens op zijn schouders moest nemen. Maar hij had zijn zoon niet helemaal afgestaan. Er was ook tijd voor hen beiden om te voet of te paard langs de velden, stallen en schuren van de boerderijen van Zeven Wateren te gaan; Iubdan leerde zijn zoon niet alleen hoe hij zijn mensen en zijn land moest beschermen, maar ook hoe hij voor hen moest zorgen. Ze praatten lang en vaak met elkaar en hadden respect voor elkaar. Alleen ik zag dat moeder soms naar Niamh keek, en naar Sean en naar mij, en ik wist wat haar zorgen baarde. Vroeg of laat zou het Feeënvolk besluiten dat het tijd was. Tijd om zich weer in ons leven te mengen, tijd om het half voltooide wandtapijt op te pakken en er weer enkele ingewikkelde patronen in te weven. Wie van ons zouden ze uitkiezen? Was een van ons het kind van de profetie, dat eindelijk vrede zou brengen tussen ons volk en de Britten van Northwoods, dat de Eilanden met hun mystieke grotten en de heilige bomen zou terugveroveren? Ik dacht eigenlijk niet dat ik dat zelf zou zijn. Als je het Feeënvolk ook maar een beetje kende, wist je dat ze altijd omzichtig en subtiel te werk gingen. Hun spelletjes waren complex, hun keuzes nooit voor de hand liggend. Trouwens, hoe zat het met het tweede gedeelte van de profetie, dat de mensen voor het gemak maar waren vergeten? Werd daarin niet iets gezegd over iemand die het teken van de raaf droeg? Niemand wist echt wat dat betekende, maar het leek op geen van ons te passen. Bovendien waren er vast wel meer huwelijken geweest tussen zwervende Britten en Ierse vrouwen. Wij waren vast niet de enige kinderen die het bloed van beide volken in ons hadden. Dit hield ik mezelf voor; en dan zag ik de ogen van mijn moeder naar ons kijken, groen, met een visionaire blik, waakzaam, en een onheilspellend voorgevoel deed me huiveren. Ik voelde dat het tijd was. Tijd dat alles weer veranderde.

Dat voorjaar kregen we bezoekers. Hier in het hart van het grote woud waren de oude gewoonten nog stevig geworteld ondanks de gemeenschappen van mannen en vrouwen die zich door ons land verspreidden, met hun christelijke kruisen als grimmige symbolen van een nieuw geloof. Van tijd tot tijd kwamen reizigers van overzee met verhalen over vreselijke dingen die mensen werden aangedaan die het waagden de oude tradities in ere te houden. Er waren wrede straffen, zelfs de doodstraf, voor degenen die bijvoorbeeld een offergave neerlegden voor de oogstgoden, voor hen die zich met een eenvoudige bezwering van een goede afloop wilden verzekeren of voor hen die een drank wilden gebruiken om een trouweloze geliefde terug te krijgen. De druïden waren daar allemaal vermoord of verbannen. De macht van het nieuwe geloof was groot. Het werd gesteund met een ruime beurs en met dodelijk geweld, dus hoe kon het verliezen?
Maar wij, hier op Zeven Wateren, in deze uithoek van Erin, waren van een ander ras. De heilige paters die hier kwamen, waren meestal rustige, geleerde mannen die met een open geest over een onderwerp debatteerden, en evenveel luisterden als spraken. Bij hen kon een jongen leren lezen, zowel in het Latijn als in het Iers; hij leerde duidelijk schrijven, kleuren mengen en ingewikkelde patronen schilderen op perkament of fijn velijn. Bij de zusters kon een meisje bijvoorbeeld de geneeskunst leren, of leren zingen als een engel. In hun huizen van contemplatie was plaats voor armen en berooiden. Zij waren wezenlijk goede mensen. Maar van ons huishouden was niemand bestemd om zich bij hen aan te sluiten.
Toen mijn grootvader wegging en Liam heer van Zeven Wateren werd, met alle verantwoordelijkheden die dat met zich meebracht, werden veel draden samengetrokken om het weefsel van ons huishouden te versterken. Liam verenigde de naburige families, bouwde een sterk leger op en werd de leider die onze mensen zo nodig hadden. Hij plantte eiken op een plek waar vroeger onvruchtbare grond was. Ook gaf hij nieuwe moed aan mensen die de wanhoop nabij waren. Mijn moeder was een symbool van wat door

geloof en kracht bereikt kon worden; een levend aandenken aan de andere wereld onder de oppervlakte. Via haar ademden ze dagelijks de waarheid in over wie ze waren en waar ze vandaan kwamen; de helende boodschap van het geestenrijk.

Dan was er nog haar broer Conor. Zoals het verhaal zegt, waren er zes broers. Over Liam heb ik verteld, en over de twee die ongeveer even oud waren als hij en die in de eerste slag om de Eilanden zijn gesneuveld. De jongste, Padriac, was een reiziger, die maar zelden hier terugkeerde. Conor was de vierde broer en hij was een druïde. Hoewel het oude geloof elders vervaagde en uitdoofde, zagen wij het licht ervan in ons woud steeds krachtiger stralen. Het was alsof elke feestdag, elke keer dat het verstrijken van het seizoen werd geaccentueerd met gezangen en rituelen, iets terugbracht van de eenheid van ons volk, die bijna verloren was gegaan. Elke keer kwamen we een stap dichterbij. Waren we er dichterbij om terug te eisen wat door de Britten van ons was gestolen, vele generaties geleden. De Eilanden waren het hart van ons mysterie, de wieg van ons geloof. Profetie of geen profetie, de mensen begonnen te geloven dat Liam ze terug zou veroveren, en als hij het niet deed, dan zou Sean het doen, die na hem meester van Zeven Wateren zou zijn. Die dag kwam naderbij, en de mensen waren zich daar het sterkst van bewust wanneer de wijzen uit het woud kwamen om de overgang van de seizoenen kracht bij te zetten. Zo was het ook met Imbolc in het jaar waarin Sean en ik zestien werden, een jaar dat diep in mijn geheugen gebrand is. Conor kwam, en met hem een groep mannen en vrouwen, sommige in witte gewaden en sommige in de grove gewaden van zelfgesponnen wol van degenen die nog in hun leertijd waren. Zij voerden de ceremonie uit ter ere van het feest van Brighid, diep in de bossen van Zeven Wateren.

Ze kwamen 's middags aan, stil als altijd. Twee heel oude mannen en een oude vrouw kwamen op eenvoudige sandalen het bospad aflopen. Hun haar was tot een groot aantal vlechtjes gevlochten, elk omwonden met gekleurd garen. Er waren jonge mensen met grove gewaden, zowel jongens als meisjes, en er waren mannen van middelbare leeftijd, van wie mijn oom Conor er een was. Hij had zich pas laat verdiept in de leer van de grote mysteriën, maar was nu hun leider. Hij was een bleke, ernstige

man van gemiddelde lengte, met lang, grijs dooraderd kastanjebruin haar en een diepe, kalme oogopslag. Hij groette ons allen kalm en beleefd, mijn moeder, Iubdan, Liam en toen ons drieën. En onze gasten, want verscheidene huishoudens waren hier voor de festiviteiten bijeengekomen. Seamus Roodbaard, een robuuste oude man met sneeuwwit haar dat in tegenspraak was met zijn naam. Zijn nieuwe vrouw, een lief meisje dat niet veel ouder was dan ik. Niamh was geschokt geweest toen ze deze verbintenis zag.
'Hoe kán ze?' fluisterde ze me achter haar hand toe. 'Hoe kan ze met hem slapen? Hij is oud, ontzettend oud. En dik. En hij heeft een rode neus. Kijk, ze lacht naar hem! Ik was nog liever dood!'
Ik keek haar een beetje zuur aan. 'Dan kun je maar beter Eamonn nemen en blij zijn met het aanbod, als jij zo nodig een mooie jongeman wilt,' fluisterde ik terug. 'Je zult niet gauw een betere vrijer vinden. Bovendien is hij rijk.'
'Eamonn? Huh!'
Zo leek ze elke keer te reageren wanneer ik dit voorstelde. Ik vroeg me niet voor het eerst af wat Niamh dan wél wilde. Het was onmogelijk om te zien wat er in dat hoofd omging. Anders dan tussen Sean en mij. Misschien kwam het doordat we tweelingen waren, of misschien door iets anders, maar wij beiden hadden er nooit moeite mee zonder woorden met elkaar te praten. Het was soms zelfs noodzakelijk om je eigen gedachten af te schermen, zodat de ander ze niet kon lezen. Het was tegelijkertijd een nuttige en lastige vaardigheid.
Ik keek naar Eamonn; hij stond naast zijn zus Aisling en groette Conor en de rest van de in lange gewaden gehulde stoet. Ik begreep eigenlijk niet waar Niamh problemen mee had. Eamonn had de goede leeftijd, hij was maar een jaar of twee ouder dan mijn zus. Hij was best knap; misschien een beetje ernstig, maar daar viel wat aan te doen. Hij was goed gebouwd, met glanzend bruin haar en mooie, bruine ogen. Hij had een mooi gebit. Met hem slapen zou – nou ja, ik wist niet veel van die dingen af, maar ik stelde me voor dat het niet weerzinwekkend zou zijn. En het zou een verbintenis zijn die beide families goedkeurden. Eamonn had zijn erfdeel al heel jong gekregen, een uitgestrekt domein omringd door verraderlijke moerassen, dat ten oosten van het land van Seamus Roodbaard lag en eromheen boog tot dicht bij de pas naar het

noorden. Eamonns vader, die dezelfde naam droeg, was een paar jaar geleden onder tamelijk geheimzinnige omstandigheden gedood. Mijn oom Liam en mijn vader waren het niet altijd eens, maar ze waren eensgezind in hun weigering om over dit onderwerp te praten. Eamonns moeder was gestorven bij de geboorte van Aisling. Eamonn was dus opgegroeid met enorme rijkdom en macht, en met een groot aantal invloedrijke adviseurs: Seamus, die zijn grootvader was; Liam, die ooit met zijn moeder verloofd was geweest; en mijn vader, die op de een of andere manier bij dit alles betrokken was geraakt. Het was misschien verrassend dat Eamonn toch een heel zelfstandig man was geworden en ondanks zijn jeugdige leeftijd zelf de leiding had over zijn landerijen en zijn niet onaanzienlijke leger. Dat verklaarde misschien waarom hij zo'n ernstige jongeman was. Ik merkte dat ik hem al een tijdlang onderzoekend stond te bekijken toen hij een gesprek met een van de jongere druïden beëindigde en mijn kant op keek. Hij lachte me even toe, als om mijn beoordeling te logenstraffen, en ik wendde mijn blik af, terwijl ik voelde dat een blos me naar de wangen steeg. Niamh was dom, dacht ik. Het was niet waarschijnlijk dat ze een beter huwelijk zou kunnen doen, en omdat ze al zeventien was, moest ze snel beslissen, eer iemand anders het voor haar deed. Het zou een sterke verbintenis zijn, nog sterker door de verwantschapsband met Seamus, die het land ertussenin bezat. De man die dat allemaal onder zich had, kon de Britten een zware klap toebrengen, wanneer het tijd was.

De druïden bereikten het einde van de rij en beëindigden hun begroetingen. De zon stond laag aan de hemel. In het veld achter onze boerderij lagen de ploegen en hooivorken en de andere gereedschappen voor het werk van het nieuwe seizoen keurig in rijen klaar. We liepen over paden die nog glad waren van de lentebuien om onze plaatsen in te nemen in een grote cirkel om het veld, en onze schaduwen waren langgerekt in het namiddaglicht. Ik zag Aisling stilletjes weglopen van haar broer en even later als bij toeval weer verschijnen naast Sean. Als ze dacht dat dit onopgemerkt bleef, had ze het mis, want haar wolk kastanjebruin haar trok de aandacht, ook al deed ze nog zo haar best die weelde met linten te temmen. Toen ze aankwam naast mijn broer, blies de opstekende wind een lange, rosse krul over haar gezichtje, en

Sean stak zijn hand uit om hem voorzichtig achter haar oor weg te stoppen. Ik hoefde niet meer naar hen te kijken om te voelen dat haar hand in de zijne schoof en dat de vingers van mijn broer zich er met een bezittersgebaar vast omheen sloten. Hij is tenminste iemand die weet wat hij wil, dacht ik. Misschien maakte het niet uit wat Niamh besloot te doen, want het zag ernaar uit dat het verbond toch wel tot stand zou komen, op de ene manier of op de andere.

De druïden vormden een halve cirkel om de rijen gereedschap, en in de opening stond Conor, wiens witte gewaad met een gouden rand was afgebiesd. Hij had zijn kap naar achteren geschoven, zodat de gouden *torque* die hij om zijn hals droeg zichtbaar was, als teken van zijn leiderschap binnen deze mystieke broederschap. Hij was naar hun maatstaven nog jong, maar zijn gezicht was een oeroud gelaat; in de diepte van zijn serene blik lag de kennis van meer dan één leven vervat. Hij had een lange weg afgelegd in de achttien jaar dat hij in het woud had geleefd.

Nu kwam Liam naar voren, als hoofd van het huishouden, en hij gaf zijn broer een zilveren kelk aan, gevuld met onze beste mede. Deze was gemaakt van de fijnste honing en gebrouwen met water uit een bepaalde bron waarvan de ligging een zorgvuldig bewaard geheim was. Conor knikte ernstig. Vervolgens begon hij langzaam tussen de ploegen en sikkels, de hooivorken en zware spaden, de scharen en schoppen door te lopen en besprenkelde ze in het voorbijgaan stuk voor stuk met een paar druppels van het krachtige brouwsel.

'Een mooi kalf in de buik van de fokkoe. Een rivier van zoete melk uit haar spenen. Een warme vacht op de ruggen van de schapen. Een overvloedige oogst van de lenteregen.'

Conor liep met gelijkmatige tred en zijn witte gewaad zwaaide om hem heen alsof het een eigen leven leidde. Hij droeg de zilveren kelk in zijn ene hand en zijn berkenstaf in de andere. We zwegen allemaal eerbiedig. Zelfs de vogels leken hun gekwetter te staken in de bomen rondom. Achter me staken een paar paarden hun hoofd over het hek, hun vochtige ogen gericht op de man met de rustige stem.

'Moge Brighids zegen het komende seizoen op onze velden rusten. Moge Brighids hand zich uitstrekken over onze jonge gewassen. Moge zij leven geven; moge ons zaad bloeien. Hart der aarde; leven van het hart; alles is een.'

Zo ging hij voort, en boven elk van de eenvoudige werktuigen stak hij zijn hand uit en liet hij een beetje van de kostbare mede vallen. Het licht werd goudkleurig toen de zon achter de toppen van de eiken zakte. Als laatste was de ploeg voor acht ossen aan de beurt, die de mannen jaren geleden op aanwijzingen van Iubdan hadden gemaakt. Hiermee was het hardste veld zacht en vruchtbaar gemaakt. We hadden hem versierd met slingers van jong groen, en Conor bleef ervoor staan en hief zijn staf.

'Laat geen kwaad onze arbeid treffen,' zei hij. 'Laat geen ziekte onze gewassen aantasten, geen ziekte onze kuddes treffen. Laat het werk van deze ploeg en van onze handen een goede oogst en een voorspoedig seizoen opleveren. Wij danken voor de aarde die onze moeder is, voor de regen die het leven uit haar te voorschijn roept. Wij eren de wind die het zaad uit de grote eiken schudt; we vereren de zon die het jonge gewas verwarmt. In alle dingen eren wij u, Brighid, die de lentevuren ontsteekt.'

De kring van druïden herhaalde zijn laatste zin met diepe, resonerende stemmen. Toen liep Conor terug naar zijn broer en plaatste de beker in zijn handen, en Liam zei dat ze misschien na het avondmaal het restant in de flacon samen konden opdrinken. De plechtigheid was bijna afgelopen.

Conor draaide zich om en deed een, twee, drie stappen naar voren. Hij strekte zijn rechterhand uit. Een lange, jonge novice met een hoofd vol krullen van het diepste rood dat je ooit hebt gezien, kwam snel naar voren en nam de staf van zijn meester aan. Hij deed een stap opzij en sloeg Conor gade met zo'n intens strakke blik, dat er een rilling langs mijn ruggengraat ging. Conor hief zijn handen.

'Nieuw leven! Nieuw licht! Nieuw vuur!' zei hij, en zijn stem was nu niet zacht meer maar krachtig en helder, zodat hij door het bos weerklonk als een plechtige klok. 'Nieuw vuur!'

Hij had zijn handen boven zijn hoofd geheven en reikte naar de hemel. Er trilde iets, we hoorden een vreemd zoemend geluid, en plotseling was er licht boven zijn handen, vuur, een gloed zo fel dat onze ogen werden verblind en onze zinnen geschokt. De druïde liet langzaam zijn armen zakken, en in de holte van zijn handen gloeide nog vuur, een vuur zo echt dat ik met ontzag toekeek, in de verwachting dat ik zijn handen zou zien schroeien, dat er blaren op zouden komen vanwege de intense hitte. De jonge novice liep naar hem toe met een niet-brandende toorts in zijn hand. Terwijl wij gebiologeerd toekeken, stak Conor zijn hand uit en raakte de toorts met zijn vingers aan, en die vlamde op tot een rijke, gouden gloed. En toen Conor zijn handen wegnam, waren het slechts de handen van een man en was het geheimzinnige vuur eruit verdwenen. Het gezicht van de jongeman was een toonbeeld van trots en ontzag terwijl hij zijn kostbare toorts naar het huis droeg, waar de haardvuren opnieuw zouden worden ontstoken. De ceremonie was voltooid. Morgen zou het werk van het nieuwe seizoen beginnen. Ik ving flarden van gesprekken op terwijl we terugliepen naar het huis, waar bij zonsondergang een feestmaal zou aanvangen.

'... was dit nu wel verstandig? Er waren toch ook wel anderen die voor deze taak gekozen hadden kunnen worden?'

'Het was tijd. We kunnen hem niet eeuwig blijven wegstoppen.'

Dat waren Liam en zijn broer. Toen zag ik mijn moeder en mijn vader, die samen het pad opliepen. Haar voet gleed weg in de modder en ze wankelde; hij ving haar onmiddellijk op, bijna voordat het gebeurde, zo snel was hij. Hij legde zijn arm om haar schouders en ze keek naar hem op. Ik had het gevoel dat er een schaduw over hen viel en voelde me opeens niet op mijn gemak. Sean rende me lachend voorbij, met Aisling niet ver achter hem. Ze volgden de lange jongeman die de toorts droeg. Mijn broer zei niets, maar in mijn geest ving ik zijn geluksgevoel op toen hij me passeerde. Alleen deze avond was hij pas zestien jaar oud, en verliefd, en was alles goed in zijn wereld. En weer voelde ik die plotselinge vlaag kou. Wat had ik toch? Het was alsof ik mijn familie kwaad toewenste, op een mooie lentedag waarop alles stralend en sterk was. Ik zei tegen mezelf dat ik niet zo raar moest doen. Maar de schaduw was er nog steeds, aan de rand van mijn denken.

Jij voelt het ook.

Ik verstijfde. Er was maar één persoon met wie ik op deze manier, zonder woorden, kon spreken en dat was Sean. Maar het was niet de innerlijke stem van mijn broer die nu contact maakte met mijn geest.

Schrik niet, Liadan. Ik zal niet in je gedachten binnendringen. Als ik in al die jaren iets heb geleerd, is het om dit vermogen te beheersen. Je voelt je niet gelukkig. Je bent ongerust. Wat gebeurt zal niet door jouw toedoen zijn. Dat moet je goed onthouden. Ieder van ons kiest zijn eigen weg.

Ik liep nog steeds naar het huis, de mensen om me heen kwebbelden en lachten, jonge mannen droegen hun zeis over hun schouder, jonge vrouwen hielpen een spade of sikkel te dragen. Hier en daar zochten handen elkaar en sloten zich om elkaar heen, en een paar achterblijvers verdwenen stilletjes in het bos, om iets te doen wat niemand aanging. Voor me liep mijn oom langzaam over het pad terwijl de gouden rand van zijn gewaad de laatste stralen van de ondergaande zon ving.

Ik... ik weet niet wat ik voel, oom. Iets donkers – iets akeligs en verkeerds. En toch is het net alsof ik het over ons afroep door eraan te denken. Hoe kan ik dit doen, nu alles zo goed is, nu iedereen zo gelukkig is?

Het is tijd. Niet eens door zijn hoofd om te draaien liet mijn oom merken dat hij op deze manier met me sprak. *Verbaas je je over het feit dat ik je kan horen? Dan moet je eens met Sorcha praten, als je haar kan bewegen antwoord te geven. Zij en Finbar waren vroeger degenen die hier goed in waren. Maar misschien doet het haar pijn om eraan terug te denken.*

U zei dat het tijd was. Tijd waarvoor?

Als er een manier was om te zuchten zonder geluid te maken, was dat wat Conor nu aan me doorgaf. *Tijd voor hun handen om in de pap te roeren. Tijd voor hun vingers om nog wat in het patroon te weven. Tijd voor hun stemmen om het lied te hervatten. Je hoeft je niet schuldig te voelen, Liadan. Ze gebruiken ons allemaal, en we kunnen er weinig tegen doen. Ik heb dat op de harde manier ontdekt. En jij zult dat ook doen, vrees ik.*

Wat bedoelt u?

Dat zul je gauw genoeg merken. Waarom zou je niet vrolijk en jong zijn, zolang er nog tijd is?

En dat was alles. Hij sloot zijn gedachten even plotseling en beslist voor me af alsof er een valdeur dichtsloeg. Voor me zag ik hem stilstaan en wachten tot mijn moeder en Iubdan bij hem waren, en met zijn drieën gingen ze naar binnen. Ik was niet veel wijzer geworden van dit vreemde gesprek.

Mijn zusje was die avond heel mooi. De haardvuren in het huis waren opnieuw aangestoken en er was een groot vreugdevuur buiten, en cider, en er werd gedanst. Het was helemaal niet warm. Ik had een omslagdoek om me heen geslagen en rilde toch nog van de koude. Maar Niamhs schouders waren bloot boven haar diepblauwe japon en haar gouden haar was geraffineerd doorvlochten met zijden linten en vroege viooltjes. Terwijl ze danste, gloeide haar huid in het licht van het vuur en haar ogen keken uitdagend rond. De jongemannen konden hun ogen haast niet van haar afhouden, terwijl ze nu eens met de een, dan weer met de ander rondzwierde. Zelfs de jonge druïden hadden moeite om niet met hun voeten op de maat te tikken en met een serieuze blik rond te kijken. Seamus had de muzikanten meegebracht. Ze waren goed; een fluitspeler, een vedelaar en een die uitblonk in alles wat hij bespeelde, bodhran, fluit of dwarsfluit. Er waren tafels op de binnenplaats gezet, en houten banken, en daar gingen de oudere druïden zitten met de leden van het huishouden om te praten en verhalen uit te wisselen, en toe te kijken terwijl de jongelui plezier maakten.

Er was er een die zich afzijdig hield, en dat was de jonge druïde, de man met het donkerrode haar, die de met mystiek vuur opnieuw aangestoken toorts had vastgehouden. Hij had als enige niet deelgenomen aan het feestmaal. Hij gaf er geen blijk van plezier te hebben, terwijl iedereen om hem heen het uitschaterde. Zijn voet tikte niet mee met een oud wijsje, hij verhief zijn stem niet in een lied. In plaats daarvan stond hij recht en zwijgend achter het gezelschap, en lette op. Dat vond ik op zich verstandig. Het was verstandig om een paar mannen te hebben die niet van het sterke bier dronken, die luisterden of er ongewenste indringers waren, die gespitst waren op geluiden van gevaar. Ik wist dat Liam mannen had uitgezet om op strategische punten rondom het huis de wacht te houden, naast de gewone schildwachten en wachtposten. Als er vandaag een aanval op Zeven Wateren werd gedaan, konden niet alleen de heren van de drie machtigste families in het noordoosten worden uitgeschakeld, maar ook hun geestelijk leiders. Er werd dus geen enkel risico genomen. Maar deze jongeman was geen wacht, en als het wel de bedoeling was dat hij de wacht hield, deed hij het nogal slecht. Want zijn donkere ogen waren op slechts één ding gevestigd, en dat was mijn mooie, lachende zus Niamh, die in het licht van het vuur danste met haar gordijn van roodgouden haren om haar heen zwierend. Ik zag hoe roerloos hij daar stond en hoe zijn ogen haar verslonden. Toen keek ik een andere kant op en zei tegen mezelf dat ik niet zo stom moest doen. Dit was immers een druïde; ik nam aan dat die hun begeertes hadden, net als elke andere man, en dat zijn belangstelling dus heel natuurlijk was. Daarmee te leren omgaan hoorde ongetwijfeld bij de discipline die hun werd bijgebracht. En ik had er trouwens niets mee te maken. Toen keek ik naar mijn zus, en ik zag de blik die ze in zijn richting wierp, van onder haar lange, prachtige wimpers. *Dans met Eamonn, stom kind*, zei ik tegen haar, maar ze was nooit in staat geweest mijn innerlijke stem te horen.

De muziek veranderde van een *reel* in een trage, sierlijke elegie. Er waren woorden op, en de mensen hadden intussen genoeg gedronken om met de fluitspeler mee te zingen.

'Wil je met me dansen, Liadan?'

'O.' Ik was van Eamonn geschrokken, zo plotseling stond hij naast me in het donker. In het licht van het vuur zag ik dat zijn gezicht even ernstig en beheerst stond als altijd. Als hij genoot van het feest, liet hij dat niet merken. Trouwens, nu ik erover nadacht, ik had hem niet zien dansen.

'O. Als je... maar misschien kun je beter mijn zus vragen. Zij danst veel beter dan ik.' Het klonk onhandig, bijna onbeleefd. We keken samen over de zee van dansende jongens en meisjes naar Niamh, die daar glimlachend in een kring van bewonderaars stond en nonchalant een hand door haar haar haalde. Een lange, goudkleurige gestalte in het flakkerende licht.

'Ik vraag het jou.' Er was geen spoor van een glimlach om Eamonns lippen. Ik was blij dat hij mijn gedachten niet kon lezen zoals mijn oom Conor. Ik had eerder op de avond wel erg snel mijn oordeel over hem geveld. Mijn wangen gloeiden als ik eraan dacht. Ik herinnerde mezelf aan het feit dat ik een dochter van Zeven Wateren was en dat ik bepaalde beleefdheidsplichten moest vervullen. Ik stond op en liet mijn omslagdoek van me afglijden, en Eamonn verraste me door hem van me aan te nemen en hem netjes op te vouwen voordat hij hem op een tafel neerlegde. Toen vatte hij mijn hand en leidde me de kring van dansers binnen.

Het was een langzame dans waarbij de paren naar elkaar toe kwamen en weer uiteengingen, ruggelings om elkaar heen draaiden, elkaars handen pakten en weer loslieten. Een dans die goed paste bij het feest van Brighid, dat immers over nieuw leven gaat en over de drift in het bloed die er vorm aan geeft. Ik zag Sean en Aisling, die volmaakt in de pas om elkaar heen bewogen, alsof ze samen één adem ademden. De uitdrukking van verwondering in hun ogen deed mijn hart stilstaan. Ik merkte dat ik in stilte zei: *Laat hen dit behouden. Laat hen dit behouden.* Maar tegen wie ik dat zei, wist ik niet.

'Wat is er, Liadan?' Eamonn had de verandering in mijn gezicht gezien toen hij naar me toe kwam, mijn rechterhand in de zijne nam en me onder zijn arm liet doordraaien. 'Is er iets?'

'Niets,' loog ik. 'Er is niets. Ik denk dat ik moe ben, dat is alles. We zijn vroeg opgestaan om bloemen te verzamelen, het eten voor het feest klaar te maken, de gewone dingen.'

Hij knikte goedkeurend.

'Liadan...' Hij begon iets te zeggen, maar werd onderbroken door een uitgelaten paar dat ons omver dreigde te duwen terwijl ze in wilde vaart langs tolden. Handig trok mijn danspartner me voor het gevaar weg en heel even had hij zijn beide armen om mijn middel en was mijn gezicht dicht bij het zijne.

'Liadan. Ik moet met je praten. Ik wil je iets zeggen.'

Het ogenblik was voorbij; de muziek speelde door en hij liet me weer los toen we weer terug werden getrokken in de kring.

'Nou, zeg het dan,' zei ik niet erg hoffelijk. Ik zag Niamh nergens; ze was toch nog niet naar bed gegaan? 'Wat wil je dan zeggen?'

Het bleef lang stil. We waren inmiddels voor aan de rij gekomen; hij legde zijn ene hand om mijn middel en ik legde mijn hand op zijn schouder en we maakten een paar draaien terwijl we onder een boog van gestrekte armen weer naar de andere kant van de rij dansten. Maar plotseling leek het alsof Eamonn genoeg had gekregen van het dansen. Hij bleef mijn hand vasthouden en trok me naar de rand van de kring.

'Niet hier,' zei hij. 'Dit is niet de geschikte tijd en ook niet de geschikte plaats. Morgen. Ik wil je alleen spreken.'
'Maar...'
Ik voelde zijn handen op mijn schouders, heel even, terwijl hij de omslagdoek om me heen sloeg. Hij was heel dichtbij. Iets in mij liet een soort waarschuwing horen, maar ik begreep het nog niet.
'Morgenochtend,' zei hij. 'Je gaat vroeg in de tuin werken, hè? Ik zal daar bij je komen. Ik dank je voor de dans, Liadan. Misschien moet je het oordeel over je vaardigheden maar aan mij overlaten.'
Ik keek naar hem op en probeerde erachter te komen wat hij bedoelde, maar zijn gezicht verried niets. Toen werd hij door iemand geroepen, en met een kort knikje verdween hij.
Ik werkte de volgende ochtend in de tuin, want het was goed weer. Het was nog wel koud, maar er was altijd meer dan genoeg te doen aan de bedden met kruiden of in de distilleerkamer. Mijn moeder kwam niet naar buiten om ook in de tuin te werken, en dat was niet gewoon. Misschien, dacht ik, was ze moe na de feestelijkheden. Ik wiedde, maakte schoon en veegde de vloer, en ik maakte een aftreksel van klein hoefblad om later mee te nemen naar het dorp; ook maakte ik bundels van kruiden om ze te laten drogen. Het was een drukke morgen. Ik vergat de hele Eamonn tot mijn vader tegen de middag de distilleerkamer binnenkwam; hij trok zijn hoofd in voor de lateibalk en ging zitten op de brede vensterbank, met zijn lange benen voor zich uitgestrekt. Hij was ook aan het werk geweest en had zijn laarzen voor buiten nog niet uitgetrokken; er zaten flinke kluiten versgeploegde aarde aan. Maar die waren zo weer op te vegen.
'Heb je het druk?' vroeg hij, terwijl hij keek naar de ordelijke bossen drogende kruiden, de flessen die klaar stonden om weggebracht te worden en de gereedschappen voor mijn handwerk die nog op de werkbank lagen.
'Druk genoeg,' zei ik, en ik bukte me om mijn handen te wassen in de emmer die ik bij de buitendeur had staan. 'Ik heb moeder vandaag gemist. Rustte ze nog?'
Er verscheen een kleine frons op zijn gezicht. 'Ze is vroeg opgestaan. Ze heeft eerst met Conor gepraat. Later ook met Liam. Maar ze moet wel rusten.'
Ik borg de messen, de vijzel en stamper, de schepjes en het twijn-

draad op in de kast waar ze hoorden. 'Dat doet ze niet,' zei ik. 'Dat weet u ook wel. Zo is het altijd wanneer Conor er is. Het is alsof ze nooit genoeg tijd hebben, omdat er altijd zoveel te bespreken is. Alsof ze de jaren die ze verloren hebben nooit in kunnen halen.'

Vader knikte, maar hij zei niets. Ik haalde de gierstbezem te voorschijn en begon te vegen.

'Ik ga straks wel naar het dorp,' zei ik tegen hem. 'Dan hoeft zij dat niet te doen. Misschien probeert ze wel te slapen als u het tegen haar zegt.'

Iubdans ene mondhoek trok wat omhoog tot een scheve glimlach. 'Ik zeg nooit tegen je moeder wat ze moet doen,' zei hij. 'Dat weet je toch.'

Ik grijnsde hem toe. 'Nou, dan zeg ik het wel tegen haar. De druïden blijven hier een paar dagen. Ze heeft tijd genoeg om te praten.'

'Dat doet me ergens aan denken,' zei vader, en hij hield zijn gelaarsde voeten omhoog terwijl ik de vloer eronder veegde. Toen hij ze weer neerzette, regende het weer aarde op de vloerstenen. 'Ik moest een boodschap aan je overbrengen.'

'O?'

'Van Eamonn. Hij vroeg me je te zeggen dat hij een dringende oproep heeft gekregen om naar huis te komen. Hij is vanmorgen heel vroeg vertrokken, te vroeg om met goed fatsoen naar je toe te gaan om met je te praten, zo zei hij het. Hij zei dat ik moest zeggen dat hij met je zou praten wanneer hij terugkwam. Begrijp jij wat hij bedoelt?'

'Niet erg,' zei ik, terwijl ik het laatste beetje vuil de deur uit- en het trapje afveegde. 'Hij heeft nooit gezegd waar het over ging. Waarom is hij weggeroepen? Wat was er zo dringend? Is Aisling ook meegegaan?'

'Aisling is nog hier; zij is veiliger onder onze bescherming. Het was een kwestie die leiderschap en snelle beslissingen vereiste. Hij heeft zijn grootvader meegenomen en diegenen van zijn mannen die in staat waren om op een paard te rijden. Ik heb begrepen dat er een nieuwe aanval is gedaan op zijn grensposities. Maar door wie, dat schijnt niemand zeker te weten. Een vijand die ongemerkt kwam en zonder mededogen doodde, even doeltreffend als een roofvogel, zo werd het beschreven. De man die het verhaal kwam brengen, leek bijna gek van angst. Ik neem aan dat we er meer over zullen horen wanneer Eamonn terugkomt.'

We gingen naar buiten, de tuin in. In dit koude jaargetijde was de lente nog niet veel meer dan een gedachte; kleine, iele sprietjes die uit de harde grond kwamen, een vermoeden van zwellende knoppen aan de takken van de jonge eik. Wormkruid en lavendel vormden een grijsgroene bekleding van de oude bank. Het rook koel en fris. Alle stenen paden waren schoongeveegd, en de kruidenbedden lagen er netjes bij onder hun mulchlaag van stro.

'Kom even bij me zitten, Liadan,' zei mijn vader. 'Ze hebben ons nog niet nodig. Het zal nog moeilijk genoeg worden je moeder en haar broers over te halen binnen te komen om wat te eten en te drinken. Ik wil je iets vragen.'

'U ook al?' zei ik terwijl we samen op de stenen bank gingen zitten. 'Het lijkt wel of iedereen me iets wil vragen.'

'Mijn vraag is meer algemeen. Heb je al eens aan een huwelijk gedacht? Aan je toekomst?'

Dit had ik niet verwacht.

'Niet echt. Ik denk... ik denk dat ik, als jongste dochter, hoopte dat ik nog een paar jaar thuis zou kunnen blijven,' zei ik. Ik had het plotseling koud. 'Ik heb geen haast om van Zeven Wateren weg te gaan. Misschien... misschien dacht ik dat ik hier wel zou kunnen blijven, weet u, om voor mijn ouders te zorgen als ze oud en zwak zijn. Dat ik misschien helemaal geen man hoef te hebben. Niamh en Sean zullen immers allebei een goed huwelijk doen, een sterk verbond sluiten. Moet ik dan ook trouwen?'

Vader keek me recht in de ogen. Zijn ogen waren licht, maar heel intens blauw; hij probeerde erachter te komen hoeveel van wat ik gezegd had ernstig bedoeld was en hoeveel als grap.

'Je weet dat ik je dolgraag hier bij ons zou houden, liefje,' zei hij langzaam. 'Afscheid van je nemen zou me zwaar vallen. Maar er zullen aanzoeken komen. Ik zou niet willen dat je mogelijkheden uitsluit vanwege ons.'

Ik fronste mijn voorhoofd. 'Misschien kunnen we het een tijdje laten rusten. Niamh zal tenslotte als eerste trouwen. Er zullen vast geen aanzoeken komen tot dat achter de rug is.' Mijn geest vormde zich een beeld van mijn zus, gloeiend en goudglanzend in haar blauwe jurk bij het vuur, schuddend met haar glanzende haar, omringd door knappe jongemannen. 'Niamh moet echt het eerst trouwen,' zei ik beslist. Ik had het gevoel dat dit belangrijk was, maar ik kon hem niet zeggen waarom.

Er viel een stilte, alsof hij wachtte tot ik een of ander verband zou leggen dat me ontging.

'Waarom zeg je dat? Dat er geen aanzoeken voor jou zullen komen tot je zuster getrouwd is?'

Dit begon moeilijk te worden, moeilijker dan het had moeten zijn, want mijn vader en ik hadden een goed contact en spraken altijd open en eerlijk met elkaar.

'Welke man vraagt nu om mijn hand, wanneer hij Niamh kan krijgen?' vroeg ik. Er lag absoluut geen afgunst besloten in mijn vraag. Het leek me gewoon zo logisch dat ik nauwelijks kon geloven dat hij dat zelf niet had bedacht.

Mijn vader trok zijn wenkbrauwen op. 'Als Eamonn jou een huwelijksaanzoek doet, moet je die vraag misschien aan hem stellen,' zei hij zacht. Er lag iets van spot in zijn stem.

Ik was verbijsterd. 'Eamonn? Mij een aanzoek doen? Dat denk ik niet. Hij is toch voor Niamh bestemd? U vergist zich, dat weet ik haast zeker.' Maar in mijn achterhoofd speelde de gebeurtenis van gisteravond zich weer af, hoe hij tegen me had gesproken, hoe we samen hadden gedanst, en er was een spoor van twijfel gezaaid. Ik schudde mijn hoofd; ik wilde niet geloven dat dit mogelijk was. 'Het zou niet juist zijn, vader. Eamonn moet met Niamh trouwen. Dat is wat iedereen verwacht. En... en Niamh heeft iemand als Eamonn nodig. Een man die... die haar ferm aanpakt, maar ook rechtvaardig is. Niamh moet het zijn.' Toen bedacht ik tot mijn opluchting nog iets. 'Bovendien,' zei ik, 'zou Eamonn nooit zoiets aan een meisje vragen zonder eerst toestemming aan haar vader te vragen. Hij wilde vanmorgen vroeg met me spreken. Het ging vast over iets anders.'

'En als ik je nou vertelde,' zei Iubdan behoedzaam, 'dat je jonge vriend vanmorgen ook een ontmoeting met mij had afgesproken? Hij werd alleen verhinderd die afspraak na te komen doordat hij plotseling naar huis werd geroepen om zijn grens te verdedigen.'

Ik zweeg.

'Wat voor soort man zou je voor jezelf kiezen, Liadan?' vroeg hij.

'Een man die betrouwbaar is en zijn principes niet verloochent,' antwoordde ik onmiddellijk. 'Een man die onbevreesd zegt wat hij op het hart heeft. Een man die zowel een vriend kan zijn als een echtgenoot. Daar zou ik tevreden mee zijn.'
'Zou je met een lelijke oude man zonder een grein zilver op zak trouwen als hij aan jouw beschrijving voldeed?' vroeg mijn vader geamuseerd. 'Je bent een wonderlijke jonge vrouw, dochter.'
'Ik zal eerlijk zijn,' zei ik droog. 'Als hij daarbij nog jong, knap en rijk was, zou ik dat zeker waarderen. Maar die dingen zijn minder belangrijk. Als ik het geluk zou hebben... als ik zo fortuinlijk zou zijn uit liefde te trouwen, zoals u en moeder... maar dat is niet waarschijnlijk, dat weet ik wel.' Ik dacht aan mijn broer en Aisling, die samen in een eigen betoverde cirkel dansten. Het was te veel om zoiets ook voor mezelf te verwachten.
'Het brengt een ongeëvenaarde tevredenheid met zich mee,' zei Iubdan zacht. 'En tevens een angst die toeslaat wanneer je er het minst op bedacht bent. Wanneer je zo liefhebt, ben je afhankelijk van de fortuin. Het wordt steeds moeilijker te accepteren wat het noodlot brengt. Tot nu toe hebben we geluk gehad.'
Ik knikte. Ik wist waar hij het over had. Het was iets waarover we niet openlijk spraken; nog niet.
We stonden op en liepen langzaam door de tuinpoort naar buiten en over het pad naar de grote binnenplaats. Een eind verderop zag ik in de beschutting van een hoge sleedoornhaag mijn moeder zitten op een lage stenen muur, een klein, tenger figuurtje met een bleek gezicht, omlijst door een massa donkere krullen. Liam stond naast haar met zijn ene gelaarsde voet op de muur terwijl hij met zijn elleboog op zijn knie leunde. Hij legde haar met spaarzame gebaren iets uit. Aan haar andere kant zat Conor, roerloos in zijn witte gewaad, aandachtig te luisteren. We lieten hen met rust.
'Ik denk dat je zult merken of ik gelijk heb wanneer Eamonn terugkomt,' zei mijn vader. 'Hij is zeker een heel geschikte partij voor je zus, of voor jouzelf. Je zou er in de tussentijd tenminste je gedachten over kunnen laten gaan.'
Ik antwoordde niet.
'Je moet begrijpen dat ik je nooit een beslissing zou afdwingen, Liadan, en je moeder ook niet. Wanneer je een echtgenoot neemt,

zul je hem zelf kiezen. Wij willen je alleen vragen erover na te denken, je erop voor te bereiden, en elk aanzoek dat gedaan wordt in overweging te nemen. We weten dat je een verstandige keus zult doen.'

'Maar Liam dan? U weet wat hij zou willen. Het gaat om ons grondgebied en om de sterkte van onze bondgenootschappen.'

'Je bent de dochter van je moeder en van mij, niet van Liam,' zei mijn vader. 'Hij zal al heel tevreden zijn omdat Sean precies de vrouw heeft gekozen die Liam voor hem had gewild. Jouw keuze zal je eigen keuze zijn, kleintje.'

Ik kreeg op dat moment een heel vreemd gevoel. Het was net alsof een onhoorbare stem fluisterde: *deze woorden zullen hem later door het hoofd komen spoken*. Een koud, donker gevoel. Het was in een oogwenk voorbij en toen ik naar vader keek, was zijn gezicht kalm en rustig. Wat het ook was, hij had het niet gehoord.

De druïden bleven een aantal dagen op Zeven Wateren. Conor voerde lange gesprekken met zijn zuster en zijn broer, en soms zag ik hem ook alleen met mijn moeder en stonden ze of zaten ze bij elkaar zonder iets te zeggen. Dan communiceerden ze stilzwijgend met de taal van de geest en was het niet duidelijk wat ertussen hen voorviel. Zo had ze vroeger gesproken met Finbar, de broer die haar het naast aan het hart lag. Hij was na jaren van afwezigheid teruggekomen met een zwanenvleugel in plaats van een arm en met een geest die niet helemaal in orde was. Zij had met hem net zo'n band gehad als ik met Sean. Ik kende het verdriet en de vreugde van mijn broer zonder woorden nodig te hebben. Hoe ver hij ook weg was, ik kon hem altijd bereiken met een boodschap die niemand ooit zou horen behalve hij. Daarom begreep ik hoe het voor mijn moeder, voor Sorcha, moest zijn om die ander verloren te hebben, degene die zo dicht bij haar was dat hij bijna een deel was van haarzelf. Want, zo luidde het verhaal, Finbar kon nooit meer helemaal een mens worden. Toen hij terugkwam, was er een deel van hem dat nog wild was, afgestemd op de behoeften en instincten van een wezen van de wijde hemel en de bodemloze diepte. En daarom was hij gewoon op een nacht naar de oever van het meer gelopen en doorgelopen, de koude omhelzing van het water in. Zijn lichaam was nooit gevonden,

maar het leed geen twijfel, zeiden de mensen, dat hij die nacht was verdronken. Want hoe zou zo'n wezen nou kunnen zwemmen, met de rechterarm van een jongeman en aan de linkerkant een zich spreidende, witgevederde vleugel?
Ik begreep het verdriet van mijn moeder, de lege plek die ze ook na al die tijd nog vanbinnen moest voelen, al sprak ze nooit over deze dingen, zelfs niet met Iubdan. Maar ik was ervan overtuigd dat ze haar verdriet met Conor deelde tijdens die lange perioden dat ze samen zwegen. Ik vermoedde dat ze hun gave gebruikten om elkaar kracht te geven, alsof hun verdriet iets gemakkelijker te dragen werd door het met elkaar te delen.
Wanneer het werk van de dag gedaan was, kwam het hele huishouden altijd bijeen voor het avondmaal, en na het eten werd er gezongen en gedronken en werden er verhalen verteld. Onze familie stond bekend om haar getalenteerde verhalenvertellers, een gave die in de wijde omtrek bekend was en gewaardeerd werd. Mijn moeder was de beste van ons allemaal; zij wist de woorden zo te hanteren dat ze je een tijdlang deze wereld kon doen vergeten en je meevoerde in een andere. Maar de anderen wisten ook aardig weg met woorden. Conor was een fantastische verhalenverteller. Zelfs Liam droeg af en toe een of ander heldenverhaal bij, vol met precieze beschrijvingen van veldslagen en technische bijzonderheden van het gewapende en het ongewapende gevecht. Deze verhalen hadden een enthousiaste aanhang bij de mannen. Iubdan vertelde nooit een verhaal, zoals ik al zei, maar hij luisterde aandachtig. Daardoor werden de mensen er weer aan herinnerd dat hij een Brit was, maar hij werd toch gerespecteerd om zijn rechtvaardigheid, zijn edelmoedigheid en bovenal omdat hij hard kon werken, en dus namen ze hem zijn afkomst niet kwalijk.
Maar op de avond van Imbolc was het geen lid van ons huishouden dat het verhaal vertelde. Mijn moeder werd gevraagd een verhaal te vertellen, maar ze excuseerde zich.
'Met zulk geleerd gezelschap in ons midden,' zei ze vriendelijk, 'moet ik vanavond beleefd weigeren. Conor, we weten hoe goed jouw slag voor zo'n taak berekend is. Misschien wil jij ons plezieren met een verhaal voor Brighidsdag?'
Toen ik naar haar keek, vond ik dat ze er nog steeds vermoeid

uitzag, met een vage schaduw om de lichtende groene ogen. Ze was altijd bleek, maar vanavond had haar huid iets doorschijnends dat me een ongerust gevoel gaf. Ze zat naast Iubdan op een houten bank en haar kleine hand was opgeslokt door zijn grote hand. Zijn andere arm lag om haar schouders en ze zat tegen hem aangeleund. Weer kwamen de woorden tot me: *laat hen dit behouden*, en ik kromp ineen. Ik zei streng tegen mezelf dat ik met deze onzin moest ophouden. Wat dacht ik dat ik was, een zieneres soms? Eerder gewoon een meisje met een aanval van zwaarmoedigheid.

'Dank je,' zei Conor ernstig, maar hij stond niet op. In plaats daarvan keek hij naar de andere kant van de zaal en gaf een haast onmerkbaar knikje. En dus was het de jonge druïde, degene die de vorige avond de toorts had gedragen om onze haardvuren opnieuw aan te steken, die naar voren kwam en zich gereedmaakte om ons te onderhouden. Hij was beslist een goedgebouwde jonge kerel, lang en recht van rug, zoals een druïde betaamde. Zijn krullende haar was niet zo vurig rood als dat van mijn vader en Niamh, maar had een diepere tint, de kleur in de kern van een winterse zonsondergang. En zijn ogen waren donker, zo donker als rijpe moerbeien, en de uitdrukking erin was moeilijk te lezen. Hij had een kloofje in zijn kin en twee ondeugende kuiltjes in zijn wangen, als hij ze toestond zichtbaar te worden. Het is maar goed, dacht ik, dat hij tot de broederschap behoort. Anders zou de helft van de jonge meisjes van Zeven Wateren om hem vechten. Ik heb zo'n gevoel dat hij dat wel leuk zou vinden.

'Welk verhaal is beter geschikt voor Imbolc,' begon de jonge druïde, 'dan dat van Aengus Óg en de schone Caer Ibormeith? Een verhaal over liefde, en mysterie, en transformatie. Als u het goedvindt, zal ik vanavond dit verhaal vertellen.'

Ik had verwacht dat hij misschien zenuwachtig zou zijn, maar zijn stem was krachtig en vast. Ik nam aan dat dat te danken was aan lange jaren van afzondering en studie. Het duurt lange tijd om te leren wat een druïde moet weten, en er zijn geen boeken om je te helpen. Vanuit mijn ooghoek zag ik dat Liam naar Sorcha keek met een ietwat gefronst voorhoofd en een vraag in zijn ogen. Ze knikte even, als om te zeggen: het geeft niet, laat hem maar doorgaan. Want dit verhaal was een verhaal dat wij hier op Zeven Wateren niet vertelden. Het kwam te dichtbij. Ik vermoedde dat deze jongeman weinig van onze geschiedenis af wist, anders zou hij het nooit gekozen hebben. Conor had vast niet geweten dat hij dit van plan was, anders zou hij hem tactvol hebben aangeraden een ander verhaal te nemen. Maar Conor zat rustig naast zijn zuster en scheen zich er niet aan te storen.

'Zelfs een zoon van Túatha Dé Danann,' begon de jongeman, 'kan ziek worden van liefde. Zo gebeurde het met Aengus. Hij was jong, sterk en knap en had al een zekere naam als krijger, dus zou men niet verwachten dat hij zo gemakkelijk door de knieën zou gaan. Maar toen hij op een middag op de hertenjacht was, werd hij plotseling bevangen door een diepe vermoeidheid en hij legde zich te slapen op het gras in de schaduw van een groep taxusbomen. Hij viel onmiddellijk in slaap en in zijn slaap droomde hij. O, wat droomde hij. In zijn droom verscheen zij: een vrouw zo schoon dat de sterren aan de hemel bij haar verbleekten. Een vrouw van hartverscheurende schoonheid. Hij zag haar blootsvoets lopen langs een verre kust, lang en recht van gestalte, met borsten die zich zo blank als maanlicht op sneeuw welfden boven de donkere plooien van haar jurk, met haar dat glansde als licht op beukenblad in de herfst, als het stralende rood-goud van gepolijst koper. Hij zag haar bewegingen, de lieflijke bekoorlijkheid van haar lichaam, en toen hij wakker werd, wist hij dat hij haar moest hebben, anders zou hij sterven.'

Dit klonk volgens mij veel te persoonlijk. Maar toen ik om me heen keek terwijl de verteller adem schepte, leek het alsof ik de enige was die de vorm van zijn woorden had opgemerkt. Ik en nog iemand. Sean stond naast Aisling bij het raam, en zij schenen even aandachtig te luisteren als ik, maar ik wist dat hun gedachten bij elkaar waren en dat al hun aandacht in beslag werd genomen door de manier waarop zijn hand losjes om haar middel rustte en de manier waarop haar vingers zacht zijn mouw beroerden. Iubdan keek naar de jonge druïde, maar zijn blik stond afwezig; mijn moeder had haar hoofd tegen zijn schouder gelegd en haar ogen waren gesloten. Conor zag er kalm uit, Liam afstandelijk. De rest van het huishouden luisterde beleefd. Alleen mijn zus Niamh zat als gehypnotiseerd op het puntje van haar stoel, met een diepe blos op haar wangen, en haar mooie blauwe ogen straalden geboeid. Het verhaal was voor haar bestemd, dat was wel zeker; was ik de enige die dit kon zien? Het was haast alsof hij het vermogen bezat onze reacties met zijn woorden te sturen.

'Op deze wijze leed Aengus een jaar en een dag,' vervolgde de jongeling. 'Elke nacht verscheen zij hem in visioenen, soms vlak naast zijn sponde, haar lieflijke lichaam gekleed in ragdunne witte stof. Ze was zo dichtbij dat het leek alsof hij haar met zijn hand kon aanraken. Hij verbeeldde zich, wanneer ze zich over hem heen boog, dat hij haar lange haren langs zijn naakte lichaam voelde strijken. Maar als hij zijn hand uitstak, was ze in een oogwenk verdwenen. Hij werd verteerd door verlangen naar haar, zozeer dat hij koorts kreeg en zijn vader, de Dagda, vreesde voor zijn leven, of in elk geval voor zijn verstand. Wie was zij? Bestond het meisje werkelijk of was het een wezen dat uit de diepten van Aengus' geest werd opgeroepen en dat in het leven nooit de zijne kon zijn?

Aengus was stervende; zijn lichaam brandde, zijn hart sloeg als een strijdtrom, zijn ogen brandden koortsig. Daarom riep de Dagda de hulp van de koning van Munster in. Ze zochten in het oosten en ze zochten in het westen, en langs alle wegen en weggetjes van Erin, en uiteindelijk kwamen ze de naam van het meisje te weten. Ze heette Caer Ibormeith en ze was de dochter van Eathal, een heer van de Túatha Dé, die ergens in de Andere Wereld leefde in de provincie Connacht.

Toen ze dit nieuws aan Aengus vertelden, stond hij van zijn ziekbed op en vertrok om haar te gaan zoeken. Hij maakte de lange reis naar de plek die Drakenmuil wordt genoemd. Op de verre oever van dit meer had hij voor het eerst zijn geliefde gezien. Daar wachtte hij drie dagen en drie nachten, zonder te eten of te drinken, en ten slotte kwam ze, blootsvoets lopend over het zand zoals hij haar in zijn visioen had gezien. Haar lange haren werden om haar heen geblazen door de wind die over het meer kwam, als slangen van levend vuur. Zijn begeerte dreigde hem te overmeesteren, maar het lukte hem haar beleefd tegemoet te gaan, en hij stelde zichzelf voor met zoveel kalmte als hij kon opbrengen.

Het meisje, Caer Ibormeith, droeg een zilveren halsband om haar hals, en nu zag hij dat ze met een ketting verbonden was met een ander meisje, en dat weer aan een ander, en langs het strand liepen zo driemaal vijftig jonge vrouwen, ieder met de volgende verbonden door middel van gesmede zilveren kettingen. Maar toen Aengus Caer vroeg de zijne te zijn, toen hij zijn verlangen naar haar uitsprak, verdween ze even geluidloos als ze gekomen was, en met haar alle meisjes. En van hen allen was zij de grootste en de mooiste. Zij was waarlijk de vrouw van zijn hart.'

Hij zweeg even, maar keek niet één keer in de richting van Niamh, die daar zat als een mooi standbeeld, met een blik van verwondering in haar diepblauwe ogen. Ik had haar nog nooit zo lang stil zien zitten.

'Hierna ging de Dagda naar de vader van Caer, die in Connacht woonde, en hij wenste de waarheid te weten. Hoe kon zijn zoon Aengus deze vrouw veroveren, want zonder haar zou hij zeker niet kunnen leven? Hoe was zo'n vreemd wezen te krijgen? Eathal wilde aanvankelijk zijn medewerking niet verlenen; later werd hij zodanig onder druk gezet dat hij niet kon weigeren. De schone Caer, zei haar vader, had ervoor gekozen elk tweede jaar als zwaan te leven. Vanaf Samhain zou ze haar vogelgedaante weer aannemen, en op de dag dat ze van gedaante veranderde, moest Aengus haar tot zich nemen, want op dat moment was ze het kwetsbaarst. Maar hij moest voorbereid zijn, waarschuwde Eathal. Om haar te veroveren zou hij een prijs moeten betalen.

Het gebeurde zoals Eathal had gezegd. Op de vooravond van Samhain reisde Aengus terug naar de Drakenmuil, en daar zag hij op het strand driemaal vijftig prachtige zwanen, elk met een halsband van gesmeed zilver. Driemaal vijftig plus één, want hij wist dat de zwaan met de fierste pluimage en de langste, sierlijkste hals zijn mooie Caer Ibormeith was. Aengus ging naar haar toe en viel voor haar op zijn knieën, en zij legde haar hals over zijn schouder en hief haar brede vleugels. Op dat moment voelde hij dat hij veranderde. Een rilling voer door zijn lichaam, van de punten van zijn tenen tot aan het haar op zijn hoofd, van zijn pink tot zijn kloppend hart. En toen zag hij zijn huid veranderen en glanzen, en uit zijn armen zag hij sneeuwwitte veren groeien, en zijn gezichtsvermogen werd helder en verziend, en hij wist dat hij nu ook een zwaan was.

Ze vlogen driemaal om het meer, zingend van vreugde, en die zang was zo lieflijk dat mijlen in de omtrek allen erdoor in vredige slaap werden gesust. Daarna keerden Caer Ibormeith en Aengus terug naar huis, en of ze in de gedaante van man en vrouw of als twee zwanen gingen, is uit de verhalen niet duidelijk. Maar ze zeggen wel dat als je op Samhainavond naar Loch Béal Dragan reist en bij avondschemer heel stil op het strand gaat staan, je het geluid van hun roepende stemmen kunt horen, ver in het donker boven het meer. Wanneer je dat lied eenmaal hebt gehoord, zul je het nooit vergeten, zolang je leeft.'

Het stilzwijgen dat volgde, was een teken van respect dat alleen aan de beste verhalenvertellers werd gegund. Hij had zijn verhaal zeker kundig verteld, bijna even goed als iemand van onze eigen familie het had kunnen doen. Ik keek niet naar Niamh. Ik hoopte maar dat haar rode wangen geen ongewenste aandacht zouden trekken. Uiteindelijk was het mijn moeder die iets zei.

'Kom naar voren, jongeman,' zei ze zacht, en ze stond op, maar haar hand lag nog steeds in die van mijn vader. De jonge druïde deed een paar stappen naar voren, met een iets bleker gezicht dan zo-even. Misschien was dit, ook al deed hij zich zelfverzekerd voor, toch een beproeving voor hem geweest. Hij was er jong genoeg voor, amper twintig, dacht ik.

'Je vertelt je verhaal met geestdrift en verbeeldingskracht. Dank je voor de aangename avond die je ons hebt bereid.' Ze lachte hem vriendelijk toe, maar ik zag dat ze Iubdans vingers achter haar rug stevig vasthield, als om er steun aan te hebben.

De jongeman boog even het hoofd. 'Dank u, vrouwe. Ik stel het zeer op prijs lof te ontvangen van een zo befaamd verhalenverteller als u. Ik dank mijn vertelkunst aan de best denkbare leraar.' Hij keek even naar Conor.

'Hoe is je naam, jongen?' Dit was Liam, vanaf de andere kant van de zaal, waar hij temidden van zijn mannen zat. De jongen wendde zich tot hem.

'Ciarán, heer.'

Liam knikte. 'Je bent welkom in mijn huis, Ciarán, altijd wanneer het mijn broer belieft je hierheen mee te nemen. Wij hechten grote waarde aan onze verhalen en onze muziek, die ooit nagenoeg verdwenen waren uit deze zalen. En ook de hele broederschap en zusterschap die ons vanavond, op Brighidsavond, met hun gezelschap verblijden, zijn altijd van harte welkom. En nu, wie wil er op harp of fluit spelen, of voor ons een mooi lied zingen over gewonnen en verloren veldslagen?'

Ik had de indruk dat mijn oom, als meesterlijk tacticus, hen met opzet op veiliger terrein bracht. De jongeman Ciarán werd weer opgenomen in de groep mensen in grijze gewaden die rustig in een hoek bij elkaar zaten. En met het rondgeven van kruiken mede en het opklinken van fluiten en vedel werd de avond in volmaakte harmonie voortgezet.

Na een poos zei ik tegen mezelf dat ik niet zo raar moest doen. Mijn verbeelding was met me op de loop gegaan, meer was het niet. Het was heel natuurlijk dat Niamh koketteerde, ze deed dat zonder erbij na te denken. Ze bedoelde er niets mee. Nu zat ze te lachen en grappen te maken met een stel jonge krijgers van Liam. En wat dat verhaal aanging, het was niet ongebruikelijk om de beschrijving van een held, of van een vrouwe, te baseren op iemand die je kende. Een jongen die was opgegroeid in de heilige bossen, ver van de zalen waar heer en hoofdman zetelden, zou natuurlijk weinig hebben om op af te gaan wanneer hij over een weergaloze schoonheid moest spreken. Dan was het dus niet vreemd dat hij de mooie dochter des huizes als voorbeeld nam. Heel onschuldig. Ik was dom. De druïden zouden teruggaan naar hun woud en Eamonn zou hier terugkomen en met Niamh trouwen, en alles zou zijn zoals het hoorde te zijn. Zoals het onafwendbaar moest zijn. Ik had mezelf bijna overtuigd toen het tegen middernacht liep en we ons gereedmaakten om ons terug te trekken en naar bed te gaan. Bijna. Toen ik met de kaars in mijn hand bij de trap aankwam, keek ik toevallig de zaal in en keek recht in de ogen van mijn oom Conor. Hij stond stil temidden van een groep mensen die praatten en lachten en hun kaars aanstaken aan de lamp. Hij stond zo stil dat hij van steen had kunnen zijn, behalve zijn ogen.

Onthoud dit, Liadan. Het ontvouwt zich zoals het moet gaan. Volg je weg met moed. Dat is het enige wat we kunnen doen.

Maar – maar...

Hij was al doorgelopen en ik kon zijn gedachten niet meer opvangen. Maar ik zag dat Sean zijn hoofd plotseling in mijn richting draaide, omdat hij mijn verwarring voelde zonder het te begrijpen. Het was te veel. Naamloze gevoelens van het kwade; plotselinge rillingen; cryptische waarschuwingen van de geest. Ik had behoefte aan mijn stille kamer, aan een slok water, aan een goede nachtrust. Eenvoudige, veilige dingen. Ik greep mijn blaker stevig vast, nam mijn rokken op en liep de trap op om naar bed te gaan.

HOOFDSTUK TWEE

Het is best lastig om een tinctuur van stinkende gouwe te maken. De methode is eigenlijk heel eenvoudig; het probleem is om de hoeveelheden precies goed te krijgen. Mijn moeder liet me zien hoe het moest op beide manieren, met verse en met gedroogde blaadjes. Haar kleine, vaardige handen stampten de droge blaadjes fijn in de vijzel, terwijl ik het vers geplukte blad in stukjes scheurde, in een ondiepe kom deed en er een beetje van hetzelfde kostbare brouwsel bij goot dat Conor had gebruikt om de zegen van Brighid over onze velden af te roepen, tot het net bedekt was. Ik volgde mijn moeders aanwijzingen op en was blij dat ik niet tot de mensen behoorde die last kregen van pijnlijke zwellingen van de huid wanneer ze met dit kruid werkten. De handen van mijn moeder waren slank, glad en blank, ook al werkte ze dagelijks in de distilleerkamer. Het enige sieraad dat ze droeg, was de ring die haar man voor haar had gesneden, vele lange jaren geleden. Vandaag had ze een oude jurk aan die ooit blauw was geweest, en haar lange haar was met een eenvoudige reep linnen naar achteren gebonden. Deze jurk, deze ring en deze handen hadden elk hun eigen verhaal, en mijn gedachten waren daarmee bezig terwijl ik mijn kom vulde met kruiden die moesten trekken.

'Goed,' zei moeder die keek naar wat ik deed. 'Ik wil dat je dit goed leert, zodat je het even goed kunt met andere grondstoffen. Deze tinctuur zal de meeste maagkwalen verlichten, maar ze is heel sterk. Je mag haar maar één keer bij je patiënt gebruiken, anders is het middel erger dan de kwaal. Leg nu die mousselinen doek over je kom en zet hem netjes weg. Ja, zo. Laat het zo eenentwintig nachten staan, zeef dan de vloeistof en bewaar hem in het donker, stevig afgesloten met een kurk. Zo blijft de tinctuur enkele maanden goed. Hiermee kom je de winter wel door.'

'Ga toch even zitten, moeder.' De pot stond te koken op het vuurtje; ik pakte twee aardewerken kommen en opende potten met gedroogde blaadjes.

'Je verwent me, Liadan,' zei ze met een glimlach, maar ze ging wel zitten, een tengere figuur in haar oude werkjurk. Zonlicht stroomde naar binnen door het raam achter haar, zodat ik kon zien hoe bleek ze was. In het sterke licht kon je nog sporen van verbleekt borduursel bij de halsopening en de zoom van haar jurk zien. Klimopbladeren, bloemetjes, hier en daar een klein, gevleugeld insect. Ik goot voorzichtig heet water in de twee kommen.

'Is dit een nieuw mengsel?'

'Ja,' zei ik, terwijl ik begon de messen, kommen en gereedschappen die we hadden gebruikt, schoon te maken en weg te bergen. 'Ik ben benieuwd of u me kunt zeggen wat erin zit.' De geur van de kruidendrank begon zich in de koele, droge lucht van de distilleerkamer te verspreiden.

Moeder snoof aandachtig. 'Ik ruik brunel, de gedroogde bloemetjes dan; er zit helmkruid in, misschien ook een snuifje sint-janskruid, en... guldentak?'

Ik pakte een pot met onze beste honing en lepelde een beetje in elke kom. 'U bent de kunst beslist nog niet verleerd,' zei ik. 'Maar u hoeft zich niet ongerust te maken. Ik weet hoe ik dat kruid moet verzamelen, en ook hoe ik het moet gebruiken.'

'Een sterke combinatie, dochter.'

Ik keek haar snel aan en ze keek me recht in de ogen.

'Je weet het, hè?' zei ze zacht.

Ik knikte; spreken was onmogelijk. Ik zette een kom met de geneeskrachtige thee op de stenen vensterbank naast haar en ik zette mijn eigen kom bij de plek waar ik bezig was.

'Je hebt de kruiden goed gekozen. Maar het is te laat; zo'n geneesmiddel geeft maar even respijt. Dat weet je ook.' Ze nam een teugje van de thee, trok een vies gezicht en glimlachte even. 'Het is een bitter drankje.'

'Bitter is het zeker,' zei ik terwijl ik van mijn eigen thee dronk, waar alleen pepermunt in zat. Het lukte me nog net om mijn stem te beheersen.
'Ik zie wel dat we je goed hebben opgevoed, Liadan,' zei mijn moeder, terwijl ze me nauwlettend opnam. 'Je hebt mijn gave als genezeres en je vaders talent voor liefde. Hij verzamelt alle mensen om zich heen onder zijn beschermende schaduw, als een grote boom in het bos. Ik zie diezelfde kracht in jou, dochter.'
Ditmaal probeerde ik maar niet te spreken.
'Het zal zwaar zijn voor hem,' ging ze verder. 'Heel zwaar. Hij is niet een van ons, niet echt, al vergeten we dat weleens. Hij begrijpt niet dat dit geen werkelijk scheiden is, maar alleen een verder gaan, een veranderen.'
'Het rad draait en keert terug,' zei ik.
Moeder glimlachte weer. Ze had de thee bijna onaangeroerd neergezet. 'Je hebt ook iets van Conor in je,' zei ze. 'Kom eens even zitten, Liadan. Ik moet je iets zeggen.'
'U ook al?' Ik wist een waterige grijns te produceren.
'Ja, je vader heeft me verteld van Eamonn.'
'En wat vond u ervan?'
Een lichte frons plooide haar voorhoofd. 'Dat weet ik niet,' zei ze. 'Daarin kan ik je niet raden. Maar... maar ik zou willen zeggen, maak maar geen haast. Je zult hier nog een tijd nodig zijn.'
Ik vroeg niet waarom. 'Hebt u het aan vader verteld?' vroeg ik ten slotte.
Moeder zuchtte. 'Nee. Hij zal het me niet vragen, want hij weet dat mijn antwoord de waarheid zal zijn. Ik hoef het niet uit te spreken. Voor Red hoeft dat niet. Dat hij het weet blijkt uit de aanraking van zijn hand, uit de haast waarmee hij naar huis komt na het ploegen, uit de manier waarop hij naast het bed zit als hij denkt dat ik slaap, en mijn hand vasthoudt, en in het donker staart. Hij weet het.'
Ik huiverde. 'Wat wilde u me zeggen?'
'Iets wat ik nog nooit aan iemand heb verteld. Maar ik geloof dat de tijd gekomen is om het door te geven. Je bent er de laatste tijd door aangeraakt, dat heb ik in je ogen gezien. Niet alleen... niet alleen dit, maar iets groters.'
Ik hield mijn kom tussen mijn handpalmen om ze te warmen. 'Ik

heb... soms krijg ik een heel vreemd gevoel. Alsof alles plotseling koud wordt, en... en dan hoor ik een stem...'

'Ga door.'

'Ik zie... ik heb een gevoel alsof er iets vreselijks aankomt. Ik kijk naar iemand en ik voel een... een soort noodlot dat op diegene rust. Conor weet het. Hij zei dat ik me niet schuldig moet voelen. Daar had ik niet bepaald veel aan.'

Moeder knikte. 'Mijn broer was ongeveer van jouw leeftijd toen hij het voor het eerst voelde. Finbar, bedoel ik. Conor herinnert zich dat. Het is een pijnlijk vermogen, een vermogen dat weinig mensen zich zouden wensen.'

'Wat is het dan?' vroeg ik huiverend. 'Is het het Gezicht? Waarom krijg ik dan geen toevallen, en krijs ik niet om daarna helemaal slap te worden, zoals Biddy O'Neill beneden bij de Crossing? Die is helderziend, ze heeft twee winters geleden de grote overstroming voorspeld, en de dood van de man die met zijn wagen van Fergals Klif is gestort. Dit is... anders.'

'Anders maar toch hetzelfde. De manier waarop het werkt, hangt af van je eigen kracht en je eigen talenten. En wat je ziet, kan ook misleidend zijn. Finbar zag het vaak goed, en hij voelde zich schuldig over het feit dat hij de dingen die zouden gebeuren niet kon tegenhouden. Maar wat zijn visioenen betekenden, was allesbehalve gemakkelijk te interpreteren. Het is een wrede gave, Liadan. En er hoort nog een tweede gave bij, die je nog niet hebt hoeven ontwikkelen.'

'Wat is dat dan?' Ik wist eigenlijk niet of ik het wel wilde weten. Was één zo'n gave, als je het al een gave mocht noemen, niet meer dan genoeg?

'Dat kan ik niet uitleggen, niet volledig. Hij heeft haar een keer op mij gebruikt. Hij en ik... hij en ik hadden samen net zo'n band als jij en Sean, een contact waardoor je van geest tot geest met elkaar kunt spreken, dat je afstemt op het meest innerlijke zelf van de ander. Finbar kon meer dan ik; in die laatste dagen lukte het hem heel goed mij buiten te houden. Er waren momenten dat ik dacht dat hij zich niet durfde blootgeven; zijn geest was diep verwond en dat wilde hij met niemand delen, zelfs niet met mij. Maar hij had ook dat andere vermogen, om de kracht van zijn geest te gebruiken om te helen. Toen ik... toen ik gekwetst was en dacht

dat de wereld nooit meer goed zou worden, heeft hij... heeft hij mij met zijn geest aangeraakt, hij heeft de nare dingen uitgebannen en mijn gedachten met de zijne vastgehouden tot de nacht voorbij was. Later heeft hij datzelfde vermogen gebruikt bij mijn vader, wiens geest ernstig beschadigd was door toedoen van de tovenares, vrouwe Oonagh. Zij heeft vader drie lange jaren naar haar pijpen laten dansen, terwijl mijn broers betoverd waren. En heer Colum was geen zwakke man; hij worstelde met zijn eigen schuldgevoel en schaamte, maar toch kon hij haar niet afwijzen. Toen wij uiteindelijk thuiskwamen, herkende hij ons amper. Het kostte vele geduldige dagen en nachten om hem weer zichzelf te laten worden. Het gebruiken van dit helende vermogen eist een zware tol. Na afloop was Finbar... leeg, uitgeput. Nauwelijks zichzelf. Hij was als een man die de zwaarste beproevingen van lichaam en geest heeft ondergaan. Alleen de sterksten overleven dit.'
Ik keek haar aan met een vraag in mijn ogen.
'Jij bent sterk, Liadan. Ik kan je niet zeggen of en wanneer er een beroep op jou zal worden gedaan om deze gave te gebruiken. Misschien zal het nooit gebeuren maar het is beter als je ervan weet. Hij zou je er waarschijnlijk meer over kunnen vertellen.'
'Hij? U bedoelt... Finbar?' Nu bevonden we ons werkelijk op glad ijs.
Moeder draaide zich zo dat ze uit het raam kon kijken. 'Het is weer heel mooi aangegroeid,' zei ze. 'Het eikje dat Red voor me heeft geplant, dat eens hoog en edel zal zijn. De sering, de geneeskrachtige kruiden. De tovenares heeft ons niet kunnen vernietigen. Samen waren we te sterk voor haar.' Ze keek me weer aan. 'De toverkracht is sterk in jou, Liadan. En er is nog iets wat in jouw voordeel is.'
'Wat dan?' vroeg ik. Haar woorden waren zowel fascinerend als beangstigend.
'Hij heeft het me een keer laten zien. Finbar. Ik had hem bijna gevraagd wat de toekomst voor mij in petto had. Hij liet me een ogenblik in de tijd zien. Daar was Niamh, die over een bospad danste met haar haar als gouden vuur. Een kind met een gave voor geluk. En Sean, die achter haar aan holde om haar in te halen. Ik zag de kinderen van Red en mij. En... en er was nog een kind. Een kind dat... buitengesloten was. Aan de rand, zodat ik het niet

goed kon zien. Maar jij was dat kind niet, dochter. Daar ben ik zeker van. Als jij het was geweest, zou ik het geweten hebben op het moment dat je geboren was en in mijn armen werd gelegd.'
'Maar... maar waarom was ik er niet bij? Sean en ik zijn even oud. Waarom zou ik niet ook in uw visioen voorkomen?'
'Ik had datzelfde visioen al eerder gezien,' zei mijn moeder langzaam. 'Toen ik... maar beide keren was jij er niet bij. Alleen dat andere kind, dat net buiten beeld bleef. Ik geloof dat jij op de een of andere manier buiten het patroon valt, Liadan. Als dat zo is, zou jij over een grote macht kunnen beschikken. Een gevaarlijke macht. Het zou jou de mogelijkheid geven om... dingen te veranderen. In deze visioenen werd niet voorspeld dat Seans geboorte een tweede kind zou voortbrengen. Dat maakt jou tot een apart geval. Ik heb lange tijd geloofd dat het Feeënvolk onze stappen leidt. Dat zij hun grote plannen door middel van ons realiseren. Maar jij behoort niet tot hun ontwerp. Misschien heb jij een bepaalde sleutel in handen.'
Het was te veel om te bevatten. Toch moest ik haar wel geloven, want mijn moeder vertelde altijd de waarheid, niet meer en niet minder.
'Maar dat derde kind in het visioen dan?' vroeg ik. 'Het kind aan de rand, in de schaduwen?'
'Ik heb geen idee wie dat was. Alleen... het was een kind dat elke hoop had laten varen. Dat is iets vreselijks. Waarom ik dit te zien kreeg, weet ik echt niet. Misschien zul jij het ooit te weten komen.'
Ik huiverde weer. 'Ik weet niet of ik dat wel wil.'
Moeder glimlachte en stond op. 'Deze dingen hebben de gewoonte je te overkomen, of je het nu leuk vindt of niet,' zei ze. 'Conor heeft gelijk. Het heeft geen zin je schuldig te voelen, of je zorgen te maken over wat er misschien gaat gebeuren. Zet de ene voet voor de andere en volg je weg. Dat is het enige wat we kunnen doen.'
'Hm.' Ik keek nog eens naar haar. Het klonk alsof mijn eigen weg een stuk gecompliceerder zou kunnen worden dan ik had gewild. Ik vroeg niet veel. De veiligheid en rust van Zeven Wateren, de gelegenheid om mijn vakkennis goed te gebruiken, en de warmte te ervaren van de liefde van mijn familie. Ik wist niet of ik het wel

in me had om meer te doen. Ik kon mezelf niet zien als iemand die de loop van het lot zou kunnen beïnvloeden. Sean zou hartelijk lachen om dat idee, als ik het hem vertelde.

Het seizoen vorderde en Eamonn kwam niet terug. De druïden vertrokken weer en wandelden in de avondschemering met onhoorbare tred het bos in. Niamh werd ongewoon stil en nam de gewoonte aan om op het leien dak te gaan zitten, waar ze zacht neuriënd over de bomen uitstaarde naar de verte. Vaak was ze nergens te vinden, wanneer ik haar zocht om me te helpen met naaiwerk of om met me mee te gaan naar de nederzetting. 's Avonds wilde ze nooit meer praten, maar lag op haar bed met een verstolen glimlach om haar mond, tot haar oogleden dichtvielen over haar mooie ogen en ze sliep als een kind. Zelf sliep ik minder goed. We hoorden tegenstrijdige berichten uit het noorden. Eamonn vocht aan twee fronten. Hij was het gebied van zijn buurman binnengetrokken. Hij was teruggedrongen tot aan zijn binnengrens. De indringers waren Noormannen die teruggekomen waren om een kust te bestoken die we lange tijd als veilig hadden beschouwd. Ver naar het zuiden hadden ze nederzettingen, aan de monding van een grote rivier, en ze wilden hun gebied uitbreiden langs de kust en zelfs tot midden in ons eigen gebied. Het waren helemaal geen Noormannen, maar Britten. Het waren Noormannen noch Britten, maar een vreemd volk, mannen die hun identiteit op hun huid droegen in een patroon met een geheime betekenis. Mannen met gezichten als vreemde vogels, grote, woeste katten, herten en wilde zwijnen; mannen die zwijgend aanvielen en genadeloos doodden. Er was er een die een gezicht had zo zwart als de nachthemel. Het waren misschien zelfs geen mannen, maar krijgers uit de Andere Wereld. Hun wapens waren even vreemd als hun verschijning: listige pijpen waardoor een pijl met een giftige punt in de lucht kon worden geblazen; kleine, met punten bezette metalen bollen, die snel vlogen en diep insloegen. Behendig gebruik van een fijn koord. Geen zwaarden of speren, geen eerlijke wapens.

We wisten niet welke verhalen we moesten geloven, al hielden Sean en Liam de theorie over Noormannen voor de meest waarschijnlijke. Zij waren immers het best toegerust voor een snelle aanval, gevolgd door een terugtocht, want op zee hadden ze vooralsnog hun gelijke niet; ze gebruikten zowel riemen als zeil om sneller dan de wind over het water te gaan. Misschien hadden hun gehoornde helmen aanleiding gegeven tot die vreemde verhalen. Alleen, zei Liam, vochten de Noormannen onbehouwen, met slagzwaard, knots en bijl. Verder stonden ze niet bekend om hun handigheid op bebost terrein, en verdedigden ze liever hun posities aan de kust dan zich in het binnenland te wagen. De theorie paste dus niet zo goed als we wel hadden gewild.

Toen, omstreeks de tijd dat dag en nacht even lang duurden en vader druk bezig was met zaaien, stuurde Eamonn een boodschapper om hulp te vragen, en Liam zond een legertje van dertig goedbewapende mannen naar het noorden. Sean had graag meegewild, en volgens mij was mijn oom zelf ook graag gegaan. Maar beiden werden ergens door tegengehouden. Een van de redenen was dat Aisling, die nog bij ons in huis woonde omdat ze daar veilig was, bezorgd was over de veiligheid van haar broer. Dat was genoeg om Sean voorlopig thuis te houden. Een andere reden was dat Liam het te riskant vond als een van hen beiden tegelijk met zowel Eamonn als diens grootvader aan het front zou zijn terwijl de aard van de dreiging nog niet duidelijk was. Ze zouden wachten tot ze bericht kregen van Eamonn zelf, of van Seamus. Dan hadden ze feiten en geen fantasie om op af te gaan. Dan zou het tijd zijn om te beslissen of er actie moest worden ondernomen.

Het viel me echter wel op dat ze 's avonds vaak lang en ernstig zaten te praten, en hun landkaarten bestudeerden. En Iubdan ook. Mijn vader had gezworen dat hij nooit de wapenen op zou nemen als de vijand tot zijn eigen volk zou kunnen behoren, maar Liam wist dat de echtgenoot van zijn zuster bijzonder bedreven was in het kaartlezen en in het beramen van aanval en verdediging, en maakte daar gebruik van. Ik hoorde hem zeggen dat het erg jammer was dat Padriac nog niet was teruggekomen. Na zijn laatste bezoek was hij uitgevaren om onbekende streken te zoeken en nieuwe avonturen te beleven. Dat was nu nog eens een man die een boot kon bouwen en er beter mee om kon gaan dan welke Noorman ook. En ook een man die tien verschillende oplossingen voor een probleem wist te bedenken. Maar het was nu al drie jaar geleden dat Liam zijn jongste broer voor het laatst had gezien. Na al die tijd had niemand meer veel hoop op zijn behouden terugkeer. Ik herinnerde me deze oom heel goed. Wie zou hem ook kunnen vergeten? Hij was vaak een tijdlang thuis, vol prachtige verhalen, en dan vertrok hij weer op een of andere nieuwe queeste. Hij was bruinverbrand als een noot, met zijn haar in een vlecht op zijn rug, en hij droeg drie ringen in zijn ene oor. Hij had een vreemde, veelkleurige vogel die op zijn schouder zat en beleefd aan je vroeg of je zin had in een scharreltje, schat? Ik wist dat mijn moeder net zo min geloofde dat hij dood was als ze dat van Finbar geloofde. Ik vroeg me af of ze het wist. Ik vroeg me af of ik het zou weten als Sean ten strijde trok en de dood vond doordat een vreemdeling hem aan het zwaard geregen had. Zou ik dat in mijn eigen hart voelen, het moment dat het bloed tot stilstand komt in de aderen, dat de adem stokt en er een waas voor de ogen trekt, terwijl ze zonder iets te zien naar de wijde hemel opkijken?

Het was helemaal niet mijn bedoeling Niamh te bespioneren. Wat mijn zus in haar vrije tijd deed, moest ze zelf weten. Ik maakte me alleen zorgen. Ze was zo anders dan anders, zo stil en teruggetrokken, en zo vaak alleen. Zelfs Aisling zei er iets over, heel aardig.

'Niamh lijkt zo stil,' zei ze op een middag toen wij tweeën naar de velden liepen die hoger op de helling achter het huis lagen, om paardenbloemen te plukken waar we een drank van zouden brouwen. In sommige huishoudens vond men het ongepast als de dochters van de heer dat soort handarbeid verrichtten; daar werd dit soort werk overgelaten aan de bedienden. Maar op Zeven Wateren was dat nooit zo geweest, tenminste niet voor zover ik me kon herinneren. Hier werkte iedereen. Natuurlijk deden Janis en haar vrouwen het zwaardere werk; zij tilden de reusachtige ijzeren stoofpot, schrobden de vloeren en slachtten de kippen. Maar Niamh en ik hadden beiden onze dagelijkse werkjes en onze seizoentaken, waar we ons kundig van kweten. Hiermee volgden we het voorbeeld van onze ouders, want Sorcha was meestal de hele dag bezig, hetzij in de distilleerkamer, hetzij in het dorp, waar ze de zieken verzorgde, en mijn vader, die vroeger heer van Har-

rowfield was geweest, vond het niet bezwaarlijk zelf te hand ploegen als de situatie dat vereiste. Niamh en ik zouden goede echtgenotes worden; we zouden goed in staat zijn leiding te geven aan het huishoudelijke werk in het huis van onze echtgenoot. Hoe kun je ook een goede meesteres zijn als je niets weet van het werk dat je mensen moeten doen? Hoe het Niamh lukte haar vaardigheden te verwerven, weet ik eigenlijk niet, want ze bleef nooit lang ergens mee bezig. Maar ze was een slim meisje, en als ze iets vergat, duurde het niet lang of ze had Janis of mij of iemand anders overgehaald haar te helpen.
Maar nu we paardenbloemen gingen plukken, was ze er niet. Aisling plukte de bloemen zorgvuldig en hield af en toe op om haar weerbarstige rosse krullen terug te stoppen onder de haarband waar ze onderuit wilden komen. Nu het warmer weer was, was haar neus licht bespikkeld met sproeten.
'Zorg er wel voor dat er genoeg planten blijven staan om zaad te maken,' waarschuwde ik.
'Ja, moeder,' grinnikte Aisling terwijl ze nog een paar gele bloemen in haar tenen mand deed. Zij was altijd bereid om mee te helpen met dit soort werkjes. Misschien dacht ze dat ze zo een goede vrouw voor Sean zou worden. Ik had haar kunnen vertellen dat die kant van de zaak voor hem helemaal niets uitmaakte. Mijn broer had zijn besluit allang genomen.
'Maar echt, Liadan, denk je dat Niamh wel helemaal in orde is? Ik vroeg me af of... nou ja, of het soms iets met Eamonn te maken heeft.'
'Met Eamonn?' herhaalde ik sullig.
'Nou ja,' zei Aisling nadenkend, 'hij is nu al een hele tijd weg en niemand hier weet wat er gebeurd is. Ik weet niet precies hoe het ervoor staat tussen die twee, maar ik dacht dat ze zich misschien zorgen maakt over hem. Ik maak me in elk geval wel zorgen.'
Ik omhelsde haar om haar gerust te stellen. 'Ik ben ervan overtuigd dat dat niet nodig is. Als iemand op zichzelf kan passen, is het Eamonn wel. Binnenkort komt je broer in levenden lijve aanrijden, vast en zeker als overwinnaar.' En ik wil er een lief ding om verwedden, zei ik bij mezelf, dat mijn zus niet over hem piekert, als ze al ergens over piekert. Ik betwijfel of ze ook maar een ogenblik aan hem heeft gedacht sinds hij weg is. Hij heeft mijn

gedachten waarschijnlijk vaker beziggehouden dan de hare.
We hielden op met plukken en we bereidden de lentewijn met honing en jasmijn als tegenwicht tegen de bitterheid van de paardenbloem. We zetten de wijn donker weg om te trekken, en nog steeds was er geen spoor van Niamh te bekennen. Aisling en ik gingen naar boven en wasten onze handen en ons gezicht; we kamden en vlochten elkaars haar en deden ons grove werkschort af. Het was bijna etenstijd; buiten trok een koele schemering over de hemel en kleurde hem paars en vaalgrijs. Toen zag ik haar eindelijk door mijn smalle raam vanaf de bosrand over het veld hollen, terwijl ze snel naar links en naar rechts keek of ze soms door nieuwsgierige ogen werd gezien. Ze verdween uit mijn gezichtsveld. Niet lang daarna stond ze bij de deur, hijgend naar adem, met haar rokken nog in haar ene hand, en met vuurrode wangen. Ik keek naar haar, en Aisling keek naar haar, en geen van ons beiden zei iets.
'Gelukkig, ik ben nog niet te laat.' Ze liep rechtstreeks naar de eiken kist, lichtte het deksel op en zocht in de kist naar een schone jurk. Toen ze gevonden had wat ze zocht, maakte ze de jurk die ze aanhad los en trok hem uit, evenals haar hemd, zonder een woord van excuus. Aisling liep tactvol naar het raam en keek naar buiten; ik bracht mijn zus de kom water en een haarborstel, terwijl ze zich in schone onderkleren wurmde en de jurk over haar hoofd trok. Ze draaide me haar rug toe en ik begon de vele haakjes voor haar vast te maken. Ze hijgde nog steeds, wat dit werkje er niet gemakkelijker op maakte.
'Je kunt weer kijken, Aisling,' zei ik droog. 'Misschien kun jij even helpen met Niamhs haar. Het is vast al bijna etenstijd.' Aisling was handig en had een grotere kans van slagen om in de korte tijd die ons nog restte iets aanvaardbaars te maken van de woeste, verwarde bos haar van mijn zus. Ze begon kalme, gelijkmatige slagen te maken met de haarborstel.
'Waar ben je in 's hemelsnaam geweest, Niamh?' vroeg ze verbaasd. 'Er zit stro in je haar, en wat zijn dit voor blauwe bloemetjes?' Ze borstelde rustig door, en haar gezicht stond even onschuldig als altijd.
'We hebben je vanmiddag gemist,' zei ik op vlakke toon; ik was nog steeds met de jurk bezig. 'We hebben de lentewijn gemaakt zonder jou.'

'Is dat soms als kritiek bedoeld?' zei Niamh, terwijl ze heen en weer kronkelde om haar rokken goed te laten vallen, en een pijnlijk gezicht trok toen de borstel in een knoop bleef haken.
'Ik constateer alleen een feit, ik stel geen vraag,' zei ik. 'Ik denk niet dat je afwezigheid door iemand anders dan Aisling en mij is opgemerkt. Deze keer. En we konden het heel goed af zonder jou, dus hoef je je niet schuldig te voelen.'
Ze keek me strak aan, maar ze zei niets; zeker niet nu Aisling erbij was. Aisling zag alleen het goede in mensen en had geen idee van heimelijkheid of slinkse streken. Ze was zo argeloos als een schaap, al was dit misschien geen eerlijke vergelijking. Het meisje was wel eenvoudig, maar niet dom.
Ik kreeg die avond weer dat onrustige gevoel, toen we met de hele familie bij elkaar aan het avondeten zaten. Onze maaltijd was niets bijzonders. Ten dele omdat mijn moeder nooit vlees aanraakte, aten we heel eenvoudig, en gebruikten hoofdzakelijk de granen en groenten van onze eigen boerderijen. Janis beschikte over vele recepten van hartige soepen en goede, voedzame broden, en we aten er goed van. De mannen kregen soms een paar gebraden vogels voorgezet, en af en toe werd er een schaap geslacht, want ze werkten hard. Ze maakten of repareerden wapens of zwoegden op de boerderij en in de stal, en ze hadden niet altijd genoeg aan een maaltijd van rapen, bonen en roggebrood. Die avond zag ik tot mijn genoegen dat moeder een beetje soep en een paar stukjes gerstebrood at. Ze was erg mager geworden, de noordenwind kon haar meevoeren als hij er zin in kreeg, en het was nooit gemakkelijk geweest haar over te halen om iets te eten. Terwijl ik naar haar keek, voelde ik dat Iubdans ogen op mij gericht waren. Ik keek even naar hem maar wendde mijn blik weer snel af, want ik kon de uitdrukking op zijn gezicht niet verdragen. Die uitdrukking zei: dit is een langgerekt afscheid, maar toch heb ik niet genoeg tijd. Ik ben hier niet geschikt voor. Ik kan dit niet leren. Ik zou haar het liefste vasthouden, en blijven vasthouden, tot mijn handen een leegte omklemmen.
Niamh zat er keurig bij; ze dronk van haar soep, met neergeslagen ogen. Er zat geen haartje verkeerd. De veelzeggende blos was weg en haar huid was effen goudkleurig in het licht van de olielampen. Tegenover haar zat Sean, met Aisling naast hem, en ze

fluisterden met elkaar en hielden onder de tafel elkaars hand vast. Die avond waren er na het eten geen verhalen. In plaats daarvan trok de familie zich op verzoek van Liam terug in een kleine, stille kamer waar we onder ons konden zijn. We lieten de mannelijke en vrouwelijke bedienden over aan hun liederen en hun bier bij de keukenvuren.

'Je hebt bericht gekregen,' zei mijn vader zodra we allemaal zaten. Ik schonk wijn uit de karaf op de tafel en bediende eerst mijn moeder, toen mijn oom, mijn vader, Sean en ten slotte de twee andere meisjes.

'Dank je, Liadan.' Liam gaf me een goedkeurend knikje. 'Inderdaad, ik heb nieuws ontvangen, dat ik tot nu heb bewaard, want Aisling dient het als eerste te horen. Goed nieuws, hoor, kind,' voegde hij er snel aan toe toen Aisling geschrokken opkeek, ongetwijfeld omdat ze het ergste vreesde. 'Je broer maakt het goed en zal waarschijnlijk voor Beltaine hier zijn om je op te halen. De dreiging is voorlopig afgewend.'

'En de onbekende vijand?' vroeg Sean gretig. 'Is er nieuws over de strijd?'

Liam fronste zijn voorhoofd. 'Heel weinig. Er zijn een paar mannen gevallen. De ruiter die het bericht kwam brengen, wist niet veel, want hij had het weer van een ander gekregen. Ik weet dat Eamonn zijn grenzen weer veilig heeft gesteld, maar hoe precies en tegen wie lijkt nog steeds in mysteriën gehuld. Dat moet wachten tot hij terug is. Ook ik wil er graag meer over weten. Het zou onze hele strategie met betrekking tot de Britten kunnen beïnvloeden. Het zou dwaasheid zijn om een overwinning te verwachten in een zeeslag tegen Noormannen.'

'Zo is het,' zei Sean. 'Ik zou niet aan een dergelijke onderneming denken, tenzij ik de vaardigheden van hun volk aan mijn kant had. Maar de Noormannen zijn niet geïnteresseerd in onze Eilanden; als ze daar over een veilige rede hadden willen beschikken, zouden ze de Eilanden allang op de Britten hebben veroverd. Maar de Eilanden zijn te onvruchtbaar om er gewassen te telen, te ver afgelegen om er een nederzetting te stichten en vormen een gebied dat sinds jaar en dag door iedereen verlaten is, behalve door de Ouden. De Britten houden ze alleen bezet als springplank naar ons land.'

'En volgens mij ook als lokaas voor jullie,' vulde Iubdan kalm aan.

'Ik heb weleens gehoord dat je zo een reactie van een man van Erin uit kunt lokken. Je begint een gevecht door iets te stelen dat hem het dierbaarst is: zijn paard misschien, of zijn vrouw. Een oorlog begin je door weg te nemen wat hem het naast aan zijn hart ligt: zijn erfgrond, zijn mysteriën. Misschien is dat hun enige reden.'

'Hun pogingen om een basis op deze kust te vestigen zijn in elk geval niet indrukwekkend geweest,' zei Liam. 'Net als wij zijn zij niet goed uitgerust voor een oorlog op zee. En toch hebben ze de Eilanden al ruim drie generaties in hun bezit. Als ze hulp krijgen van een bondgenoot met een sterke vloot en met het vermogen van de Noorman om die te gebruiken, zouden ze ik weet niet wat kunnen doen.'

'Maar dat lijkt me toch een onwaarschijnlijk bondgenootschap.' Sean krabde nadenkend op zijn hoofd. 'De Britten van de westelijke zeekust hebben geen reden om de Noormannen te vertrouwen. Ze hebben door de rooftochten van de vikingen nog zwaardere verliezen geleden dan wij. Ze zijn al vele tientallen jaren getuige geweest van de gruweldaden van deze invallers. Dat zou werkelijk een verschrikkelijk verbond zijn.'

'Als onze oude vijand Richard van Northwoods een maatstaf is,' meesmuilde Liam, 'acht ik de Britten tot alles in staat.'

'We kunnen beter wachten,' merkte mijn moeder tactvol op. 'Eamonn zal ons meer vertellen wanneer hij terug is. Ik ben blij dat ik je weer zie glimlachen, lieverd,' voegde ze eraan toe terwijl ze Aisling aankeek.

'Je bezorgdheid om je broer strekt je tot eer,' zei Liam. 'Die jongen is een leider, dat staat buiten kijf. Ik neem aan dat zijn verliezen niet te zwaar zijn geweest. En nu heb ik nog een bericht. Een bericht dat jou wel zal interesseren, Niamh.'

'Mm...? Wat?' Ze was ver weg geweest met haar gedachten.

'Een brief,' zei mijn oom ernstig. 'Van een man die ik nooit ontmoet heb, maar over wie ik veel heb gehoord. Jij zult zijn naam wel kennen, Iubdan. Het is Fionn van de clan Uí Néill, de tak die zich in het noordwesten heeft gevestigd. Ze zijn nauw verwant aan de Hoge Koning van Tara. Maar de twee takken van die familie kunnen elkaar niet uitstaan. Fionn is de oudste zoon van het clanhoofd in Tirconnell, een man met veel invloed en aanzienlijke rijkdom.'

'Ik heb over hem horen spreken, ja,' zei vader. 'Hij staat in hoog aanzien. Het is niet echt plezierig om zoals wij precies tussen de twee gebieden van Uí Néill in te liggen. Ze zijn allemaal belust op macht.'
'Dat feit maakt deze brief des te interessanter,' zei mijn oom. 'Deze Fionn en zijn vader wensen een nauwere band met Zeven Wateren. Hij doet rechtstreeks een aanbod om dat doel te bereiken.'
'Is dit jouw omslachtige manier om ons te vertellen dat hij een van de dochters van dit huis wil huwen?' Mijn moeder had de gewoonte haar broer scherp tot de orde te roepen wanneer hij zich een beetje te formeel uitdrukte. 'Heeft hij om de hand van een van onze meisjes gevraagd?'
'Inderdaad. In de brief staat dat hij heeft gehoord dat er in het huishouden van Zeven Wateren een dochter is van uitzonderlijke schoonheid en grote kundigheid, dat hij een vrouw zoekt, en dat zijn vader van mening is dat een dergelijke verbintenis ons beiden van nut zou zijn. Hij zinspeelt in bedekte termen op onze vete met de Britten van Northwoods en wijst op de strijdkrachten die hem ter beschikking staan en die op een gunstige plaats, dicht bij ons gelegerd zijn. Ook zegt hij dat Zeven Wateren een strategische positie inneemt ten opzichte van zijn familie in het zuiden, voor het geval hij van die kant bedreigd zou worden. Er staat heel wat in voor zo'n korte brief.'
'Wat is die Fionn voor een man?' zei Aisling tamelijk dapper. 'Is hij jong of oud? Onooglijk of goed gebouwd?'
'Hij zal van middelbare leeftijd zijn,' zei Liam. 'Dertig jaar misschien. Een krijger. Ik weet niets over zijn uiterlijk.'
'Dertig jaar!' Aisling was duidelijk geschokt bij de gedachte dat een van ons misschien met zo'n stokoude man zou trouwen.
Sean grijnsde. 'Een dochter van uitzonderlijke schoonheid,' mompelde hij. 'Dat moet natuurlijk Niamh zijn.' Hij wierp me een blik toe, met opgetrokken wenkbrauwen, en ik trok een vuil gezicht naar hem.
'Het aanzoek is inderdaad voor Niamh bedoeld,' beaamde Liam; ons onderonsje ging totaal aan hem voorbij. 'Wat zeg je ervan, nicht?'
'Ik...' Niamh leek niet in staat te zijn een woord uit te brengen, wat heel ongebruikelijk was. Ze was plotseling doodsbleek ge-

worden. 'Ik...' Toch kon het nauwelijks een grote schok geweest zijn. Met haar zeventien jaar was het zelfs vreemd dat dit de eerste keer was dat er formeel om haar hand werd gevraagd.
'Dit is voor een jong meisje te veel om meteen te bevatten, Liam,' zei mijn moeder vlug. 'Niamh heeft tijd nodig om erover na te denken, en wij ook. Ik kan deze brief misschien onder vier ogen aan haar voorlezen, als je daar geen bezwaar tegen hebt.'
'Volstrekt niet,' zei Liam.
'We zullen er nog over moeten praten.' Mijn vader had tot nu toe gezwegen, maar de klank van zijn stem maakte duidelijk dat niemand anders zijn beslissingen voor hem hoefde te nemen. 'Is deze Fionn nog van plan ons persoonlijk met een bezoek te vereren of moeten we zijn kwaliteiten uitsluitend uit zijn schrijfstijl afleiden?' Op momenten als dit herinnerde men zich weer wie mijn vader was, en vroeger geweest was.
'Hij wil eerst weten of wij de zaak in overweging willen nemen. Als dat het geval is, zal hij voor midzomer hierheen reizen om zich voor te stellen en dan zou hij zonder verder uitstel willen trouwen, als we het eens worden.'
'Het is niet nodig haast te maken,' zei Iubdan kalm. 'Dergelijke zaken zijn belangrijk en moeten goed worden afgewogen. Wat aanvankelijk de beste keus lijkt, kan op langere duur minder waarde blijken te hebben.'
'Dat mag zo zijn,' zei Liam, 'maar je dochter is in haar achttiende jaar. Ze had al twee of drie zomers geleden getrouwd kunnen zijn. Mag ik je eraan herinneren dat Sorcha op deze leeftijd getrouwd en moeder van drie kinderen was? En een aanzoek van een clanhoofd met een dergelijke status krijgt men niet elke dag.'
Niamh stond plotseling op, en nu zag ik wel dat ze toch geluisterd had en dat ze trilde van top tot teen.
'Jullie kunnen stoppen met over mij te praten alsof ik een... een of andere prijskoe ben die jullie met winst willen verkopen,' zei ze met bevende stem. 'Ik trouw niet met die Uí Néill, ik kan het niet. Zo... zo is het gewoon. Het kan gewoon niet. Waarom vragen jullie hem niet of hij in plaats van mij Liadan wil nemen? Het is het beste aanzoek dat ze waarschijnlijk ooit zal krijgen. En nu, als jullie me willen excuseren...' Ze beende haastig naar de deur en ik kon zien dat de tranen over haar wangen liepen terwijl ze struike-

lend de gang in liep, de familie in verbijsterde stilte achterlatend.

Ze wilde niet met mij praten. Ze wilde niet met moeder praten. Ze wilde zelfs niet met Iubdan praten, die beter kon luisteren dan wie ook. Liam ging ze helemaal uit de weg. De toestand begon akelig gespannen te worden, want de dagen gingen voorbij en Fionns brief bleef onbeantwoord. Er was niets wat erop wees dat ze bij zou draaien, en mijn oom begon prikkelbaar te worden. Iedereen zag wel in dat Niamhs reactie verder ging dan wat te verwachten viel (dat was geschokt en verrast, maar gevleid doen, gevolgd door enig vertoon van maagdelijke terughoudendheid, en ten slotte een blozend accepteren). Wat niemand begreep was waarom ze zo reageerde. Mijn zus was, zoals Liam al had gezegd, eigenlijk al te oud om nog ongetrouwd te zijn, en dat terwijl ze zo'n schoonheid was. Waarom greep ze een dergelijk aanzoek niet met twee handen aan? De Uí Néill! En dan nog een toekomstig clanhoofd! Er werd gefluisterd dat ze eigenlijk Eamonn wilde hebben en dat ze haar antwoord uitstelde tot hij terugkwam. Ik had hun wel anders kunnen vertellen, maar ik hield mijn mond. Ik had wel een idee van wat er in haar hoofd omging. Ik had een vermoeden waar ze heen ging op de dagen dat ze van zonsopgang tot avondschemer nergens te vinden was. Maar de gedachten van mijn zuster waren voor mij ondoordringbaar; ik kon alleen naar de waarheid gissen en ik hoopte vurig dat mijn bange voorgevoelens onjuist waren.

Ik probeerde met haar te praten, maar bereikte niets. Eerst deed ik vriendelijk en tactvol, want ze huilde veel, terwijl ze op haar bed naar het plafond lag te staren of terwijl ze bij het raam stond en uitkeek over het bos, met haar betraande gezicht badend in het licht van de maan. Toen de vriendelijke benadering niet werkte, besloot ik te zeggen waar het op stond.

'Ik denk niet dat je een erg goede druïde zou zijn, Niamh,' zei ik op een avond tegen haar terwijl we alleen in onze kamer zaten, met een brandend kaarsje op de kist tussen onze smalle bedden.

'Wát?' Hiermee had ik in elk geval haar aandacht getrokken. 'Wát zei je daar?'

'Je hebt het goed gehoord. Er zijn geen warme dekens, geen voorkomende bedienden, geen zijden jurken in de nemetons. Het is

een leven van discipline, van leren, van ascese. Het is een leven van de geest, niet van het lichaam.'
'Houd je mond!' Haar woedende reactie vertelde me dat ik dicht bij de waarheid was gekomen. 'Wat weet jij er nou van? Wat weet je waar dan ook van? Mijn lelijke zusje, altijd maar in de weer met haar kruiden en drankjes en haar gezellige huiselijke werkjes! Welke man zou jou nou willen, behalve een boer met grote handen en modder aan zijn schoenen?' Ze liet zich op het bed neervallen met haar handen voor haar gezicht, en ik vermoedde dat ze huilde.
Ik ademde diep in en liet de lucht langzaam ontsnappen. 'Moeder heeft ook gekozen voor een boer met grote handen en modder aan zijn schoenen,' zei ik kalm. 'Er waren heel wat vrouwen op Zeven Wateren die hem heel aantrekkelijk vonden toen hij jong was. Dat zeggen ze tenminste.'
Ze verroerde zich niet en maakte geen geluid. Ik voelde wel dat ze diep ongelukkig was en dat ze daardoor zulke gemene dingen had gezegd.
'Je kunt met mij praten, Niamh,' zei ik. 'Ik zal mijn best doen het te begrijpen. Je weet dat het zo niet door kan gaan. Iedereen is van de kook. Ik heb het huishouden nog nooit zo verscheurd gezien. Waarom vertel je het me niet? Misschien kan ik je helpen.'
Ze hief haar hoofd op om me aan te kijken. Ik schrok ervan hoe bleek ze was; onder haar ogen stonden donkere schaduwen.
'O, nu is het opeens mijn schuld,' zei ze met verstikte stem. 'Iedereen is van de kook, en dat komt door mij, hè? En wie heeft besloten me uit te huwelijken, zodat ze de een of andere stomme veldslag zouden kunnen winnen? Dat was niet mijn idee, hoor!'
'Soms kun je niet krijgen wat je wilt,' zei ik neutraal. 'Dat moet je misschien maar accepteren, ook al lijkt dat nu vreselijk moeilijk. Die Fionn valt misschien best mee. Je zou op zijn minst met hem kunnen kennismaken.'
'Dat moet jij nodig zeggen! Jij zou nog niet weten wat een echte man was als je er een zag. Was jij het niet die vond dat Eamonn een goede keus voor me zou zijn? Eámonn!'
'Het leek... een mogelijkheid.'
Er viel een langdurige stilte. Ik bleef roerloos in kleermakerszit op mijn bed zitten in mijn onversierde linnen nachthemd. Ik nam aan

dat het waar was wat ze over mij had gezegd; ik vroeg me weer af of mijn vader zich vergist had wat Eamonn betrof. Ik probeerde mezelf te bekijken zoals een man me zou zien, maar dat was moeilijk. Te klein, te mager. Te bleek. Te stil. Dat kon je allemaal over me zeggen. Toch was ik niet ontevreden over mijn gezicht en lichaam, die ik beide van mijn moeder had geërfd. Ik was tevreden met wat Niamh verachtelijk mijn gezellige huiselijke werkjes had genoemd. Ik verlangde niet naar avonturen. Ik zou best tevreden zijn met een boer.

'Waar lach je om?' Mijn zus keek me van de andere kant van de kamer woedend aan. De kaars wierp een reusachtige, dreigende schaduw van haar op de muur achter haar toen ze ging zitten en met een fel gebaar de tranen uit haar ogen veegde. Ook al was haar gezicht gezwollen van het huilen, het was nog steeds oogverblindend mooi.

'Nergens om.'

'Hoe kun je nu lachen, Liadan? Het kan je allemaal niets schelen, hè? Hoe kun je je verbeelden dat ik jou ooit iets zou vertellen? Zodra jij het weet, weet Sean het ook, en dan weet iedereen het.'

'Dat is niet eerlijk. Er zijn dingen die ik voor Sean verborgen houd, en hij houdt dingen voor mij verborgen.'

'O ja?'

Ik antwoordde niet en Niamh ging weer liggen met haar gezicht naar de muur. Toen ze weer iets zei, klonk haar stem anders, beverig en huilerig.

'Liadan?'

'Mmm?'

'Het spijt me.'

'Wat spijt je?'

'Dat ik dat zei. Het spijt me dat ik zei dat je lelijk was. Ik meende het niet.'

Ik zuchtte. 'Het geeft niet.' Ze had de gewoonte kwetsende dingen te zeggen wanneer ze overstuur was en alles later te herroepen. Niamh was als een herfstdag, vol verrassingen: regen en zonneschijn, schaduw en licht. Zelfs wanneer ze gemene dingen zei, kon je moeilijk boos op haar zijn, want ze meende het niet kwaad.

'Ik hoef trouwens niet zo nodig een man te hebben,' zei ik, 'dus het doet er eigenlijk niet zoveel toe.'

Ze haalde luidruchtig haar neus op en trok de deken over haar hoofd, en daarmee waren we uitgepraat.

Het begon al tegen Beltaine te lopen. Het werk op de boerderij ging gewoon door, maar Niamh trok zich steeds verder in zichzelf terug. Achter gesloten deuren werden verhitte gesprekken gevoerd. De sfeer in huis was heel anders dan normaal. Toen Eamonn eindelijk terugkwam, werd hij buitengewoon hartelijk verwelkomd, want ik geloof dat we blij waren met alles wat de groeiende spanning kon verlichten. Het verhaal dat hij meebracht was zeker zo vreemd als de geruchten hadden doen vermoeden.
We kregen het op de avond van zijn aankomst te horen, terwijl we na het avondeten in de grote zaal zaten. Het was koud voor de tijd van het jaar, en Aisling en ik hadden Janis geholpen warme wijn te maken. Wij hadden een veilig huis, iedereen was te vertrouwen, en Eamonn vertelde zijn verhaal dus openlijk, want hij wist dat iedereen geïnteresseerd was in wat hem en Seamus en hun strijdmacht overkomen was. Van de dertig mannen die Liams garnizoen telde, waren er slechts zevenentwintig teruggekeerd. Eamonn had zelf veel zwaardere verliezen geleden, evenals Seamus Roodbaard. Er waren huilende vrouwen in drie huishoudens. Niettemin was Eamonn als overwinnaar teruggekeerd, maar niet helemaal op de manier die hij gewild had. Ik keek naar hem terwijl hij zijn verhaal vertelde, met hier en daar een gebaar om iets te illustreren. Af en toe viel er een lok bruin haar over zijn voorhoofd, die hij met een automatische beweging terugduwde. Ik vond dat zijn gezicht meer lijnen vertoonde dan vroeger; hij droeg een zware verantwoordelijkheid voor zo'n jonge man. Geen wonder dat sommigen vonden dat hij geen humor had.
'Jullie weten al,' zei hij, 'dat we bij deze veldslag meer goede mannen verloren hebben dan we ons eigenlijk konden permitteren. Ik kan jullie verzekeren dat hun levens niet lichtvaardig zijn opgeofferd. We hebben hier te maken met een vijand van geheel andere aard dan de vijanden die we al kennen, de Britten, de Noormannen en de vijandige clanhoofden van ons eigen land. Van de eenentwintig krijgers die in mijn dienst zijn omgekomen, zijn er geen twee op dezelfde wijze gedood.'
Er werd gemompeld in de zaal.

'Jullie hebben de verhalen waarschijnlijk al gehoord,' vervolgde Eamonn. 'Het is mogelijk dat zij de verhalen zelf hebben verspreid, om de angst te vergroten. Maar deze geruchten zijn op de werkelijkheid gebaseerd, zoals we zelf ontdekten toen we de vijand uiteindelijk ontmoetten.' Vervolgens vertelde hij van een buurman in het noorden, van een allang bestaand geschil dat tot strijd was opgelaaid, van geroofd vee, van wraakacties.

'Hij kende de sterkte van mijn strijdmacht. In het verleden zou hij nooit meer hebben gedaan dan een paar dieren roven, of te dicht bij een van mijn wachttorens een klein vuur ontsteken. Hij wist dat hij in de strijd geen partij voor me was en dat elke door hem ondernomen actie zou resulteren in snelle en dodelijke vergelding. Maar hij aast op een stuk land van mij dat grenst aan het vruchtbaarste deel van zijn gebied. Hij is al heel lang bezig te bedenken hoe hij dat stuk grond in bezit kan krijgen. Hij heeft een keer geprobeerd om het van me te kopen, maar ik heb hem afgewezen. Maar nu heeft hij een andere manier gevonden om zijn zilverstukken te gebruiken.'

Eamonn nam een slok van zijn wijn en veegde zijn mond af met zijn hand. De uitdrukking op zijn gezicht was somber.

'We hoorden dat er door een ongeziene vijand bliksemovervallen werden uitgevoerd. De wachttorens bleven onbeschadigd en er werden geen dorpen geplunderd of schuren in brand gestoken. Er werden alleen mannen gedood. Heel doeltreffend. Op vindingrijke wijze. Eerst een afgelegen post, waar twee mannen dood werden gevonden. Daarna een meer gedurfde hinderlaag. Een troep wachten patrouilleerde langs de westelijke grens van het moerasland en werd tot de laatste man gedood. Een gruwelijk tafereel. Ik zal de dames de bijzonderheden besparen.' Hij wierp een snelle blik in mijn richting en wendde zijn ogen weer af. 'Geen wreedheden overigens. Ze waren niet gemarteld. Alleen... buitengewoon doeltreffend gedood, en... en anders dan normaal. We konden er niet uit opmaken waar we mee te maken hadden. We konden ons nergens op voorbereiden. En mijn dorpelingen, mijn boeren waren buiten zichzelf van angst. Zij dachten dat deze stille moordenaars een verschijnsel uit de Andere Wereld waren, wezens die in een flits konden verschijnen en verdwijnen, half mens, half dier, gespeend van elk gevoel van goed en kwaad.' Hij zweeg, en ik was ervan overtuigd dat hij een beeld voor ogen had dat hij het liefst uit zijn geest had willen wissen.

'Je zou zo denken,' vervolgde hij ten slotte, 'dat het op ons eigen terrein, gesteund door Seamus' mannen, niet moeilijk zou zijn welke indringer dan ook te verdrijven. Mijn mannen zijn gedisciplineerd. Ervaren. Ze kennen die moerassen van haver tot gort; ze weten er elk bospad, elke schuilplaats, elke potentiële valkuil te vinden. We deelden onszelf op in drie groepen en probeerden de vijand af te zonderen in het gebied waarvan we dachten dat hij er zich vooral ophield. Eerst ging dat goed. We namen een groot aantal mannen van mijn noordelijke buurman gevangen en dachten dat de dreiging zo goed als geweken was. Het was alleen vreemd dat onze gevangenen zo nerveus leken; ze keken telkens achterom. Ik denk dat ik zelfs al voor die tijd al wist dat de aanvallen niet allemaal door één vijand werden uitgevoerd. Met zijn zilver had mijn buurman zich voorzien van een strijdmacht die hij zelf nooit bijeen had kunnen brengen. Een strijdmacht zoals niemand van ons hier tot zijn beschikking heeft.'

'Wie waren ze dan?' vroeg Sean, die aan Eamonns lippen hing. Ik voelde zijn opwinding; dit was een uitdaging die hij zelf graag tegemoet was getreden.

'Ik heb hen maar één keer gezien,' zei Eamonn langzaam. 'We reden door het meest verraderlijke gedeelte van het moerasland en keerden met de lichamen van onze gesneuvelde mannen terug naar ons basiskamp. Het is onmogelijk om daar een aanval in te zetten. Dat dacht ik tenminste. Eén verkeerde beweging en de grond begint te trillen en te schudden en te slurpen, en je hoort alleen het water even lispelen terwijl het een man opslokt. Maar het is volkomen veilig als je er de weg kent.

We waren met zijn tienen,' ging hij verder. 'We reden in een rij achter elkaar, want het pad was smal. We hadden de lichamen van onze doden over onze zadelboog gelegd. Het was nog middag, maar door de nevelen daar lijkt de dag schemerig, en de schemering lijkt er nacht. De paarden kenden de weg en hadden geen leiding nodig. We reden zwijgend, want onze waakzaamheid mocht niet verslappen, zelfs niet in dat verlaten oord. Ik heb goede oren en scherpe ogen. Mijn mannen waren speciaal geselecteerd. Maar het ontging me, het ontging ons allemaal. Heel even de zachte roep van een moerasvogel, het kwaken van een kikvors. Een geluidje, een signaal, en daar waren ze. Ze kwamen uit het niets, maar rezen elk precies tegelijk omhoog, voor elk van ons één, die zijn man uit het zadel wierp en hem keurig en zwijgend doodde, de een met het mes, de ander met het koord, weer een ander met de uitgekiende duimdruk in de nek. Wat mij betreft, mijn straf was speciaal uitgekozen. Ik kon de man die me van achteren vasthield niet zien, hoewel ik al mijn kracht gebruikte om uit zijn greep los te komen. Ik voelde mijn eigen dood in mijn rug. Maar dat was de bedoeling niet. In plaats daarvan werd ik vastgehouden en moest ik toekijken en luisteren hoe mijn mannen voor en achter me stierven, hoe hun paarden in paniek van het pad afsprongen en verzwolgen werden door het trillende water van het moeras. Mijn eigen ros bleef stevig staan en werd met rust gelaten. Ik moest de gelegenheid krijgen om naar huis terug te keren. Ik moest hulpeloos getuige zijn van het afslachten van mijn eigen mannen en vervolgens vrijgelaten worden.'

'Maar waarom?' zei Sean ademloos.

'Ik weet nog steeds de reden niet,' zei Eamonn toonloos. 'De man die mij vasthield, had me stevig in zijn greep; hij hield zijn mes tegen mijn keel en hij had genoeg kracht in zijn handen om me te verhinderen me langdurig te verzetten. Hij was onvoorstelbaar bedreven in dit soort gevechten. Ik had niet de minste hoop dat ik me zou kunnen bevrijden. Mijn hart deed pijn terwijl ik wachtte tot de laatste van mijn mannen dood was. En... en ik dacht bijna dat de geruchten waar waren, toen de mist even verwoei en ik hier en daar een glimp opving van degenen die mijn mannen zo koelbloedig en afstandelijk van het leven beroofden.'

'Waren ze werkelijk half mens, half dier?' vroeg Aisling aarzelend. Ze was natuurlijk bang om dom te lijken, maar niemand lachte.

'Het waren mannen,' zei Eamonn, maar in zijn stem klonk toch enige twijfel. 'Maar ze droegen helmen, of maskers, die daarmee in strijd waren. Je dacht dat je een arend zag, of een hert; sommigen hadden zelfs een tekening op hun huid, op hun voorhoofd of op hun kin, die deed denken aan het verenkleed of de kop van een wild dier. Sommigen hadden een met veren versierde helm, sommigen een mantel van wolfsvacht. Hun ogen... hun ogen ston-

den zo kalm. Dodelijk kalm. Alsof... alsof het wezens waren zonder menselijke gevoelens.'
'En de man die jou vasthield?' vroeg Liam. 'Wat was dat voor een man?'
'Moeilijk te zeggen. Hij zorgde ervoor dat ik zijn gezicht niet te zien kreeg. Maar ik hoorde zijn stem, en die zal ik nooit vergeten. Toen hij me ten slotte losliet, zag ik zijn ontblote arm toen hij zijn mes van mijn keel haalde. Een arm die van de schouder tot de vingertoppen getekend was met een patroon, een ingewikkeld weefsel van veren, spiralen en in elkaar sluitende schakels, een ingewikkelde en onuitwisbare tekening die diep in de huid was geëtst. Daaraan zal ik deze moordenaar herkennen, wanneer ik de moord op mijn goede mannen zal wreken.'
'Wat zei hij tegen je?' Ik kon me onmogelijk langer stil houden, want het was een verschrikkelijk, maar fascinerend verhaal.
'Zijn stem was... heel gelijkmatig. Heel kalm. Op die plek, met de dood rondom, sprak hij alsof het over een zakelijke overeenkomst ging. Dat duurde maar heel even. Hij liet me los, en terwijl ik adem schepte en me omdraaide om achter hem aan te gaan, verdween hij in de mist om ons heen, en hij zei: *Leer hiervan, Eamonn. Leer je les goed. Ik ben nog niet klaar met jou.* Toen was ik alleen. Alleen, met mijn trillende paard en de gebroken lichamen van mijn mannen.'
'Geloof je nog steeds dat het geen... geen wezens van de Andere Wereld waren?' vroeg mijn moeder. Haar stem klonk onvast, wat me zorgen baarde.
'Het zijn mannen.' Eamonns stem was beheerst, maar ik kon de boosheid erin horen. 'Mannen die ontzaglijk bedreven zijn in het veld; daarop zou elke krijger jaloers kunnen zijn. Hoe sterk onze strijdmacht ook was, we hebben niet een van hen gedood of gevangengenomen. Maar ze zijn niet onsterfelijk. Dat ontdekte ik toen ik weer iets van hun leider hoorde.'
'Zei je niet dat je die man nooit hebt gezien?' vroeg Liam.
'Gezien heb ik hem niet. Hij heeft me een boodschap gestuurd. Dat was een tijd later, en we waren niet meer van hen tegengekomen. Jouw versterkingen waren intussen gekomen en gezamenlijk ruimden we de rest van het schamele legertje van mijn buurman op en joegen hen op de vlucht. We bewezen onze doden de laatste eer en

begroeven hen. Er werd voor hun weduwen gezorgd. De invallen hielden op. De dreiging scheen afgewend te zijn, al huiverden de mensen nog van angst bij de herinnering aan wat er gebeurd was. Ze hadden de moordenaar een naam gegeven. Ze noemden hem de Beschilderde Man. Ik dacht dat zijn bende mijn gebied had verlaten. Toen werd mij die boodschap gebracht.'

'Wat voor boodschap?'

'Geen gewone uitdaging in woorden; zo eerlijk gaat deze onverlaat niet te werk. De boodschap bestond... misschien kan ik dit beter niet hier vertellen. Het is niet geschikt voor damesoren.'

'Je kunt het ons beter wel vertellen,' zei ik botweg. 'We zullen het toch wel horen, hoe dan ook.'

Hij keek me weer aan. 'Daar heb je natuurlijk gelijk in, Liadan. Maar het is... het is niet prettig om te horen. Dit hele verhaal is niet prettig om te horen. Ze brachten me... ze brachten me een leren buidel, die ergens was achtergelaten waar mijn mannen hem zeker zouden vinden. In deze buidel zat een hand. Een afgehakte hand.'

Het bleef volkomen stil.

'De ringen aan de vingers vertelden ons dat deze hand van een van de onzen was. Ik interpreteer dit gebaar als een uitdaging. Hij wil hiermee zeggen dat hij sterk is; dat hij aanmatigend is, weet ik al. Zijn diensten, en die van de mannen die onder zijn leiding staan, zijn hier nu te koop. Daar moeten we rekening mee houden bij tochten die we willen ondernemen.'

We bleven een tijdlang verbijsterd zitten. Ten slotte zei mijn vader: 'Denk je dat deze kerel de euvele moed zou hebben om ons zijn diensten aan te bieden na wat hij gedaan heeft? En betaling te vragen?'

'Hij kent de waarde van wat hij heeft,' zei Liam droog. 'En hij heeft gelijk. Er zijn genoeg clanhoofden die geen scrupules hebben om zo'n aanbod aan te nemen, als ze tenminste voldoende middelen hebben om hem te betalen. Ik stel me zo voor dat hij niet goedkoop is.'

'Dat zou men toch nauwelijks in ernst kunnen overwegen,' zei mijn moeder. 'Wie zou zo'n man ooit kunnen vertrouwen? Het ziet ernaar uit dat zijn loyaliteit van het ene ogenblik op het andere kan omslaan.'

'Een huurling kent geen loyaliteit,' zei Eamonn. 'Hij behoort toe aan de man met de dikste beurs.'
'Maar toch,' zei Sean, en hij sprak langzaam, alsof hij iets bedacht, 'zou ik willen weten of ze op het water even handig kunnen manoeuvreren als vanuit een hinderlaag. Zo'n legertje, gebruikt in combinatie met een grotere troep goed gedisciplineerde krijgers, zou je een groot voordeel opleveren. Weet je ook hoeveel mannen hij heeft?'
'Je denkt er toch niet serieus over om dergelijk tuig in dienst te nemen?' vroeg Liam geschokt.
'Tuig? Naar wat Eamonn ons vertelt is dit geen ongeregelde bende pummels. Ze lijken zeer beheerst toe te slaan en beramen hun overvallen met uitgekiend inzicht.' Sean dacht nog steeds diep na.
'Ze werken misschien slim, maar ze zijn erger dan fianna, want ze voeren hun missies uit zonder trots, zonder ergens anders op gericht te zijn dan de daad zelf, en de betaling,' zei Eamonn. 'Deze man heeft mij helemaal verkeerd ingeschat. Wanneer hij sterft, zal het door mijn hand zijn. Hij zal met bloed betalen als hij zich op mijn gebied waagt of iets aanraakt wat van mij is. Dat heb ik gezworen. En ik zal ervoor zorgen dat mijn voornemen hem ter ore komt. Als onze wegen elkaar weer kruisen, is zijn leven niets meer waard.'
Nu was Sean zo verstandig er het zwijgen toe te doen, hoewel ik zijn onderdrukte opwinding kon voelen. Eamonn nam nog een bokaal met wijn en werd weldra omringd door gretige vraagstellers. Ik dacht dat dit waarschijnlijk wel het laatste was dat hij wilde, nu zijn verhaal de herinnering aan zijn verliezen weer bij hem had opgerakeld. Maar ik was niet zijn hoedster.

Ik geloof dat ik die avond voor het eerst zag dat Eamonn bijna toegaf dat hij een situatie niet meester was. Als hij één eigenschap had waarin hij zich onderscheidde, was dat gezag, en als tweede zijn toewijding aan datgene waarin hij geloofde. Het was daarom geen wonder dat de precisie en de gedurfdheid van de aanval van de Beschilderde Man, en de arrogantie van wat erop was gevolgd, hem ernstig van zijn stuk hadden gebracht. De volgende dag zou hij zijn zuster naar huis begeleiden, want er waren veel zaken waaraan aandacht besteed moest worden. Het was dus een verrassing voor me toen hij me in mijn tuin opzocht, kort nadat ik de volgende ochtend aan het werk was gegaan, alsof onze vorige afspraak alleen een tijdje was uitgesteld.

'Goedemorgen, Liadan,' zei hij beleefd.

'Goedemorgen,' antwoordde ik, terwijl ik doorging de uitgebloeide bloemen uit mijn oude hondsroos te snijden. Als ik ze nu terugsnoeide, zouden ze later in de zomer nog veel meer bloemen geven. De rozenbottels konden daarna gebruikt worden voor een krachtige drank die op allerlei manieren kon worden toegepast, en je kon er ook een lekkere gelei van maken.

'Je bent bezig. Ik wil je niet storen in je werk. Maar we zullen gauw vertrekken en ik wil graag nog voor die tijd met je praten.'

Ik keek even naar hem op. Hij zag inderdaad nogal bleek en keek buitengewoon ernstig. Deze veldtocht had hem veel ouder gemaakt dan hij was.

'Je zult, denk ik, wel een vermoeden hebben waarover ik met je wil spreken.'

'Eh, ja,' zei ik, en ik besefte dat ik moest ophouden met te doen alsof ik werkte en dat ik moest luisteren naar wat hij te zeggen had. Het zou handig zijn geweest als ik enig idee had van hoe mijn antwoord zou luiden. 'Misschien wil je hier even komen zitten?'

We liepen naar de stenen bank, en ik ging zitten, met mijn mand op mijn schoot en het snoeimes nog in mijn hand, maar Eamonn wilde niet gaan zitten. In plaats daarvan begon hij met gebalde vuisten heen en weer te lopen. Hoe kan hij hier nou zenuwachtig voor zijn, dacht ik, na alles wat hij heeft meegemaakt? Maar hij was zenuwachtig, dat was overduidelijk.

'Je hebt mijn verhaal gisteravond gehoord,' zei hij. 'Deze verliezen hebben me aan het denken gezet, en ik heb diep nagedacht over veel dingen. Dood, wraak, bloed. Donkere dingen. Ik dacht niet dat ik het in me had om zo te haten. Het is geen prettig gevoel.'

'Deze man heeft je iets misdaan, dat staat vast,' zei ik langzaam. 'Maar misschien moet je het achter je laten en verder gaan. Haat kan je opvreten, als je het toelaat. Het kan je hele leven gaan beheersen.'

'Dat zou ik liever niet zien gebeuren,' zei hij, en hij draaide zich om zodat hij me aan kon kijken. 'Mijn vader heeft van mensen

die zijn bondgenoten hadden moeten zijn, bittere vijanden gemaakt; zo heeft hij zijn eigen ondergang bewerkstelligd. Ik wil niet dat deze haat me opvreet. Maar ik kan het hier niet bij laten. Ik hoopte dat... misschien moet ik weer opnieuw beginnen.'
Ik keek naar hem op.
'Ik moet nodig trouwen,' zei hij onomwonden. 'Na deze gebeurtenis lijkt dat nog belangrijker dan eerst. Het is... het geeft evenwicht, tegenover die donkere dingen. Ik heb er genoeg van bij mijn thuiskomst een koude haard en holklinkende zalen te vinden. Ik wil een kind om de toekomst van mijn naam veilig te stellen. Mijn land is omvangrijk, zoals je weet, en veilig, afgezien van deze brutale boef en zijn moordenaarsbende, en met hen zal ik gauw genoeg afrekenen. Ik heb veel te bieden. Ik heb... ik bewonder je al heel lang, al sinds je nog te jong was om over een verbintenis na te denken. Je ijver, je toewijding aan het werk dat je doet, je vriendelijkheid, je loyaliteit jegens je familie. We zouden goed bij elkaar passen. En het is niet zo'n verre reis hiervandaan; je zou je familie vaak kunnen opzoeken.' Tot mijn schrik kwam hij dichterbij en viel naast me op zijn knieën. 'Wil je mijn vrouw worden, Liadan?'
Voor een aanzoek was het... zakelijk geweest. Ik nam aan dat hij precies de juiste dingen had gezegd. Maar ik vond dat er op de een of andere manier iets ontbrak. Misschien had ik te veel naar de oude verhalen geluisterd.
'Ik ga je een vraag stellen,' zei ik kalm. 'Bedenk, als je antwoordt, dat ik niet het soort vrouw ben dat vleierijen of valse complimentjes verwacht. Ik verwacht de waarheid van jou, altijd.'
'Je zult de waarheid krijgen.'
'Vertel me dan,' zei ik, 'waarom je niet de hand van mijn zus Niamh vraagt, in plaats van de mijne? Dat verwachtte iedereen.'
Eamonn nam mijn hand in de zijne en bracht hem naar zijn lippen.
'Je zuster is zeker heel mooi,' zei hij met een spoor van een glimlach. 'Een man zou heel goed van zo'n vrouw kunnen dromen. Maar wanneer hij wakker werd, zou hij jouw gezicht op zijn kussen willen zien.'
Ik voelde dat ik vreselijk begon te blozen en wist helemaal niets meer te zeggen.

'Het spijt me, ik heb je beledigd,' zei hij snel, maar hij bleef mijn hand vasthouden.
'O nee... helemaal niet,' bracht ik uit. 'Ik ben alleen... verbaasd.'
'Ik heb met je vader gesproken,' zei hij. 'Hij heeft geen bezwaar tegen ons huwelijk. Maar hij heeft gezegd dat het jouw beslissing is. Hij gunt je veel vrijheid.'
'Keur je dat af?'
'Dat hangt van je antwoord af.'
Ik ademde diep in, in de hoop dat ik inspiratie zou krijgen. 'Als dit een van de oude verhalen was,' zei ik langzaam, 'zou ik je vragen drie opdrachten te vervullen, of drie monsters voor me te doden. Maar het is niet nodig jou zo op de proef te stellen. Ik erken dat dit een heel... passende verbintenis zou zijn.'
Eamonn had mijn hand teruggelegd en bestudeerde de grond bij mijn voeten, waar hij nog steeds voor geknield zat.
'Ik hoor daar onuitgesproken woorden,' zei hij fronsend. 'Een voorbehoud. Je kunt me beter zeggen wat het is.'
'Het is te snel,' zei ik eerlijk. 'Ik kan geen antwoord geven, nu nog niet.'
'Waarom niet? Je bent zestien jaar oud, een vrouw. Ik ben zeker van mijn standpunt. Je weet wat ik je kan aanbieden. Waarom kun je geen antwoord geven?'
Ik haalde diep adem. 'Je weet dat mijn moeder erg ziek is. Zo ziek dat ze niet zal herstellen.'
Eamonn keek me scherp aan, toen stond hij op en kwam naast me op de bank zitten. De spanning tussen ons werd iets minder.
'Ik heb gezien hoe bleek ze is en me afgevraagd of ze ziek was,' zei hij zacht. 'Ik wist niet dat het zo ernstig was. Ik vind het heel erg voor je, Liadan.'
'Er wordt niet over gepraat,' zei ik. 'Niet veel mensen weten dat wij elk seizoen, elke maancyclus, elke dag die voorbijgaat tellen. Dit is de reden waarom ik geen toezegging kan doen, aan jou of aan een ander.'
'Is er een ander?' Zijn stem klonk plotseling fel.
'Nee, Eamonn,' zei ik haastig. 'Daarover hoef je je geen zorgen te maken. Ik besef hoe bevoorrecht ik ben dat ik zelfs maar één aanzoek zoals het jouwe krijg.'
'Je onderschat jezelf, zoals altijd.'

Er viel weer een stilte. Eamonn staarde naar zijn handen en fronste zijn voorhoofd.
'Hoelang moet ik op je antwoord wachten?' vroeg hij na enige tijd.
Het was moeilijk om te antwoorden, want daarmee stelde ik een limiet aan Sorcha's tijd.
'Omwille van mijn moeder zal ik geen beslissing nemen voor volgend jaar Beltaine,' zei ik. 'Dat is lang genoeg, denk ik. Dan zal ik je een antwoord geven.'
'Het is te lang,' zei hij. 'Hoe kan een man zo lang wachten?'
'Ik moet hier zijn, Eamonn. Ze zullen me steeds meer nodig hebben. Bovendien ken ik mijn eigen hart niet. Het spijt me als ik je daarmee kwets, maar ik wil jouw eerlijkheid beantwoorden door er de zuivere waarheid tegenover te stellen.'
'Een heel jaar,' zei hij. 'Je verwacht wel veel van me.'
'Het is een lange tijd. Maar het is niet mijn bedoeling je gedurende deze vier seizoenen aan mij te binden. Je bent me niets verplicht. Als je in deze tijd een ander ontmoet, als je van gedachten verandert, ben je volkomen vrij om je aan haar te geven, om te trouwen, om te doen wat je maar wilt.'
'Daar is geen kans op,' zei hij heel beslist, 'niet de minste kans.'
Op dat moment voelde ik een schaduw over me glijden, en opeens had ik het koud. Of het nu kwam door de intense klank van zijn stem, of door de uitdrukking in zijn ogen, of door iets heel anders, maar heel even werd het donker in de vredige, zonnige tuin. Er veranderde kennelijk ook iets in de uitdrukking op mijn gezicht.
'Wat is er?' vroeg hij bezorgd. 'Wat is er met je?'
Ik schudde mijn hoofd. 'Niets,' zei ik. 'Maak je niet ongerust. Het is niets.'
'Het is bijna tijd om te gaan,' zei hij terwijl hij opstond. 'Ze verwachten me waarschijnlijk al. Ik had het prettiger gevonden als we tenminste een of andere... overeenkomst hadden. Een verloving misschien, waarbij het huwelijk zou worden uitgesteld tot... tot jij eraan toe bent. Of... zou vrouwe Sorcha niet willen dat jij gelukkig getrouwd bent voor ze... zou ze niet op je huwelijksfeest aanwezig willen zijn?'
'Zo eenvoudig is het niet, Eamonn.' Opeens voelde ik me dood-

moe. ‘Ik kan niet toestemmen in een verloving. Ik wil me niet vastleggen. Ik heb je gezegd wanneer ik een antwoord zal geven en dat blijft zo. Een jaar zal misschien niet eens zo lang lijken.’
‘Het lijkt een eeuwigheid. Er kan heel veel veranderen in een jaar.’
‘Ga nu maar,’ zei ik. ‘Aisling wacht waarschijnlijk al op je. Ga naar huis. Breng je huishouden in orde, doe wat je doen moet voor je mensen. Ik zal nog altijd hier zijn volgend jaar aan de vooravond van Beltaine. Ga naar huis, Eamonn.’
Ik dacht dat hij weg zou gaan zonder nog iets te zeggen, zo lang bleef hij zwijgend staan met zijn armen over elkaar en zijn hoofd gebogen in gedachten. Toen zei hij: ‘Het zal pas een thuis voor me zijn wanneer ik jou daar in de deuropening zie wachten, met mijn kind in je armen. Eerder niet.’ En hij beende weg door de poort in de muur zonder om te kijken.

HOOFDSTUK DRIE

Mijn gedachten bleven hier niet lang mee bezig, want ons huishouden werd algauw door allerlei gebeurtenissen overspoeld, met een snelheid die ons bijna overrompelde. We waren toch al niet gelukkig, want we waren onderling verdeeld vanwege Niamhs houding. Ze weigerde om het huwelijksaanzoek van Fionn ook maar in overweging te nemen, en hulde zich in stilzwijgen over de redenen daarvoor. Liam was boos en mijn vader was gefrustreerd omdat hij niet in staat was Liam en Niamh met elkaar te verzoenen. Mijn moeder was ongelukkig over de onderlinge onenigheid tussen haar manvolk. Sean miste Aisling en snauwde iedereen bij het minste of geringste af. In mijn wanhoop ging ik op een zoele middag kort voor midzomer alleen het bos in. Daar was een plek waar we als kind vaak kwamen, een diepe, afgezonderde poel waarvan de oevers waren begroeid met varens. Ze werd gevoed door een bruisende waterval en beschut door de zachte schaduw van treurwilgen. We hadden daar vaak op warme zomerdagen met ons drieën gezwommen en gespeeld, en de lucht vervuld met ons geroep, geplens en gelach. Daar waren we nu natuurlijk te oud voor. We waren nu mannen en vrouwen, zoals Eamonn me had helpen herinneren. Te oud om pret te maken. Maar ik herinnerde me de zoete kruiden die daar welig in het wild groeiden, peterselie, kervel en overvloedige massa's waterkers, en ik vatte het plan op om een kleine pastei met eieren en zachte kaas te maken, die misschien de gebrekkige eetlust van mijn moeder zou opwekken. Ik pakte een mand, bond

mijn haar naar achteren en ging alleen het bos in, blij even verlost te zijn van de gespannen sfeer in huis.
Het was een warme dag en er was een overvloed aan kruiden. Ik plukte stevig door, zacht neuriënd, en even later was mijn mand vol. Ik ging met mijn rug tegen een wilg zitten om uit te rusten. In het bos zinderde het van leven; overal waren geluidjes te horen: het ritselen van eekhoorns in het onderhout en de zang van een lijster boven mijn hoofd, maar ook vreemdere stemmen, vage fluisteringen in de lucht waarvan ik de woorden niet kon verstaan. Als ze al een boodschap bevatten, was die waarschijnlijk niet voor mij bedoeld. Ik bleef roerloos zitten en beeldde mij in dat ik hen zag: vage, etherische vormen die tussen de takken door bewogen, een fragment van een zwevende sluier, een vleugel, doorschijnend en fragiel als die van een libel, haar dat bestond uit glinsterende gouden en zilveren draden. Misschien een smalle hand, die wenkte. En klokjesachtig gelach. Ik knipperde met mijn ogen en keek weer. De zon had me zeker parten gespeeld, want nu zag ik niets. Ik moest terug naar het huis, mijn pastei maken, en hopen dat mijn familie weer vrede zou sluiten.
Er was iemand. Daar beneden tussen de lijsterbessen, een flits van diepblauw, even snel verdwenen als hij gekomen was. Had ik voetstappen gehoord op het zachte pad? Ik stond op, hing mijn mand aan mijn arm en liep geruisloos die kant op. Het pad liep over de helling naar beneden, naar de beschutte poel, slingerend onder de bomen en tussen dicht struikgewas door. Ik riep niet of er iemand was. Ik kon niet zeggen of dat wat ik gezien had, veroorzaakt was door het spel van het licht op het donkere gebladerte of dat het iets meer was. En ik had geleerd me onhoorbaar door het bos te bewegen. Het was van levensbelang dat te kunnen, zei vader. Daar was het weer, vlak voor me achter de lijsterbessen, een zweem blauw als van een geplooid kleed, en een flits wit, een lange, fijngebouwde hand. Ditmaal was het gebaar onmiskenbaar. Hierheen, wenkte het. Kom deze kant op. Ik liep zachtjes verder het pad af.
Niamh wilde later niet geloven dat ik niet met opzet daarheen was gekomen om haar geheim te ontdekken. Ik liep geruisloos verder onder de wilgen door, tot het kalme oppervlak van de poel in het gezicht kwam. Toen bleef ik staan, verstard van schrik. Ze had

me niet gezien. En hij evenmin. Ze hadden alleen oog voor elkaar, terwijl ze tot aan hun middel in het water stonden. Hun lichamen werden weerspiegeld in het water onder het baldakijn van bomen, hun huid werd getekend met lichtplekken door het zonlicht dat door het zomerse gebladerte viel. Haar blanke armen waren stevig om zijn hals geslagen; zijn roodbruin gelokte hoofd was gebogen om haar blote schouder te kussen, en haar rug kromde zich met een primitieve gratie in reactie op de aanraking van zijn lippen. Het lange, lichtende gordijn van haar haar viel om haar heen, als een echo van het goudkleurige zonlicht, maar het verhulde niet volledig het feit dat ze naakt was.

In mij streden verschillende gevoelens met elkaar. Schrik, angst, een vurige wens dat ik ergens anders heen was gegaan om mijn kruiden te plukken. Het besef dat ik onmiddellijk moest ophouden met kijken. Het totale onvermogen om mijn ogen af te wenden. Want wat ik zag, hoe vreselijk verkeerd ook, was tevens ongelooflijk mooi. Het spel van licht op water, van schaduw op parelblanke huid, de verstrengeling van hun twee lichamen, de manier waarop ze volkomen in elkaar opgingen – dit te zien was even wonderschoon als diep verontrustend. Als dit was wat ik geacht werd voor Eamonn te voelen, dan had ik er goed aan gedaan hem te laten wachten. Er kwam een moment, toen de handen van de jonge druïde langs het lichaam van mijn zus naar beneden gingen en hij haar optilde en gretig tegen zich aan trok, dat ik wist dat ik niet langer kon blijven kijken. Ik trok me geruisloos terug onder de wilgen en liep blindelings in de richting van het huis, terwijl mijn hoofd tolde van verwarring. Van de vreemde gids die me had gewenkt, zodat ik hen had gevonden, was geen spoor meer te bekennen.

Het trof ongelukkig. Ik had een verkeerd tijdstip gekozen. Of misschien was het juist de bedoeling dat de eerste die ik nu tegenkwam, mijn broer was. Dat dit uitgerekend gebeurde toen ik halverwege de weiden van de boerderij was, terwijl mijn hoofd nog vol was van het beeld van die twee jonge lichamen die zo verstrengeld waren alsof ze maar aan één levend wezen toebehoorden. Misschien had het Feeënvolk hier de hand in, of misschien was het, zoals Niamh later zei, allemaal mijn schuld omdat ik haar had bespioneerd. Ik heb verteld hoe het tussen mijn broer en mij was. Toen we jonger waren, deelden we onze gedachten en geheimen vaak rechtstreeks met elkaar, van geest tot geest, zonder dat we daarbij hoefden te spreken. Alle tweelingen hebben een nauwe band met elkaar, maar tussen ons ging die band veel dieper. We konden elkaar op elk moment oproepen, bijna alsof we een bepaald gedeelte van onze ziel hadden gedeeld voor wij beiden ooit de buitenwereld hadden gezien. Maar sinds kort hadden we, zonder erover te praten, ervoor gekozen om die schakeling af te sluiten. De geheimen van een jongeman die zijn eerste liefje het hof maakt zijn te gevoelig om ze met zijn zus te delen. En voor mij gold dat ik hem niets wilde vertellen van mijn ongerustheid over Niamh, of van mijn bange voorgevoelens over de toekomst. Maar nu kon ik het niet tegenhouden. Want mensen die elkaar zo na staan als Sean en ik kunnen iets wat zo aangrijpend, verdrietig of juist vreugdevol is, niet wegdrukken. Die gevoelens zijn zo krachtig dat ze overstromen, waardoor de ander ze wel moet voelen. Ik was niet bij machte hem bij zulke gelegenheden buiten te sluiten, ik beschikte niet over de middelen om een schild voor mijn geest te plaatsen. Ik kon het kleine, kristalheldere beeld van mijn zus en haar druïde, in elkaars armen weerspiegeld in het stille water, niet wegduwen. En wat ik zag en voelde, zag mijn broer ook.

'Wat is dit?' riep Sean ontzet. 'Is dit vandaag? Is dit nu?'

Ik knikte diep ongelukkig.

'Bij de Dagda, ik maak die kerel met mijn blote handen koud! Hoe durft hij mijn zuster zo te bezoedelen!'

Ik had de indruk dat hij meteen het bos in wilde rennen om de straf te voltrekken.

'Niet doen. Houd op, Sean. Met boosheid zul je hier niets bereiken. Misschien is dit niet zo heel erg.'

Hij pakte me bij de schouders, terwijl we daar midden in het veld stonden, en dwong me hem recht in de ogen te kijken. Op zijn gezicht zag ik weerspiegeld wat ik in zijn geest las: geschoktheid, woede, verontwaardiging.

'Ik kan dit niet geloven,' mompelde hij. 'Hoe kan Niamh zich bereidwillig overgeven aan zoiets doms? Weet ze niet dat ze hiermee het hele bondgenootschap in de waagschaal stelt? Genadige goden, hoe hebben we zo blind kunnen zijn? Blind, allemaal! Kom,

Liadan, we moeten teruggaan naar het huis om het aan de anderen te vertellen.'

'Nee! Vertel het niet, nog niet. Laat me dan in elk geval eerst met Niamh praten. Ik zie... ik zie kwaad dat hieruit voortkomt. Een vreselijker kwaad dan je je kunt voorstellen. Sean. Sean, niet doen.'

'Het is te laat. Veel te laat.' Seans beslissing stond vast en hij luisterde niet meer naar mij. Hij draaide zich om in de richting van het huis en gaf met een gebaar te kennen dat ik hem moest volgen. 'Ik moet het hun vertellen, en nu meteen. Misschien valt er nog iets te redden, als er geen ruchtbaarheid aan wordt gegeven. Waarom heb je me dit niet verteld? Hoelang weet je het al?'

Terwijl we naar het huis liepen, Sean voorop met grote passen en een somber gezicht, en ik onwillig achter hem aan, had ik het gevoel dat we een schaduw meenamen, een uiterst donkere schaduw. 'Ik wist het niet. Ik weet het nog maar net. Ik had er een vermoeden van, maar ik wist niet dat het al zo ver was gekomen. Sean. Moet je het echt aan de anderen vertellen?'

'Ik heb geen keus. Ze moet met de Uí Néill trouwen. Onze hele onderneming hangt van die verbintenis af. Ik durf er niet aan te denken hoe moeder hierop zal reageren. Hoe kon Niamh zoiets doen? Het is gewoonweg onbegrijpelijk.'

Vader was niet thuis; hij was in een van de groentetuinen aan het werk. Moeder rustte. Maar Liam was er wel, en daarom was hij degene die het nieuws als eerste hoorde. Ik was voorbereid op verontwaardigde afkeuring, op boosheid. En daarom was ik volkomen verrast door de manier waarop het gezicht van mijn oom veranderde toen Sean hem vertelde wat ik had gezien. De uitdrukking in zijn ogen was meer dan geschokt. Ik zag afkeer, en... was dat angst? Dat kon toch niet. Liam bang?

Toen mijn oom eindelijk iets zei, was het duidelijk dat hij zijn uiterste best deed om zijn stem te beheersen. Toch beefde die terwijl hij sprak.

'Sean. Liadan. Ik moet jullie hulp inroepen. Deze kwestie mag niet buiten de familie bekend worden. Dat is van het allergrootste belang. Sean, ik wil dat je Conor gaat halen. Ga zelf, en ga alleen. Zeg tegen hem dat het dringend is, maar zeg verder tegen niemand iets over de reden. Je kunt het beste meteen vertrekken. En beheers je boosheid, omwille van ons allemaal. Liadan, ik betrek je hier met tegenzin bij, want zulke zaken zijn ongeschikt voor de ogen of oren van een jonge vrouw. Maar je bent familie, en je bent er tegen wil en dank toch al bij betrokken. De goden zij dank dat Eamonn en zijn zuster niet meer op Zeven Wateren zijn. Ik wil dat jij naar buiten gaat en op Niamh wacht; houd de wacht bij de ingang van je tuin tot je haar ziet komen. Breng haar dan meteen bij mij in de afgesloten kamer. En ook jij, dat kan ik niet sterk genoeg benadrukken, mag tegen niemand iets zeggen. Ik zal je vader laten halen en hem dit nieuws zelf meedelen.'

'En moeder?' kon ik niet nalaten te vragen.

'Het moet haar verteld worden,' zei hij nuchter. 'Maar nu nog niet. Laat haar nog even vrede hebben voor ze het moet weten.'

Ik ging naar buiten om op Niamh te wachten, en terwijl ik daar stond, zag ik Sean onder de bomen wegrijden in de richting van de plek waar de druïden hun onderkomen hadden, diep in het hart van het woud. De aarde vloog op onder de hoeven van zijn paard. Ik wachtte lang, tot het al bijna schemerde. Ik had het koud, mijn hoofd deed pijn en ik voelde een vreemd soort angst in me die helemaal niet in verhouding leek te staan tot het probleem. Ik had het in gedachten telkens weer van alle kanten bekeken. Misschien hield ze echt van hem, en hij van haar. Zo had het er in elk geval wel uitgezien. Misschien was hij de zoon van een goede familie, en misschien deed het er eigenlijk niet toe of hij een druïde bleef of niet, en... maar dan dacht ik weer aan de uitdrukking op Liams gezicht en wist ik dat mijn gedachten volkomen zinloos waren. Er was hier veel meer in het geding dan ik kon begrijpen.

Het was erg moeilijk om het tegen Niamh te zeggen. Ze straalde van geluk, haar huid gloeide, haar ogen schitterden als sterren. Ze droeg een krans van bloemen op haar glanzende haar en haar voeten waren bloot onder de zoom van haar witte jurk.

'Liadan! Wat doe jij in vredesnaam hier buiten? Het is al bijna donker.'

'Ze weten het,' zei ik maar meteen, en ik zag haar gezicht veranderen terwijl het licht uit haar ogen verdween, even snel gedoofd als een uitgeknepen kaars. 'Ik... ik was kruiden aan het plukken, en ik zag jullie, en...'

'Je hebt het gezegd! Je hebt het tegen Sean gezegd! Liadan, hoe heb je zoiets kunnen doen?' Ze greep mijn armen vast en drukte

haar vingers in mijn vlees tot ik kreunde van de pijn. 'Je hebt alles bedorven! Alles! Ik haat je!'
'Niamh. Houd op. Ik heb niets gezegd, dat zweer ik je. Maar je weet hoe het gaat tussen mij en Sean. Ik kon het niet voor hem weghouden,' zei ik diep ongelukkig.
'Spion! Stiekemerd! Je gebruikt dat stomme gedachtegepraat van jullie, of wat het ook is, als uitvlucht. Je bent gewoon jaloers, omdat je zelf geen man kunt krijgen! Nou, dat kan me niets schelen. Ik houd van Ciarán en hij houdt van mij, en niemand kan ons tegenhouden als we samen willen zijn! Hoor je? Niemand!'
'Liam zei dat ik op je moest wachten en je meteen naar hem toe moest brengen,' bracht ik uit, en nu merkte ik dat het me moeite kostte om niet te huilen. Ik slikte mijn tranen in. Daar had niemand iets aan. 'Hij zei dat we dit stil moesten houden. Het moet binnen de familie blijven.'
'O, ja, de familie-eer. Geweldig. We mogen de kans op een bondgenootschap met de Uí Néill niet verspelen, hè? Maak je niet druk, zusje. Nu ik die o zo belangrijke familie te schande heb gemaakt, ben jij misschien degene die met de doorluchtige Fionn, hoofdman van Tirconnell mag trouwen. Dan word jij misschien ook nog eens iemand.'
Liams reactie had me heel erg van mijn stuk gebracht, en ik was bevangen door een angst waarvan ik de oorzaak niet begreep. Ik had geprobeerd kalm te blijven, sterk te zijn voor mijn zus. Maar Niamhs woorden kwetsten me en ik merkte dat ik mijn boosheid niet kon bedwingen.
'Brighid bewaar ons!' snauwde ik. 'Wanneer zul jij ooit eens leren dat er op de wereld nog meer mensen bestaan dan alleen jij? Je bent echt in moeilijkheden, Niamh. Je moet er eens mee ophouden mensen te beledigen die je willen helpen. Kom nu mee. Dan is het maar gebeurd.'
Ik liep naar de deur van de distilleerkamer. Hiervandaan konden we via de achtertrap bij de kamer komen waar Liam wachtte, en als we geluk hadden, zouden we onopgemerkt blijven. Niamh zei niets meer. Ik draaide me om, in de hoop dat ik haar niet mee zou hoeven sleuren. 'Kom je?'
We hoorden hoefslagen achter de tuinmuur, die naar de hoofdingang galoppeerden. Laarzen knerpten op het grind toen de man-

nen afstegen. Voor Sean was het niet mogelijk geweest onopgemerkt van zijn missie terug te keren.
'Liadan.' Mijn zus zei het met een iel stemmetje.
'Wat?'
'Beloof me iets. Beloof me dat je mee naar binnen gaat. Beloof dat je me zult verdedigen.'
Ik liep meteen weer naar haar toe en legde mijn arm om haar heen. Ze stond te rillen in haar dunne jurk en er glinsterde een traan in een van haar blauwe, langbewimperde ogen. 'Natuurlijk blijf ik bij je, Niamh. Kom nu. Ze wachten waarschijnlijk al op ons.'
Tegen de tijd dat we de kamer boven bereikten, waren ze er allemaal al. Allemaal behalve moeder. Liam, Conor, Sean en mijn vader, allevier; hun gezichten leken nog grimmiger door het flauwe licht, want er brandde maar één kleine lamp op de tafel, en buiten was het donker. De spanning was te snijden. Ik voelde dat ze in gesprek waren geweest en het gesprek hadden gestaakt toen wij binnenkwamen. Als er iets was waar ik echt bang van werd terwijl ik daar naast mijn zus stond, was dat Conors gezicht. De uitdrukking die daarop lag, was een herhaling van wat ik kort tevoren op het gezicht van zijn broer had gezien. Misschien niet echt angst. Meer iets als de herinnering aan angst.
'Sluit de deur, Liadan.' Ik deed wat Liam zei en ging weer naast mijn zus staan, die daar met geheven hoofd stond als de een of andere tragische prinses in een oud verhaal. Haar haar leek in het licht van de lamp op gloeiend goud. Haar ogen glansden van ingehouden tranen.
'Ze is jouw dochter,' zei mijn oom kortaf. 'Misschien kun jij het beste beginnen haar toe te spreken.'
Vader stond achter in de kamer, met zijn gezicht in de schaduw. 'Je weet waar dit over gaat, Niamh.' Zijn stem was tamelijk effen.
Niamh zei niets, maar ik zag dat ze haar rug rechtte en haar hoofd nog iets hoger hief.
'Ik heb altijd van mijn kinderen verwacht dat ze de waarheid spraken, en ik wil nu van jou de waarheid horen. Wij hadden gehoopt op een goed huwelijk voor jou. Misschien heb ik je meer vrijheid gegund dan sommigen verstandig vonden. Vrijheid om je eigen keuzes te maken. Als tegenprestatie verwachtte ik... eerlijkheid,

op zijn minst. Gezond verstand. Dat je daar althans enig gebruik van zou maken.'

Ze zei nog steeds niets.

'Nu kun je het ons maar beter vertellen, en naar waarheid. Heb je jezelf aan deze jongeman gegeven? Heeft hij met je geslapen?'

Ik voelde de trilling die door het lichaam van mijn zuster voer en wist dat die door boosheid werd veroorzaakt en niet door angst.'

'En als dat zo was, wat dan nog?' snauwde ze.

Er viel een korte stilte, en toen zei Liam bars: 'Geef antwoord op je vaders vraag.'

Niamhs ogen straalden uitdagend terwijl ze hem woedend aankeek.

'Wat hebt u daarmee te maken?' vroeg ze tartend met een stem die wat omhoogging, en ze kneep zo hard in mijn hand dat ik dacht dat ze hem zou breken. 'Ik ben niet uw dochter en dat ben ik ook nooit geweest. Ik geef niets om uw familie-eer en uw stomme bondgenootschappen. Ciarán is een goede man en hij houdt van me, en dat is het enige wat belangrijk is. De rest gaat u niet aan, en ik ga het niet bezoedelen door het voor een kamer vol mannen te onthullen! Waar is mijn moeder? Waarom is zij niet hier?'

O, Niamh. Ik wrong mijn hand los uit de hare en wendde me af. Er drukte een gewicht als een koude steen op mijn hart.

Nu kwam Sean naar voren, en ik had nog nooit zoveel boosheid in zijn ogen gezien, of in mijn ziel zo'n stortvloed van woede en verdriet gevoeld als ik op dat moment van hem opving. Ik kon hem niet tegenhouden. Op geen enkele manier.

'Hoe durf je!' zei hij met een stem die koud was van woede, en hij hief zijn hand op en gaf Niamh een klap op haar mooie, betraande wang. Er verscheen onmiddellijk een rode vlek op de goudkleurige huid. 'Hoe durf je dat te vragen, hoe durf je te verwachten dat ze dit doorstaat? Heb je enig idee van wat je haar met je zelfzuchtige dwaasheid zult aandoen? Weet je niet dat onze moeder stervende is?'

En, hoe ongelooflijk het ook mag lijken, het was duidelijk dat ze het niet had geweten. Al die tijd dat Sean, ik, Iubdan en haar broers Sorcha elke dag een klein beetje zwakker hadden zien worden, de koude om ons hart hadden gevoeld terwijl ze bij elke afnemende maan weer een stap verder van ons wegging, had Niamh,

zorgeloos in haar eigen wereldje, helemaal niets gezien. Ze werd zo wit als perkament, behalve de afdruk op haar wang, en perste haar lippen stijf op elkaar.
'Genoeg, Sean.' Iubdan zag eruit als een oude man nu hij uit de schaduw naar voren kwam, en het licht de lijnen en groeven van verdriet op zijn gezicht toonde. Hij kwam naar mijn broer toe, pakte hem bij de arm en leidde hem terug, weg van Niamh, die verstijfd midden in de kamer stond. 'Genoeg, zoon. Een man van Zeven Wateren heft zijn hand niet in boosheid tegen een vrouw. Ga zitten. Laten we allemaal gaan zitten.' Hij was een sterke man, mijn vader. Zo sterk dat hij ons soms beschaamd deed staan. 'Misschien moet jij maar weggaan, Liadan. Dan kunnen we je dit tenminste besparen.'
'Nee!' Niamhs stem klonk schril van paniek. 'Nee. Ik wil dat ze hier blijft. Ik wil dat mijn zus erbij is!'
Vader wierp me een blik toe en trok zijn wenkbrauwen op.
'Ik blijf hier,' zei ik, en mijn stem leek wel die van een vreemde. 'Ik heb het haar beloofd.' Ik keek even naar Conor. Hij had een asgrauw gezicht en zijn mond was samengeperst tot een streep. Hij had me gezegd dat ik me niet schuldig moest voelen over wat onafwendbaar moest gebeuren. Maar dit had hij niet kunnen voorzien. Ik trok een verwijtend gezicht naar hem. *U had niet gezegd dat het zo zou zijn!*
Ik wist het niet. Ik had alles willen doen om dit te voorkomen. Maar hoe dan ook, het gaat zoals het moet gaan.
'Nu,' zei vader op vermoeide toon toen we allemaal zaten, Niamh en ik samen op een houten bank, want ze had mijn hand weer gepakt en zou me nu niet meer loslaten. 'We zullen vanavond niet meer uit je krijgen, dat is me wel duidelijk. Ik begrijp ook wat het antwoord op mijn vraag is, al heb je het niet gegeven. Maar het is me duidelijk dat je de gevolgen van wat je hebt gedaan niet beseft. Als dit niet meer was dan een jeugdige escapade, een toegeven aan de wilde stemming van Imbolc, een overgave aan de drang van het lichaam, zou het gemakkelijker te accepteren zijn, zo niet te verontschuldigen. Zo'n misstap komt vaak genoeg voor en valt door de vingers te zien, als hij maar een enkele keer plaatsvindt.'
'Maar...' begon Niamh.
'Zwijg, meisje.' Haar mond klapte dicht toen Liam het woord

nam, maar haar ogen keken boos. 'Je vader spreekt verstandige woorden. Je moet ook horen wat Conor te zeggen heeft. Hij draagt hier natuurlijk ook enige verantwoordelijkheid voor; het is voor een deel zijn onjuiste oordeel dat dit kwaad over ons heeft gebracht. Wat heb je ons te zeggen, broer?'

Ik had mijn oom nog nooit een woord van kritiek tegen zijn broers of zuster horen uitspreken, nog nooit in al die jaren sinds mijn vroegste jeugd. Er speelde hier een oud zeer waarnaar ik slechts kon gissen.

'Inderdaad,' zei Conor heel zacht, en hij richtte zijn kalme grijze ogen rechtstreeks op Niamh, die ogen die zoveel zagen en alles in hun diepte vasthielden. 'Ik was degene die besloot hem hierheen mee te nemen; ik was degene die meende dat het tijd was dat hij naar buiten trad en gezien werd. Ondanks de ellende die hij heeft veroorzaakt, ondanks wie hij is, is Ciarán een fijn jongmens, die tot nu toe de broederschap eer heeft aangedaan. Hij is heel kundig. Heel talentvol.'

'Mooie eer,' gromde Sean. 'Je geeft hem één kans om zich in het openbaar te vertonen en het eerste wat hij doet, is de dochter des huizes verleiden. Dat noem ik nog eens talentvol.'

'Zo is het genoeg, Sean.' Iubdan had hoorbaar moeite om zijn stem onder controle te houden. 'Je jeugd geeft je onbezonnen woorden in. Dit is evengoed Niamhs schuld als die van de jongeman. Hij is in afzondering opgevoed en begreep misschien niet ten volle wat zijn daden betekenden.'

'Ciarán is al vele jaren bij de broederschap, ook al is hij pas eenentwintig.' Conor keek nog steeds naar Niamh, en in het licht van de lamp was zijn langwerpige, ascetische gezicht even bleek als zijn gewaad. 'Hij is, zoals ik al zei, een voorbeeldige leerling geweest. Tot nu toe. Leergierig. Toegewijd. Gedisciplineerd. Vaardig met woorden, en met andere talenten die hij nog maar nauwelijks in zichzelf onderkent. Niamh, deze jongeman is niet voor jou bestemd.'

'Hij heeft gezegd...' zei Niamh, en haar stem brak. 'Hij heeft tegen me gezegd dat hij van me houdt. En ik houd van hem. Er is niets wat zo belangrijk is. Niets!' Haar woorden klonken uitdagend, maar daaronder was ze bang. Bang voor wat Conor niet had gezegd.

'Er kan geen verbintenis zijn tussen jou en deze jongeman.' Liam sprak met moeite, alsof er een onuitgesproken verdriet op hem drukte. 'Je zult zo spoedig mogelijk een gepast huwelijk aangaan en je zult Zeven Wateren verlaten. Niemand mag hiervan weten.'
'Wat!' Niamh werd vuurrood van verontwaardiging. 'Met een andere man trouwen, nadat... dat kunt u niet zeggen! Dat mag u niet! Zeg het tegen hen, Liadan! Ik trouw met niemand behalve Ciarán! Wat geeft het of hij een druïde is, dat hoeft toch niet uit te maken, hij kan daarom toch nog wel een vrouw nemen, dat zei hij...'
'Niamh.'
Bij het geluid van vaders stem kwam haar woordenstroom plotseling en hikkend tot stilstand.
'Je zult niet met deze man trouwen. Dat is niet mogelijk. Dit lijkt in jouw ogen misschien niet eerlijk. Misschien heb jij de indruk dat we onze beslissing te snel nemen, zonder alle argumenten in overweging te nemen. Dat is niet zo. We kunnen onze redenen niet volledig aan jou bekend maken, want geloof me, dat zou jouw verdriet alleen maar vergroten. Maar Liam heeft gelijk, dochter. Dit is een verbintenis die nooit kan zijn. En nu je hebt toegegeven aan je lusten, moet je zo snel mogelijk een echtgenoot nemen, uit voorzorg voor het geval... je moet huwen, anders zou een erger kwaad dit huis kunnen treffen.'
Zijn stem klonk ongelooflijk vermoeid, en ik vond zijn woorden vreemd. Wat mijn zuster had gedaan, was misschien dom en onnadenkend, maar het leek toch nauwelijks zo'n strenge behandeling te verdienen. En mijn vader was toch altijd zo'n evenwichtige man, die zijn beslissingen baseerde op een zorgvuldige afweging van alle relevante zaken.
'Mag ik iets zeggen?' zei ik ietwat aarzelend.
De reactie was niet bemoedigend. Sean keek me woest aan; Liam fronste zijn voorhoofd. Vader keek helemaal niet naar me. Niamh stond er versteend bij, afgezien van de tranen die over haar wangen rolden.
'Wat is er, Liadan?' vroeg Conor. Hij had zijn gedachten stevig afgeschermd; ik had geen flauw idee van wat er in zijn hoofd omging, maar ik voelde een diepe gekwetstheid. Nog meer geheimen.
'Ik wil Niamh of de jonge druïde niet verontschuldigen,' zei ik

zacht. 'Maar is uw oordeel niet te hard? Ciarán lijkt een man die goed bekendstaat, met goede manieren, intelligent en eerlijk. Hij behandelde mijn moeder met veel eerbied. Zou zo'n verbintenis niet tenminste enige overweging waard zijn? Toch wijst u die mogelijkheid zonder meer af.'
'Het kan niet zijn.' Ik wist aan de toon waarop Liam sprak dat het oordeel definitief was. Het had geen zin er verder op door te gaan. 'Zoals je vader zegt, zijn wij onderling tot de slotsom gekomen dat we alleen datgene kunnen doen wat we moeten doen om de situatie te redden. Het is een heel ernstige zaak; een zaak waarvan we jou de precieze omstandigheden niet kunnen meedelen. Dit mag niet buiten deze vier muren bekend worden. Het is noodzakelijk dat het geheim blijft.'
Ik had de indruk dat er iets donkers was ontwaakt en dat het in deze kamer temidden van ons aanwezig was. Het was aanwezig in de rode vlek die de wang van mijn zus ontsierde. Het was aanwezig in Liams kritiek op zijn wijze broer. Het was aanwezig in de lijnen en groeven die scherp afgetekend stonden op het gezicht van mijn vader. Het was aanwezig in Niamhs ogen toen ze zich woedend tegen mij keerde.
'Dit is jouw schuld!' snikte ze. 'Als jij je erbuiten had gehouden, als jij me niet gevolgd was om me te bespieden, zou niemand het geweten hebben. We zouden zijn weggegaan, we hadden samen kunnen zijn...'
'Houd je mond, Niamh,' zei Iubdan met een stem die ik hem nog nooit had horen gebruiken. Haar stem stokte, haar schouders gingen schokkend op en neer.
'Ik wil naar moeder toe,' zei ze met een iel stemmetje.
'Vanavond niet,' zei vader, nu heel zacht. 'Ik heb haar hierover verteld terwijl we op Conors komst wachtten, en ze is erg van streek. Ze heeft op mijn aandringen een slaapdrank ingenomen en ze rust nu. Ze heeft naar jou gevraagd, Liadan. Ik heb gezegd dat je nog even bij haar zou komen voor je je terugtrok voor de nacht.' Zijn stem klonk verschrikkelijk vermoeid.
'Ik wil naar haar toe,' zei Niamh weer, als een klein kind dat iets lekkers wordt geweigerd.
'Je hebt het recht om je eigen keuzes te maken verspeeld.' De woorden van mijn vader bleven hangen in een wrede stilte.

Ik had nooit gedacht dat ik hem zoiets zou horen zeggen. Hij sprak vanuit de diepten van zijn gekwetstheid, en mijn hart bloedde voor hem. Niamh bleef zwijgend en onbeweeglijk staan.

'We zullen hier later verder over spreken,' vervolgde vader. 'Nu ga je naar je kamer en daar blijf je tot we besloten hebben wat ons te doen staat. We zullen snel een beslissing moeten nemen, en hoe die ook uitvalt, je zult je eraan houden, Niamh. Ga nu. Het is genoeg geweest voor vanavond. En hierover wordt niet gepraat, tegen niemand, begrijp je dat? Liam heeft gelijk, dit moet binnenskamers blijven, of er komt nog meer narigheid van.'

'En de jongen?' vroeg Liam.

'Ik zal vanavond met hem gaan praten,' antwoordde Conor, en ook zijn stem klonk dodelijk vermoeid. 'Hoe hij hiermee omgaat, zal een maat zijn voor zijn waarde.'

Ik ging naar moeder en bleef bij haar zitten tot ze in een onrustige slaap viel. We spraken niet over wat er gebeurd was, maar ik kon zien dat ze gehuild had. Toen ging ik naar mijn kamer, waar Niamh stijf rechtop op haar bed naar de muur zat te staren. Het had geen zin te proberen met haar te praten. Ik ging liggen en deed mijn ogen dicht, maar kon geen rust vinden. Ik voelde me akelig en machteloos, en ondanks de wijze woorden die Conor had gesproken, kon ik me niet onttrekken aan het gevoel dat ik mijn zus op de een of andere manier had verraden. Er was werkelijk een schaduw over ons huis gevallen, alsof iets donkers uit het verleden weer tot leven was gekomen. Ik begreep niet wat het was, maar ik voelde de greep ervan om mijn hart en zag de aanraking ervan op het bleke, betraande gezicht van mijn zus.

'Liadan!'

Mijn ogen gingen open toen ik Niamh dringend hoorde fluisteren. Ze stond bij het raam.

'Hij is hier! Ciarán. Hij is gekomen om me te halen!'

'Wat?'

'Kijk dan. Daar beneden bij de bomen.'

Het was donker en ik kon maar weinig zien, maar ik hoorde gedempt hoefgetrappel toen een eenzame ruiter heel snel, te snel vanaf de bosrand kwam aanrijden. De hoeven van het paard knerpten op het grind, daarna hield het geluid op. Er werd op de buitendeur gebonsd en ik zag het schijnsel van een lamp.

'Hij is hier,' zei mijn zus weer, en haar stem was vol hoop.
'Daar gaat Liams plannetje om hier geen ruchtbaarheid aan te geven,' zei ik droogjes.
'Ik moet gaan. Ik moet naar beneden, naar hem toe...'
'Heb je dan helemaal niets gehoord van wat ze zeiden?' vroeg ik. 'Je kunt niet naar beneden gaan. Je mag niet naar hem toe. Het is verboden. En zei vader niet dat je in je kamer moest blijven?'
'Maar ik moet naar hem toe! Liadan, je moet me helpen!' Ze richtte haar grote, smekende ogen op mij, zoals ze al zo vaak had gedaan.
'Ik help je ditmaal niet, Niamh. Trouwens, je vergist je. Je jongeman is niet gekomen om je heimelijk weg te voeren. Een vrijer doet dat niet door op de deur van haar vader te bonken. Hij is hier omdat hij het nieuws heeft gehoord en het niet begrijpt. Hij is hier omdat hij gekwetst en boos is, en antwoorden wil horen.'
Beneden was de nachtelijke bezoeker binnengelaten en de deur was achter hem gesloten. Het was weer stil.
'Ik moet het weten,' siste Niamh, en ze greep me weer bij de armen, precies op dezelfde plekken die ze al eerder beurs had geknepen. 'Ga jij dan, Liadan. Ga naar beneden en luister. Probeer erachter te komen wat er gebeurt, vertel me wat ze zeggen. Ik moet het weten.'
'Niamh...'
'Alsjeblieft. Alsjeblieft, Liadan. Je bent mijn zusje. Ik zal de regels niet overtreden, ik blijf hier, dat beloof ik. Alsjeblieft.'
Ondanks al haar gebreken hield ik van mijn zus, en ik had het nooit gemakkelijk gevonden om haar iets te weigeren. Bovendien moest ik toegeven dat ook ik wel graag wilde weten wat er achter de gesloten deuren werd gezegd. Ik vond het niet prettig in een huis vol geheimen te wonen. Maar ik had de uitdrukking op Liams gezicht gezien en de boosheid in de stem van mijn vader gehoord. Ik had weinig zin betrapt te worden op een plaats waar ik niet hoorde te zijn.
'Alsjeblieft, Liadan. Je moet me helpen. Je moet.'
Zo ging ze nog een tijdje door, huilend en smekend, tot haar stem hees werd van de tranen. Uiteindelijk kon ik er niet meer tegen. Ik deed een omslagdoek over mijn nachthemd en sloop door de gang tot ik een streep flauw licht zag onder de deur van de kamer

waar we die avond hadden gepraat. Er was niemand in huis. Het leek erop dat Liam snel had gehandeld om een openlijke scène te vermijden.
Ik hoorde stemmen in de kamer, maar ik kon de woorden niet verstaan. Zo te horen waren ze daarbinnen met zijn vieren. Liam, kortaf en beslist; de meer ingehouden toon van Conor. De stem van mijn vader was lager en zachter. Sean was er blijkbaar niet bij. Misschien vonden ze hem te jong en onbesuisd voor zo'n beraad. Ik stond rillend boven aan de trap. Nu hoorde ik Ciaráns stem; de woorden waren onduidelijk, de toon scherp van verdriet en verontwaardiging. Ik bespeurde beweging in de kamer en wilde me terugtrekken. Maar ik was niet snel genoeg. De deur werd opengesmeten en de jonge druïde beende naar buiten met een krijtwit gezicht en ogen die vuur schoten. Terwijl de deur weer dicht zwaaide, hoorde ik Liam zeggen: 'Nee. Laat hem maar.'
Ciarán bleef stokstijf staan en staarde me aan terwijl ik daar bewegingloos stond in mijn oude nachthemd en mijn wollen omslagdoek. Ik dacht dat hij nauwelijks zag wie hij voor zich had; zijn ogen waren vol spoken. Maar hij wist wie ik was.
'Hier,' zei hij terwijl hij zijn hand in de buidel stak die aan zijn gordel hing. 'Zeg tegen haar dat ik wegga. Zeg haar... geef haar dit.' Hij liet iets kleins in mijn hand vallen, en toen was hij weg, zonder geluid te maken, de trap af en verdwenen in het donker.
Toen ik veilig terug was in mijn kamer gaf ik Niamh de gladde witte kiezelsteen met een keurig gat erdoorheen. En ik vertelde haar wat hij had gezegd, en ik hield haar in mijn armen terwijl ze huilde en huilde alsof ze nooit meer zou ophouden. En diep in mijn ziel hoorde ik het geluid van hoefslagen toen Ciarán wegreed, verder en verder weg, zoveel mijlen van Zeven Wateren als zijn paard hem tot zonsopgang zou brengen.

Nog voor midzomer huwde mijn zuster Fionn, de zoon van het clanhoofd van de Uí Néill, en hij nam haar diezelfde dag nog mee naar Tirconnell. Ik reed tot het dorpje Littlefolds met hen mee. Dat was tenminste de bedoeling. Niamh, zwijgzaam, verstard en onbenaderbaar in haar verdriet, had om één ding gevraagd, en dat was dat ik haar een eind zou begeleiden.
'Weet u zeker dat het kan?' had ik aan moeder gevraagd.

'We redden ons wel,' glimlachte ze, maar er was de laatste tijd verdriet in haar ogen. 'Je moet je eigen leven leiden, dochter. Het zal best een tijdje gaan zonder jou.'

Ik had haar willen vragen wat het kon betekenen dat een gids van de Andere Wereld me naar de ontdekking van Niamhs geheim had geleid, waardoor zij een weg was ingeslagen die wegging van Zeven Wateren en uit het woud. Want ik twijfelde er niet aan dat het Feeënvolk daar de hand in had gehad, maar ik had geen idee van hun beweegredenen. Mijn moeder zou het misschien weten, want zij had deze machtige wezens meer dan eens ontmoet en was geleid door hun wensen. Maar ik vroeg het niet. Moeder had al genoeg te dragen. Bovendien was het toch te laat. Te laat voor Niamh, en te laat voor Ciarán, die was weggegaan, niemand wist waarheen.

Vader was minder gelukkig me te zien wegrijden, maar hij zag wel in hoe het er met Niamh voorstond en gaf met tegenzin toestemming. 'Blijf niet te lang weg, lieverd,' zei hij. 'Hoogstens vijf of zes nachten. En ga nergens heen zonder bescherming. Liam zal je gewapende mannen meegeven om je behouden thuis te brengen.'

Als huwelijksgeschenk maakte ik een mooi, sterk koord voor mijn zuster dat ze om haar hals kon dragen. Terwijl ik het vlocht, vertelde ik mezelf het verhaal van Aengus Óg en de schone Caer Ibormeith, en ik voelde ingehouden tranen zwaar achter mijn ogen prikken. In dit koord vlocht ik een gouden draad uit het kleed van mijn oom Conor. Ik verwerkte er ook vezels in van heide en lavendel, speenkruid en jeneverbes; ik streefde ernaar haar zo goed mogelijk te beschermen. Er zaten eenvoudige sliertjes linnen in uit mijn eigen werkkleding, en een blauwe draad uit mijn moeders stokoude lievelingsjurk. Seans rijmantel leverde donkere wol, en de repen leer waarmee ik de uiteinden van het koord vastbond, waren van een oud paar werkschoenen van Iubdan gesneden. De bemodderde schoenen van een boer. Ik maakte van dit alles een koord dat mooi en glad was, en dat zo gevlochten was dat er bovenmenselijke kracht voor nodig zou zijn om het te breken. Ik zei niets toen ik het in Niamhs hand drukte, en zij zei ook niets. Maar ze wist waar het voor diende. Ze haalde de kleine witte steen uit haar zak, stak het koord door het gaatje en hing het om haar nek.

Ik lichtte de enorme bos mooi, vurig haar op en knoopte de leren uiteinden stevig aan elkaar. Toen ze de steen onder haar jurk liet glijden, was er niets meer van te zien.
Sinds die nacht, waarin ze geleerd had dat het de mannen zijn die beslissingen nemen en dat de vrouwen ze moeten gehoorzamen, had mijn zus de naam van Ciarán niet één keer genoemd. Ze had helemaal weinig meer gesproken. Dat waren haar laatste tranen geweest; haar laatste tekenen van zwakheid. Ik zag de bittere wrok in haar ogen toen ze tegen Liam zei dat ze volgens zijn wens met Fionn zou trouwen. Ik zag het verdriet in haar gezicht terwijl ze haar jurken, schoenen en sluiers gereedmaakte, terwijl ze naar de vrouwen keek die haar trouwjurk maakten, terwijl ze uit het raam keek over de zachte zomerse bossen van Zeven Wateren. Ze zei bijna niets meer, zelfs niet tegen moeder. Vader probeerde met haar te praten, maar ze perste haar lippen strak op elkaar en wilde niet luisteren naar de zacht uitgesproken woorden waarmee hij probeerde uit te leggen dat dit toch echt het beste voor haar was en dat ze op den duur zou ontdekken dat de goede keuze was gemaakt. Daarna nam vader de gewoonte aan lang buiten op de velden te blijven, zodat hij met niemand van ons hoefde te praten. Sean hield zich bezig met de mannen op het oefenveld en liep met een wijde boog om zijn beide zusters heen.
Ik voor mij hield van Niamh en wilde haar helpen. Maar ze wilde me niet toelaten. Eén keer maar, de avond voor haar huwelijk, toen we voor het laatst samen in onze slaapkamer in bed lagen. We konden geen van beiden slapen, en ze zei heel zacht:
'Liadan?'
'Wat is er, Niamh?'
'Hij zei dat hij van me hield. Maar hij is weggegaan. Hij heeft tegen me gelogen, Liadan. Als hij werkelijk van me had gehouden, zou hij me nooit in de steek hebben gelaten. Dan zou hij het niet zo gemakkelijk hebben opgegeven.'
'Ik denk toch niet dat het gemakkelijk is geweest,' zei ik, want ik herinnerde me de uitdrukking op het gezicht van de jonge druïde in de schaduw van de gang en de scherpe klank van verdriet in zijn stem.
'Hij zei dat hij altijd van me zou houden.' De stem van mijn zus klonk strak en koel. 'Alle mannen zijn leugenaars. Ik heb tegen

hem gezegd dat ik alleen de zijne zou zijn. Hij verdiende die belofte niet. Ik hoop dat hij lijdt wanneer hij hoort dat ik met een ander ben getrouwd en ver van het woud ben gaan wonen. Misschien zal hij dan weten hoe het voelt om verraden te zijn.'

'O, Niamh,' zei ik, 'hij houdt wel van je, daar ben ik van overtuigd. Hij had ongetwijfeld zijn redenen om weg te gaan. Er zit meer achter dan wij weten; geheimen die nog niet zijn onthuld. Je mag Ciarán niet haten om wat hij gedaan heeft.'

Maar ze had haar gezicht naar de muur gekeerd en ik wist niet of ze me wel had gehoord.

Fionn was een man van middelbare leeftijd, zoals mijn oom had gezegd, welgemanierd, kordaat en vergezeld van het gevolg dat bij een man van zijn stand te verwachten was. Hij volgde mijn zuster met zijn ogen en hij deed geen poging de begeerte erin te verbloemen. Maar zijn mond was koel. Ik vond hem niet sympathiek. Wat de rest van mijn familie van hem vond, was niet te zeggen, want we wendden overtuigend voor dat dit een blijde feestdag was, en op de huwelijksdag ontbrak het niet aan muziek, bloemen en lekker eten. De Uí Néills waren een christelijk huishouden, en dus was het een christelijke priester die de woorden uitsprak en de beloften van de jonggehuwden aanhoorde. Aisling was er ook, en Eamonn was bij haar. Het was een opluchting voor me dat er geen gelegenheid was om alleen met hem te praten. Hij zou in mijn ogen hebben gelezen dat ik ongelukkig was, en hij zou de reden daarvan willen weten. Conor was er niet, evenmin als andere druïden. Onder alle vrolijkheid was ik me er voortdurend met een ijzingwekkende zekerheid van bewust dat dit verkeerd was, en ik kon er hoegenaamd niets aan doen. Na afloop reden we weg in noordwestelijke richting, Niamh en haar echtgenoot, de mannen van Tirconnell en de zes gewapende mannen van ons eigen huishouden met mij in hun midden; ik voelde me een tikje belachelijk.

Het dorpje Littlefolds ligt beschut onder aan een heuvel, in een plooi van het landschap dat daar dichtbebost en golvend is. Het ligt ten westen van Eamonns landerijen en ten noordwesten van zijn grens met Seamus Roodbaard. Onze reis had ons tot zover door bekend en vriendschappelijk gebied gevoerd. Nu was het tijd om afscheid te nemen van mijn zuster en terug te keren naar huis.

Het was de derde dag. We hadden onderweg kamp gemaakt en er was goed voor ons gezorgd. Niamh, ik en de kamenier die haar vergezelde, hadden samen overnacht in een baldakijntent, terwijl de mannen voor hun eigen onderdak zorgden. Ik nam aan dat Fionn met het inwijden van het huwelijk zou wachten tot ze in Tirconnell waren. Omwille van mijn zuster hoopte ik dat hij zou wachten.

We namen afscheid. Er was geen tijd, we konden niet alleen zijn. Fionn wilde snel verder reizen. Ik omhelsde Niamh en keek haar in de ogen, en die waren leeg, leeg als de ogen van een mooi, uit licht getinte steen gehouwen beeld.

'Ik kom je opzoeken,' fluisterde ik. 'Zodra ik kan. Wees sterk, Niamh. Ik koester je in mijn hart.'

'Dag, Liadan,' zei ze met een strak stemmetje, en ze draaide zich zo dat Fionn haar op het paard kon helpen, en ze reden weg zonder nog een woord te zeggen. Ik huilde niet. Mijn tranen zouden niemand helpen.

Nu de mannen van Tirconnell vertrokken waren, ontdooide de sfeer een beetje. Mijn zes gewapende mannen hadden precies gedaan wat Liam hun had opgedragen. Op de weg reden ze met barse gezichten aan alle kanten om me heen, zodat ik tegen een mogelijke aanval beschermd was; op alle andere momenten hielden ze oplettend en goed bewapend de wacht. Een van de mannen maakte een grapje terwijl ze bezig waren paarden en bagage in gereedheid te brengen voor de terugreis naar Zeven Wateren, en de anderen lachten. Een van hen vroeg heel vriendelijk aan mij of ik me goed voelde en of het me zou schikken om halverwege de ochtend te vertrekken. Was ik moe? Kon ik misschien een halve dag rijden voor we stilhielden om uit te rusten? Ik zei ja, want ik wilde niets liever dan weer thuis zijn en beginnen te herstellen van de pijn van de afgelopen nare tijd. Ik ging op een platte steen zitten en keek toe terwijl ze hun ordelijke voorbereidingen troffen. De lucht was zwaar van wolken; het zou nog voor zonsondergang gaan regenen.

'Vrouwe!' Het was een van de dorpelingen, een jonge vrouw met een verweerd, gegroefd gezicht, het haar gebonden in een oude, groene doek. 'Vrouwe!' Ze kwam naar me toe hollen, buiten adem van het haasten. Liams mannen verstonden hun vak. Voor ze ook

maar bij me in de buurt was, stonden er al twee naast me, met hun handen op het gevest van hun zwaard. Ik stond op.
'Wat is er? Wat is er aan de hand?'
'O, vrouwe,' hijgde ze, met haar hand tegen haar zij gedrukt. 'Wat ben ik blij dat u nog niet weg bent. Ik ben nog op tijd. Het gaat om mijn zoontje, Dan. Ik heb gehoord... ze zeggen dat u de dochter bent van een grote genezeres. Vrouwe, Danny heeft een koorts gevat die maar niet wil zakken. Hij beeft en trilt, en hij ijlt, en ik ben vreselijk ongerust over hem. Wilt u niet even naar hem komen kijken, heel even maar voor u gaat?'
Ik keek al om me heen om mijn kleine zak te zoeken, want ik reisde nooit zonder de eerste benodigdheden voor een genezeres.
'Dit lijkt me geen goed idee, vrouwe.' De aanvoerder van de gewapende mannen keek bedenkelijk. 'We kunnen beter meteen vertrekken, als we tegen de avond een veilige beschutte plek willen bereiken. Liam zei rechtstreeks heen en rechtstreeks terug.'
'Hebben jullie zelf geen genezeressen?' vroeg een andere man.
'Niet zulke als deze vrouwe,' zei de vrouw met een hoopvolle klank in haar stem. 'Ze zeggen dat zij toverkracht in haar handen heeft.'
'Het bevalt me niet,' zei de aanvoerder.
'Alstublieft, vrouwe. Hij is mijn enige zoon, en ik ben gek van ongerustheid, want ik weet echt niet wat ik voor hem kan doen.'
'Ik blijf niet lang weg,' zei ik beslist tegen de mannen. Ik raapte de zak op en begon terug te lopen naar het dorp. De mannen keken elkaar aan.
'Jullie beiden gaan met vrouwe Liadan mee,' baste de aanvoerder. 'Jullie bewaken de deuren voor en achter en laten er niemand in of uit, behalve deze vrouw en de vrouwe zelf. Jullie houden ogen en oren open en je wapen in de aanslag. Jij houdt de wacht op een plek waar je het pad langs het huisje kunt zien. Jij gaat aan het andere uiteinde van het pad staan. Fergus en ik zullen de paarden bewaken. Maakt u alstublieft voort, vrouwe. Je kunt tegenwoordig niet voorzichtig genoeg zijn. Er zwerft veel gespuis rond.'
Het was donker in het huisje, dat niet meer was dan een raamloze hut van tenen en leem, gedekt met plaggen. Er stond een afgeschermde brandende kaars bij de strozak waar de jongen op lag. De wachten deden wat hun was opgedragen. De man bij de achterdeur was voor mij niet te zien; de ander stond vlak buiten de

voordeur, waar hij zowel mij als de ingang in het oog kon houden. Ik voelde aan het voorhoofd van de jongen en legde mijn vinger op zijn pols waar het bloed klopte.
'Hij is niet zo erg ziek; een op de juiste wijze toegediende kruidenthee zal waarschijnlijk wel helpen,' zei ik. 'Hier, maak het hiervan, een handvol in een grote kom heet water. Laat het trekken tot het een mooie, goudbruine kleur heeft; zeef het dan en laat het afkoelen tot je er een vinger in kunt houden. Geef de jongen tweemaal daags een beker. Probeer niet hem te laten eten; hij zal gauw genoeg weer voedsel tot zich nemen, wanneer hij eraan toe is. Deze zomerkoorts komt veel voor. Het verbaast me eigenlijk dat je...'
Ik zag de ogen van de jongen veranderen toen hij over mijn schouder naar iets achter me keek, en ik zag de vrouw zich zwijgend terugtrekken, met een stilzwijgende verontschuldiging op haar verweerde gezicht. Ik wilde opstaan en me omdraaien, maar terwijl ik opstond, werd er een grote hand over mijn mond gelegd en een gespierde arm greep me om mijn borstkas beet; het werd me duidelijk dat ik in de val was gelokt. Iubdans lessen hadden ervoor gezorgd dat ik me in zo'n situatie kon verweren. Ik zette mijn tanden in de hand van de man die me vast had, zodat zijn greep een ogenblik verslapte, net lang genoeg om hem met mijn voet een trap tussen de benen te geven. Als ik had verwacht dat hij me nu los zou laten, kwam ik bedrogen uit. Hij zoog zijn adem naar binnen, dat was alles. Ik proefde zijn bloed. Mijn beet stond in zijn hand. Maar hij gaf geen kik. Waar waren mijn wachten? Hoe was hij binnengekomen? Nu was zelfs de vrouw nergens meer te bekennen. De man begon te lopen en probeerde me naar de achterdeur te slepen. Ik hield me helemaal slap; hij zou me moeten dragen om me hier weg te krijgen. Ik voelde de druk op mijn mond iets minder worden, terwijl hij zijn greep aanpaste. Ik haalde diep adem, om dadelijk om hulp te kunnen schreeuwen. Een ogenblik later voelde ik een harde klap op mijn achterhoofd en werd alles donker.

Mijn hoofd stond in brand. Mijn mond was zo droog als kaf in de zomerwind. Er was nauwelijks een deel van mijn lichaam dat geen pijn deed, want het leek erop dat men me op de grond had laten vallen en zo had laten liggen, met mijn ene arm onder me en mijn lichaam languit op de harde aarde met mijn gezicht naar beneden. Ik was niet vastgebonden. Misschien zou er een kans zijn om te ontsnappen wanneer ik wist wat er aan de hand was. Ze hadden het kleine mes uit mijn gordel weggenomen. Dat verbaasde me niet. Ik bleef stil liggen, met gesloten ogen. Ik kon geluiden van vogels horen, veel vogels, en de wind in gebladerte, en water dat over stenen stroomde. Ik was dus ergens buiten, ergens in het uitgestrekte beboste gebied voorbij het dorp. Het was niet meer midden op de dag; toen ik mijn ogen op een kiertje opende, leek het me dat het tegen de schemering liep. Hoe lang zou het duren, vroeg ik me af, voor iemand alarm zou slaan? Hoe lang zou het duren voor iemand me kwam zoeken? Het was een doeltreffende klap geweest, berekend om me uit te schakelen en me lang genoeg te laten zwijgen zonder blijvende schade toe te brengen. In zekere zin was dat een gunstig teken. De vraag was: lang genoeg waarvoor?

'Ze komen bij zonsondergang terug.'

'Nou en?'

'Nou, wie gaat het dan tegen de Baas zeggen? Wie gaat dit uitleggen? Ik niet, reken maar.'

'Jammer dat we het niet stil kunnen houden. Ervoor zorgen dat hij bijvoorbeeld ergens voor weggeroepen wordt, zo ver mogelijk hiervandaan. Begint ze al bij te komen?'

'Ze verroert geen vin. Weet je zeker dat je haar niet hebt doodgemept, Hond?'

'Wie, ik? Zo'n klein vrouwtje doodslaan? Met mijn gevoelige inborst?'

Toen hoorde ik een vreselijk kreunend geluid, als van een man in doodsstrijd. Daar schrok ik zo van dat ik vergat te doen alsof en snel ging zitten. Een grote vergissing. De pijn in mijn hoofd was zo hevig dat er een vlaag van misselijkheid door me heen sloeg, en even zag ik alleen nog maar dansende sterretjes. Ik drukte mijn handen tegen mijn slapen, met mijn ogen dicht, tot het bonzen in mijn hoofd wat minder werd. Het vreselijke gekreun ging door.

'Hier,' zei een stem. Ik deed voorzichtig mijn ogen open. Er zat een man naast me gehurkt met een kom in zijn hand. De kom was van simpel donker metaal. De hand die hem vasthield, was nog donkerder. Ik keek in het gezicht van de man, en hij grijnsde en

toonde blinkend witte tanden, waarvan er twee ontbraken. Zijn gezicht was zo zwart als de nacht. Ik vergat al mijn manieren en gaapte hem verbijsterd aan.
'Je hebt vast dorst,' zei hij. 'Hier.'
Ik nam de kom water aan en dronk hem helemaal leeg. Langzaam werd het beeld helder. We bevonden ons op een vlak stukje grond naast een beek, dat iets minder dicht begroeid was met struiken en bomen. Er lagen grote met mos begroeide stenen langs de oever, en er groeide een massa varens. Het had geregend, maar wij werden beschut door overhangende wilgen. Er waren nog twee andere mannen, die nu allebei met hun handen in de zij op me neer stonden te kijken. Ze waren alle drie heel buitenissig om te zien, stof voor fantastische verhalen. De ene had de helft van zijn schedel kaalgeschoren en de andere helft niet verzorgd, zodat het haar dat daar groeide lang en verward was; zijn haar was donker behalve een streep wit bij zijn slaap. Om zijn nek droeg hij een reep leer die door drie grote nagels geregen was, misschien van een wolfsklauw, hoewel dit dan een grotere wolf was geweest dan de meeste mannen in hun leven zouden zien, of zouden willen zien. Deze man had een pokdalig gezicht vol kleine littekens, en gelige ogen als van een wild dier. Zijn kin was in een keurig patroon geëtst; de inkt was in gearceerde ruitjes in de huid aangebracht van de lip tot de kaaklijn. De tweede man droeg een patroon om zijn polsen, als van om elkaar gestrengelde slangen, en over zijn tuniek droeg hij een vreemd kledingstuk dat uit slangenhuid gemaakt leek te zijn. Ook bij hem was de gelaatshuid geëtst en gekleurd, ditmaal op het voorhoofd. Een patroon van kunstig in elkaar sluitende schubben, en een gespleten, giftige tong die over de neusrug naar beneden was getekend. Hij was jonger, misschien nog geen vijfentwintig, maar was net als de anderen een man met een hard uiterlijk, een man die alleen door een domoor zou worden lastig gevallen. De donkere man was eenvoudiger gekleed, en als er een patroon op zijn inktzwarte huid was gemaakt, kon ik dat niet zien. Zijn enige versiering was zijn dichtgekrulde haar, dat hij in vele vlechtjes tot op zijn schouders droeg. Achter het linkeroor was een veer gestoken die een lichtere vlek tegen het zwart vormde. Hij zag dat ik ernaar keek.
'Meeuw,' zei hij. 'Herinnert me aan de zee.' Hij knikte beurtelings

naar de anderen. 'Hond. Slang. Andere namen hebben we hier niet.'
'Heel goed,' zei ik beleefd, blij dat mijn stem redelijk vast klonk. Het leek belangrijk dat ze niet merkten hoe bang ik was. 'Dan hoef ik de mijne niet te zeggen. Wie van jullie heeft me deze hoofdpijn bezorgd?'
Twee van de drie keken naar de man met de wolfsklauwen en het half kaalgeschoren hoofd. Het was een heel grote man.
'Had niet gedacht dat je zou vechten,' zei hij bars. 'Had een hele klus aan je. Je mocht niet gaan gillen. Vrouwen gillen.'
Het gekreun begon weer. Het kwam van de rotsen achter ons.
'Iemand heeft pijn,' zei ik terwijl ik voorzichtig opstond.
'Precies,' zei de zwarte, Meeuw. 'Je bent toch die genezeres? Die misschien door het dorp zou komen, zeiden ze?'
'Ik weet er wel iets van,' zei ik behoedzaam, want ik wilde niet te veel prijsgeven. Als ze waren wie ik dacht dat ze waren, zou ik er verstandig aan doen uiterst voorzichtig te zijn. 'Wat is er met die man aan de hand? Mag ik naar hem kijken?'
'Daarvoor ben je hier,' zei Hond. 'Maar doe het een beetje snel. De Baas kan dadelijk terug zijn, en we moeten hem een goed antwoord kunnen geven, anders zal die man de zon niet meer zien opgaan.' De taal die ze gebruikten, was heel vreemd, een mengelmoes van Iers en de taal van de Britten, waaruit ze toevallige woorden en zinnen leken te kiezen. Ze spraken vloeiend maar met een accent; Slang was misschien afkomstig uit Ulster, maar ik betwijfelde of de anderen een van deze talen als moedertaal hadden. Het kwam goed uit dat mijn ouders Iers en Brits waren; zo kon ik ze redelijk volgen, als ik me concentreerde, hoewel ze er af en toe een woord tussendoor gooiden waarvan de betekenis me volstrekt onbekend was, alsof er nog een derde taal was die deel uitmaakte van dit wonderlijke taaltje.
Ik had heel wat verwondingen gezien en verzorgd, waarvan sommige ernstig. Een zwerende messteek; een akelig ongeluk met een hooivork. Maar ik had nog nooit iets gezien dat hierop leek. De man lag op een beschutte plek in een soort halve grot, onbereikbaar voor de regen en wind en de hitte van de zon. Er was een poging gedaan om hem een beetje gemakkelijk te laten liggen op een geïmproviseerde strozak. Verder zag ik een ruwe kruk, wa-

ter, een hoeveelheid besmeurd linnen en op de grond nog een fles en zo'n kom van donker metaal. De man lag nu te hijgen en draaide zijn hoofd naar links en rechts van de pijn, terwijl op zijn bleke huid zweetdruppeltjes parelden. Zijn rechterarm was van de schouder tot de vingertoppen verbonden, en het verband was helemaal rood van het bloed. Ook zonder de bebloede doek los te maken kon je zien dat de arm meer dan gebroken was. Het vlees van zijn ontblote borstkas en schouder vertoonde lelijke doffe, donkerrode strepen.

'Wat hebben jullie hem gegeven tegen de pijn?' vroeg ik kordaat, terwijl ik mijn mouwen oprolde.

'Hij kan niets binnenhouden,' zei Hond. 'Er zit sterke wijn in die fles; dat hebben we geprobeerd, maar hij kan het niet inslikken, en als hij het inslikt, kotst hij het binnen vijf tellen weer uit.'

'We spelen hier altijd zelf voor dokter, en dat gaat heel goed,' zei Meeuw. 'Maar dit... dit kunnen we niet aan. Kun jij hem helpen?'

Ik was bezig de bebloede doeken los te wikkelen en probeerde mijn gezicht niet te vertrekken bij de lucht die eraf kwam.

'Wanneer is dit gebeurd?' vroeg ik.

'Twee dagen geleden.' Slang was er ook bij gekomen; hij hield tegelijkertijd een oog op mij en mijn patiënt gericht en zocht met het andere oog de omgeving af. Of de Baas er al aankwam, nam ik aan. 'Hij past meestal goed op. Maar dit keer hield hij het niet. Hij probeerde zelf een lading op de kar te verschuiven. Hij kreeg het volle gewicht van een hoop oud ijzer op zijn arm, die was totaal verbrijzeld. Hij was eraan gegaan als Hond hier hem niet op tijd had weggetrokken.'

'Toch nog te laat,' zei Hond, terwijl hij op de kale kant van zijn hoofd krabde.

Ik wikkelde het laatste stuk bevlekt en stinkend linnen los, terwijl de gewonde man op zijn lip beet, met zijn koortsige ogen op mijn gezicht gericht. Hij was bij bewustzijn, maar volgens mij besefte hij niet wat er gebeurde, en hoorde hij nauwelijks iets van de woorden die werden gesproken. Ik wendde me af van het deerniswekkende, verpletterde restant van zijn arm.

'Deze man heeft weinig kans,' zei ik zacht. 'Kwade sappen verspreiden zich al vanuit deze verwonding door zijn lichaam. De arm is niet te redden. Hij zal dagenlang vreselijk lijden. Daar kan

ik iets aan doen. Maar het is niet waarschijnlijk dat ik zijn leven kan redden. Het was misschien zelfs beter geweest als hij toen meteen was gestorven. Jullie hebben je best gedaan, dat zie ik wel. Maar deze man is er misschien zo erg aan toe dat geen enkele genezeres er nog iets aan kan doen.'
Ze zwegen alledrie. Buiten werd het al donkerder.
'Ik kan er wel voor zorgen dat hij zich wat beter voelt,' zei ik ten slotte. 'Ik hoop dat jullie het benul hebben gehad mijn spullen mee te nemen.' De moed zonk me in de schoenen bij het vooruitzicht een dergelijke verwonding hier buiten te behandelen zonder instrumenten en zonder de krachtige kruidenmengsels die ik nodig zou hebben.
'Hier,' zei Hond, en daar was mijn zakje al, keurig ingepakt en dichtgebonden. Hij liet het voor mijn voeten vallen.
'Wat is er met mijn wachten gebeurd?' vroeg ik terwijl ik neerhurkte om het zakje open te maken en te pakken wat ik nodig had.
'Het is beter als je dat niet weet,' zei Slang vanaf de plek waar hij op de uitkijk stond. 'Hoe minder je weet hoe beter. Als je tenminste naar huis wilt.'
Ik stond op. Ze hielden me alle drie nauwlettend in het oog. Dat zou me bang hebben gemaakt als ik niet zo op mijn taak gericht was geweest.
'We hadden gehoopt dat je meer zou kunnen doen,' zei Meeuw onomwonden. 'Zijn leven redden, als het met de arm niet lukt. Deze man is een goede man. Sterk. Betrouwbaar.'
'Ik ben geen wonderdoener. Ik heb jullie gezegd wat ik denk. Ik kan niet meer beloven dan dat ik zijn laatste dagen zal verlichten. Kunnen jullie nu voor heet water zorgen, en is er nog schoon linnen? Haal dit hier weg en verbrand het, want het is niet meer te wassen. Ik heb ook een soort kan nodig, als jullie zoiets hebben, en een emmer of kom.'
'Niet nu,' zei Slang scherp. 'De Baas komt eraan.'
'Vervloekt.' Hond en Slang waren in een oogwenk verdwenen. Meeuw bleef aarzelend bij de ingang van de grot staan.
'Ik neem aan dat deze Baas niet blij zal zijn met mijn komst?' vroeg ik, terwijl ik probeerde niet te laten merken hoe bang ik was. 'Jullie hebben een regel overtreden door mij hierheen te halen?'

'Meer dan een,' zei Meeuw. 'Mijn schuld. Je kunt het beste je mond houden. De Baas heeft iets tegen vrouwen. Ik praat wel met hem.' Toen was hij ook vertrokken. Ik hoorde stemmen, verder weg. Mijn patiënt ademde uit en zoog toen plotseling de lucht naar binnen, waarna zijn hele lichaam begon te trillen.

'Rustig maar, rustig maar,' zei ik, maar in stilte verwenste ik deze afgelegen plek en het feit dat er niets voorhanden was om mee te werken en dat ik geen betrouwbare hulp had. Ze mochten de pokken krijgen. Mij vragen hier iets uit te richten was net zoiets als... als verwachten dat een man met zijn blote handen een veld omploegde. Hoe konden ze me dit aandoen? Hoe konden ze het een van hun eigen mensen aandoen?

'... help... help me...' De gewonde man keek me nu recht aan, en ik zag een soort herkenning in de te fel schitterende ogen. Zijn gezicht was zo bleek en afgemat dat ik moeilijk kon zeggen wat voor man hij was, hoe oud hij was en waar hij vandaan kwam. Hij was lang en krachtig gebouwd. Zijn linkerarm was stevig gespierd, de hijgende borstkas fors als een biervat. Dit maakte de erbarmelijke bundel vlees en bot aan zijn rechterkant alleen maar meelijwekkender. Hij zou er lang over doen om te sterven.

'... vrouwe... help...'

De stemmen buiten kwamen dichterbij en ik kon nu de woorden onderscheiden.

'Het is niet te geloven. Ik geef jullie twee dagen om me te bewijzen dat jullie het bij het rechte eind hebben, hoewel dat helemaal tegen mijn gezonde verstand indruist. Nu is de tijd om. Zijn toestand is niet verbeterd. Jullie hebben alleen het onvermijdelijke uitgesteld. En dan halen jullie ook nog een vrouw hierheen. Een meisje dat jullie zomaar van de weg ontvoeren. Zonder ook maar te weten wie ze is. Ik heb je verkeerd beoordeeld, Meeuw. Het heeft er alle schijn van dat je minder waarde hecht aan je plaats in mijn troep dan ik dacht.'

'Baas.'

'Vergis ik me? Is hij vooruitgegaan? Heeft dit vrouwmens een wonder verricht en hem genezen?'

'Nee, Baas, maar...'

'Waar zit je verstand, Meeuw? En dat van jullie? Wat hebben jullie opeens? Jullie weten hoe dit had moeten aflopen toen hij ge-

wond raakte. Ik had niet mogen toelaten dat jullie me tegenhielden. Als jullie dit soort beslissingen niet aan kunnen, is hier geen plaats voor jullie.'
Ze waren nu dicht bij de rotsen, ik kon ze bijna zien. Ik pakte de hand van mijn patiënt en dwong mezelf langzaam en gelijkmatig te ademen.
'Baas. Het is toch niet zomaar iemand. Het gaat toch om Evan.'
'Nou en?'
'Een vriend, Baas. Een vriend en een goede man.'
'Trouwens,' zei Hond, 'wie zal onze wapens herstellen als hij er niet meer is? Evan is de beste smid die buiten Gallië te vinden is. Je kunt hem niet gewoon...' Zijn stem stierf weg, alsof er een gedachte bij hem was opgekomen. Het bleef even stil.
'Een eenarmige smid heeft weinig nut.' De stem klonk koel, onbewogen. 'Heb je er wel aan gedacht wat de man zelf zou willen?'
Op dat moment kwamen ze achter de rotsen vandaan en verschenen onder het overhangende gedeelte, waar ik bij de gewonde man zat. Ik ging staan en maakte me zo lang mogelijk, terwijl ik mijn best deed om er kalm en zelfverzekerd uit te zien. Het had nauwelijks gehoeven. De ogen van de Baas gleden achteloos aan mij voorbij en bleven rusten op de man die naast me lag. Alsof ik er niet was, zo weinig aandacht besteedde hij aan mij. Ik keek naar hem toen hij dichterbij kwam en zijn hand op het voorhoofd van de smid legde. Een hand die vanaf de mouw van zijn hemd tot aan de vingertoppen getekend was met een patroon van veren, spiralen en in elkaar sluitende schakels, even ingewikkeld en fascinerend als een of andere oude puzzel. Ik keek op, en heel even keek hij me recht aan over de strozak. Ik staarde hem met open mond aan. Zo'n gezicht had ik nog nooit gezien, zelfs niet in mijn meest wilde dromen. Het gezicht was op zichzelf een kunstwerk. Want het was licht en donker, nacht en dag, deze wereld en de Andere Wereld. Aan de linkerkant zag ik het gezicht van een tamelijk jonge man, met een verweerde, maar lichte huid, een grijs, helder oog en een goedgevormde mond die iets onverzettelijks had. De hele rechterkant vertoonde vanuit een onzichtbaar punt iets onder het midden een tekening van lijnen, bogen en veerachtige patronen, als het masker van een woeste roofvogel. Een arend? Een havik? Nee, het was volgens mij een raaf, tot en met de rin-

gen om het oog en de aanduiding van een roofvogelsnavel om de neusvleugel. Het teken van de raaf. Als ik niet zo bang was geweest, had ik om de ironie ervan kunnen lachen. Het patroon zette zich naar beneden voort over de hals tot onder de rand van zijn leren wambuis en het linnen hemd dat hij eronder droeg. Zijn hoofd was geheel kaalgeschoren en de schedel was op dezelfde wijze getekend, half man, half wild dier; een groot kunstenaar had hier met inkt en naald vele dagen aan gewerkt, en ik stelde me zo voor dat dit behoorlijk pijnlijk moest zijn geweest. Wat voor man had zo'n versiering nodig om zijn identiteit te vinden? Ik stond hem aan te gapen. Dat was hij waarschijnlijk wel gewend. Met moeite wendde ik mijn blik af en keek naar Meeuw, Hond en Slang, die zwijgend temidden van een groep andere mannen stonden. Hun kleding was van een bonte verscheidenheid, die overeenkwam met Eamonns beschrijving: hier zag ik een ruige vacht, daar veren, kettingen, stukken leer, riemen en gespen, zilveren halsbanden en armbanden, en veel gespierde lichamen in verschillende tinten. Ik bedacht, wat aan de late kant, dat dit misschien geen gunstige plek was voor een jonge vrouw alleen. Ik kon haast de stem van mijn vader horen. *Heb je dan helemaal niet geluisterd naar wat ik heb gezegd, Liadan?*

De aanvoerder had een mes uit zijn gordel getrokken. Het was een scherp, dodelijk mes.

'Laten we een eind maken aan deze klucht,' zei hij. 'Jullie hadden me er nooit van mogen weerhouden. Deze man is verder nutteloos. Hij kan geen bijdrage meer leveren, hier of ergens anders. Het enige wat jullie hebben gedaan, is nodeloos zijn lijden rekken.' Hij bewoog behoedzaam, zodat de gewonde man zijn handen niet kon zien, en greep het mes stevig vast. De anderen stonden zwijgend toe te kijken. Niemand bewoog. Niemand zei iets. Hij hief het mes op.

'Nee!' Ik stak mijn hand uit over de strozak, zodat ik de hals van de gewonde man afschermde. 'U mag dit niet doen! U mag hem niet zomaar... afmaken, alsof hij een konijn in een strik is of een schaap dat geslacht moet worden voor de maaltijd. Dit is een man. Een van uw eigen mannen.'

De Baas trok haast onmerkbaar zijn wenkbrauwen op. De dunne streep van zijn mond veranderde niet. De ogen stonden koel.

'Zou jij de genadestoot niet toedienen als het je hond was, of je havik, of je merrie die zo leed aan een dodelijke verwonding? Je zou toch niet willen dat zo'n gruwelijk lijden zonder reden werd gerekt? Maar nee, ik neem aan dat er altijd wel een man was om het vuile werk voor je te doen. Wat weet een vrouw nou van dit soort dingen? Neem je hand weg.'

'Dat doe ik niet,' antwoordde ik. Ik begon boos te worden. 'U zegt dat deze man verder geen nut heeft, alsof hij niet meer is dan... een stuk gereedschap, een wapen in uw arsenaal. U zegt dat hij geen bijdrage meer kan leveren. Dat klopt misschien waar het uw doeleinden betreft. Maar hij leeft nog. Hij kan een vrouw liefhebben en een kind verwekken. Hij kan lachen en zingen en verhalen vertellen. Hij kan genieten van de vruchten van de velden en van een pul goed bier 's avonds. Hij kan zien hoe zijn zoon smid wordt, zoals hij zelf eens was. Deze man kan een leven hebben. Er is een toekomst na...' – ik keek om me heen, naar de kring van mannen met sombere gezichten – 'hierna.'

'Waar heb jij je kennis van het leven opgedaan?' vroeg de raafman me op sombere toon. 'Uit een of ander sprookje soms? Wij leven volgens de ongeschreven wet. Wij hebben geen namen, geen verleden, geen toekomst. Wij hebben opdrachten uit te voeren, en daarin zijn we de besten. Buiten dat is er geen leven, voor deze man of voor wie van ons ook. Er kan geen leven zijn. Ga bij dat bed weg.' Het was langzamerhand helemaal donker geworden, en een van de mannen had een kleine lantaarn aangestoken. Grillige schaduwen vielen over de rotswanden vol holtes, en op het gezicht van de aanvoerder lag een dreiging die even reëel was als het wapen in zijn hand. Je kon zien wat voor een angstaanjagende uitwerking dit op een vijand zou kunnen hebben, want door het spel van het ongelijkmatige licht leek hij werkelijk voor de helft een raaf, met een oog dat doordringend en gevaarlijk schitterde temidden van de wervelingen en spiralen van het fijngetekende patroon.

'Ga daar weg,' zei hij weer.

'Dat doe ik niet,' zei ik. En hij hief zijn linkerhand op alsof hij me een klap in het gezicht wilde geven. Met een uiterste wilsinspanning lukte het me niet weg te duiken. Ik bleef hem strak aankijken en hoopte dat hij niet kon zien dat ik stond te beven van angst.

De man staarde terug met zijn sombere ogen en liet toen zijn hand langzaam weer zakken.
'Baas,' begon Meeuw, de enige die het aandurfde iets te zeggen.
'Houd je mond! Je begint week te worden, Meeuw. Eerst vraag je twee dagen genade voor een man van wie je weet dat hij niet in leven kan blijven, en die zelfs niet zou willen blijven leven als het kon. Dan haal je een of ander onnozel meisje hierheen. Waar heb je haar gevonden? Ze is goed van de tongriem gesneden, dat staat buiten kijf. Kunnen we nu verder gaan? Er is werk te doen.' Hij dacht misschien dat ik uit angst niets meer zou durven zeggen.
'Hij heeft nog wel een kans,' zei ik, erg opgelucht dat hij had besloten me niet te slaan, want ik had nog hoofdpijn van de klap die ik eerder had gekregen. 'Een kleine kans, maar toch een reële kans. Hij zal zijn arm kwijtraken. Die kan ik niet redden. Maar ik kan misschien zijn leven redden. Ik geloof niet dat hij liever dood zou willen zijn. Hij heeft me gevraagd hem te helpen. Laat me het tenminste proberen.'
'Waarom?'
'Waarom niet?'
'Omdat, vervloekt, vrouw, ik heb tijd noch zin om met jou in discussie te gaan. Ik weet niet waar je vandaan komt of waar je heen gaat, maar hier ben je alleen maar tot last; je loopt ons voor de voeten. Een vrouw heeft hier geen plaats.'
'Geloof me, ik ben hier niet uit vrije wil. Maar nu uw mannen me zo ver hebben gebracht, kunt u me het tenminste laten proberen. Ik zal u laten zien wat ik kan. Zeven dagen... acht; lang genoeg om de man behoorlijk te verzorgen en hem een redelijke kans te geven. Meer vraag ik niet.' Ik zag het gezicht van Meeuw, een en al verbazing. Ik had immers tegengesproken wat ik eerder had gezegd. Misschien was dat dom. Op het lelijke gezicht van Hond was een hoopvolle uitdrukking verschenen; de anderen keken naar de rotswand, naar de grond, naar hun handen, overal naar behalve naar hun aanvoerder. Iemand achterin liet een zacht gefluit horen, alsof hij wilde zeggen: *ze heeft het klaargespeeld*.
De raafman bleef even onbeweeglijk staan terwijl hij me door half toegeknepen ogen bekeek, en toen stak hij het akelige mes heel terloops terug in zijn schede.
'Zeven dagen,' zei hij. 'Denk je dat dat genoeg is?'

Ik kon de zwoegende ademhaling van de smid horen en de cynische klank in de stem van de vraagsteller.
'De arm moet eraf,' zei ik. 'Vanavond nog, zo snel mogelijk. Daar zal ik hulp bij nodig hebben. Ik kan jullie zeggen hoe het moet, maar ik heb niet genoeg kracht voor het snijden. Daarna zal ik hem verzorgen. Tien dagen zou beter zijn.'
'Zes dagen,' zei hij op effen toon. 'Over zes dagen gaan we hier weg. Later kan niet; men heeft ons ergens anders nodig en we hebben tijd nodig voor de reis. Als Evan niet met ons mee kan reizen, wordt hij hier achtergelaten.'
'U vraagt het onmogelijke,' fluisterde ik, 'dat weet u ook wel.'
'Je wilde het proberen. Dit is je proeve van bekwaamheid. Als je ons nu wilt excuseren, we hebben werk te doen. Jij, Meeuw, en jij,' – hij knikte naar Hond – 'aangezien het door jullie domheid komt dat ze hier is, mogen jullie haar met die klus helpen. Haal wat ze nodig heeft. Doe wat ze zegt. En de rest...' Hij keek de kring met mannen rond, en ze zwegen allemaal. 'De vrouw is verboden terrein. Dat hoef ik jullie natuurlijk niet te vertellen. Wie haar met een vinger aanraakt, zal de volgende dag de grootste moeite hebben zijn wapen op te pakken. Ze zal hier blijven en er zal te allen tijde een wacht buiten staan. Als ik ook maar een gerucht hoor dat iemand zich hier niet aan houdt, zal het jullie lelijk opbreken.'

HOOFDSTUK VIER

Ik hield mijn gezicht strak, maar daaronder was ik versteend van angst. Ik, het meisje dat niets anders wilde dan thuisblijven en voor haar kruidentuintje zorgen, ik, het meisje dat niets liever deed dan 's avonds na het eten verhalen uitwisselen met haar familie, ik gaf vreemde, woeste mannen aanwijzingen hoe ze de arm van een stervende man moesten afhakken en hoe ze de wond met gloeiend ijzer moesten dichtschroeien. Ik, de dochter van Zeven Wateren, alleen in het leger van de Beschilderde Man en zijn bende dierlijke moordenaars; want het was me wel duidelijk geworden dat dit de bandieten waren over wie Eamonn had gesproken. Ik, Liadan, die het op een akkoordje gooide met een man die – wat had Eamonn ook weer gezegd? Dat hij zijn opdrachten uitvoerde zonder trots, zonder betrokkenheid? Inmiddels twijfelde ik eraan of deze beschrijving klopte. Ik meende dat beide eigenschappen wel aanwezig waren, al voldeden ze misschien niet helemaal aan de definitie die Eamonn ervan zou geven. De man was buitengewoon onvriendelijk, dat leed geen twijfel. Maar waarom had hij met mijn voorstel ingestemd als hij dacht dat ik het helemaal verkeerd zag?

Ik dacht hierover na terwijl ik Hond opdroeg buiten een komfoor klaar te zetten en dat goed heet te stoken. En om een breed mes te verhitten; zo mogelijk roodgloeiend. Meeuw haalde de andere benodigdheden. In het bijzonder een kleine kom met warm water en een zeer scherp mes met een getande snede. Slang haalde meer lantaarns en zette ze rond de beschutte plaats onder de overhangende rots neer. Intussen ging ik bij de smid, Evan, zitten en probeerde tegen hem te praten. Hij verloor telkens het bewustzijn en kwam dan weer bij; het ene ogenblik praatte hij wartaal in zijn koorts, dan was hij weer bij kennis en staarde hij me aan met een mengeling van hoop en doodsangst. In deze korte momenten van helderheid probeerde ik hem te vertellen wat er zou gebeuren.

'... je arm is niet meer te redden... om je leven te redden, moeten we je arm eraf halen... ik zal je zo goed mogelijk in slaap brengen, maar je zult het waarschijnlijk toch voelen. Het zal een tijdlang heel erg pijn doen... probeer niet te bewegen. Vertrouw op mij. Ik weet wat ik doe...' Ik wist niet of hij me begreep en of hij me geloofde. Ik wist niet of ik mezelf wel geloofde. Buiten klonken geluiden van kalme, ordelijke activiteiten. De verzorging van paarden. Het gekletter van emmers. Het slijpen van wapens. Weinig gepraat.

'We zijn zover,' zei Meeuw.

Ik had uit de diepste hoek van mijn zak een sponsje gehaald, dat een tijdje in de kleine kom had liggen weken, niet te lang. Meeuw snoof de geur op.

'Dat doet me denken aan lang geleden. Aan de drankjes van mijn moeder. Behoorlijk sterk spul. Moerbei, bilzekruid, sap van hop, alruin? Waar zou een braaf meisje zoals jij geleerd hebben zo'n drank te maken? Daarmee zou je een man evengoed kunnen doden als genezen, lijkt me.'

'Daarom hebben we die azijn nodig,' zei ik tegen hem, terwijl ik hem nieuwsgierig opnam. Had een man zonder verleden een moeder? 'De kruiden zitten gedroogd in de spons. Heel handig als je op reis bent. Jij weet er dus ook wel wat van?'

'Ik ben het meeste vergeten. Het is vrouwenwerk.'

'Het zou nuttig kunnen zijn als je het opnieuw leerde. Voor mannen die zulke risico's nemen, lijken jullie weinig hulpmiddelen te hebben om verwondingen te behandelen.'

'Het komt niet zo vaak voor,' zei Hond. 'Wij zijn de besten. Meestal komen we er ongedeerd vanaf. Dit was gewoon een ongeluk.'

'Zijn eigen schuld,' vond ook Meeuw. 'Bovendien heb je gehoord wat de Baas zei. Wij lossen zoiets op onze eigen manier op. Geen potverteerders in deze ploeg.'

Ik huiverde. 'Hebben jullie dat zelf ook gedaan? Een man de keel

doorsnijden, in plaats van hem proberen te redden?'
Hond keek me met zijn half toegeknepen gele ogen aan. 'Andere wereld. Dat kun jij toch niet begrijpen. Als je zo erg gewond bent dat je je werk niet meer kunt doen, is er geen plaats voor je in de troep. Buiten de troep kun je nergens naartoe. De Baas heeft gelijk. Vraag het maar aan de anderen. Als wij in Evans schoenen stonden, zouden we smeken om het mes.'
Ik dacht hierover na terwijl ik de smid probeerde te verleiden een paar uit het sponsje geknepen druppels in te slikken.
'Er klopt iets niet,' zei ik. 'Misschien hoort het bij die ongeschreven wet, hoe die ook luidt. Maar waarom hebben jullie dan geprobeerd het leven van deze man te redden, tegen het bevel van jullie hoofdman in? Waarom hebben jullie het niet gewoon beëindigd, zoals hij gedaan zou hebben?'
Ze schenen weinig zin te hebben om te antwoorden. Ik kneep in de spons, en er druppelde nog wat van het zeer giftige mengsel in Evans mond. Zijn oogleden vielen dicht. Uiteindelijk zei Meeuw halfluid:
'Bij hem ligt het anders. Evan is een smid, geen krijger. Hij kent een vak. Hij heeft een kans op een leven buiten, als hij genoeg gespaard heeft om weg te gaan. Hij zou wel ver weg moeten; naar Armorica, naar Gallië, overzee. Hij heeft een vrouw die in Brittannië op hem wacht; hij kan weg zodra hij genoeg zilver heeft voor steekpenningen om hem een veilige overtocht te verzekeren. Er staat een prijs op zijn hoofd, net als bij ons allemaal. Maar hij heeft in elk geval nog iets om op te hopen.'
'Dat konden we niet tegen de Baas zeggen,' zei Slang mompelend. 'Het was al moeilijk genoeg om een paar dagen voor hem af te smeken. Ik hoop maar dat je wonderen kunt verrichten, meisje. Want dat zul je nodig hebben, een wonder.'
'Ik heet Liadan,' zei ik gedachteloos. 'Zo kun je me noemen, dat is wel zo gemakkelijk voor ons allemaal. Laten we nu maar beginnen. Wie neemt het snijden voor zijn rekening?'
Meeuw keek naar Hond, en Slang keek naar Hond, en Hond keek naar het dodelijke, getande mes.
'Het ziet ernaar uit dat ik de klos ben,' zei hij.
'Dat je groot en sterk bent is nog niet genoeg,' waarschuwde ik. 'Je moet ook heel beheerst kunnen werken. De snede moet netjes

en snel gemaakt worden. En hij gaat schreeuwen. Deze drank is wel sterk, maar niet zo sterk.'
'Ik zal het doen.'
Niemand had de Baas horen aankomen. Zijn mannen waren goed, maar hij was beter. Ik hoopte dat hij niet lang had meegeluisterd. Zijn koele grijze ogen keken een keer de ruimte rond, toen kwam hij naar ons toe en pakte het mes. Op het gezicht van Hond verscheen een opgeluchte uitdrukking.
'Zo gemakkelijk kom je er niet vanaf,' zei ik tegen hem. 'Jij schijnt de grootste te zijn, dus kun jij het beste zijn schouders vasthouden. Houd je handen uit de buurt van de – van de plek waar deze man snijdt. Jullie tweeën pakken zijn benen. Hij lijkt wel buiten bewustzijn, maar hij zal de pijn zeker voelen, en de napijn. Wanneer ik het zeg, moeten jullie je volle gewicht gebruiken om hem in bedwang te houden.'
Ze namen hun plaatsen in, afgericht op het gehoorzamen van bevelen.
'Heb jij dit ooit eerder gedaan?' vroeg ik aan de man met het mes.
'Precies hetzelfde als dit, nee. Je zult me ongetwijfeld gaan vertellen hoe het moet.'
Ik nam de snelle beslissing om niet boos te worden, hoe arrogant hij ook deed.
'Ik zal je stap voor stap begeleiden. Wanneer we beginnen, moet je steeds dadelijk doen wat ik zeg. Het zal veel gemakkelijker zijn als ik je bij een naam kan noemen. Ik ben niet van plan je Baas te noemen.'
'Noem me hoe je wilt,' zei hij met opgetrokken wenkbrauwen. 'We hebben hier geen namen, behalve de namen die je gehoord hebt.'
'Ik ken verhalen over een man die Bran heette,' zei ik. 'Die naam betekent raaf. Zo zal ik je noemen. Is het mes verhit? Je moet het halen zodra ik het zeg, Hond.'
'Het is klaar.'
'Heel goed. Nu dan. Bran, zie je dit punt bij de schouder waar het bot nog heel is?'
De man die ik naar een legendarische reiziger had genoemd, knikte; zijn mond was strak van afkeuring.
'Hier moet je snijden om een schone wond te krijgen. Laat je mes niet afglijden tot dit punt, want de wond zal nooit genezen als we

er botsplinters in laten zitten. Concentreer je op je werk. Laat de anderen hem stevig vasthouden. Ik zal eerst het spierweefsel opensnijden met mijn kleine mes... waar is mijn kleine mes?'
Meeuw bukte en haalde het uit zijn laars, waar hij het in had gestoken.
'Dank je. Nu ga ik beginnen.'

Ik vroeg me later af hoe het mogelijk was dat ik zo beheerst bleef. Hoe ik erin slaagde kalm en deskundig te klinken terwijl mijn hart drie keer zo snel klopte als normaal en het koude zweet me over mijn hele lichaam uitbrak; terwijl ik vervuld was van angst. Angst dat het zou mislukken. Angst voor de gevolgen van een mislukking, niet alleen voor de ongelukkige Evan, maar ook voor mezelf. Niemand had met zoveel woorden gezegd wat er zou gebeuren als ik dit niet goed deed, maar ik kon het me wel voorstellen. Het eerste gedeelte ging nog wel. Netjes door lagen weefsel snijden en de huid terugstropen tot aan de plek waar iemand de arm heel stijf had afgebonden met een smalle reep linnen, net onder de schouder. Mijn handen waren algauw tot aan mijn polsen rood gekleurd. Tot nu toe ging het goed. De smid schokte en trilde, maar werd niet wakker.
'Ziezo,' zei ik. 'Nu moet jij snijden, Bran. Hier recht door het bot. Hond, houd hem stevig vast. Zorg ervoor dat hij niet beweegt. Dit moet snel gebeuren.'
Op zulke momenten is de beste helper misschien een man die geen begrip heeft van menselijke gevoelens. Een man die levend bot even netjes en beslist kan doorzagen als een plank hout. Een man op wiens gezicht niets te zien is wanneer zijn slachtoffer plotseling rukt en spartelt, zich verzet tegen de gespierde armen die hem vasthouden en een bevend gekreun laat horen dat regelrecht uit de ingewanden lijkt te komen.
'Christenzielen,' fluisterde Slang, en hij drukte met zijn volle gewicht op de benen van de smid om hem in bedwang te houden. Het gruwelijke zagende geluid ging rustig door. De snede was even recht als de rand van een zwaard. Naast me drukte Hond met zijn massieve onderarmen op de linkerarm en op de bovenkant van de borstkas.
'Voorzichtig, Hond,' zei ik. 'Hij moet wel kunnen ademen.'

'Volgens mij begint hij bij te komen.' De handen van Meeuw drukten zwaar op Evans rechterzij. 'Het wordt moeilijk hem stil te laten liggen. Kun je hem niet nog wat geven van dat...?'
'Nee,' zei ik. 'Hij heeft zoveel gekregen als hij veilig kan innemen. We zijn bijna klaar.' We hoorden een werkelijk afgrijselijk geluid toen de laatste botsplinter werd doorgesneden en de gehavende resten van de arm op de grond vielen. Tegenover mij aan de andere kant van de strozak keek Bran op. Zijn armen waren tot aan de ellebogen bebloed en de voorkant van zijn hemd was rood bespat. De uitdrukking op zijn gezicht was niet zichtbaar veranderd. Zijn wenkbrauwen gingen vragend omhoog.
'Haal het mes van het vuur.' Díancécht sta me bij, dit zal ik zelf moeten doen. Ik wist wat er zou gebeuren en zette me mentaal schrap. Bran liep naar buiten en kwam terug met het wapen in zijn hand. Het heft was omwikkeld met een doek, het lemmet gloeide fel als een halfgesmeed zwaard. Zijn ogen stelden weer een vraag.
'Nee,' zei ik. 'Geef het aan mij. Wat nu komt, is mijn werk. Maak die knevel los. Dan zal het gaan bloeden. Kom dan naar deze kant en help Hond hem in bedwang te houden. Hij zal schreeuwen. Houd hem dan stevig vast en probeer ervoor te zorgen dat hij niet beweegt.'
De knevel werd losgemaakt en het bloed begon te stromen, maar minder hevig dan ik verwachtte. Dat was geen goed teken, want dit kon erop wijzen dat het vlees al begon af te sterven. Zonder een woord te zeggen ging ik naar de andere kant terwijl Bran mijn plaats innam, om de smid vast te houden zodra hij zou bewegen.
'Nu,' zei ik, en drukte het roodgloeiende ijzer tegen de open wond. Er volgde een akelig gesis en een misselijkmakende geur van geroosterd vlees. De smid krijste. Het was een afgrijselijk, onaards gekrijs dat je nog jaren later in je dromen zou kunnen achtervolgen. Zijn hele lichaam begon in doodsnood te stuiptrekken, zijn borst ging zwoegend op en neer en zijn ledematen sloegen alle kanten op; zijn hoofd en schouders werden alleen stilgehouden door de gezamenlijke inspanning van Hond en Bran, die hem met een enorme krachtsinspanning neerdrukten. Hond, die grote, lelijke man, was zo wit als een geest.
'Lieve Jezus,' mompelde Slang.
'Het spijt me, ik ben nog niet klaar,' zei ik terwijl ik tranen weg-

knipperde. Ik hield het mes weer tegen de wond en drukte het op verschillende plaatsen aan, zodat het hele gebied werd dichtgeschroeid. Ik dwong mezelf om het lang genoeg aan te drukken, terwijl een volgende bevende gil de lucht van de kleine schuilplaats vervulde. Toen, eindelijk, nam ik het hete ijzer weg en bleef daar staan terwijl de stem van de smid afzwakte tot een gierend, hijgend gejammer. De vier mannen lieten hem los en kwamen langzaam overeind. Ik leek me niet meer te kunnen bewegen. Na een poos nam Meeuw het mes uit mijn handen en ging ermee naar buiten. Hond begon zwijgend dingen van de grond op te rapen en in een emmer te doen, en Slang nam de kleine kom met azijn en begon, na een knik van mij, met de spons een paar druppels tegelijk tussen Evans gezwollen lippen aan te brengen.
'Ik zal niet vragen waar je dat hebt geleerd,' merkte Bran op. 'Ben je tevreden dat je hem dit hebt aangedaan? Ben je er nog van overtuigd dat je gelijk hebt?'
Ik keek naar hem op. Zijn strenge gelaatstrekken met hun vreemde halve tekening vervaagden voor mijn ogen, het verenpatroon bewoog en wervelde in het licht van de lamp. Ik voelde plotseling hoe moe ik was.
'Ik blijf bij mijn beslissing,' zei ik zwakjes. 'De tijd die je me hebt gegeven, is te kort. Maar ik weet dat ik gelijk heb.'
'Je zult er misschien niet meer zo zeker van zijn als je zes dagen in ons kamp hebt doorgebracht,' zei hij op onheilspellende toon. 'Wanneer je iets meer van de echte wereld hebt gezien, zul je erachter komen dat iedereen gemist kan worden. Er zijn geen uitzonderingen, of het nu gaat om een kundige smid of om een kleine genezeres. Je lijdt en sterft, en wordt snel vergeten. Het leven gaat toch wel door.'
Ik slikte. De rotswanden rondom me bewogen.
'Er zullen mensen naar me komen zoeken,' fluisterde ik. 'Mijn oom, mijn broer, mijn... ze zijn waarschijnlijk nu al naar me op zoek, en ze hebben hulp.'
'Ze zullen je niet vinden.' Zijn toon liet geen twijfel toe.
'En het escorte dat met me meereisde?' Ik greep nu naar strohalmen, want ik vermoedde dat de mannen allemaal dood waren. 'Zij kunnen niet ver weg zijn. Iemand heeft vast gezien wat er gebeurd is... iemand zal achter me aankomen...'

Mijn stem stierf weg en ik stak een hand uit om mijn evenwicht te bewaren, want ik zag alleen nog dansende sterretjes.
'Het spijt me,' mompelde ik dwaas, alsof ik me excuseerde bij een beleefd gezelschap. Plotseling voelde ik een stevige greep om mijn arm en werd ik naar de houten kruk gevoerd, waar ik zonder omhaal op werd neergedrukt.
'Slang. Laat hem nu maar los. Hij ademt nog, hij redt het wel. Haal schone kleren voor het meisje, als je tenminste iets kunt vinden dat klein genoeg is. Een deken en water, zodat ze zich kan wassen. Ga naar het vuur, eet wat en breng wat te eten voor haar mee als je terugkomt. In goede conditie is ze al van weinig nut; als we haar laten verhongeren, hebben we helemaal niets meer aan haar.' Hij wendde zich weer naar mij. 'Eerste regel voor het gevecht. Alleen de meest geharde krijger kan goed functioneren op weinig voedsel en nog minder slaap. Dat komt pas na langdurige oefening. Wil je je werk goed doen, dan moet je je er behoorlijk op voorbereiden.'
Ik was veel te moe om er iets tegen in te brengen.
'Je zult voor vannacht twee wachten krijgen. Een voor buiten en een om op hem te letten terwijl jij slaapt. Maar denk niet dat dat je toekomt. Je hebt er zelf voor gekozen om dit te doen, en na deze nacht moet je jezelf maar redden.'
Eindelijk ging hij weg. Ik sloot mijn ogen en zwaaide op mijn kruk heen en weer van uitputting. De smid lag voorlopig rustig op zijn strozak.
'O, en nog iets.'
Mijn ogen gingen weer open.
'Hiermee zul je een zeker... respect hebben verworven. Bij de mannen. Zorg er vooral voor dat je dat niet laat uitgroeien tot iets meer. Elke man die de regel overtreedt staat de strengste straf te wachten. Je zult al genoeg op je geweten hebben zonder dat dat er nog bij komt.'
'Wat heeft een man als jij nou voor benul van een geweten?' mompelde ik terwijl hij zich omdraaide en wegliep. Als hij al hoorde wat ik zei, liet hij dat niet merken.
Het was een vreemde tijd. Er gaan verhalen over mannen en vrouwen die op een maanverlichte nacht in het bos worden ontvoerd door het Feeënvolk, die een reis naar de Andere Wereld maken en daar een leven leren kennen dat zo anders is dat ze bij hun te-

rugkeer nauwelijks weten wat werkelijkheid is en wat een droom. De Beschilderde Man en zijn bonte troep volgelingen stonden ongeveer zo ver van de visionaire wezens van de Andere Wereld af als maar mogelijk was, maar toch voelde ik me ongelooflijk ver verwijderd van mijn gewone leven. En hoewel dit misschien moeilijk te geloven is, dacht ik tijdens mijn verblijf in dit verscholen kampement zelden aan mijn huis of aan mijn ouders, en vroeg ik me zelfs nauwelijks af hoe het mijn zuster Niamh verging, die helemaal alleen was en het bed deelde met een vreemde. Er waren ogenblikken dat de angst me koud om het hart greep, wanneer ik me Eamonns verhaal herinnerde. Ik zag wel in dat ik in een gevaarlijke situatie verkeerde. De wachten die Liam met me mee had gestuurd, waren vrijwel zeker met meedogenloze doeltreffendheid gedood. Zo gingen deze mannen te werk. Wat hun regel betrof, die zou me misschien beschermen, maar misschien ook niet. Als het erop aankwam, zou mijn overleving waarschijnlijk afhangen van de vraag of de smid bleef leven of niet. Maar mijn vader had een keer tegen me gezegd dat met angst geen veldslagen gewonnen werden. Ik rolde mijn mouwen op en hield mezelf voor dat ik geen tijd had voor flauwtes. Het leven van een man stond op het spel. Bovendien moest ik iets bewijzen en ik was vastbesloten dat te doen.

Die eerste nacht en dag bewaakten ze me zo nauwlettend dat het was alsof ik voortdurend een grote, zwaarbewapende schaduw achter me had. Ik moest hen er zelfs aan herinneren dat vrouwen bepaalde lichamelijke behoeften hebben waaraan ze het liefst alleen voldoen. Toen kwamen we tot een compromis: ik mocht even ongezien weg, op voorwaarde dat ik er niet te lang over deed en dan direct terugkwam naar de plaats waar Hond, Meeuw of Slang op me wachtte, met het wapen in de hand. Niemand hoefde me erop te wijzen dat het volstrekt zinloos was een ontsnappingspoging te ondernemen. Ze brachten me eten en water, ze brachten me een emmer zodat ik me kon wassen. Ik droeg iemands oude onderhemd, dat nog een eind onder mijn knieën hing, en een soort ruime tuniek met hier en daar handige zakken. Ik vlocht mijn haar in een stevige vlecht die op mijn rug hing, zodat hij me niet in de weg zat, en ging aan de slag met wat er gedaan moest worden. Zorgvuldig afgemeten drankjes tegen de pijn; mengsels die op het komfoor moesten worden verhit, bedoeld om de kwade sappen ertoe aan te zetten het lichaam te verlaten. Zalven voor de gemene brandplek. Kompressen voor het voorhoofd. Vaak ging ik gewoon naast de strozak zitten met Evans hand in de mijne en praatte ik zacht tegen hem of zong liedjes voor hem zoals je voor een koortsig kind deed.

De tweede nacht mocht ik naar buiten, tot bij het kookvuur. Hond liep naast me door het kampement, waar her en der tussen de bomen en struiken allerlei kleine, tijdelijke onderkomens waren opgetrokken, tot we bij een open plek kwamen waar keurig tussen stenen een heet, rookloos vuur brandde. Eromheen zaten, stonden of leunden mannen die hun eten met de hand opschepten uit de kleine kommen die de meeste reizigers ergens in hun bepakking meevoeren. Het rook er naar gestoofd konijn. Ik had genoeg honger om niet al te veel eisen te stellen, en nam een kom aan die me in de handen werd geduwd. Het was stil, afgezien van het sjirpen van nachtkrekels en het zachte murmelen van een vogel die in de takken boven ons in slaap viel.

'Hier,' zei Hond. Hij gaf me een kleine, uit been gesneden lepel die niet bepaald schoon was. In het halfduister waren er vele ogen op me gericht.

'Dank je wel,' zei ik, in het besef dat mij een zeldzaam privilege werd gegund. De anderen gebruikten hun vingers om te eten, of misschien een stuk hard brood. Er werd niet gelachen en weinig gesproken. Misschien had mijn aanwezigheid hun gesprek doen verstommen. Zelfs toen er bier werd geschonken en bekers werden rondgedeeld, was er nauwelijks een geluid te horen. Ik at mijn eten op en bedankte voor een tweede portie. Iemand bood me een beker bier aan, en ik nam hem aan.

'Goed gedaan hoor,' zei iemand kortaf.

'Heel netjes,' vond een ander ook. 'Niet makkelijk. Heb het ook weleens zien verknoeien. Een man kan sneller doodbloeden dan een... ik wil maar zeggen, zoiets moet goed gedaan worden.'

'Dank je,' zei ik ernstig. Vanwaar ik zat, op een wal bij het vuur, keek ik op naar een kring van gezichten. Ze hielden allemaal een afstand van drie of vier pas tot me aan. Ik vroeg me af of dit ook bij hun regel hoorde. Ze vormden een wonderlijk mengelmoes; hun bizarre veeltalige woordgebruik wees op een herkomst uit al-

lerlei streken en op een langdurig samenzijn. Van het hele stel waren er volgens mij maar twee of drie hier in Erin geboren. 'Ik had hulp,' zei ik. 'Ik had zoiets nooit alleen kunnen doen.'
Een heel lange man nam me nauwlettend op, met een fronsend gezicht.
'Maar,' zei hij na een tijdje, 'het zou niet gedaan zijn, als jij er niet was geweest. Toch?'
Ik keek snel om me heen, want ik wilde niemand in moeilijkheden brengen. 'Misschien niet,' zei ik maar.
'Nu maakt hij nog een kans, hè?' vroeg de lange man terwijl hij zich naar voren boog, met zijn lange, magere armen op zijn benige knieën. Er volgde een afwachtende stilte.
'Een kans, ja,' zei ik voorzichtig. 'Meer niet. Ik zal mijn best voor hem doen.'
Sommigen knikten. Toen maakte iemand een zacht geluidje dat het midden hield tussen sissen en fluiten, en plotseling keken ze allemaal een andere kant op, overal heen behalve naar mij.
'Hier, Baas.' Er werd een kom doorgegeven en een volle beker.
'Het is hier wel erg stil,' merkte ik na een tijdje op. 'Zingen jullie nooit, vertellen jullie 's avonds na het eten geen verhalen?'
Iemand snoof verachtelijk, maar hield er meteen weer mee op.
'Verhalen?' zei Hond verbluft, terwijl hij op de kale kant van zijn hoofd krabbelde. 'Wij kennen geen verhalen.'
'Je bedoelt over reuzen en monsters en zeemeerminnen?' vroeg de lange, slungelige kerel. Ik meende een vonkje van iets in zijn ogen te zien.
'Díé verhalen, en andere,' zei ik aanmoedigend. 'Er bestaan ook verhalen over helden, over grote veldslagen en over reizen naar verre en wonderbaarlijke landen. Veel verhalen.'
'Ken jij zulke verhalen?' vroeg de lange man.
'Stil toch, Spin,' siste iemand hem binnensmonds toe.
'Genoeg om er elke avond van het jaar een te vertellen, en er dan nog een paar over te houden,' zei ik. 'Zouden jullie het leuk vinden als ik er een vertelde?'
Het bleef lang stil, terwijl de mannen elkaar aankeken en met hun voeten schuifelden.
'Je bent hier om iets te doen, niet om gratis amusement te leveren.' Ik hoefde niet op te kijken om te weten wie dit zei. 'Deze

mannen zijn geen kinderen.' Interessant: wanneer deze man het tegen mij had, gebruikte hij gewoon Iers, vloeiend en vrijwel accentloos.

'Is een verhaal vertellen tegen de regel?' vroeg ik zacht.

'Hoe zit het met die Bran?' merkte Meeuw heel moedig op. 'Ik wil wedden dat er verhalen over hem bestaan. Daar zou ik er wel een van willen horen.'

'Dat is een erg lang verhaal, dat alleen in vele avonden verteld kan worden,' zei ik. 'Ik zal hier niet lang genoeg zijn om het uit te vertellen. Maar er zijn meer dan genoeg andere.'

'Toe dan, Baas,' zei Meeuw. 'Het kan toch geen kwaad?'

'Laat ik gewoon beginnen,' zei ik, 'en als je denkt dat mijn woorden gevaarlijk zijn, kun je me laten ophouden wanneer je maar wilt. Dat lijkt me redelijk.'

'O ja?'

Maar hij had geen nee gezegd, en er hing een sfeer van zwijgende verwachting over de vreemde bende die om het vuur zat. Ik begon dus maar.

'Voor een bende krijgers zoals jullie,' zei ik, 'weet ik geen verhaal dat toepasselijker is dan het verhaal over de grootste van alle krijgers, Cú Chulainn, de kampioen van Ulster. Ook zijn geschiedenis is lang en samengesteld uit vele verhalen. Maar ik zal vertellen over de manier waarop hij zijn kunst leerde en die zo vervolmaakte dat niemand hem te velde kon verslaan, ook al was dat de beste strijder van zijn stam. Deze Cú Chulainn was geen gewone man, zie je. Er deden geruchten de ronde, en daarin school misschien een kern van waarheid. Geruchten dat hij een kind was van Lugh, de zonnegod, bij een sterfelijke vrouw. Niemand kon dit met zekerheid zeggen, maar één ding was zeker: altijd wanneer Cú Chulainn ging vechten, kwam er een verandering over hem. Ze noemden het riastradh, de strijdrazernij. Dan begon zijn hele lichaam te beven en werd het heet; zijn gezicht werd vuurrood, zijn hart bonsde als een grote trom in zijn borst, en zijn haar ging overeind staan en er vlogen gloeiende vonken af. Het was werkelijk net of zijn vader, de zonnegod, hem dan inspireerde, want voor zijn vijanden leek het alsof er een woest en verschrikkelijk licht om hem heen straalde wanneer hij met het zwaard in de hand op hen afkwam. En ze zeggen dat er, nadat de slag ge-

wonnen was, drie vaten ijskoud rivierwater nodig waren om hem af te koelen. Wanneer ze hem in het eerste vat dompelden, barstten daarvan de ringen en viel het vat in duigen uiteen. Het water in het tweede vat kookte over; het derde vat dampte en dampte tot de hitte uit hem was en Cú Chulainn weer zichzelf was.
Deze grote krijger had uitzonderlijke vaardigheden, ook als jongen al. Hij kon springen als een zalm en zwemmen als een otter. Hij kon sneller lopen dan een hert en in het donker zien zoals een kat. Maar er brak een tijd aan dat hij zijn kunst wilde verfijnen, met het doel een schone vrouwe te veroveren die Emer heette. Toen hij bij Emers vader om haar hand vroeg, zei de oude man dat hij zich niet bewezen had als krijger en dat hij zich verder moest bekwamen onder leiding van de beste leraar. Wat de vrouwe betreft, die zou hem ook zo hebben geaccepteerd, want wie kon er nou weerstand bieden aan zo'n prachtige man? Maar ze was een braaf meisje en volgde de wil van haar vader. Daarom ging Cú Chulainn op zoek, en hij vroeg het aan deze en hij vroeg het aan gene en uiteindelijk hoorde hij dat de beste leraar in de krijgskunsten een vrouw was, Scáthach, een vreemd schepsel dat op een eilandje voor de kust van Alba woonde.'
'Een vrouw?' herhaalde iemand schamper. 'Hoe kon dat nou?'
'Tja, dit was geen gewone vrouw, zoals onze held weldra bemerkte. Toen hij bij de woeste kust van Alba aankwam en over de woedende wateren uitkeek naar het eiland waar zij met haar krijgsvrouwen woonde, zag hij dat het al moeilijk zou worden nog voordat hij daar een voet aan wal had gezet. Want de enige manier om over het water te komen was een hoge, smalle brug die zo breed was dat er net één man over kon lopen. Zodra hij een voet op de brug zette, begon die over zijn hele, aanzienlijke lengte te schudden en te kronkelen en op en neer te springen. Iedereen die dom genoeg was om zich er verder overheen te wagen, zou er onmiddellijk af geworpen worden en op de messcherpe klippen of in de kolkende branding belanden.'
'Waarom gebruikte hij dan geen boot?' vroeg Spin met een verbaasde frons.
'Heb je dan niet gehoord wat Liadan zei?' antwoordde Meeuw spottend. 'Woedende wateren? Kolkende branding? Geen boot zou die zee hebben kunnen oversteken, denk ik zo.'

'Inderdaad,' zei ik met een glimlach naar hem. 'Velen hadden het geprobeerd, en allen waren omgekomen, verzwolgen door de zee of door de reusachtige wezens met lange tanden die erin huisden. Maar wat moest Cú Chulainn nu doen? Hij was er niet de man naar om het op te geven, en hij begeerde Emer met een verlangen dat zijn lichaam tot in de kleinste hoekjes vervulde. Met zijn scherpe blik mat hij de afstand over de brug, en toen ademde hij diep in en uit, en ademde weer in, en de riastradh kwam over hem tot zijn hart uit zijn borstkas dreigde te springen; elke ader onder zijn huid zwol op en werd zo dik als een strakgespannen hennepen koord. Toen verzamelde Cú Chulainn al zijn krachten en maakte een geweldige sprong, als van een zalm die tegen een grote waterval opspringt, en hij kwam licht neer, precies midden op de schuddende brug, keurig op de bal van zijn linkervoet. De brug hopste en bokte en probeerde hem af te werpen, maar hij was te snel en maakte weer een sprong, zo groot dat toen zijn voet de grond raakte, hij op de kust van Scáthachs eiland was.
Hoog op de borstwering van Scáthachs woning, een versterkte toren van massief graniet, stond de strijdster met haar dochter te kijken.
"Zo te zien een geschikte kerel," mompelde ze. "Die kent al een paar kunstjes. Hem zou ik wel het een en ander kunnen leren."
"Ik zou hem zelf ook best een paar kunstjes willen leren," zei de dochter, maar zij bedoelde iets heel anders.'
Er klonk gelach. Deze mannen mochten dan niet gewend zijn aan verhalen, maar ze leken een verhaal wel te kunnen waarderen. Wat mezelf betreft, ik begon op gang te komen en vroeg me terloops af wat Niamh zou zeggen als ze me nu kon zien. Ik ging verder met het verhaal.
'"Nou goed," zei de moeder, "als jij hem wilt, mag je hem hebben. Drie dagen krijg je om hem de kunsten van de liefde te leren. Daarna is hij voor mij."
Het was dus de dochter van Scáthach die naar beneden ging om de held welkom te heten, en ze bereidde hem een hartelijk welkom, zodat er na drie dagen weinig was dat hij niet wist over de behoeften van een vrouw en hoe hij haar kon behagen. Daar kon Emer nog plezier van hebben. Toen was het de beurt van de moeder, en toen zijn lessen begonnen, besefte Cú Chulainn algauw dat

Scáthach inderdaad de beste lerares was. Ze onderrichtte hem gedurende een jaar en een dag, en van haar leerde hij zijn strijdsprong waarmee hij hoog boven een speer uit kon vliegen die door zijn tegenstander door de lucht was geworpen. Hij leerde hoe hij een man moest scheren met snelle halen van het zwaard, een kunst die misschien weinig praktisch nut had, maar die een vijand zeker angst zou inboezemen.'

Hond streek nerveus met zijn hand over de kale kant van zijn schedel.

'Cú Chulainn kon de grond onder de voeten van de vijand wegmaaien, waarbij zijn zwaard zo snel bewoog dat je het amper kon zien. Hij kon zo licht als een veertje opspringen tegen het schild van zijn tegenstander. Hij leerde een strijdwagen met messen aan de wielen te besturen; zijn tegenstanders zouden niet eens weten wat hen trof, tot ze stervend op het slagveld lagen. Hij leerde tevens de kunst van het jongleren, wat hij even behendig kon met scherpe messen of vlammende toortsen als met de lederen jongleursballen. Terwijl hij op dat eiland was, sliep Cú Chulainn met een krijgsvrouw, Aoife, en zij schonk hem een zoon, Conlai, en daarmee begon een ander verhaal, een heel treurig verhaal. Maar Cú Chulainn zelf keerde naar huis terug, na een jaar en een dag, en vroeg weer om de hand van de schone Emer.'

'En?' zei Meeuw ongeduldig toen ik even zweeg. Het was laat. Van het vuur was nog slechts een massa gloeiende sintels over, terwijl een netwerk van sterren zich over de donkere hemel had gespreid. Het was afnemende maan.

'Welnu, Emers vader, Fogall, had nooit verwacht dat de jongeman zou terugkomen. Hij had gehoopt dat Scáthach hem zou doden, als de brug en de zee dat al niet hadden gedaan. Cú Chulainn werd dus geconfronteerd met gewapend verzet. Maar hij was niet voor niets in de leer geweest bij de beste van de wereld. Met zijn kleine groep zorgvuldig uitgekozen krijgers versloeg hij het leger van Fogall zonder veel moeite. Hij achtervolgde Fogall zelf tot op de uiterste rand van de kliffen, en vocht daar met hem van man tegen man. Het duurde niet lang of Fogall, die zich volstrekt niet met hem kon meten, viel te pletter op de stenen in de diepte. Toen nam Cú Chulainn de schone Emer tot bruid, en ze vonden veel vreugde in elkaar.'

'Ik wil wedden dat hij haar het een en ander leerde,' zei iemand met gedempte stem.
'Genoeg.' Bran kwam van achter me te voorschijn, en zijn stem bracht de mannen onmiddellijk tot zwijgen. 'Het verhaal is uit. De mannen die de wacht aflossen, naar je post. De rest, naar bed. Verwacht geen herhaling van dit optreden.'
Ze vertrokken zonder nog een woord te zeggen. Ik vroeg me af hoe het zou voelen om zo bang te zijn voor een man dat je al zijn bevelen opvolgde zonder vragen te stellen. Zo'n bestaan kon toch weinig voldoening geven.
'En jij, weer aan je werk.'
Het duurde enkele ogenblikken voor ik besefte dat Bran het tegen mij had.
'Wat word ik geacht daarop te antwoorden? Ja, Baas?' Ik stond op. Hond was vlak achter me, een voortdurende schaduw.
'Als je nou je mond eens hield en deed wat je gezegd wordt? Dat zou voor ons allemaal gemakkelijker zijn.'
Ik wierp hem een onvriendelijke blik toe. 'Ik hoef aan jou geen verantwoording af te leggen,' zei ik. 'Ik zal het werk doen waarvoor ik hier ben. Dat is alles. Ik ben niet van plan me te laten rondcommanderen als een van je mannen. Als zij ervoor kiezen je als doodsbange slaven te volgen, dan moeten ze dat zelf weten. Maar ik kan niet werken als ik in angst rondloop en de hele tijd word ingeperkt. En je hebt zelf gezegd: wees goed voorbereid, zodat je je werk doeltreffend kunt doen. Zoiets.'
Hij gaf een tijdlang geen antwoord. Iets wat ik had gezegd had kennelijk een gevoelige snaar geraakt, hoewel in dat vreemde gezicht, zomer en winter, nauwelijks een spiertje vertrok.
'Het zal ook helpen als je mijn naam gebruikt,' voegde ik er streng aan toe. 'Ik heet Liadan.'
'Die verhalen,' zei Bran afwezig, alsof hij met iets heel anders bezig was. 'Die zijn gevaarlijk. Daardoor gaan mannen dromen over dingen die ze niet kunnen krijgen. Over dingen die ze nooit kunnen worden. Daardoor gaan mannen zich afvragen wie ze zijn en waarnaar ze zouden kunnen streven. Mijn mannen mogen zulke verhalen niet horen.'
Ik was even sprakeloos.
'Ach, toe, Baas,' protesteerde Hond onverstandig. 'En Cú Chu-

lainn en zijn zoon Conlai dan? Een heel treurig verhaal, zei ze. En zeemeerminnen en monsters en reuzen dan?'

'Je praat als een klein kind.' Brans stem klonk verachtelijk. 'Dit is een troep geharde mannen, die geen tijd hebben voor zulke triviale onzin.'

'Misschien zou je er tijd voor moeten maken,' zei ik, vastbesloten mijn standpunt duidelijk te maken. 'Als je de overwinning wilt behalen, waarmee zou je je mannen dan beter kunnen inspireren dan met een heldenverhaal, een verhaal over een strijd tegen een grote overmacht die door middel van kundigheid en moed gewonnen werd? En als je mannen vermoeid of terneergeslagen zijn, wat is er dan beter geschikt om hen op te vrolijken dan een mal verhaal – bijvoorbeeld het verhaal van het kleine mannetje Iubdan en het bord pap, of van de boer die drie wensen mocht doen en ze allemaal verspilde? Wat zou beter werken om hun hoop te geven dan een liefdesverhaal?'

'Je neemt een risico door over liefde te praten. Ben je zo onschuldig, of zo dom, dat je je niet kunt voorstellen wat voor uitwerking zulke woorden kunnen hebben in dit gezelschap van mannen? Of misschien wil je dat juist. Je kunt kiezen. Elke nacht een ander. Of twee, misschien.'

Ik voelde dat ik bleek werd.

'Je toont wat voor man je bent door me zo te beledigen,' zei ik heel kalm.

'En wat voor man is dat?'

'Een man zonder gevoel voor goed en kwaad. Een man die niet kan lachen en die heerst door middel van angst. Een... een man zonder respect voor vrouwen. Er zijn er die zich gruwelijk zouden willen wreken als ze je zo tegen mij hoorden spreken.'

Het bleef even stil.

'En waarop baseer je dit oordeel?' vroeg hij ten slotte. 'Je hebt maar een uiterst korte tijd in mijn gezelschap doorgebracht. Toch geloof je nu al dat ik een soort monster ben. Je kunt de aard van een man wel heel snel bepalen.'

'En jij velt al even snel een oordeel over een vrouw,' zei ik meteen.

'Ik hoef je niet te kennen om te zien wat je bent,' zei hij op sombere toon. 'Jullie zijn allemaal hetzelfde. Je vangt een man in je net, haalt hem binnen, berooft hem van zijn wil en zijn beoordelingsvermogen. Het gaat zo subtiel dat hij verloren is voor hij het gevaar ook maar ziet. Vervolgens worden er na hem anderen binnengehaald, en het patroon van duisternis strekt zich steeds verder uit, zodat er zelfs voor onschuldigen geen ontsnapping mogelijk is.' Opeens zweeg hij; kennelijk had hij spijt van wat hij had gezegd.

'Jij,' zei hij tegen Hond, die met open mond had staan luisteren. 'Breng haar terug naar haar patiënt en ga dan zelf naar bed. Meeuw houdt vannacht de wacht.'

'Ik zou het ook kunnen, Baas. Ik kan nog gemakkelijk een wacht...'

'Meeuw heeft vannacht de wacht.'

'Ja, Baas.'

Dat was de tweede dag. Evan, de smid, hield het goed vol, al was ik niet tevreden over de manier waarop zijn lichaam trilde en rilde, en ook niet over zijn gloeiende voorhoofd, dat niet wilde afkoelen, hoe vaak ik hem ook afsponsde met koel water waarin ik paardenbloem en vijfvingerkruid had laten weken. Er ontwikkelde zich een zekere mate van competitie tussen mijn drie helpers. Ze wilden alle drie erg graag helpen bij het verpleegwerk, en hoewel ze geen ervaring hadden, was ik blij met hun kracht bij het optillen en keren van de patiënt.

Brans mannen leken altijd druk bezig met vechtoefeningen, de verzorging van paarden of tuig, het schoonmaken en slijpen van wapens. Eamonn had het in één opzicht mis gehad. Ze gebruikten het conventionele wapentuig: zwaard, speer, pijl en boog en mes, en daarnaast een ruim assortiment van andere strijdmiddelen waarvan ik de namen en werkingen niet zo nodig hoefde te weten. Het kamp was zelfvoorzienend en zeer georganiseerd. Op de derde ochtend trof ik tot mijn verbazing buiten op een steen bij mijn schuilplaats mijn jurk en hemd aan, keurig opgevouwen, gewassen en gedroogd en bijna zo goed als nieuw. Er was ten minste één goede kok, en het ontbrak niet aan kundige jagers die een voorraad vers vlees voor de pot konden leveren. Waar de wortelen en rapen vandaan kwamen, vroeg ik niet.

Er was maar weinig tijd. Zes dagen, tot ze verder zouden trek-

ken. De smid had pijn en had slaapverwekkende kruiden nodig om die te bestrijden. Maar als hij straks zonder mij verder moest reizen, moest hij de waarheid weten. Er waren momenten dat hij keek naar de plaats waar eens zijn sterke arm aan zijn krachtige schouder had gezeten. Maar in zijn koortsige ogen was geen begrip wanneer ik hem vertelde wat er gebeurd was, en hoe het in de toekomst zou zijn.
Op de derde dag liep ik door het kamp met Slang naast me. Mijn geleende kleren moesten nodig gewassen worden, want ook deze waren nu bevlekt met het bloed van mijn patiënt, en hier en daar ook met drankjes die hij maar tien tellen binnenhield voor hij ze weer uitbraakte.
Toen we bij de oever van de beek aankwamen, zagen we de lange man, Spin, en een ander die ze Otter noemden, op het gras worstelen. Otter was aan de winnende hand, want bij het worstelen geeft lengte je weinig voordeel als je tegenstander snel en slim is. Er weerklonk een luide plons, en daar lag Spin languit in het water, met een beteuterd gezicht. Otter veegde zijn handen af aan zijn leren broek. Zijn bovenlijf was naakt en hij had een ingewikkeld patroon op zijn borst: vele schakels die een gedraaide cirkel vormden.
'Morgen, Slang. Morgen, vrouwe. Hier, sukkel. Sta op. Je moet nog wat meer oefenen, hoor.' Otter stak zijn arm uit en trok de beschaamde Spin uit het water.
'Idioten,' merkte Slang vriendelijk op. 'Laat de Baas jullie niet betrappen op dat gerotzooi.'
Ik rolde mijn bundeltje uit en begon het bevlekte textiel in het ondiepe gedeelte over de stenen te wrijven.
'Ga maar liever terug naar het kamp, of waar jullie horen te zijn,' ging Slang verder. 'Baas zou niet blij zijn als hij jullie met de vrouwe hier zag praten.'
'Jij hebt makkelijk praten,' mompelde Spin, die het duidelijk erg vervelend vond zo gezien te worden, druipnat en verslagen. 'Hoe heb jij het eigenlijk voor elkaar gekregen dat je haar permanent mag bewaken?'
'Dat gaat je niets aan.'
'Waarom zijn jullie allemaal zo bang voor hem?' vroeg ik, terwijl ik even ophield met wassen om naar het drietal op te kijken. Het

was jammer dat hier nergens in de buurt zeepkruid groeide. Ik moest eens vragen hoe ze mijn jurk zo mooi schoon hadden gekregen.

'Bang?' Spin begreep het niet.

Slang fronste zijn voorhoofd. 'Dat zie je verkeerd,' zei hij. 'Baas is een man om te respecteren, niet te vrezen.'

'Wat?' Ik ging verbaasd op mijn hurken zitten. 'Terwijl jullie allemaal zwijgen zodra hij ook maar iets zegt? Terwijl hij dreigt jullie streng te bestraffen als jullie een of andere regel overtreden die hij ongetwijfeld zelf heeft bedacht? Terwijl jullie op de een of andere manier aan hem gebonden zijn in een broederschap waaruit jullie blijkbaar nooit kunnen ontsnappen? Is dat iets anders dan een schrikbewind?'

'Sst,' zei Slang verschrikt. 'Praat niet zo hard.'

'Zie je wel?' zei ik uitdagend, maar wel zachter. 'Je durft hierover niet eens openlijk te praten, uit angst dat hij jullie zal horen en bestraffen.'

'Dat is wel waar,' zei Spin, terwijl hij met zijn lange stuntelige ledematen op de rotsen naast me ging zitten, maar nog steeds zorgvuldig op zo'n drie of vier pas van me af. 'Hij weet regels te stellen en ze door te voeren. Maar het is eerlijk. De regel is er om ons te beschermen. Tegen elkaar. Tegen onszelf. Iedereen begrijpt dat. Als we de regel overtreden, is dat onze eigen keus en dragen we de gevolgen.'

'Maar waarom blijven jullie hier, als het niet is uit angst voor hem?' vroeg ik. Ik begreep het echt niet. 'Wat is dit voor leven, te moorden voor geld, je nooit in de echte wereld te kunnen begeven, nooit te kunnen... liefhebben, nooit je kinderen zien opgroeien of een boom die je geplant hebt zien groeien tot hij je huis beschaduwt, nooit vechten in een strijd waar je het recht aan je kant hebt? Dat is geen leven.'

'Ik denk niet dat je het zou begrijpen,' zei Slang op onverschillige toon.

'Probeer het me dan uit te leggen,' zei ik.

'Zonder de Baas,' het was Otter die dit zei, 'zouden we niets zijn. Niets. Dood, opgesloten of erger. We zijn het schuim der aarde, stuk voor stuk. Je kunt niet zeggen dat dit geen leven is. Hij heeft ons een leven gegeven.'

'Otter heeft gelijk,' zei Slang. 'Vraag het aan Hond. Vraag hem om zijn verhaal, vraag of je de littekens op zijn handen mag zien.'
'Wij zijn de mannen die niemand kon gebruiken,' zei Spin. 'De Baas heeft ons nut gegeven; hij heeft ons een plek en een doel gegeven.'
'En Meeuw?' vervolgde Slang. 'Die komt uit een vreemd land, Meeuw, ergens ver weg waar het heet is als hellevuur en waar niets anders is dan zand. Een land vol zwarte mensen zoals hij. Maar goed, iemand had hem daar echt zwaar aangepakt. Hij heeft zijn mensen voor zijn ogen zien afslachten. Zijn vrouw, kinderen, oude mensen. Hij wilde alleen nog maar dood. Baas heeft hem eruit gehaald, hem bepraat. Dat viel niet mee. Nu is Meeuw de beste die we hebben, afgezien van de Baas zelf.'
Ik had mijn wasgoed helemaal vergeten en het dreigde weg te drijven. Slang boog zich voor me langs om het te pakken. Hij gaf het aan me en trok zich weer drie tot vier passen terug.
'Elke man hier heeft een verhaal,' zei Otter. 'Maar we proberen te vergeten. Geen verleden, geen toekomst, alleen het heden. Dat is gemakkelijker. We zijn allemaal uitgestoten. Niemand van ons kan teruggaan, behalve misschien de smid. Dit is ons bestaan, hier in deze bossen, of daar buiten om een klus te doen, in de wetenschap dat wij de besten zijn in wat we doen. Dat is onze identiteit: de bende van de Beschilderde Man. Hij bedingt een goede prijs en deelt de opbrengst met ons. Ik voor mij werk liever hier voor hem, dan dat ik in het uniform van het leger van een of ander omhooggevallen heertje zou moeten werken.'
'Wie zou jou willen hebben?' grinnikte Slang. 'Jij zit veel te vol met rare grappen. Je zou al in moeilijkheden zijn voor je de kans had je eerste bevel te ontvangen.'
'Ik ben altijd bereid om zijn bevelen te ontvangen,' antwoordde Otter ernstig. 'De Baas heeft mijn leven gered. Maar het leven is nog een goedkoop ding, vergeleken met wat ik van hem heb teruggekregen: mijn zelfrespect.'
'Maar...' Ik wist niet hoe ik het had. Ik begon de kleren uit te wringen. 'Maar... ik begrijp het niet. Zien jullie dan niet dat wat jullie doen... monsterachtig is? Slecht? Gewetenloos moorden, voor geld? Hoe kunnen jullie dat een vak noemen, alsof het niets anders is dan... dan varkens fokken of boten bouwen?'

'Je fokt varkens om ze op te eten,' zei Otter. 'Dat is eigenlijk niet zo heel anders.'
'O!' Het was alsof ik tegen een stenen muur praatte. 'We hebben het wel over mannen, niet over dieren die voor de pot worden gefokt. Vinden jullie het niet bezwaarlijk om je brood te verdienen met niets anders dan doden? Doden waar en hoe jullie Baas het bepaalt, waar hij maar de beste prijs kan bedingen? De ene keer krijgen jullie je opdracht misschien van een Brit, de volgende keer van een heer uit Connacht of van een Pictisch opperhoofd. Er zit geen lijn in.'
'We zullen nooit een bepaalde kant kiezen,' zei Spin, kennelijk verbaasd. 'Niet voor vast, begrijp je. Wij zijn van allerlei slag. Saksen, Picten, zuiderlingen, en sommigen zoals Meeuw komen uit plaatsen waarvan je de naam niet eens kunt uitspreken. Een allegaartje, dat zijn we.'
'Maar dat betekent nog niet dat jullie... o!' Ik gaf het maar op.
'En Cú Chulainn dan?' vroeg Slang. Dit kwam onverwacht. 'Die doodde de vader van zijn vriendin. Ik vraag me af hoe zij dat vond? Zijn mannen doodden het leger van haar vader. Waarom? Opdat hij een vrouw kon krijgen, zijn begeerte kon bevredigen. Opdat hij kon laten zien dat hij de sterkste was. Is dat zoveel anders dan doden tegen betaling? Niet zoveel anders, volgens mij.'
Op dit moment had ik geen antwoorden meer. Bovendien was het tijd om terug te gaan. De smid mocht niet te lang aan de hoede van Hond worden overgelaten, gezien zijn beperkte verplegende vermogens.
Maar toen we in de buurt van de schuilplaats kwamen, was de zachte stem die ik hoorde niet die van Hond. Ik beduidde Slang dat hij stil moest zijn.
'... een man wiens naam je niet hoeft te weten... vanaf de kust van Wessex oversteken naar Gallië... ik kan regelen dat je dan doorreist naar... nee, dat hoef je niet te vragen, daarvoor wordt gezorgd...'
'Baas.' Evan antwoordde met zwakke stem, maar zo te horen had hij het wel begrepen. Hij was dus wakker en zijn geest was weer helder, op dit moment. Slang was een eind doorgelopen langs de helling en was ergens mee bezig. Ik wachtte, terwijl ik net uit het gezicht bleef; mijn nieuwsgierigheid was te sterk.

'Wat hield je tegen?' vroeg Evan. 'Toen je zag wat er van me over was... wat weerhield je?'
Het bleef even stil.
'Ik zal niet tegen je liegen, Evan,' zei Bran zacht. 'Ik zou het gedaan hebben. En ik ben er tot nu toe nog niet van overtuigd dat dit goed is.'
Het bleef weer stil. Het gesprek was vermoeiend voor de smid.
'Het is wel een bazig meidje, hè?' zei hij na verloop van tijd, en ik hoorde een vaag gegrinnik. 'Ze neemt graag de leiding. Met haar gepraat heeft ze me erdoorheen gesleept. Ik wist meestal niet of ik waakte of sliep, maar haar hoorde ik heel goed. Ze heeft me gezegd waar het op stond. Je arm is eraf, zei ze. Niet het einde van de wereld, zei ze. Ze zei wat ik zonder arm kon doen. Bracht me op een paar ideeën, dingen waaraan ik nooit zou hebben gedacht. Als je het me gisteren had gevraagd, had ik je vervloekt omdat je er toen niet meteen een eind aan hebt gemaakt. Nu weet ik het eigenlijk niet.'
'Je kunt beter uitrusten,' zei Bran. 'Anders word ik er natuurlijk van beschuldigd dat ik haar plannen ondermijn.'
'Ze heeft haar eigen ideeën, die kleine. Echt jouw type, Baas. Ziet er ook aardig uit.'
Het duurde even voor Bran hierop antwoordde. Toen hij dat deed, was de warmte uit zijn stem verdwenen. 'Je kent me wel beter, smid.'
'Uh-huh.'
Hij kwam naar buiten. Plotseling was ik druk bezig de natte kleren uit te spreiden op de meidoornstruiken die daar stonden. Hij bleef bij de ingang staan.
'Waar is Hond?' vroeg ik zonder om te kijken.
'Niet ver weg. Ik blijf hier tot hij terug is.'
'Dat hoeft niet,' zei ik. 'Slang is hier nog. Eén wacht is meer dan genoeg. Je kunt erop vertrouwen dat ik mijn patiënt niet in de steek zal laten. Ik zou deze taak nooit op me hebben genomen als ik van plan was geweest om er bij de eerste de beste gelegenheid vandoor te gaan.'
Ik keek naar hem op. Hij stond ernstig naar me te kijken, en ik werd weer getroffen door zijn vreemde dubbele gezicht. De verfijnde, ingewikkelde tekening aan de rechterkant gaf zijn oog een

dreigende uitdrukking, zijn neusvleugel een hooghartige trek en zijn mond een strenge, ingehouden strakheid. En toch, als je alleen naar de linkerkant keek, zag je een blanke huid, een mooie, rechte neus en een vast, heldergrijs oog als het water van een meer op een winterochtend. Alleen de mond was hetzelfde, hard en onbuigzaam. Hij was als het ware twee mannen in één lichaam. Ik stond hem weer aan te gapen. Ik dwong mezelf om mijn ogen af te wenden.

'Vertrouwen?' zei hij. 'Dat woord is zonder betekenis.'

'Zoals je wilt,' zei ik, en wilde teruggaan naar de schuilplaats.

'Nog niet,' zei Bran. 'Je hebt het zeker gehoord? Dat de smid praatte?'

'Ik heb er iets van gehoord. Het doet me genoegen dat hij helder is. Hij lijkt vooruit te gaan.'

'Mm.' Het klonk niet overtuigd. 'Dankzij jou heeft hij nog enige hoop voor de toekomst. Die heb je met je woorden voor hem geschilderd, denk ik zo, net zoals je het gisteravond voor mijn mannen hebt gedaan. Een rooskleurig nieuw begin, vol liefde, leven en zonneschijn. Dat doe je, en toch durf je over ons een oordeel te vellen.'

'Wat bedoel je?' vroeg ik zacht. 'Ik heb hem alleen de waarheid verteld. Ik heb de feiten niet verhuld, en geen geheim gemaakt van de ernst van zijn verwonding en de mate waarin hij erdoor beperkt zal worden. Zoals ik al eerder heb gezegd, hoeft zijn leven nog niet voorbij te zijn. Er zijn veel dingen die hij nog kan.'

'IJdele hoop,' zei hij somber, en met een gefronst voorhoofd schopte hij met de teen van zijn laars in de aarde. 'Dat is geen leven voor een actief man. Op jouw zachte manier ben je wreder dan de moordenaar die zijn slachtoffer snel en zonder omhaal doodt. Die prooi hoeft niet lang te lijden. De jouwe is misschien levenslang bezig te leren dat niets ooit meer hetzelfde kan zijn.'

'Ik heb niet tegen hem gezegd dat alles hetzelfde zal zijn. Het zal goed zijn, maar anders, dat heb ik gezegd. En ik heb hem gezegd dat hij sterk zal moeten zijn, eerder sterk van geest en wil dan van lichaam. Dat hij tegen de wanhoop zal moeten vechten. Je oordeel over mij is onredelijk. Ik ben eerlijk tegen hem geweest.'

'Jij moet niets zeggen over een oordeel,' zei Bran. 'Je vindt mij een soort monster, dat is wel duidelijk.'

Ik keek hem met vlakke blik aan. 'Geen mens is een monster,' zei ik. 'Maar mensen doen monsterlijke dingen, dat staat vast. En ik heb mijn oordeel niet te snel geveld, zoals jij. Ik wist van jouw bestaan voor ik met geweld werd gegrepen en tegen mijn wil hierheen werd gebracht. Je reputatie snelt je vooruit, maar dat weet je ongetwijfeld zelf ook wel.'
'Wat heb je gehoord, en van wie?'
Ik had al spijt van mijn woorden. 'Het een en ander, van mensen in en om huis,' zei ik voorzichtig. 'Geruchten over moorden, schijnbaar willekeurig gepleegd, op een manier die zowel doeltreffend als... buitenissig was. Verhalen over een bende huurlingen die zich in hun werk niet lieten belemmeren door onnozele overwegingen zoals loyaliteit, eer of rechtvaardigheid. Mannen met het uiterlijk van wilde dieren of van wezens uit de Andere Wereld. Onder aanvoering van een schimmige hoofdman die ze de Beschilderde Man noemden. Je kunt dit soort verhalen overal horen.'
'En in welk huishouden kwamen deze geruchten je ter ore?'
Ik antwoordde niet.
'Geef antwoord op mijn vraag,' zei hij, nog steeds met zachte stem. 'Het wordt tijd dat je me eens vertelt wie je bent en waar je vandaan komt. Mijn mannen hadden een wonderlijk vaag verhaal over hoe ze je hadden gevonden, en wie je op de weg vergezelden. Ik wacht nog steeds op een bevredigende uitleg van hen.'
Ik bleef zwijgen, terwijl ik hem met vaste blik aankeek.
'Geef antwoord, vervloekt!'
'Ga je me nu slaan?' vroeg ik zonder mijn stem te verheffen.
'Breng me niet in verzoeking. Hoe heet je?'
'Ik dacht dat we hier geen namen hadden.'
'Jij hoort hier niet, je kunt hier niet horen,' snauwde Bran. 'Ik kan je zo nodig dwingen me deze informatie te geven. Het zal voor ons beiden gemakkelijker zijn als je het me gewoon vertelt. Het verbaast me dat je niet beseft hoe gevaarlijk de situatie is waarin je je bevindt. Misschien ben je een tikje traag van begrip.'
'Heel goed,' zei ik. 'Gelijk oversteken. Ik zal jou mijn naam zeggen en je vertellen waar ik vandaan kom als jij mij de jouwe vertelt, je echte naam, bedoel ik, en waar je geboren bent. Ik zou denken dat je oorspronkelijk uit Brittannië komt, al spreek je onze taal vloeiend. Maar geen moeder zal haar zoon de naam Baas geven.'

Het bleef even stil. Toen zei hij: 'Je begeeft je op gevaarlijk terrein.'
'Mag ik je eraan herinneren,' antwoordde ik met bonzend hart, 'dat ik hier niet uit vrije wil ben. Er zullen mensen van mijn huishouden naar mij op zoek zijn, en die zijn goed bewapend en bekwaam. Denk je dat ik hun zoektocht in gevaar ga brengen door aan jou te vertellen wie zij zijn en waar ze vandaan komen? Ik mag dan traag van begrip zijn, maar zo traag nu ook weer niet. Ik heb je verteld dat mijn naam Liadan is, en dat moet voor jou genoeg zijn, tot je mij de jouwe geeft.'
'Ik kan me niet voorstellen waarom iemand de moeite zou nemen om naar jou te gaan zoeken,' zei hij geërgerd. 'Hebben jouw mensen niet gauw genoeg van je gezelschap, met die gewoonte van jou om terug te bijten als een bemoeizuchtige terriër?'
'Helemaal niet,' zei ik vriendelijk. 'Thuis sta ik bekend als een rustig, plichtsgetrouw meisje. Welgemanierd, ijverig, gehoorzaam. Ik denk dat jij het slechtste in mij naar boven haalt.'
'Mm,' zei hij. 'Rustig, plichtsgetrouw. Dat betwijfel ik toch ten zeerste. Daarvoor moet de verbeelding toch wel een erg grote sprong maken. Ik denk eerder dat je, zoals bij jouw slag past, liegt wanneer het je uitkomt. Voor een verhalenverteller zoals jij is dat waarschijnlijk niet moeilijk.'
'Je beledigt me,' zei ik, terwijl ik steeds meer moeite had om mijn stem kalm te houden. 'Ik had liever gehad dat je me een klap in mijn gezicht had gegeven. Verhalen zijn geen leugens, en ook geen waarheid; ze zijn iets ertussenin. Ze kunnen zo waar of vals zijn als de toehoorder ze wil maken, of zoals de verteller hem wil laten geloven. Het is een teken van de nauwe cirkel die je om jezelf trekt, om anderen buiten te houden, dat je dit niet kunt begrijpen. Ik lieg niet gemakkelijk, en ik zou het zeker niet doen om zo'n oppervlakkige reden.'
Hij keek me woest aan, met ijskoude grijze ogen. Ik had tenminste een reactie weten uit te lokken.
'Bij god, vrouw, jij kunt een onderwerp tot de laatste vezel uitkauwen met je verwrongen logica!' zei hij ongeduldig. 'Genoeg. We hebben werk te doen.'
'Zo is het,' zei ik rustig, en ik draaide me om en ging naar binnen naar mijn patiënt, en keek niet om.

Evan ging vooruit; hij ijlde niet meer en kon zonder hulp in slaap komen. Ik zorgde er wel voor dat niemand zag dat dit een grote verrassing voor mij was. Meeuw had die avond de wacht en ik vroeg hem hoe de zieke man veilig vervoerd kon worden wanneer het zover was, maar hij antwoordde ontwijkend. Toen stuurde ik hem een tijdje naar buiten, zodat ik me kon wassen en me gereed kon maken voor de avondmaaltijd. De smid sliep bijna; zijn ogen waren vernauwd tot spleetjes, en zijn ademhaling was weer kalm na het pijnlijke verschonen van zijn verbanden. Hij had een beetje bouillon gedronken.

'Dit is een beetje gênant,' zei ik tegen hem. 'Doe je ogen dicht en draai je hoofd de andere kant op, en beweeg niet tot ik zeg dat het mag.'

'Ik zwijg als het graf,' fluisterde hij met een zekere ironie, en sloot zijn ogen.

Ik kleedde me vlug uit, sponsde mijn lichaam rillend af met water uit de emmer en gebruikte de snipper grove zeep die Hond voor me had weten te vinden. Toen ik me weer afspoelde, voelde ik overal kippenvel, ook al was het zomer. Ik draaide me om om de ruwe handdoek te pakken, wilde me zo snel mogelijk weer aankleden, en keek recht in de diepliggende bruine ogen van Evan. Hij lag achterover op zijn strozak en keek zijn ogen uit. Hij grijnsde van oor tot oor.

'Schaam je wat!' riep ik uit terwijl een blos zich over mijn naakte lichaam verspreidde. Er zat niets anders op dan me zo snel mogelijk af te drogen en me in mijn kleren te wurmen, hemd en jurk, blij dat ik de sluiting op de rug zonder hulp kon bereiken. 'Een volwassen man als jij, die zich gedraagt als een... een slecht opgevoede jongeman die de meisjes bespiedt. Ik zei toch...'

'Het is niet kwaad bedoeld,' zei Evan en de grijns ontspande zich tot een lach die zijn grove trekken iets verrassend liefs gaf. 'Het was voor mij volstrekt onmogelijk om niet te kijken. En het was een aangenaam schouwspel, als ik het zeggen mag.'

'Nee, dat mag je niet zeggen,' beet ik hem toe, maar ik had het hem al vergeven. 'Doe het niet nog eens, hoor je? Het is al erg genoeg dat ik hier de enige vrouw ben, zonder dat...'

Hij werd plotseling ernstig.

'Deze mannen zouden je nooit kwaad doen, meidje,' zei hij zacht.

'Het zijn geen barbaren die voor de aardigheid verkrachten en vernielen. Als ze een vrouw begeren, hoeven ze haar niet met geweld te nemen. Er zijn er heel wat die zich graag aanbieden, en geloof me, ze vragen er niet allemaal een beloning voor. Bovendien weten ze dat ze jou niet mogen aanraken.'
'Omdat hij dat gezegd heeft? De Baas?'
'Ja, hij heeft gezegd dat ze hun poten thuis moeten houden, schijnt het hoor. Maar hij had zich de moeite kunnen besparen. Iedereen met ogen in zijn kop kan zien dat jij een vrouw voor het huwelijksbed bent, geen meid voor een vluggertje, als ik zo vrij mag zijn. Je hebt zeker een man thuis?'
'Niet precies,' zei ik, niet wetend hoe ik hierop het beste kon antwoorden.
'Wat betekent dat? Je hebt een man of je hebt er geen. Een echtgenoot? Een liefje?'
'Ik heb een... een vrijer zou je hem denk ik kunnen noemen. Maar ik heb niet toegestemd in een huwelijk. Nog niet.'
Evan zuchtte diep terwijl ik de deken stevig om hem instopte en de geïmproviseerde peluw gladstreek.
'Arme kerel,' zei hij slaperig. 'Laat hem niet te lang wachten.'
'De volgende keer dat ik zeg dat je je ogen dicht moet doen, houd je ze dicht,' zei ik streng.
Hij mompelde iets en ging in slaaphouding liggen, nog steeds met een spoor van een grijns op zijn gezicht.

Die avond vertelde ik verhalen om hen aan het lachen te maken. Grappige verhalen. Gekke verhalen. Over Iubdan en het bord pap. Hij zette het de grote mensen later betaald, reken maar. Het verhaal van de man die van het Feeënvolk drie wensen mocht doen, zodat hij gezondheid, rijkdom en geluk had kunnen krijgen. Arme sukkel, het enige wat hij eraan overhield, was een worst. Tegen het eind van het verhaal brulden de mannen van het lachen en smeekten om nog een verhaal. Alle mannen, behalve de Baas natuurlijk. Ik negeerde hem maar zoveel mogelijk.
'Nog een verhaal,' zei ik. 'Eentje maar. En nu is het tijd om weer nuchter te worden en stil te staan bij de kwetsbaarheid van alle levende wezens. Ik heb jullie gisteravond verteld over een van onze grote helden, Cú Chulainn van Ulster. Jullie zullen je herinne-

ren dat hij sliep met de krijgsvrouw Aoife, en dat ze hem een zoon baarde, lang nadat hij van die kust was vertrokken. Maar hij had haar niet achtergelaten zonder een tastbaar aandenken. Hij gaf haar een kleine, gouden ring voor haar pink en ging toen weg om met zijn liefje Emer te trouwen.'

'Nobel van hem,' merkte iemand droogjes op.

'Daar was Aoife aan gewend. Ze was een zelfstandige en sterke vrouw en ze had weinig op met de zelfzuchtige aard van mannen. Op een dag baarde ze haar kind, en de volgende dag was ze alweer op pad en zwaaide ze met de strijdbijl in het rond. Ze noemde de jongen Conlai, en zoals je wel zult begrijpen, raakte hij bedreven in alle krijgskunsten, zodat er niet veel waren die hem in het veld evenaarden. Toen hij twaalf jaar oud was, gaf zijn moeder, de krijgsvrouw, hem het gouden ringetje om aan een ketting om zijn hals te dragen, en ze vertelde hem de naam van zijn vader.'

'Is dat niet goed?' waagde Slang te vragen.

'Dat hangt ervan af. Een jongen heeft er behoefte aan te weten wie zijn vader is. En wie zal zeggen dat dit verhaal anders afgelopen zou zijn als Aoife hem zijn vaders naam niet had verteld? In zijn aderen stroomde het bloed van Cú Chulainn, of hij nu zijn naam droeg of niet. Hij was een jongeling die bestemd was om krijger te worden, om risico's te nemen, vol van de onstuimige moed van zijn vader.

Ze hield hem tegen zo lang ze kon, maar de dag kwam waarop Conlai veertien jaar oud werd; nu beschouwde hij zichzelf als een man en ging op weg om zijn vader te zoeken en hem te laten zien wat voor flinke zoon hij had verwekt. Aoife had bange voorgevoelens en wilde de jongen beschermen. Hij moest, zo redeneerde ze, oppassen dat hij niet liet merken dat hij het nageslacht was van de grootste held die Ulster ooit had gekend. Althans, niet voordat hij bij het kasteel van zijn vader aankwam. Daar zou hij veilig zijn; maar onderweg kon hij mensen ontmoeten van wie de zonen, broers of vaders slaags waren geraakt met Cú Chulainn, en wie kon zeggen dat zij zich niet op de vader zouden wreken door de zoon te doden? Daarom zei ze tegen Conlai: "Zeg je naam tegen geen enkele krijger. Beloof me dat." En hij beloofde het, want zij was zijn moeder. Op deze manier bezegelde zij zijn noodlot, terwijl ze alleen zijn veiligheid wilde verzekeren.'

Het was doodstil, afgezien van een briesje dat de duistere bomen boven ons beroerde. Het was nieuwe maan.

'Vanaf Alba stak Conlai de zee over, en hij reisde door het land van Erin tot hij Ulster bereikte. Ten slotte bereikte hij het huis van zijn vader, de grote held Cú Chulainn. Hij was een grote, sterke jongen, en wat zijn helm en wapenrusting betrof was hij niet te onderscheiden van een ervaren krijger. Hij reed naar de poort en hief uitdagend zijn zwaard; en in antwoord kwam Conall naar buiten, de halfbroer van Cú Chulainn.

"Welke naam draag jij, brutale aap?" schreeuwde Conall. "Zeg het, zodat ik zal weten wiens zoon na afloop van dit tweegevecht verslagen aan mijn voeten ligt!"

Maar Conlai zei geen woord, want hij hield zijn belofte aan zijn moeder. Er volgde een kort, fel gevecht, dat hoog boven hen vanaf de borstwering met belangstelling werd gadegeslagen door Cú Chulainn en zijn krijgers. En het was niet de uitdager die na afloop verslagen op de grond lag.'

Vervolgens vertelde ik hoe de jongen elke man versloeg die met zwaard, staf of mes op hem afkwam, tot Cú Chulainn zelf besloot op de uitdaging in te gaan, want de fiere schouders van de jongeman en zijn keurige voetenwerk bevielen hem, ongetwijfeld omdat hij er iets van zichzelf in terugzag.

"Ik ga naar beneden om zelf tegen deze jongeman in het strijdperk te treden," zei hij. "Hij lijkt me een waardige tegenstander, al is hij wel wat arrogant. We zullen zien wat hij tegen Cú Chulainns vechtkunst kan uitrichten. Als hij me kan weerstaan tot de zon achter die olmen wegzinkt, zal ik hem in mijn huis en in mijn krijgsbende verwelkomen, als hij dat wil."

Hij ging naar beneden en liep door de poort naar buiten, en hij vertelde de jongen wie hij was en wat hij van plan was te doen. Vader, fluisterde Conlai bij zichzelf, maar hij sprak geen woord, want dat had hij zijn moeder beloofd en hij wilde zijn belofte niet breken. Cú Chulainn was verbolgen omdat de uitdager niet de hoffelijkheid had zijn naam te zeggen, en dus was hij al boos toen hij aan het gevecht begon, wat nooit goed is.'

De mannen lieten een instemmend gemompel horen. Ik keek naar Bran; dat was onvermijdelijk, want hij zat vlakbij. Hij staarde in het vuur, zodat zijn gezicht, waarop een heel vreemde uitdrukking lag, werd verlicht. Iets in dit verhaal had zijn aandacht gevangen, meer dan die van de anderen, en als ik niet had geweten wat voor man hij was, zou ik gezegd hebben dat ik in de uitdrukking op zijn gezicht iets zag dat leek op angst. Het kwam waarschijnlijk door het spel van het licht, zei ik bij mezelf, en ik ging verder.

'Nu, dat was een gevecht zoals je maar zelden ziet: de geharde, ervaren zwaardvechter tegen de snelle, onstuimige jongeling. Ze vochten met het zwaard en het mes, draaiden om elkaar heen, naderden en weken terug, alle kanten op. Ze doken weg en ontweken elkaar, sprongen en wendden zich zodat het soms moeilijk te zien was wie wie was. Een van de mannen die van bovenaf toekeken zei dat de twee mannen van gestalte op elkaar leken als twee druppels water. De zon daalde steeds verder en raakte de top van de hoogste olm. Cú Chulainn dacht erover de strijd te staken, want eigenlijk speelde hij alleen maar met de brutale uitdager. Zijn eigen vechtkunst was veel beter, en het was alleen maar zijn bedoeling geweest om de ander op de proef te stellen tot de afgesproken tijd om was, waarna hij hem vriendschappelijk de hand wilde reiken.

Maar Conlai wilde zich beslist bewijzen en met een behendige zwaardbeweging had hij plotseling een vuurrode lok haar in zijn hand, het haar van Cú Chulainn, dat hij zo van zijn schedel had gesneden. Een ogenblik, heel even maar werd Cú Chulainn overmeesterd door de strijdwoede, en voor hij wist wat hij deed, stiet hij een luide brul uit en boorde zijn zwaard diep in de ingewanden van zijn tegenstander.'

Ik hoorde gemompel om me heen; sommigen onder mijn gehoor hadden dit aan zien komen, maar allen voelden plotseling de zwaarte van dit afschuwelijke gebeuren.

'Zodra hij dit had gedaan, kwam Cú Chulainn weer bij zinnen. Hij rukte het zwaard uit Conlais lichaam, waarna het bloed de grond rood begon te kleuren. Cú Chulainns mannen kwamen naar beneden en namen de vreemdeling zijn helm af, en daar was hij, een jongen nog maar, een jongeling wiens ogen al verduisterd werden door de schaduw van de dood en wiens gezicht bleker en bleker werd terwijl de zon wegzonk achter de olmen. Toen maakte Cú Chulainn de kleding van de jongen los, in een poging zijn einde te verzachten. En daar zag hij het ringetje dat aan zijn ketting om Conlais hals hing. Het ringetje dat hij bijna vijftien jaar eerder aan Aoife had gegeven.'

Bran hield zijn hand tegen zijn voorhoofd, zodat zijn ogen niet te zien waren. Hij staarde nog steeds in de vlammen. Wat had ik gezegd?

'Hij doodde zijn eigen zoon,' fluisterde iemand.

'Zijn jongen,' zei iemand anders. 'Zijn eigen kind.'

'Het was te laat,' zei ik nuchter. 'Te laat om het goed te maken. Te laat om afscheid te nemen, want op hetzelfde moment dat Cú Chulainn inzag wat hij gedaan had, blies zijn zoon zijn laatste adem uit en ontsteeg Conlais ziel aan zijn lichaam.'

'Dat is verschrikkelijk,' zei Hond met geschokte stem.

'Het is inderdaad een treurig verhaal,' zei ik, terwijl ik me afvroeg of ook maar een van deze mannen op het idee kwam het verhaal in verband te brengen met hun eigen activiteiten. 'Ze zeggen dat Cú Chulainn de jongen zelf naar binnen droeg en hem later een plechtige begrafenis gaf. Maar wat hij erbij voelde en wat hij zei, daar zegt het verhaal niets over.'

'Een man kan niet zo'n daad begaan en het dan achter zich laten,' zei Meeuw heel zacht. 'Het zou hem altijd blijven vergezellen, of hij wilde of niet.'

'En zijn moeder?' vroeg Hond. 'Wat zei die ervan?'

'Zij was een vrouw,' zei ik droog. 'Zij komt verder in het verhaal niet voor. Ik neem aan dat ze haar verlies droeg en verder ging met haar leven, zoals vrouwen plegen te doen.'

'In zekere zin was het haar schuld,' vond iemand. 'Als hij zijn naam had kunnen zeggen, zouden ze hem met open armen hebben ontvangen, in plaats van met hem te vechten.'

'Het was een mannenhand die het zwaard door zijn lichaam stootte. Het was mannentrots die Cú Chulainn ertoe bracht zo'n uitval te doen. Je mag de moeder niet de schuld geven. Zij wilde alleen haar zoon beschermen, want ze wist hoe mannen zijn.'

Mijn woorden werden met zwijgen begroet. Het verhaal had hen in elk geval aan het denken gezet. Na de vrolijkheid van zo-even was de stemming erg somber geworden.

'Denken jullie dat ik jullie te streng beoordeel?' vroeg ik terwijl ik opstond.

'Niemand van ons heeft ooit zijn eigen zoon gedood,' zei Spin verontwaardigd.
'Jullie hebben de zoon van een andere man gedood,' zei ik kalm. 'Elke man die sterft onder jullie mes, of in jullie handen, of door dat handige wurgkoord van jullie, is de geliefde van een vrouw, de zoon van een vrouw. Zonder uitzondering.'
Niemand zei iets. Ik dacht dat ze beledigd waren. Na een poos ging iemand rond om de bekers weer te vullen met bier, en iemand gooide meer hout op het vuur, maar niemand praatte. Ik wachtte tot Bran iets zou zeggen, misschien dat ik mijn mond moest houden en dat ik ermee op moest houden zijn prachtige krijgsbende van streek te maken. In plaats daarvan stond hij op, draaide zich om en liep weg zonder ook maar een woord te spreken. Ik staarde hem na, maar hij was als een schaduw onder de bomen verdwenen. Het was een heel donkere nacht. Geleidelijk aan begonnen de mannen met zachte stemmen met elkaar te praten.
'Ga nog even zitten, Liadan,' zei Meeuw vriendelijk. 'Drink nog een beker bier met ons.'
Ik ging langzaam zitten. 'Wat is er met hem?' fluisterde ik. 'Wat heb ik gezegd?'
'Beter hem met rust laten,' mompelde Hond, die had gehoord wat ik zei. 'Hij houdt vannacht de wacht.'
'Wat?'
'Nieuwe maan,' zei Meeuw. 'In die nachten neemt hij altijd de wacht. Hij zei dat wij onze rust moesten nemen. Hij is waarschijnlijk Slang gaan aflossen. Is ook logisch. Als hij toch wakker ligt, kan hij net zo goed de wacht houden.'
'Waarom slaapt hij dan niet? Jullie gaan me toch hopelijk niet vertellen dat hij bij afnemende maan in een soort monster verandert? Half mens, half wolf misschien?'
Meeuw grinnikte. 'Hij niet. Hij slaapt alleen niet. Ik weet ook niet waarom. Dat is al zo sinds ik hem ken. Een jaar of zeven. Hij zorgt dat hij wakker blijft tot de dag aanbreekt.'
'Durft hij niet te gaan slapen?'
'Hij? Niet durven?' Het idee alleen al was blijkbaar belachelijk. Meeuw liep met me mee terug naar de beschutte plaats en liet me daar achter. Bran was binnen; hij had zijn hand op het voorhoofd van de smid gelegd en praatte zacht. Er brandde een lantaarn, die

een gouden gloed verspreidde over de rotsmuren en de man die daar op de strozak lag. Het schijnsel tekende Brans beschilderde trekken met licht en schaduw, en verzachtte de grimmige trek om de mond.
'Hij is wakker,' zei hij toen ik binnenkwam. 'Is er nog iets waar je hulp bij nodig hebt voor ik naar buiten ga?'
'Ik kan het zelf wel af,' zei ik. Slang had op mijn aanwijzingen een kom water bereid met wat van mijn snel slinkende voorraad geneeskrachtige kruiden; ik zette de kom op de kruk bij het bed.
'Je bent een goed kind,' zei Evan zwakjes. 'Dat heb ik al tegen je gezegd, maar ik zeg het nog eens.'
'Met vleierij bereik je niets,' zei ik, terwijl ik zijn bezwete hemd losknoopte.
'Misschien toch wel.' Hij vertrok zijn mond tot een scheve grijns. 'Het gebeurt niet elke dag dat een prachtige vrouw zoals jij mijn kleren uittrekt. Het is bijna het verliezen van een arm waard.'
'Houd je op!' zei ik, terwijl ik de vochtige doek over zijn lichaam haalde. Hij was verontrustend mager geworden; ik kon de ribben direct onder de huid voelen en de diepe holtes onder aan de hals zien. 'Je bent trouwens toch te mager naar mijn smaak,' zei ik. 'Ik zal je moeten vetmesten. Je weet wat dat betekent. Nog wat bouillon voor je mag gaan slapen.'
Zijn ogen keken me met het vertrouwen van een jachthond aan terwijl ik zijn voorhoofd afwiste.
'Bran. Slang heeft de pot met bouillon waarschijnlijk naast het komfoor gezet om af te koelen. Kun je me er wat van brengen in een beker?'
'Bouillon!' zei Evan walgend. 'Bouillon! Heb je geen echt eten voor een man?'
Maar zelfs de paar lepels die hij hiervan nam, kon hij maar met moeite wegslikken. En ik moest Bran toch vragen me te helpen en het hoofd van de smid met zijn arm te ondersteunen terwijl ik de bouillon beetje bij beetje tussen zijn lippen lepelde. Evan kokhalsde, ook al deed hij echt zijn best.
'Adem langzaam in en uit, zoals ik heb gezegd,' zei ik zacht. 'Je moet proberen dit binnen te houden. Nog een lepel.'
Hij was algauw uitgeput. En hij had maar heel weinig binnengekregen. Het zweet parelde alweer op zijn voorhoofd. Ik zou wat

aromatische kruiden moeten verbranden, want het was uitgesloten dat ik genoeg slaapdrank bij hem naar binnen kreeg om hem verlichting te geven. Hij sprak nooit over de pijn, behalve als hij er grappen over maakte, maar ik wist dat hij heel veel pijn had.
'Kun je het kleine komfoor wat meer naar binnen zetten?'
Bran zei niets, maar voerde mijn opdrachten uit. Hij sloeg me zwijgend gade terwijl ik uit mijn zak haalde wat ik nodig had, en het mengsel over de nog gloeiende kolen strooide. Er was niet veel meer over. Maar drie dagen was ook niet lang meer. Ik stond mezelf niet toe verder vooruit te denken. De sterke geur steeg op in de nachtlucht. Jeneverbes, dennennaalden, hennepblad. Had ik maar een aftreksel van lavendel en berkenblad kunnen maken, want al een halve beker van deze drank verlicht de pijn en zorgt voor een genezende slaap. Maar ik had niet de ingrediënten om zo'n brouwsel te maken, en Evan zou ook niet voldoende energie hebben gehad om het in te nemen. Bovendien was het na midzomer. Berkenblad is voor dit doel alleen geschikt als het vers gebruikt wordt en in het voorjaar geplukt is. Ik zou willen dat mijn moeder hier was. Zij zou geweten hebben wat ze moest doen. De smid werd rustig, zijn ogen waren tot spleetjes gesloten, maar zijn ademhaling ging moeizaam. Ik wrong de doek uit en begon op te ruimen.
'En als Conlai de naam van zijn vader nu eens nooit te weten was gekomen?' zei Bran plotseling vanuit de ingang. 'Stel dat hij bijvoorbeeld in het gezin van een boer was opgegroeid, of bij heilige broeders in een klooster? Wat zou er dan gebeurd zijn?'
Ik werd er zo door verrast dat ik helemaal niets zei. Mijn handen werkten mechanisch door; ik leegde de kom en veegde hem droog, en rolde mijn deken uit op de harde aarde.
'Je zei dat het bloed van zijn vader in zijn aderen stroomde, dat de wil van zijn vader om krijger te worden ook diep in hem huisde. Maar zijn moeder onderrichtte hem in de krijgskunsten, zij zette hem op die koers lang voor hij wist wat Cú Chulainn was. Zeg je dat de jongen, ongeacht hoe hij werd opgevoed, voorbestemd was om net zo te worden als zijn vader? Dus dat de manier waarop hij stierf, al bepaald was op het moment van zijn geboorte?'
'O, nee!' Zijn woorden schokten me. 'Dat te zeggen is hetzelfde

als zeggen dat we helemaal geen keus hebben over hoe onze weg zal gaan. Dat zeg ik niet. Ik zeg alleen dat we door onze moeder en onze vader gemaakt worden, en dat we iets van hen in ons diepste wezen meedragen, hoe dan ook. Als Conlai zou zijn opgegroeid als een heilige broeder, zou het misschien veel langer hebben geduurd voor de moed van zijn vader en zijn wilde, krijgszuchtige ziel in hem waren ontwaakt. Maar hij zou het hoe dan ook in zichzelf hebben ontdekt. Zo'n man was hij, en niets kon daar iets aan veranderen.'

Bran leunde tegen de rotsmuur, met zijn gezicht in de schaduw. 'En als...' zei hij. 'Het... het wezen, die vonk, wat het ook is, het deeltje van zijn vader dat hij in zich droeg... het kon ook verloren gaan, vernietigd worden, nog voor hij wist dat het er was. Het zou... het zou van hem afgenomen kunnen worden.'

Ik voelde een vreemd soort kilte en mijn nekhaartjes gingen overeind staan. Het was alsof een donkere schaduw zich over me neerlegde, over ons beiden. En ik zag beelden, die zo snel voor mijn ogen langstrokken dat ik ze nauwelijks kon onderscheiden voor ze alweer weg waren.

... donker, zo donker. De deur gaat dicht. Ik kan niet ademen. Wees stil, slik je tranen in, maak geen geluid. Pijn, brandende kramp. Ik moet me bewegen. Ik mag niet bewegen, ze zullen me horen... waar ben je? Waar ben je... waar ben je heen gegaan?

Ik rukte me van de beelden los om terug te keren naar de werkelijke wereld; ik beefde heftig en mijn hart bonsde.

'Wat is er?' Bran trad uit de schaduw naar voren, met zijn ogen strak op mijn gezicht gericht. 'Wat is er aan de hand?'

'Niets,' fluisterde ik. 'Niets.' En ik draaide me weg, want ik wilde hem niet in de ogen kijken. Wat dat donkere visioen ook was, het was van hem gekomen. Onder de oppervlakte lagen bij hem diepe, ongepeilde wateren; vreemde en gevaarlijke domeinen.

'Je zult je slaap nodig hebben,' zei hij, en toen ik me uiteindelijk omdraaide, was hij weg. Het komfoor brandde laag. Ik zette de lamp lager, maar doofde hem niet helemaal, voor het geval dat de smid wakker zou worden en me nodig zou hebben. Toen legde ik me te rusten.

HOOFDSTUK VIJF

Iets maakte me wakker. Ik ging snel rechtop zitten, met bonzend hart. Het vuur in het komfoor was uitgegaan; de lantaarn brandde laag en wierp rondom een flauwe lichtkring. Buiten was het volkomen donker. Het was doodstil. Ik stond op en ging met de lantaarn in mijn hand naar de strozak. Evan sliep. Ik stopte de dekens om hem in en draaide me om. Ik wilde weer in bed kruipen. Voor een zomernacht was het behoorlijk koud.

Toen hoorde ik het. Een geluid als een ingehouden snik, niet meer dan het inzuigen van adem. Zou ik zo plotseling wakker zijn geworden van zoiets kleins? Ik ging naar buiten, weifelend op mijn blote voeten en in het geleende onderhemd dat ik gebruikte om in te slapen. Ik huiverde licht en dat niet alleen van de kou. Het was een diepe, diepe duisternis, die intens aanwezig was. Zelfs de nachtvogels zwegen erdoor. Met mijn kleine, zwakke lantaarn had ik het gevoel dat ik het enige levende wezen was dat in deze donkere, ondoordringbare wereld bewoog.

Ik deed een stap naar voren, en nog een, en zag dat Bran bij de ingang van de beschutte plaats tegen de rotsen zat en recht voor zich uit in het donker staarde. Misschien had hij ook iets gehoord. Ik deed mijn mond open om het hem te vragen, maar zijn hand schoot naar voren en greep me krachtig bij de arm, zonder naar me te kijken, zonder een woord te zeggen. Ik verbeet een gil van schrik, en kon slechts met moeite de lantaarn vasthouden. De hand die me vasthad, kneep zo hard dat ik dacht dat mijn arm zou breken. Hij zei nog altijd niets, maar ik hoorde het weer in mijn geest, een stem als van een angstig kind; de stem van een jongen die zo lang heeft gehuild dat hij geen tranen meer over heeft. *Ga niet weg. Niet weggaan.* En in het licht van de lantaarn, die nu gevaarlijk wiebelde in mijn vrije hand, kon ik zien dat Bran mij niet echt zag. Hij hield me vast, maar zijn ogen staarden naar voren, ongericht, blind in deze maanloze nacht.

Ik voelde de pijn van zijn greep door mijn hele arm. Maar dat leek niet meer van belang. Ik bedacht dat ik tenslotte genezeres was. Ik liet mezelf voorzichtig zakken tot ik naast hem op de grond zat. Zijn ademhaling was snel en onregelmatig; hij rilde. Het leek alsof hij wakend een soort nachtmerrie doormaakte.

'Het is goed,' zei ik; ik wilde hem niet laten schrikken, want dat zou het alleen maar erger maken. Ik zette de lantaarn neer. 'Ik ben bij je. Nu is alles weer goed.' Ik wist heel goed dat ik niet degene was naar wie hij verlangde. Het kind dat ik hoorde, riep om iets wat er al heel lang niet meer was. Maar ik was hier. Ik vroeg me af hoeveel van zulke nachten hij had doorgemaakt, nachten waarin hij niet wilde slapen uit angst dat deze donkere visioenen hem zouden overrompelen.

Ik probeerde zijn vingers los te maken waar ze in mijn vlees drukten, maar de greep was niet losser te krijgen. Integendeel, toen ik de hand aanraakte kneep hij nog harder, als de hand van een man die verdrinkt en die in zijn paniek zijn redder bijna met zich mee de diepte in trekt. De tranen sprongen me in de ogen van de pijn.

'Bran,' zei ik zacht. 'Je doet me pijn. Alles is nu goed. Je kunt me nu loslaten.'

Maar hij gaf geen antwoord en kneep alleen nog harder, zodat ik ondanks mezelf kermde van pijn. Ik wilde hem niet wekken uit de trance waarin hij gevangen was. Ik wist dat het onverstandig was om in te grijpen, want zulke 'dromen' hebben een doel, en moeten hun verloop hebben. Toch was het niet nodig dat hij er alleen tegen streed, hoewel het erop leek dat hij dat nu juist had willen doen.

Daarom bleef ik daar zitten en zorgde ik ervoor dat mijn ademhaling langzaam en kalm werd Ik hield mezelf hetzelfde voor wat ik anderen zo vaak had gezegd: adem door, Liadan. De pijn zal voorbij gaan. Het was een doodstille nacht; het donker leek een levend iets wat om ons beiden heen sloop. Ik voelde hoe gespannen zijn lichaam was, ik voelde zijn angst, en hoe hij vocht om die te overwinnen. Ik had niet de hoop dat ik zijn geest zou kunnen bereiken, en ik wilde ook niet meer zien van de donkere beelden die hij bevatte. Maar ik kon nog wel spreken, en het leek me dat woorden het enige gereedschap waren waarover ik beschikte om het donker buiten te sluiten.

'De dag zal komen,' zei ik zacht tegen hem. 'De nacht kan erg donker zijn; maar ik zal bij je blijven tot de zon opkomt. Deze schaduwen kunnen je niet aanraken zolang ik er ben. Binnenkort zullen we de eerste vleug grijs in de hemel zien, de kleur van het verenkleed van een duif, daarna de subtiele aanraking van de vinger van de zon, en een enkele vogel zal de moed hebben om als eerste wakker te worden en te zingen over hoge bomen en de open hemel en vrijheid. Dan zal alles lichter worden, en kleur zal over de aarde uitstromen en er zal een nieuwe dag zijn. Tot zolang zal ik bij je blijven.'

Langzamerhand werd de greep van zijn vingers iets losser en werd de pijn in mijn arm draaglijker. Ik had het erg koud, maar ik was beslist niet van plan dichter bij hem te gaan zitten. Dat zou vrijwel zeker tegen de regel zijn. Hij zou dit straks al buitengewoon pijnlijk vinden, als de morgen aanbrak. De tijd verstreek en ik praatte maar door, over onschuldige, veilige dingen, ik schilderde beelden van licht en warmte. Ik weefde met mijn woorden een dicht web van bescherming, om de schaduwen weg te houden. Uiteindelijk werd het zo koud dat ik moest toegeven dat het niet meer ging. Ik schoof dichter naar hem toe en leunde tegen zijn schouder, terwijl ik mijn andere hand over de vingers legde die me nog steeds stijf vasthielden. Binnen in de beschutte plaats had Evan zich niet verroerd.

We zaten daar lange tijd, terwijl ik voortdurend praatte, en Bran stil was. Hij ademde alleen af en toe huiverend in of mompelde iets. Ik vond het heel vreemd. Ik kon nauwelijks geloven dat ergens binnen in deze strenge bandiet een klein kind school dat bang was om alleen te zijn in het donker. Ik wilde het graag begrijpen. Maar ik zou het hem nooit kunnen vragen.

Op het moment dat ik had beschreven, toen de eerste, uiterst vage sporen grijs aan de hemel verschenen, kwam hij plotseling weer tot zichzelf. Het huiveren hield op; hij bewoog helemaal niet meer en zijn ademhaling werd bewust vertraagd. Het duurde nog even voor hij zich er blijkbaar van bewust werd dat hij niet alleen was. Hij voelde waarschijnlijk mijn hand op de zijne, het gewicht van mijn hoofd op zijn schouder, de warmte van mijn lichaam tegen het zijne. De lantaarn stond voor ons op de grond en gloeide nog zwak in het schemerdonker voor de dageraad. Een tijdlang zeiden we geen van beiden iets. We bewogen geen van beiden. Bran was degene die de stilte verbrak.

'Ik weet niet wat je denkt dat je aan het doen bent,' zei hij, 'of wat je hiermee denkt te bereiken. Ik raad je aan rustig op te staan en weer naar binnen te gaan naar je werk, en je in de toekomst minder als een goedkoop straathoertje te gedragen en meer als de genezeres die je heet te zijn.'

Mijn tanden klapperden van de kou. Ik wist niet of ik moest lachen of huilen. Het zou heel bevredigend zijn geweest om hem een klap in het gezicht te geven, maar zelfs dat was onmogelijk.

'Als je mijn arm los zou willen laten,' zei ik zo beleefd mogelijk, maar ik kon niet verhelpen dat mijn stem toch een beetje beefde, 'zou ik dolgraag doen wat je zegt. Het is hier buiten tamelijk koud.'

Hij keek naar zijn hand alsof hij hem voor het eerst zag. Toen strekte hij heel langzaam zijn vingers en de klemmende greep waarmee hij me de hele nacht had vastgehouden ging los. Ik had een kurkdroge keel van het praten, ik had geen gevoel meer in mijn hand en er verspreidde zich een doffe pijn door mijn arm. Herinnerde hij zich niets? Hij draaide zijn hoofd en keek naar me in het zwakke licht van de vroege dageraad, zoals ik daar zat, blootsvoets in mijn oude hemd. Ik bewoog mijn hand heen en weer om er weer leven in te krijgen. Bij Díancécht, wat deed het een pijn. Ik kwam stram overeind, want ik wilde geen ogenblik langer in zijn gezelschap blijven dan noodzakelijk was.

'Nee, wacht,' zei hij. En terwijl de eerste vogel zijn parelende roep door de frisse ochtendlucht liet schallen, stond hij op, deed zijn mantel af en legde hem om mijn schouders. Heel even hief ik mijn gezicht op en keek hem recht in de ogen, en wat ik op dat moment voelde, beangstigde me meer dan alle demonen die ik daar op de loer zag liggen. Ik draaide me geluidloos om en vluchtte naar binnen. Ik was net op tijd, want de smid begon juist wakker te worden. Een nieuwe dag was begonnen; de vierde dag.

Ik kreeg het druk die morgen. Hond hielp me de smid op te tillen en zijn lichaam weer te wassen, de bezwete kledingstukken uit te trekken en ze te vervangen door schone. Ze merkten allebei op dat ik zoveel geeuwde. Ik antwoordde niet. Mijn arm deed pijn. Mijn hoofd was in verwarring. Ik probeerde me voor te stellen hoe het zou zijn wanneer ik uiteindelijk naar huis ging. Als ik naar huis zou gaan. Het meisje dat op Zeven Wateren terugkeerde, zou, dacht ik, een ander meisje zijn dan het meisje dat daar nog niet zo heel lang geleden was weggereden. Wat zouden vader, moeder en Sean zeggen wanneer ze me zagen? Wat zou Eamonn zeggen? Ik probeerde me een beeld te vormen van Eamonn toen hij zenuwachtig in de tuin rondliep terwijl hij me probeerde te zeggen wat hij voelde. Zijn gezicht wilde me niet helder voor de geest komen. Het leek wel of ik vergeten was hoe hij eruitzag. Mijn hand beefde; er klotste water over de rand van de kom die ik vasthield.
'Hela! Ho!' Hond stak snel zijn hand uit om de kom te pakken en stootte daarbij tegen mijn arm. Ik kreunde onwillekeurig van de pijn. Evan keek vanaf zijn ligplaats naar me, en ook Hond keek naar me terwijl hij de kom voorzichtig neerzette.
'Wat is er, meidje?' Evans stem was zwak, maar zijn ogen namen me schattend op.
'Niets. Ik heb kramp of zo; het zal zo wel overgaan.'
'Jaja, kramp,' zei Hond; hij nam mijn mouw voorzichtig tussen zijn grote vingers en schoof hem een eindje omhoog zodat de grote blauwe plekken op de blanke huid van mijn arm zichtbaar werden.
'Wie heeft dit gedaan, Liadan?' Het was maar goed dat de smid te zwak was om op te staan.
'Het is niets,' zei ik weer. 'Vergeet het.'
Ze keken elkaar aan, allebei met een even verontwaardigd gezicht.
'Alsjeblieft,' voegde ik eraan toe. 'Het gebeurde per ongeluk. Het was niet de bedoeling me pijn te doen.'
'Een man hoort ervoor te zorgen dat zulke... ongelukken niet gebeuren,' gromde Evan. 'Een man hoort zijn handen thuis te houden.'
'Hij zou beter moeten weten,' zei ook Hond meesmuilend. 'Zo'n fijn poppetje als jij, een windvlaag zou je wegblazen. Gauw bezeerd. Hij had beter moeten weten.'

'Het gaat wel weer over,' zei ik. 'Laten we dit nou maar vergeten, hè, en verder gaan met ons werk. Misschien wat bouillon, en een paar stukjes geweekt brood?'
Evan sloeg zijn ogen ten hemel. 'Genade! Ze vermoordt me nog eens met die eeuwige bouillon. Komt er nooit een eind aan?'
Hij at een beetje en viel weer in slaap. Ik praatte wat met Hond en speelde een geïmproviseerd spelletje ringsteen op de grond. Het was niet gemakkelijk. We zochten de platste stenen die we konden vinden, maar ze waren niet goed stapelbaar, en uiteindelijk kregen we de slappe lach en hadden allebei jammerlijk verloren. Tot slot graaide ik de stenen bij elkaar en maakte er een stapeltje van, terwijl mijn handen de keurig getrokken cirkel en het netwerk van snijdende lijnen daarbinnen wegveegden. Toen ik opkeek, zat Hond me aan te staren, weer ernstig geworden.
'Je hebt een man thuis, hoor ik,' zei hij.
'Niet precies,' antwoordde ik voorzichtig. 'Een aanzoek. Meer niet.'
'Misschien zou je over een ander kunnen denken.' Hij liet zijn stem opzettelijk terloops klinken. 'Een ander aanzoek, bedoel ik. Ik heb aardig wat gespaard. Ben intussen een jaar of vier bij de Baas. Ik heb genoeg opzij gezet om een flink stuk land te kopen, wat vee, een huis te bouwen. Ergens flink ver weg. Op de eilanden in het noorden misschien. Of een boot, wegvaren en opnieuw beginnen. Ik heb nog nooit een vrouw zoals jij ontmoet. Ik zou voor je zorgen. Ik zie er misschien niet zo knap uit, maar ik ben sterk. Ik kan werken. Bij mij zou je veilig zijn. Wat vind je ervan?' Hij betastte een van de lange nagels die om zijn hals hingen; met zijn gele ogen keek hij me onzeker aan.
Ik staarde hem stomverbaasd aan. Ik zag me al teruggaan naar Zeven Wateren met Hond achter me aan. Ik zag de uitdrukking op het gezicht van mijn vader al wanneer hij het half kaalgeschoren hoofd, de tekening op de kin, de ogen als van een wild dier, de mantel van wolfsvacht en de barbaarse halsketting in ogenschouw nam.
'Je lacht me uit,' zei Hond, met een verslagen uitdrukking op zijn grove gezicht. 'Ik wist natuurlijk dat het antwoord nee zou zijn. Ik vond alleen dat ik het toch moest vragen.'
'Het spijt me,' zei ik zacht, en ik vouwde mijn hand om de zijne.

'Ik lach niet, echt niet. Ik wil je niet kwetsen. Ik waardeer je aanzoek, heus waar, want ik kan zien dat je een goede man bent. Maar ik wil nog geen echtgenoot kiezen, niet voor de volgende zomer. Jou niet, en ook geen ander.' Onder mijn vingers was zijn handpalm hard en geribbeld. Ik draaide de hand om en keek naar de vreselijke eeltige littekens die er dwars overheen liepen.
'Waar heb je deze littekens opgelopen?' Iemand had gezegd, vraag Hond naar zijn verhaal. Een deel ervan kon ik wel proberen te raden.
'Op een vikingschip,' zei hij. 'Ik kom uit Alba, net als die krijgsheldin van jou, Scáthach. Mijn broer en ik hadden een haringboot en we verdienden netjes ons brood. De Noormannen overvielen het dorp. Ze namen ons beiden mee als roeiers, want ze zagen dat we sterk waren, zie je. Dat was een barre tijd, hoor.' Zijn ogen werden mistig en hij haalde een hand over zijn schedel. 'We hebben een hele tijd voor hen geroeid. Te lang. Ze gebruiken meestal hun eigen bemanning, maar dit schip had mannen te kort. Ze hadden zes paar roeiers in de ketenen, die hielden ze vast. Dougal en ik hadden het altijd met ze aan de stok. Maar ze lieten ons leven; wij waren de sterkste mannen die ze hadden. Op een keer ging Dougal te ver, hij kreeg een zweepslag in zijn gezicht. Toen is-ie doodgegaan. Misschien maar beter ook. Hij had zijn vrouw en dochters zien weghalen. Zat vol met haat. Ik ging gewoon maar door. Ik ben sterker dan goed voor me is.'
'Hoe ben je dan ontsnapt?'
'Ah, dat is een heel verhaal. De Baas heeft me bevrijd. Ik dacht toen dat-ie krankzinnig was. We lagen in een haven in het Oosten, gloeiend warm, je kon de lucht snijden. We zaten aan onze plaats vastgeketend, dat deden ze altijd, terwijl de bemanning aan de wal ging. Je kon er zo van hitte en dorst doodgaan. Goed, we zitten daar op een nacht te slapen, zo goed en zo kwaad als dat ging, met je kont op de bank en je hoofd op wat voor plek je maar kunt vinden; geen comfortabele slaapplaats natuurlijk. Het stonk er naar pis en zweet, met permissie. Opeens horen we gerinkel van sleutels, en daar komt een zwarte man tussen de banken door lopen, doodrustig, en die zegt tegen ons: wie wil er met ons in zee gaan? We staren hem aan, verwachten elk ogenblik dat de Noormannen terug zullen komen en hem zullen afmaken, maar er ge-

beurt niets, behalve dat het schip begint te kraken en kreunen alsof het de haven uitvaart. Maar er roeit niemand. Wij zeggen niks. Sommige van de mannen kunnen niet eens verstaan wat hij zegt; ze spreken allerlei talen, zie je. Dan zegt die zwarte man (dat was Meeuw, snap je, met de veer in zijn haar en al): de Baas is boven aan dek en hij vaart dadelijk uit. Jullie zullen je Noormannen niet terugzien. Jullie hebben de keus. Roei deze schuit naar Gallië en wanneer we daar aan wal gaan, is er een zakje zilver voor jullie, en de vrijheid. Jullie mogen zonder ketenen roeien, als jullie je koest houden. Wat zeggen jullie ervan?
Nou, ik zeg: wat is de andere keus die we hebben? En dan komt er een andere man achter hem staan, dat is de Baas, maar zijn gezicht was toen nog wat gewoner. Hij is jong, niet veel meer dan een jongen, en ik denk: wat stelt die snotneus zich voor? Dan zegt de Baas, dat hangt ervan af hoe je denkt dat je het er hier vanaf zult brengen, geketend en wel. De Noormannen komen niet terug. Hoelang zal het duren voor iemand ontdekt dat er een paar dooie vikingen als vissenvoer onder de pier liggen? Misschien niet lang. Misschien een tijdje. Het is een drukke haven, en het maakt niemand een zier uit wat er met jullie gebeurt. Dat is jullie keus, zegt-ie. Hij laat het ook in gebarentaal zien, zodat alle mannen het kunnen begrijpen. Als jullie goed roeien voor mij, zegt-ie, dan zijn jullie voor de volgende maan vrij man. En ik denk bij mezelf: die kerel is gek. Als we nou onderweg worden aangevallen? Of als de Noormannen de hunnen komen wreken? Bovendien, zij zijn met z'n tweeën en wij met z'n twaalven, want de plek van mijn broer was ingenomen door een man uit Ulster met zo'n lang smoel. Wie zal ons weerhouden hen overboord te zetten zodra ze de ketenen hebben losgemaakt? We zeggen natuurlijk allemaal ja. De geur van de vrijheid, zie je. Die geeft algauw de doorslag.
Hij hield woord. We hadden een paar avontuurtjes op weg naar Gallië, maar we kwamen er, en hij gaf me de keus om bij hem te blijven of weg te gaan. Sindsdien ben ik altijd bij hem gebleven.'
'Hoe oud is... hoe oud is de Baas nu? Je zei dat je al een jaar of vier bij hem was; maar je zei ook dat hij nog een jongen was toen je hem voor het eerst zag. Hoe kan dat?'
Hond zat op zijn vingers te tellen.
'Dat kan wel kloppen,' zei hij na enige tijd. 'Tweeëntwintig,

drieëntwintig. Dat zal-ie ongeveer zijn. Hij is niet zoveel ouder dan jij, meidje.'
'Maar...' Ik wist niet hoe ik het had. 'Hij lijkt veel ouder dan ik. Ik bedoel... hoe kan zo'n jonge man zijn wat hij is? Het is alsof hij al evenveel heeft beleefd als een andere man in een heel leven. Hij is erg jong om al zo'n leider te zijn. Hij is ook heel erg jong om zo... verbitterd te zijn.'
'Die man was als kind al oud,' zei Hond droog.

Tegen de middag was er een ongewone drukte in het kampement; het geluid van rammelend paardentuig, van geordende maar gehaaste activiteit. Ik kon niet veel zien, maar wat ik zag, was verontrustend. Tenten werden afgebroken, zadeltassen ingepakt. De sporen van het verblijf werden kalm uitgewist. Ze vertrokken. Ze gingen weg, en niemand had het tegen mij gezegd. Hij had me zes dagen beloofd. Zelfs dat zou nauwelijks genoeg zijn geweest.
'Je kunt maar beter gauw gaan kijken wat er aan de hand is,' zei ik tegen Hond. Ik hield mijn stem in bedwang, want ik voelde angst en woede in me opkomen. Ik ging weer naar binnen en ging aan het werk, terwijl ik mijn oren gespitst hield op de terugkeer van Hond. Ik voelde de bezorgde blik van Evan op me rusten, maar hij vroeg niets. De tijd verstreek en Hond kwam niet terug. Ik zat op mijn knieën op de grond, waste schalen af in de emmer en probeerde me te concentreren op wat er in de herfst moest worden ingezaaid in mijn tuin op Zeven Wateren, toen ik achter me een bekende stem hoorde.
'De plannen zijn veranderd.'
Ik stond langzaam op, met druipende handen en mijn mouwen opgerold tot aan de elleboog. 'Dat zie ik. Ik zie ook hoe gemakkelijk je je woord breekt. Deze man kan niet reizen. Dat heb ik al eerder gezegd. Er is hier niets veranderd.'
Bran wierp een blik op de smid, die wakker was en meeluisterde. 'Hij zal moeten reizen, anders wordt hij achtergelaten,' zei hij streng. 'Er is geen keus. Het is noodzakelijk om vandaag te vertrekken.'
'We hadden een afspraak. Zes dagen, zei je. Ik neem aan dat je nooit van plan bent geweest om je woord te houden.'
'Je staat weer erg snel met je oordeel klaar, zoals altijd. Ik ben

verantwoordelijk voor deze mannen. Ik ga hen niet bevelen hier te blijven zitten en zich te laten vangen, wanneer ik hen hier heimelijk weg kan krijgen voor anderen hier aankomen. Ik houd hen niet tegen wanneer men elders dringend behoefte heeft aan hun diensten. De hele troep op te offeren ten behoeve van het leven van één man zou uitermate dwaas zijn.'

Ik dacht hier een tijdlang zwijgend over na. 'De smid kan niet reizen,' zei ik ten slotte. 'Je ziet hoe zwak hij nog is. Hij kan amper zelfstandig zitten. Hoe kun je hem veilig vervoeren? Wie zal er dan voor hem zorgen?'

'Daarover hoef jij je niet meer druk te maken.' Hij keek achterom. 'Pak deze dingen in,' beval hij Hond, die bezorgd achter hem was opgedoken.

'Wacht eens even,' zei ik. 'Ik ben hier gebleven en heb deze man verpleegd omdat we iets waren overeengekomen. Een eerlijke ruil. Jij hebt je niet aan jouw kant van de overeenkomst gehouden. Maar ik ben verantwoordelijk voor hem, zoals jij verantwoordelijk bent voor de anderen. Dit is mijn werk. Dat laat ik niet tenietdoen voor... voor een gril van jou.'

Bran leek nauwelijks te luisteren. In plaats daarvan staarde hij naar mijn arm, waar de opgerolde mouw de blauwe plekken onthulde die zijn vingers hadden gemaakt. Boos trok ik de mouw van mijn jurk omlaag om ze te bedekken. Hond begon al met een uitgestreken gezicht dingen in te pakken.

'Ga zitten,' zei Bran op bevelende toon. Ik staarde hem boos aan.

'Ga zitten,' zei hij zachter, terwijl hij zijn armen over elkaar vouwde en met zijn schouder tegen de rotswand leunde. Ik ging zitten.

'Het is geen gril,' zei hij. 'Ik handel niet in een opwelling; zo'n luxe kan ik me niet permitteren. Het was niet mijn bedoeling mijn woord te breken; waarom heb ik het je anders gegeven? De gebeurtenissen hebben ons ingehaald, dat is alles. Je moet begrijpen dat mijn mannen en ik in veel delen van dit land, en tot voorbij zijn kusten, allesbehalve welkom zijn. We hebben veel vijanden gemaakt. Daarom verplaatsen we ons ongezien, en veelvuldig. Door de verwonding van de smid en jouw aanwezigheid in ons midden zijn we hier al veel langer gebleven dan de bedoeling was, en hebben daardoor een groot risico genomen. Nu krijg ik een melding dat er een aanzienlijke groep gewapende mannen onderweg is, terwijl we maar een beperkte tijd hebben om veilig weg te komen. Hier blijven is vragen om de dood. Wat mezelf betreft zou ik die gelaten tegemoet treden. Maar om zo'n triviale reden wil ik het leven van mijn mannen niet op het spel zetten. Bovendien is onze volgende opdracht in het noorden, en degenen voor wie we die vervullen hebben ons gevraagd ons vertrek naar die streken te bespoedigen. Ik heb de beslissing genomen, en die zal snel worden uitgevoerd. Als de zon vanavond ondergaat, zal hier geen spoor van ons meer te vinden zijn.'

Het bleef even stil.

'Triviaal,' zei ik, terwijl ik naar hem opkeek. 'Je ziet Evans leven en mijn veiligheid als triviale zaken.'

'Als vrouw,' antwoordde Bran zorgvuldig, 'kun je dat natuurlijk niet begrijpen. In het grote geheel is één leven, of zelfs twee, van weinig belang. Ik laat mijn mannen niet onnodig gevaar lopen voor jou of voor hem. En ik ga hun volgende opdracht ook niet in gevaar brengen. Ik sta nu al tijd te verdoen met luisteren naar jouw drogredenen. Als jij er niet geweest was, zouden we nu al veilig op weg zijn. Ik had nooit naar je moeten...'

'Baas.' De smid probeerde te gaan zitten. Zijn gezicht was bleek en er parelden zweetdruppeltjes op.

'Wat is er?'

'Ik kan op een paard rijden. Ben nog sterk. Ik kan het aan. Bind me stevig vast achter Hond hier, ik houd het vol tot zover als het moet. Maar Baas, wat moet er met het meisje gebeuren?'

Er viel een geladen stilte. Hond hield op met pakken en ging rechtop staan. Hij staarde zijn aanvoerder woest aan. 'Nou?' gromde hij.

Bran keek nog steeds naar mij. 'Kun je begrijpen wat ik tegen je zeg?' vroeg hij overdreven geduldig. 'Dit is een zorgvuldig genomen beslissing, waarbij alle keuzemogelijkheden zijn afgewogen. Het is geen gril.'

Ik haalde mijn schouders op. 'Ik begrijp dat een man zoals jij zijn krijgers als eenheden ziet die een bepaalde waarde hebben, als stukken in het een of andere dodelijke spel, waarover hij kan beschikken zoals het hem het beste uitkomt; stukken die beschermd moeten worden vanwege hun waarde voor de speler. Ik weet ook dat vrouwen degenen zijn die wachten tot het spel afgelopen is,

om dan de gebroken stukken op te rapen en te proberen er nog iets van te redden.'
'O, nee.' Zijn stem klonk koel. 'Dat is een halve waarheid, zoals van jouw soort te verwachten was. Vrouwen zijn degenen die de ergste schade toebrengen; die hun mannen op een pad van vernietiging zetten. Mijn leven is hierdoor gevormd. Je hoeft niet tegen me te preken over de genezende vermogens van een vrouw. Je weet er niets van. Je begrijpt er niets van.' Hij had zijn handen tot vuisten gebald, al had hij zijn armen nog ontspannen over elkaar.
De koude, taxerende ogen staarden recht in de mijne. 'Het is duidelijk dat je weinig weet van wat er in de echte wereld gebeurt,' merkte hij op. 'Je begrijpt het nog altijd niet, hè? Misschien verklaart dat waarom je niet bang bent. Vertel het haar, Hond.'
'Baas...'
'Vertel het haar.'
'Het zit zo,' mompelde Hond. 'De Baas wil zeggen dat hij met een probleem zit. Hij kan je niet meenemen, want dat is niet veilig; het zou ons ophouden, het zou de mannen maar afleiden, en zo meer. Hij kan je ook niet achterlaten. Bezoekers in het kamp van de Beschilderde Man, die bestaan niet. Als een man hier komt om zaken te doen, wordt hij geblinddoekt. Jij hebt te veel gezien en gehoord. Dat is het probleem.'
'Maar...' Mijn hart begon te bonzen. Ze bedoelden toch niet... dat konden ze toch niet bedoelen... Grote Dana sta me bij, de Baas had gelijk. Ik was echt oliedom. 'Je probeert me te zeggen,' fluisterde ik, 'dat het gaat om de oplossing die je voor Evan gebruikt zou hebben als ik er niet tussen was gekomen. De oplossing van het scherpe mesje, een snelle snede en opgeruimd staat netjes? Heb je dat met me voor?'
'Over mijn lijk,' gromde de smid.
'Geloof me, daar heb ik aan gedacht,' zei Bran effen. 'Jullie zijn allebei verdomd lastig, en ik heb spijt als haren op mijn hoofd dat ik er ooit mee heb ingestemd dit te proberen. Wat jou betreft,' nu keek hij naar mij, 'mijn mannen hebben me in een buitengewoon moeilijke positie gebracht. Ze hebben namelijk gevraagd of je voorlopig bij ons mag blijven. Ze hebben me zelfs duidelijk te verstaan gegeven dat een weigering mijnerzijds aanleiding kon zijn

tot een of andere vorm van muiterij. En dat allemaal onder invloed van een paar buitenissige verhalen, verteld door iemand die de vrouwelijke overredingskunst verstaat, die haar gezicht en haar lichaam en haar honingzoete woorden gebruikt om een man iets te laten doen wat hij niet zou moeten doen.'

'Dat is echt belachelijk!' riep ik boos uit; de verontwaardiging had de angst verdreven. 'Hoe durf je me te kritiseren? Ik heb geen lage motieven zoals je insinueert! Ik heb alleen geprobeerd te helpen; alles wat ik hier heb gedaan, was daarop gericht. Alles. Ik ben geen... geen verleidster, kijk dan naar me, hoe kun je ook maar denken...? Bovendien heb jíj je belofte gebroken. Jij hebt zelf geen recht van spreken.'

'Nee hoor,' zei Bran zacht. 'Ik houd me zo goed als ik kan aan mijn kant van de overeenkomst. Je blijft bij ons en zorgt voor je patiënt, als hij de reis overleeft. Mijn mannen laten me geen andere keus. En wat je ook van mij denkt, als het mogelijk is, respecteer ik hun wensen. Een goede leider moet daartoe bereid zijn. Maar je zult begrijpen dat er later nog een beslissing genomen zal moeten worden. Hoe langer je bij ons blijft, hoe meer je ziet, hoe onmogelijker het wordt om je terug te laten gaan. Wil je dat soms?'

'Heeft wat ik wilde hier ooit enig gewicht in de schaal gelegd?' vroeg ik, en tranen van woede dreigden uit mijn ogen te rollen. Ik knipperde met mijn oogleden om ze binnen te houden. Ik had tot dit moment niet beseft hoe ik ernaar verlangde mijn moeder terug te zien. Wat bedoelde Bran, dat ik nooit meer naar huis zou mogen gaan? Ik zag Sorcha's fragiele gestalte en overschaduwde ogen voor me; en de standvastige, waakzame aanwezigheid van mijn vader. Ik dacht aan Sean en aan Aisling, en aan de lange, vredige dagen die ik in de diepe rust van het woud had doorgebracht of besteed had aan huishoudelijke werkjes die ik graag deed: bakken, naaien, kruiden drogen. Ik keek om me heen. Dit sombere kamp was geen thuis; dit heimelijke, gevaarlijke bestaan was geen leven. Voor het eerst drong in zijn volle omvang tot me door wat dit misschien voor mijn familie had betekend, en een enkele traan ontsnapte toch nog en droop over mijn wang omlaag.

'Daarmee zul je niets bereiken,' zei Bran. 'De tranen van een vrouw stromen even gemakkelijk als het water uit een pomp. Bij mij bereik je daar niets mee.'

Maar voor anderen gold dat blijkbaar niet. Ik voelde de grote hand van Hond op mijn schouder, en Evan zei: 'Huil maar niet, meidje. Wanneer het voorbij is, zul je gauw genoeg weer thuis zijn, en daar wacht je man op je.'
Bran keek naar Hond. 'Haal je hand van haar af,' zei hij met een angstwekkend zachte stem. Hond trok zijn hand terug alsof hij door een zweepslag getroffen was.
'We verdoen onze tijd,' zei ik terwijl ik met een snelle beweging de tranen uit mijn ogen veegde. 'Laat me zien hoe jullie deze man gaan vervoeren. Ik kan jullie misschien nog raad geven. Ik hoop dat je niet van me verwacht dat ik geblinddoekt ga rijden. Je zult me onderweg waarschijnlijk nodig hebben.'
'Kun je dan paardrijden?'
'Ik deed het zelfs helemaal niet slecht voor jouw mannen me van de weg plukten. Je zult wel merken dat ik niet helemaal hulpeloos ben.'
Hij reageerde hier niet op en gaf alleen met een ruk van zijn hoofd te kennen dat ik hem naar buiten moest volgen. Ik kwam niet voor het eerst in de verleiding iets te zeggen waar ik later spijt van zou kunnen krijgen. Maar ik slikte mijn woede in en liep braaf achter hem aan terwijl hij met grote stappen door het kampement beende. Eigenlijk was het allemaal onbelangrijk; het enige wat telde, was Evan in leven houden. Ik was genezeres en had een taak te vervullen. Later zou er misschien tijd zijn om vragen te stellen.

De reis was een ware nachtmerrie. Ik hield mijn mond dicht en mijn ogen open. Ik merkte wel dat we ongeveer in noordoostelijke richting reisden, maar ik zou de afstand niet bij benadering kunnen schatten. Het tempo was meedogenloos; we reden zo snel als we konden, vrijwel geluidloos, langs beboste, verscholen paden, gebruikmakend van beekbeddingen en moerasland om onze sporen te verbergen. Er reed altijd een man voor ons uit, en een achter ons aan. Het werd donkerder, en we reden nog steeds door. Mijn rug deed pijn en mijn mond was uitgedroogd, maar ik hield mijn mond en dwong mezelf om door te gaan. Mijn eigen ongemak was niets in vergelijking met dat van Evan, die vastgebonden was aan de brede rug van Hond en hulpeloos door elkaar werd gerammeld door de snelle gang van het paard over ongelijk terrein. Zijn wond werd alleen beschermd door een laag linnen doeken die ik voor ons haastige vertrek nog snel had aangebracht. Ik had gehoopt dat we onderweg zouden stoppen, zodat ik hem kon helpen. Dat zou blijkbaar niet gebeuren. Ik kon het niet vragen, want de mannen zwegen en communiceerden alleen door middel van subtiele gebaren, en met reden. Op een gegeven moment reden we langs een met bomen begroeide richel boven een stuk open terrein. Onder ons zagen we andere ruiters, die in een geordende, goed bewapende groep evenwijdig aan ons pad reden, alleen in tegenovergestelde richting. Bran liet ons met een klein handgebaar stilhouden en we bleven zwijgend wachten tot de ruiters ons ruimschoots gepasseerd waren. De mannen droegen over hun veldharnas een donkergroene tuniek met het embleem van een zwarte toren. De kleuren van Eamonn. Of ze naar mij op zoek waren of een ander doel hadden, kon ik niet zeggen. Ik herinnerde me wat Eamonn had gezegd over de Beschilderde Man en zijn arrogante uitdaging, en wist dat ik een gevaarlijke weg bewandelde.

Toen ik zo moe was geworden dat ik uit het zadel dreigde te vallen, en Evan met een grauw gezicht bewegingloos in de riemen hing waarmee hij was vastgebonden, hielden we eindelijk halt. We bevonden ons onder hoge bomen, bij de ingang van een soort bouwsel. Blijkbaar hadden we onze bestemming bereikt, want er werden lantaarns ontstoken en gefluisterde instructies gegeven. Hond was afgestegen, en ik zag dat ze het slappe lichaam van Evan op een deken legden. Ik wilde van het paard afstijgen, ze hadden me nodig, maar mijn verkrampte ledematen wilden me niet gehoorzamen. Het paard bleef gedwee staan.

'Hier.' Ik voelde stevige handen om mijn middel en werd met evenveel gemak op de grond getild alsof ik een klein kind was. Hij liet me onmiddellijk los, en mijn knieën knikten. Ik greep snel het tuig van het paard om niet te vallen en hijgde van de pijn.

'Je huilt om anderen, maar niet om jezelf,' zei Bran. 'Waarom niet, vraag ik me af? Iemand heeft je zelfbeheersing bijgebracht.'

Ik ademde diep in, en nog een keer. 'Het zou niet veel zin hebben, toch?' fluisterde ik met droge mond. 'Kun je me misschien laten zien waar ze de smid heen brengen? Ze zullen me waarschijnlijk nodig hebben.'

'Kun je lopen?'

Ik probeerde een stap te doen, maar bleef met mijn ene hand het tuig vasthouden. Het paard stapte opzij.

'Niet erg overtuigend,' zei Bran. 'Tweede regel voor het gevecht. Bluf nooit als je het niet kunt waarmaken. Je vijand kan je zwakheid van een mijl afstand zien. Als je niet sterk genoeg bent om te vechten, moet je dat toegeven en je terugtrekken. Hergroepeer je of maak gebruik van je slimheid. Accepteer hulp, als het niet anders kan. Hier.'

Hij stak me een hand toe, en opeens werd ik ondersteund en in de richting van een lage deur geleid; het was niet veel meer dan een houten lateibalk op twee ruwe palen. Achter de opening leek een oude gang regelrecht in een met gras begroeide heuvel te verdwijnen. De nacht werd steeds vreemder. Er kraste een uil en ik keek omhoog. Boven ons, tussen een wirwar van takken, hing een piepjong maansikkeltje aan de zwarte hemel. Ik kon het gewicht van Brans blik op me voelen terwijl hij me hielp bij het lopen, maar ik zei niets. We kwamen bij de ingang waardoor de anderen verdwenen waren, en opeens voelde ik me gedwongen om te blijven staan.

'Volgens mij zouden we hier niet mogen zijn,' zei ik, en ik voelde een kilte over me neerdalen. Het leek wel of een donkere nevel ons beiden omhulde terwijl we daar voor de deur stonden. 'Deze plek is... dit is heel oud, het is een plek van de Ouden. We horen hier niet te zijn.'

Bran had zijn voorhoofd gefronst. 'Deze heuvel heeft ons al vele malen tot schuilplaats gediend,' zei hij, en zijn hand rustte nonchalant op de oeroude lateibalk, vanwaar kleine ondoorgrondelijke gezichtjes ons aanstaarden tussen wervelende en spiralende patronen die diep in het hout waren uitgesneden. Als iemands hand daar mocht liggen, was het de zijne wel. 'Degene die dit onderkomen heeft gebruikt, is sinds lang verdwenen; nu is het ideaal voor ons, geheim, veilig, gemakkelijk te bewaken, met verborgen uitgangen om snel weg te kunnen komen. Het is volkomen veilig.'

Maar ik was vervuld van vrees, van een ijskoud gevoel van naderend onheil dat ik niet goed kon verklaren, en al helemaal niet aan hem. 'De dood is hier,' zei ik. 'Ik zie het. Ik voel het.'

'Wat bedoel je?'

Toen keek ik naar hem op en heel even zag ik in plaats van het gezicht van een harde, vitale jongeman, half getekend, half gewoon, een afgrijselijk masker, askleurig, de mond vertrokken in een gruwelijke doodsgrimas, de heldere ogen starend en levenloos. Ergens hoorde ik een kind schreeuwen. Je hebt me laten gaan... je laat me los... Een kleine hand die zich uitstrekte, wanhopig grijpend, maar ik kon er niet bij, ze namen me mee, ik kon hem niet bereiken...

'Wat is er? Wat zie je?' Zijn handen lagen op mijn schouders; zijn krachtige greep trok me terug in het heden.

'Ik... ik...'

'Zeg het. Wat zag je?'

Ik deed mijn uiterste best om mijn ademhaling te beheersen. Er was werk te doen, ik mocht me hierdoor niet laten overweldigen.

'N-niets. Het is niets.'

'Liegen gaat je niet goed af. Zeg het. Waardoor raak je zo van streek? Je kijkt naar mij en je ziet... iets waar je doodsbang van wordt. Zeg het.'

'De dood,' fluisterde ik. 'Angst. Pijn. Droefenis en verlies. Ik kan niet zeggen of ik het verleden zie of de toekomst, of beide.'

'Wiens verleden? Wiens toekomst?'

'Van jou. Van mij. Deze schaduw ligt over ons beiden. Ik beleef jouw nachtmerrie ook. Ik zie een pad dat stukgeslagen is. Ik zie een weg die het duister in leidt.'

We stonden daar zwijgend, met de nacht achter ons en de open deur voor ons.

'Dit hier is ons enige onderdak,' zei hij na een tijdje. 'We hebben geen andere keus dan naar binnen gaan.'

Ik knikte. 'Het spijt me,' zei ik.

'Het hoeft je niet te spijten,' zei Bran. 'Dit komt op je af zonder dat je erom gevraagd hebt. Je zult bij ons veilig zijn. Maar daar ben je ook niet bang voor, hè?'

'Veilig,' herhaalde ik. 'Ik maak me geen zorgen over mijn eigen veiligheid.'

'Van wie dan? Je bedoelt toch niet die van mij? Waarom zou je je daar druk over maken?'

Ik kon niet antwoorden.

'Zie je mijn dood? Zit je daarover in? Dat is niet nodig. Ik ben er

niet bang voor. Het overkomt me wel dat ik er blij mee zou zijn.'
'Je zou er wel bang voor moeten zijn,' zei ik heel zacht. 'Sterven voor je je ware ik hebt leren kennen, dat is iets vreselijks.'
Ik had de last van mijn vreemde gave nog nooit zo zwaar voelen drukken als in die nacht, en terwijl we via de deuropening de onderaardse ruimte binnengingen, maakte ik een teken voor me in de lucht, een teken dat ik Conor had zien gebruiken, en ik stuurde een stilzwijgende roep uit naar de oude geesten die misschien nog in deze kille ruimte woonden. *Wij respecteren deze ruimte en de donkere dingen erin. Wij hebben geen kwaad in de zin. We willen niet oneerbiedig zijn door deze plaats als schuilplaats te gebruiken.* En ik hoorde diep in me de stem van mijn moeder. *Jij valt buiten het patroon, Liadan. Dat zou je een grote macht kunnen geven. Het zou je de mogelijkheid kunnen geven dingen te veranderen.*
We gingen naar binnen en liepen door een korte gang, tot we in de centrale kamer kwamen waar het reusachtige bouwsel van opgestapelde stenen en houten steunbalken omheen was gebouwd. Deze ruimte was leeg geweest. Nu lagen er rondom dekenrollen en zakken tegen de muren gestapeld. Overal was ordelijke, rustige activiteit; Brans mannen zorgden dat ze klaar waren om de volgende dag weer te vertrekken. Rantsoenen hard brood, gedroogd vlees, water en bier werden rondgedeeld, vreemde wapens werden nog eens nagekeken, er werd een kaart geraadpleegd, zachte woorden werden uitgewisseld. Dit waren ervaren mannen; ik was zo uitgeput dat ik erbij neer kon vallen, maar zij leken nauwelijks vermoeid na de lange rit. Toen hoorde ik de smid kreunen; hij begon weer bij te komen en opeens had ik het zo druk dat ik nergens anders aan kon denken.
Ik gaf hem de sterkste drank die ik hem veilig kon geven, maar het duurde nog lang voordat Evan in een onrustige slaap viel. Ik zat in kleermakerszit op de aarden vloer naast hem om hem nauwlettend in het oog te houden en van tijd tot tijd zijn bleke, bezwete gezicht af te sponsen met koel water. De huid rond de schouder en de hals was felrood. Sommige mannen lagen te slapen, andere waren uitgestuurd om bij ingang of uitgang op wacht te staan. Het rook sterk naar paarden, want ze hadden de beesten mee naar binnen genomen; ze stonden losjes vastgebonden aan de andere

kant van de ruimte. Otter liep tussen de paarden door met een emmer water.

Hond zat dicht bij me. Zijn oogjes stonden ernstig en zijn mond was ongewoon strak. Aan de andere kant van de flauw verlichte ruimte stonden Meeuw en Slang met hun aanvoerder, kennelijk ergens over te discussiëren. Meeuws donkere handen bewogen in snelle, expressieve gebaren, maar wat het betekende, was me niet duidelijk en ze praatten met gedempte stemmen. Slang wierp een blik in mijn richting en zei toen weer iets tegen Bran, met gefronst voorhoofd. Brans gezicht stond streng, zoals altijd. Ik zag dat hij zijn schouders ophaalde alsof hij wilde zeggen: als het je niet bevalt, is dat jouw probleem.

'We gaan morgenochtend vroeg weer weg,' zei Hond zacht. 'Misschien zie ik je een tijd niet. Jij blijft natuurlijk hier. Denk je dat hij het zal halen?'

We luisterden even naar het rochelende, ratelende geluid van Evans ademhaling.

'Ik zal mijn best doen om hem in leven te houden. Maar ik moet eerlijk tegen je zijn. Het ziet er niet goed uit.'

Hond zuchtte diep. 'Mijn schuld. Ik heb je wel in de puree geholpen, hè. En allemaal voor niks.'

'Sst,' zei ik, en ik klopte op zijn grote hand. 'We zijn allemaal verantwoordelijk. Maar hij nog het allermeest.' Ik wierp een blik naar de andere kant van de kamer.

'Je kunt de Baas niet de schuld geven,' zei Hond binnensmonds. 'Hij wilde niet weggaan. Er kwam bericht dat iemand wist waar we zaten. Als dat gebeurt, moet je maken dat je wegkomt, hoe dan ook. We zouden allemaal in de pan zijn gehakt als we niet waren vertrokken.'

'Ik zou het er misschien levend afgebracht hebben,' zei ik droog. 'Misschien waren de lieden die jullie achterna zaten, op zoek naar mij.'

'Misschien. Misschien ook niet. We hadden je moeilijk kunnen achterlaten zonder dat zeker te weten.'

Mijn kleine lantaarn was nu de enige die nog brandde in de donkere, onderaardse ruimte. Onder de welving van het dak, waar elke steen in een volgende, zorgvuldig gevormde steen sloot, zodat een wonder van evenwicht was ontstaan, hing een netwerk van schimmige webben die talloze kleine diertjes herbergden. De vloer bestond uit gladde, harde aarde. Aan het ene uiteinde van de kamer lag een enkele, monumentale plaat donker gesteente, waarvan het oppervlak glom alsof het door langdurig gebruik was gepolijst. Naar het doel van deze plaat viel slechts te gissen. Iets schuin boven de plaat bevond zich een smalle opening tussen de stenen, die ook in de laag aarde erboven was uitgespaard. Er was waarschijnlijk één dag in het jaar waarop de zon door deze opening precies op de steen eronder scheen; één dag waarop de oude krachten van deze plek misschien konden ontwaken. Ze waren nog niet helemaal verdwenen. Ik kon ze voelen in de stille lucht om me heen, in de ruw gehouwen wanden, waarin hier en daar een klein, onopvallend teken was gekerfd. Ik dacht plotseling aan de jonge druïde, Ciarán, die woedend en gekwetst van Zeven Wateren wegbeende. Misschien was het beter als je niet al te veel voelde. Niet al te veel verlangde. Geen verleden, geen toekomst. Alleen het heden. Veel veiliger. Zolang het verleden maar niet onuitgenodigd terugkwam.

'Je bent moe,' zei Hond. 'Toch gaan we morgen weer verder. Ik wilde vragen... nee, misschien beter van niet.'

'Wat? Vraag gerust.'

'Je bent doodmoe. Lange rit geweest, voor jou. We zouden heel graag nog een verhaal horen, een laatste verhaal voor we... maar dat is te veel gevraagd. Ik heb niets gezegd.'

'Het geeft niet.' Ik glimlachte en onderdrukte een geeuw. 'Ik zal morgen wel kunnen slapen, denk ik. Eén verhaal zal vast nog wel gaan.'

Het vreemde was dat iedereen het leek te weten, hoewel we zacht hadden gepraat. Opeens waren er aan alle kanten zwijgende mannen om me heen; ze leunden tegen de wand of zaten gehurkt. Sommige zaten in kleermakerszit en slepen messen of speerpunten in het licht van de lantaarn. Spin stak zijn lange arm uit en gaf me een pul bier. Achter de anderen stonden Bran en Meeuw bij elkaar. Meeuw was bijna niet te zien, behalve wanneer zijn lach een blinkend gebit deed opflitsen. Bran stond met zijn armen over elkaar naar me te kijken, zonder uitdrukking op zijn gezicht. Aan hem was geen spoor van moeheid te zien. En hij had langer niet geslapen dan wij allemaal, wist ik.

'Ik had gedacht,' begon ik, 'dat ik jullie aan de vooravond van jullie opdracht eigenlijk zou moeten inspireren met een heldenverhaal, misschien over opoffering en moed op het slagveld. Maar daartoe ontbreekt me de moed. Want het is heel goed mogelijk dat de mannen met wie jullie slag gaan leveren, van mijn eigen volk zijn. Bovendien heb ik gehoord dat jullie de besten zijn op jullie gebied. Ik denk dat jullie geen aanmoediging nodig hebben om het goed te doen. Daarom zal ik proberen jullie verstrooiing te bieden, en ik zal jullie een liefdesverhaal vertellen. Het gaat over een vrouw die haar vertrouwen behield, tegen alles in.'
Ik nam een slok van het bier. Het smaakte uitstekend, maar ik zette de kroes neer. Als ik nog meer dronk, liep ik gevaar ter plekke in slaap te vallen. Ik keek de kring grimmige, harde gezichten rond. Hoevelen van hen zou ik terugzien? Hoevelen zouden er morgen om deze tijd nog in leven zijn?
'Ze was een gewoon meisje, een boerendochter, en ze heette Janet. Maar haar vrijer noemde haar Jenny; dat was zijn speciale naam voor haar, die niemand anders gebruikte. Wanneer hij haar zo noemde, kreeg ze het gevoel dat ze de mooiste vrouw op de wereld was. Haar Tom vond dat zeker. Tom was haar vrijer, en hij was smid, net als Evan hier, een sterke jongeman met brede schouders, die goed was in zijn vak. Hij was niet te lang en ook niet te klein. Hij had bruine krullen en een vrolijk gezicht. Maar wat Jenny aan hem het meest beviel, waren zijn diepgrijze ogen; het waren trouwe ogen, zei ze. Ze wist dat Tom haar nooit in de steek zou laten, wat er ook gebeurde.
Jenny was een rustig meisje. Een deugdzaam meisje. Gehoorzaam aan haar vader, behulpzaam voor haar moeder, vaardig in alle dingen die een goede echtgenote behoort te kunnen. Ze kon naaien, inmaken en bier brouwen. Ze kon een kip plukken, wol spinnen en een ziek lam verzorgen. Tom was trots op haar, en hij kon haast niet wachten op hun trouwdag, die vastgesteld was op midzomerdag. Hij hield van haar blonde haar, dat tot op haar middel viel en dat ze soms losmaakte uit de vlecht, zodat hij het kon zien golven als een korenveld in de zon. Hij vond het fijn dat ze precies de goede lengte had, zodat zijn arm precies om haar schouders paste wanneer ze samen wandelden. Ze deed zijn hart sneller slaan en maakte een gevoel in zijn lichaam wakker. Hij zong

bij zijn smidsvuur terwijl hij het gloeiende ijzer tot een hooivork of ploegschaar hamerde, en lachte stilletjes voor zich heen, in afwachting van midzomerdag.
Hoe rustig en lief Jenny ook was, er was één ding waarover ze driftig kon worden, en dat was als de andere meisjes een zijdelings oogje op haar Tom wierpen, of met hem probeerden te flirten wanneer hij hen op een weg passeerde. "Kijk voor je," zei ze dan woedend, "of je zult er spijt van krijgen. Hij is van mij." Tom lachte haar vaak uit en zei dat ze net een boze terriër was die een bot bewaakte. Wist ze dan niet dat hij er nooit over zou peinzen naar een ander te kijken? Zij was immers de vrouw van zijn hart? Ach, maar ze hadden geen rekening gehouden met het volk onder de heuvel. Dat is een bemoeiziek slag, dat niets leuker vindt dan zomaar een geschikte jongen of geschikt meisje weg te grissen, en die arme sterveling voor hun eigen genoegens te gebruiken. Sommigen houden ze een jaar en een dag bij zich, sommigen voorgoed. Sommigen spugen ze weer uit wanneer ze er genoeg van hebben, en deze arme verdoolde lieden worden nooit meer helemaal dezelfden. Op een avond had Tom tot laat gewerkt in de smidse, en hij nam een kortere weg door het bos naar de boerderij waar zijn Jenny woonde, in de hoop een paar kusjes te stelen voor hij naar huis ging. Dat was dom van Tom. Natuurlijk zette hij per ongeluk een voet binnen een heksenkring, en op slag verscheen het voltallige feeënvolk, op zijn mooist uitgedost en aangevoerd door de feeënkoningin op haar witte paard. Hij hoefde haar maar één keer aan te kijken en hij was verloren. De koningin nam hem achter zich op het paard en galoppeerde weg, ver, ver weg, buiten het bereik van sterfelijke mensen. Jenny wachtte en wachtte die nacht met een brandende kaars voor het raam. Maar haar Tom kwam niet.'
Ik had me afgevraagd of dit verhaal misschien te kinderachtig of te fantastisch was, niet geschikt voor volwassen mannen. Maar het was doodstil; er werd vol aandacht geluisterd. Ik nam nog een slokje bier.
'Ga door,' zei Slang. 'Ik dacht dat je zei dat hij zo trouw was. Ik vind het nogal stom wat hij deed. Hij had over de weg moeten gaan en een lantaarn moeten meenemen.'
'Wanneer het feeënvolk eenmaal heeft besloten dat het je wil heb-

ben, valt er niet veel meer aan te doen,' antwoordde ik. 'Maar goed, Jenny was niet van gisteren. De volgende morgen in alle vroegte ging ze door het bos op weg naar de smidse, en ze zag dat het gras vertrapt was en vol met hoefsporen. Ze zag de heksenkring, of wat ervan over was, en ze zag de rode das die Tom had gedragen, de das die ze eigenhandig voor hem had gesponnen, geverfd en gebreid. Natuurlijk wist ze wie hem had meegenomen en ze was vastbesloten hem terug te krijgen. Daarom ging ze naar de oudste vrouw van het dorp, een besje dat zo oud was dat ze geen tanden meer in haar mond had. Ze had knoestige, gekrulde vingernagels en evenveel rimpels als de laatste gedroogde appeltjes van de winter. Jenny ging bij deze oude vrouw zitten en voerde haar een kom pap die ze speciaal voor haar had gekookt; toen vroeg ze haar wat ze moest doen.

De oude vrouw wilde eigenlijk niets zeggen. Over dit soort dingen kon je maar beter zwijgen. Maar ze was al vaak verwend door Jenny, met lekkere hapjes en hulp in huis, en daarom vertelde ze het haar. Bij de volgende volle maan, zei ze, zou het feeënvolk uitrijden over het brede, witte pad dat midden door het bos leidde, naar het kruispunt op de heide. Jenny moest tot middernacht bij dat kruispunt wachten en ze mocht niets zeggen. Wanneer ze voorbijkwamen, moest ze haar Tom bij zijn hand pakken en vasthouden tot zonsopgang. Dan zou de betovering verbroken zijn en zou hij weer de hare zijn. "Dat lijkt me niet moeilijk," zei Jenny. "Dat kan ik wel." De oude vrouw begon kakelend te lachen. "Niet moeilijk!" proestte ze. "Die is goed! Dit zal het moeilijkste zijn wat je ooit gedaan hebt, kippetje. Je zult hem wel heel graag moeten willen hebben om vast te blijven houden. Bereid je maar voor op een paar verrassingen. Weet je zeker dat je het kunt?" En Jenny zei fel: "Hij is van mij. Natuurlijk kan ik het."'

Slang boog zich naar me toe met de kan en vulde mijn beker weer. De op zijn neus geëtste, gevorkte tong leek in het licht van de lamp te trillen, alsof hij op het punt stond aan te vallen. 'Nou goed, ze deed wat haar gezegd was. Om middernacht bij volle maan wachtte ze alleen bij het kruispunt in haar jurk van zelfgeweven stof, met haar stevige schoenen aan en een donkere mantel waarvan de kap haar lichte haar bedekte. Ze wachtte als een kleine schaduw in het maanlicht. Om haar hals had ze de rode das gewikkeld die

van Tom was geweest. En daar kwamen ze; een lange, schitterende stoet ruiters. Ze reden op witte paarden en droegen met kralen en juwelen versierde japonnen en tunieken; hun haar was lang en wild gekapt, met flonkerende edelstenen en vreemde bladeren in de zilverachtige lokken gevlochten. De feeënkoningin reed in het midden, groot, vorstelijk, met een melkblanke huid en glanzend kastanjebruin haar, en een laag uitgesneden japon om de elegante welvingen van haar figuur te tonen. Achter haar reed Tom, de smid, met een afwezige blik in zijn grijze ogen; zijn vroeger zo vrolijke gezicht was nu een uitdrukkingsloos masker. Hij droeg een vreemde tuniek en zilveren beenkappen, en laarzen van het zachtste geitenleer. Jenny barstte haast van woede, maar ze bleef roerloos en zwijgend staan tot de koningin precies op het midden van het kruispunt was gekomen. Toen haar Tom precies voor haar was, binnen handbereik, schoot ze bliksemsnel naar voren en greep ze zijn hand. Ze trok uit alle macht, en hij tuimelde van zijn paard en lag languit aan haar voeten op het witte pad.
Onder het feeënvolk ging een verontwaardigd gesis op, en in een oogwenk hadden ze met hun paarden een kring gevormd om haar en de arme Tom, zodat ze niet weg konden komen. De stem van de feeënkoningin was verschrikkelijk om te horen, tegelijkertijd liefelijk en dodelijk in zijn woede. "Jij!" beet ze Jenny toe. "Wat moet dit voorstellen? Wie heeft je hiertoe aangezet? Deze man is van mij! Blijf met je vieze, sterfelijke handen van hem af! Geen vrouw daagt mij uit!" Maar Jenny bleef vasthouden, terwijl Tom versuft aan haar voeten zat, en ze staarde het schone schepsel op het witte paard strak aan en tartte haar met haar blik. Toen lachte de fee een vreselijke lach en zei: "Dan zal dit ons tenminste wat vermaak opleveren. Laat ons maar eens zien hoelang je het volhoudt, boerenmeisje! Denk je dat je sterk bent? Wat begrijpen stervelingen toch weinig."
Eerst wist Jenny niet goed wat ze bedoelde, want Toms hand lag slap en passief in de hare. Maar toen veranderden zijn vingers plotseling in vlijmscherpe klauwen en veranderde zijn huid in ruw haar. In plaats van een man hield ze nu de poot vast van een grote, kwijlende wolf, die zijn muil opende en zijn lange, scherpe tanden naar haar ontblootte. Jenny week geschrokken terug, want het beest blies zijn stinkende adem in haar gezicht en zwiepte met

zijn krachtige lijf om zich aan de greep van haar handen te ontworstelen. Maar ze groef haar vingers in het lange haar van de wolf en bleef vasthouden terwijl het beest haar meesleepte over het pad. Ze voelde dat het witte grind haar jurk scheurde en haar vel schramde. Uit de kring toeschouwers steeg een gemompel op, en er werd één woord gesproken in een vreemde taal. Toen veranderde het ruige haar in een glad, glibberig oppervlak waardoor ze bijna losliet, omdat het zo lastig beet te pakken was. Ze voelde iets kronkelen en zwellen, en nu hield ze in plaats van een wolf een enorme, gladde slang vast, met schubben in de kleur van edelstenen uit het diepste van de aarde. Het monster kronkelde en wentelde en probeerde haar in de windingen van zijn reusachtige lijf te wikkelen. Om vast te kunnen houden moest Jenny haar beide armen om dit beest heen slaan en haar handen in elkaar strengelen, zodat haar gezicht tegen de koude schubben van het lijf werd gedrukt. Ze moest haar uiterste best doen niet te bezwijmen van schrik telkens wanneer de kleine, boosaardige kop op haar toe schoot en de gevorkte tong vlak voor haar ogen op en neer flitste. "Dit is Tom," hield ze zichzelf voor, terwijl haar hart bonsde als een trommel. "Dit is mijn lief. Ik blijf vasthouden. Ik houd vast. Hij is van mij."

Er werd weer een woord gesproken in de door de maan verlichte stilte. De slang werd een reusachtige spin, een harig, stekelig schepsel met vele, gloeiende ogen en dikke poten die om het ongelukkige meisje bogen. De giftige kaken trachtten haar hand te bereiken die zijn poot vasthield, de stekels van het lijf staken in haar vel tot ze haar lip stukbeet om maar niet te gaan gillen. Na de spin kwam een everzwijn met gele slagtanden en kleine, domme oogjes; en na het everzwijn een vreemd schepsel waarvan ze de naam niet wist, met lange, happende kaken en een bobbelige, knoestige huid. Toch bleef Jenny nog steeds vasthouden, al bloedden haar arme handen en wilden ze haar bijna niet gehoorzamen, zo verkrampt waren ze. Eén keer keek ze op, en ze meende te zien dat de nachtelijke hemel een heel klein beetje oplichtte. De feeën om haar heen spraken geen woord. Toen begon de feeënkoningin weer te lachen. "Niet slecht, helemaal niet slecht! Je hebt ons goed vermaakt. Nu moeten we weg. Ik neem mijn jongen weer mee, dus wil je zo goed zijn hem los te laten." Ze bewoog haar hand bevelend heen en weer, en Jenny voelde een vreselijke pijn in haar schouders, alsof ze met honderd scherpe messen werd gestoken, en ze liet bijna los. Ze hoorde grote donkere vleugels slaan en in haar handen hield ze de poot van een reusachtige vogel vast, met een snavel zo groot als een paardenhoofd; de klauwen van het beest bogen zich terwijl de poot probeerde zich los te maken. De andere poot had zich om haar arm en schouder gesloten, terwijl het monsterachtige dier sprong en klapwiekte en krijste. Het pikte met zijn dodelijke snavel naar rechts en naar links, in een poging haar weg te krijgen. Ze hoorde feeëngelach, dat tinkelde als klokjes. "Dit is mijn man," fluisterde Jenny bij zichzelf. "Ik houd van hem. Ze krijgt hem niet. Ik laat niet los." En hoe de grote vogel ook vocht, hij kon zich niet aan haar greep ontworstelen. Toen hoorde ze opeens geruis en gezucht, en ijl hoefgetrappel van vele hoeven, en toen het eerste licht van de dageraad de randen van de wereld zilver kleurde, waren de feeën vertrokken als nevelslierten, en in haar armen lag Tom, slap als een dode, en zijn glanzende kleren werden grijzer naarmate de hemel lichter werd. "Tom," fluisterde ze, "Tom." Ze had niet de kracht om meer te zeggen. Na een poos voelde ze hem bewegen en zijn armen om haar middel schuiven. Hij legde zijn hoofd op haar borst en mompelde: "Waar zijn we? Wat is er gebeurd?" Toen deed Jenny de rode das af en wikkelde hem om de hals van haar geliefde, en ze hielp hem overeind met haar bloedende, gekwetste handen. Ze sloegen elk een arm om de ander, en terwijl de zon opkwam voor een prachtige dag, liepen ze langzaam naar huis. En hoewel het verhaal dat niet vertelt, denk ik zo dat ze samen een goed leven kregen, want ze waren twee helften van één geheel.'

Om me heen hoorde ik een collectieve zucht van opluchting. Niemand zei iets. Na een poosje zochten de mannen elk een plek en legden zich zo goed en zo kwaad als dat ging op de harde grond te rusten. Er was hier geen afzondering mogelijk. Ik dempte de lantaarn zo ver mogelijk en maakte me klaar om te gaan slapen, geheel gekleed. Ik zou tenminste mijn schoenen uit kunnen doen. Maar toen ik me bukte om de veters los te maken, merkte ik dat ik zo moe was dat mijn vingers me niet wilden gehoorzamen. Zo moe dat ik op het punt stond in huilen uit te barsten, om het minste of geringste. Vervloekt het hele stel. Het zou veel gemakke-

lijker zijn geweest hen te haten, zoals Eamonn hen haatte.
'Hier.' Hond knielde bij me neer en zijn grote handen bewogen teder terwijl ze de veters losmaakten en de schoenen uittrokken. 'Wat heb je toch kleine voetjes.'
Ik bedankte hem met een knikje want ik was me ervan bewust dat er aan de andere kant van de ruimte ogen op ons gericht waren. Het was bijna donker. Ik hoorde een zacht knipgeluidje, toen werd me iets glads en scherps in de hand geduwd, en de grote, zware gestalte van Hond trok zich weer terug in de schaduwen. Terwijl ik ging liggen en voelde hoe een grote vermoeidheid zich van me meester maakte, liet ik de nagel van de wolfsklauw in mijn zak glijden. Dit waren huurmoordenaars. Waarom maakte ik me druk over wat er van hen zou worden? Waarom kon het leven niet eenvoudig zijn, zoals het in de verhalen was? Waarom kon het niet... ik viel in een diepe, droomloze slaap.

Ik knipperde een, twee keer met mijn oogleden. Er stroomde licht naar binnen via de ingang. Het was ochtend. Ik ging zitten. De ruimte was leeg, de vloer ontruimd, elk teken van menselijke bewoning was verdwenen. Alles was weg behalve mijn deken, mijn kleine zak en het gereedschap voor mijn werk. En de smid die naast me lag te slapen, moeizaam ademend.
Ik keek nog eens om me heen. Niets. Ze waren weg, allemaal. Ze hadden me achtergelaten en ik moest dit alleen zien op te knappen. Geen paniek, Liadan, zei ik tegen mezelf, toen mijn hart begon te bonzen. Er zou nog even tijd zijn voor Evan wakker werd en mij nodig had. Zorg dus dat je ergens water vindt. Kijk of het mogelijk is een vuur te maken. Verder vooruitdenken was uitgesloten.
Bij mijn rugzak stonden een kleine kom en een emmer. Ik pakte ze, ging ermee naar buiten door de nauwe ingang en kneep mijn ogen dicht toen ik buitenkwam in een stralende zomermorgen.
'Er is een beek aan de noordkant van de grafheuvel, en een poel waarin je kunt wassen.'
Hij zat met zijn rug naar me toe en er hing een boog over zijn schouder. Toch wist ik onmiddellijk wie hij was vanwege het geschoren hoofd en de vreemde, versierde huid. Mijn schrik en woede waren bijna even sterk als mijn opluchting, en mijn woorden waren onvoorzichtig.

'Jij! Jij bent wel de laatste die ik verwachtte hier aan te treffen.'
'Had je liever een ander gehad?' vroeg hij terwijl hij zich naar me toe keerde. 'Iemand die je zou vleien en zoete woorden zou spreken?'
'Klets geen onzin!' Ik was vastbesloten niet te laten merken dat ik had gedacht dat ik alleen was. Hij mocht nergens aan zien dat ik bang was. 'Niemand van jullie heeft mijn voorkeur. Waarom ben je niet bij je mannen? Ze zien een leider in jou. De Baas. Bijna als een god. Ik begrijp echt niet hoe je hen kunt uitsturen op deze opdracht terwijl je zelf achterblijft. Iedereen had hier kunnen blijven om mij te bewaken.'
Hij kneep zijn ogen halfdicht. In de ochtendzon tekende het licht en donker van het patroon op zijn gezicht zich fel contrasterend af.
'Ik zou niet een van hen deze taak toevertrouwen,' zei Bran. 'Ik heb gezien hoe ze naar je keken.'
'Dat geloof ik niet.' Dit was onzin.
'Bovendien,' voegde hij er terloops aan toe, terwijl hij de boog in een spleet tussen de rotsen stak, 'is het een goede training voor ze. Ze moeten leren met onverwachte situaties om te gaan, zo nodig onmiddellijk het bevel over te nemen zonder vragen te stellen. Ze moeten leren altijd klaar te zijn. Er zijn nog meer leiders onder hen. Ze zullen deze uitdaging oppakken.'
'Hoe... hoelang blijven ze weg?'
'Lang genoeg.'
Omdat ik niets meer kon bedenken om tegen hem te zeggen, ging ik op zoek naar de beek, om mijn gezicht en handen te wassen en water te halen voor mijn patiënt. Er was een poel met stilstaand water tussen de rotsen, en terwijl ik de emmer erin dompelde, verbeeldde ik me half dat ik daar mijn zus zag, die tot aan het middel in het water stond, in omhelzing met haar minnaar, met haar roodgouden haren drijvend rond haar blanke lichaam. Die arme, mooie Niamh. Ik had eigenlijk nauwelijks meer aan haar gedacht sinds ik afscheid van haar had genomen. Ze was nu natuurlijk allang op Tirconnell, bezig zich daar een plaats te veroveren, te leren haar nieuwe leven temidden van vreemden te accepteren. Ik huiverde. Ik kon me niet voorstellen ergens anders te wonen dan op Zeven Wateren, ver weg van alles wat zozeer een deel van me-

zelf was. Maar als je genoeg om iemand gaf, lukte het misschien zonder dat je het gevoel had dat je ziel in tweeën werd gescheurd. Maar het woud houdt alle mensen die daar geboren zijn in zijn greep, en ze kunnen niet ver reizen zonder dat er in hen een verlangen leeft om terug te keren. Diep in mijn hart had ik angst om mijn zuster. Wat Ciarán betreft, niemand kon zeggen welke weg hij was gegaan.

De dag kwam op gang. Evan had veel pijn; hij zweette, kokhalsde en ijlde. Bran verscheen soms, verdween dan weer; hij zei weinig, hielp mij de smid te tillen en te keren, water te verhitten, deed alles wat ik vroeg. Ik moest met tegenzin toegeven dat hij een grote hulp was. Op een bepaald moment, toen Evan rustig lag, riep hij me naar buiten, vroeg me te gaan zitten en gaf me een bord met stoofpot, droog brood en een beker bier.

'Kijk niet zo verbaasd,' zei hij, terwijl hij tegenover me op de grond ging zitten en zelf ook begon te eten. 'Je moet eten. En er is niemand anders om voor je te zorgen.'

Ik zei niets.

'Of geloof je misschien dat je dit alleen ook wel had klaargespeeld? Is dat zo? De kleine genezeres, de wonderdoenster. Je dacht toch niet dat we je hier alleen achter zouden laten? Dacht je dat?'

Ik keek niet naar hem, maar richtte al mijn aandacht op de stoofpot, die opmerkelijk lekker smaakte. Die boog diende zeker voor de jacht.

'Dat geloofde je dus werkelijk,' zei hij ongelovig. 'Dat wij vertrokken waren en jou hier alleen hadden achtergelaten met een stervende. Je ziet ons voor niet veel meer aan dan wilden.'

'Maar dat wil je toch?' zei ik uitdagend, terwijl ik hem recht aankeek. Heel even zag ik een andere uitdrukking in zijn ogen, voor hij ze afwendde. 'De Beschilderde Man, een wezen dat schrik en ontzag inboezemt? Een man die bijna alles kan en wil doen, als je hem maar genoeg betaalt? Een man zonder geweten? Een man die er geen been in ziet een vrouw alleen achter te laten, vooral omdat hij niet onder stoelen of banken steekt hoe hij de vrouwelijke sekse veracht?'

Hij deed zijn mond open, maar zag ervan af te zeggen wat hij wilde zeggen en deed hem weer dicht.

'Waarom haat je ons zo? Welke vrouw heeft je zo diep teleurgesteld dat je je op ons allemaal moet wreken, je verdere leven lang? Je zit vol wrok. Het vreet je van binnenuit op, als een kankergezwel. Het zou dom van je zijn om je hierdoor te gronde te laten richten. Dat zou echt zonde zijn. Wat is er gebeurd, waardoor je zo verbitterd bent geworden?'

'Dat gaat jou niets aan.'

'Ik vind dat het me wel aangaat,' zei ik beslist. 'Het is jouw keuze geweest om hier te blijven, en nu zul je luisteren ook. Je hebt mijn verhaal over de boerendochter Jenny gehoord. Misschien was het waar, misschien ook niet. Maar er zijn in deze wereld veel goede, sterke vrouwen zoals zij, zoals er ook minder bewonderenswaardige vrouwen zijn. We zijn mensen, net als jij, en we zijn allemaal weer anders. Jij ziet de wereld in de schaduw van je eigen gekwetstheid, en je oordeel is niet rechtvaardig.'

'Dat is het wel.' Er lag een pijnlijke trek op zijn gezicht en zijn ogen staarden in de verte. Ik begon er spijt van te krijgen dat ik zo vrijmoedig had gesproken. 'De listigheid van een vrouw en haar macht over een man hebben mij van mijn familie en mijn geboorterecht beroofd. De zelfzuchtigheid van een vrouw en de zwakheid van een man hebben me deze weg opgestuurd, hebben van mij het wezen gemaakt dat jij zo verfoeit. Vrouwen bederven alles. Een man moet oppassen dat hij niet te dicht bij ze in de buurt komt, anders wordt hij in haar netten gevangen.'

'Maar ik ben een vrouw,' zei ik na een poos. 'Ik vang niet, ik verleid niet, ik bega geen euveldaden. Ik zeg wat ik op mijn lever heb, maar daar is niets mis mee. Ik weiger te worden bestempeld als iemand die... hoe zei je dat? Alles bederft? Mijn moeder is mijn voorbeeld. Ze is breekbaar en toch sterk. Ze weet alleen hoe ze moet geven. Mijn zus is mooi, maar volkomen onschuldig.'

'Je huilt.'

'Niet waar!' Ik wreef boos met mijn hand over mijn wang. 'Ik zeg alleen dat je blijkbaar maar heel weinig vrouwen kent, als je het zo beperkt ziet.'

'Wat jou betreft zou ik misschien een uitzondering kunnen maken,' zei hij met tegenzin. 'Jij bent niet zo gemakkelijk in te delen.'

'Vind je soms dat ik meer van een man weg heb?'

'Ha!' Ik kon niet uitmaken of dit geluid geamuseerdheid of ver-

achting uitdrukte. 'Niet bepaald. Maar je geeft blijk van een aantal eigenschappen die ik niet verwachtte. Jammer dat je niet met een stok overweg kunt of een boog kunt spannen. Dan hadden we je misschien in de troep op kunnen nemen.'
Nu was het mijn beurt om te lachen. 'Dat denk ik niet. Maar toevallig kan ik dat wel. Met een stok overweg en een boog spannen, bedoel ik.'
Hij staarde me aan. 'Dat geloof ik niet.'
'Ik zal het je laten zien.'
Iubdan had het me goed geleerd. Deze boog was wel een stuk langer en zwaarder dan ik gewend was en daardoor kon ik hem niet volledig spannen. Maar hij voldeed goed genoeg. Bran keek zwijgend toe, met spottend opgetrokken wenkbrauwen terwijl ik de pees op de pijl plaatste.
'Waarop wil je dat ik mik, met deze pijl?'
'Je zou dat grote knoestgat in de stam van die iep kunnen proberen te raken.'
'Dat doelwit zou een kind nog kunnen treffen,' zei ik verachtelijk.
'Je beledigt me. Welk doelwit zou je kiezen voor een jongeman die tot je krijgsbende wil toetreden?'
'Hij zou niet zover zijn gekomen zonder zich bewezen te hebben. Maar als je erop staat, stel ik voor de appelboom te nemen die daar beneden tussen de rotsen groeit. Hier, ik zal het je laten zien.'
Hij nam me de boog af en spande hem volledig, met zijn ogen dichtgeknepen tegen het licht. Het ging snel. Er klonk gesuis toen hij de pees losliet, en ik zag een groen appeltje op de grond vallen, gespleten door de pijlpunt.
'Nu jij,' zei hij droog.
Dit was een spel dat ik vele malen met Sean had gespeeld. Ik spande de boog zo ver als ik kon, sprak binnensmonds een woord uit en liet de pees los.
'Meer geluk dan wijsheid,' zei Bran toen er een tweede appel op de grond viel. 'Een toevalstreffer. Dat lukt je niet nog een keer.'
'Zeker wel,' zei ik, 'maar het maakt me echt niet uit of je me gelooft of niet. Nu is er werk aan de winkel. Als ik zou zeggen wat ik nodig heb, zou je dan bepaalde kruiden voor me kunnen zoeken? Mijn voorraad is bijna op en Evan zal steeds meer pijn krijgen.'

'Zeg maar wat je moet hebben.'
Het was maar goed dat ik die nacht zo vast had geslapen, want in de komende dagen zou ik weinig slaap krijgen. De smid werd steeds zieker; zijn gezicht werd koortsig rood en de huid rond zijn wond was intussen vlekkerig en blauwachtig geworden. Bran was teruggekomen met wat ik had gevraagd, en ik had er een aftreksel van gemaakt, dat ik druppelsgewijs aan Evan voerde tot hij rustiger werd.
'Waar ben je, Biddy?' mompelde hij, terwijl zijn hoofd nog steeds rusteloos heen en weer rolde. 'Biddy? Vrouw? Ik kan je niet zien.'
'Stil maar,' zei ik, en sponsde zijn gloeiende gezicht af. 'Ik ben hier. Slaap nu maar.'
Maar het duurde lang voor hij in slaap viel, en ondanks de kruiden rustte hij niet lang voor de pijn hem opnieuw wakker maakte. Bran was buiten, en ik riep hem niet. Wat had het voor zin? Hij kon toch niets doen. Ik ging naast Evan zitten, zodat we samen gevangen werden door het licht van de lantaarn, en hield zijn hand vast. Ik zei tegen hem dat hij niet moest praten, maar hij liet zich niet tegenhouden.
'Je bent er nog. Ik dacht dat je nu wel naar huis zou zijn gegaan.'
'Ja, ik ben er nog, zoals je ziet. Zo gemakkelijk kom je niet van me af.'
'Ik dacht even dat je Biddy was. Stom hè? Je zou drie keer in haar passen, want mijn Biddy is een mooie, dikke meid.'
'Ze wacht op je, daar kun je van opaan,' zei ik.
'Denk je dat ze me nog wil hebben? Denk je dat ze het niet erg vindt dat mijn... je weet wel?'
Ik gaf een kneepje in zijn hand. 'Zo'n flinke, sterke vent als jij? Natuurlijk wil ze je nog hebben. Ze zullen voor je in de rij staan, reken maar.'
'Ik wil niet klagen, ik weet dat je doet wat je kunt. Maar god, het doet zo'n pijn...'
'Hier, probeer hier nog wat van te slikken.'
'Heb je hulp nodig?' Bran was onhoorbaar binnengekomen, met een kleine flacon in zijn hand. 'Meeuw heeft dit bij me achtergelaten. Het is een drank uit zijn eigen land, heel sterk. Had hij bewaard voor speciale gelegenheden.'
'Ik weet niet of hij hem binnen kan houden. Een paar druppels

misschien. Hier, doe een beetje in deze drank; je hebt gelijk, het is tijd voor krachtige maatregelen. Kun je zijn hoofd en schouders voor me optillen? Dank je wel.'
De flacon was van zilver, omrand met mooi taxushout, en het oppervlak was gegraveerd met een ingewikkeld patroon van spiralen. De stop was van barnsteenkleurig glas, in de vorm van een katje.
'Niet te veel. Het moet lang genoeg in zijn maag blijven.'
Met kleine beetjes tegelijk, slokje voor slokje gaf ik Evan het krachtige brouwsel te drinken, terwijl Bran achter hem zat en hem ondersteunde.
'Echt iets voor jou, Baas,' zei de smid zwakjes. 'Wachten tot ik niks meer kan doen en dan proberen me te vergiftigen. Je kunt het beter aan dit meisje overlaten.'
'Waarvoor ben ik hier anders dan om te doen wat zij zegt?'
'Dat moet ik nog zien, Baas...'
'Stil,' zei ik. 'Je praat te veel. Drink dit op en wees stil.'
'Hoor je dat?' zei Bran. 'Ze houdt ervan bevelen te geven. Geen wonder dat de anderen zo snel mogelijk weg wilden.'
Evans ogen vielen dicht. 'Ik zei toch dat ze precies jouw type was, Baas,' zei hij zwakjes. Bran zei niets terug.
'Slaap nu maar,' zei ik, en ik zette de beker kruidendrank weg. Hij was half leeg. Hij had meer binnengekregen dan ik verwachtte. 'Rust. Denk aan je Biddy. Misschien kan ze je horen, daar aan de overkant van het water. Zo gaat het soms. Zeg tegen haar dat je haar gauw komt halen. Ze zal niet lang meer hoeven te wachten.'
Na een tijdje liet Bran Evan voorzichtig op de grond zakken, met een rol dekens als steun onder zijn hoofd, zodat hij gemakkelijker kon ademen.
'Hier,' zei hij. Hij hield me de zilveren flacon voor.
'Misschien beter van niet.' Maar ik nam hem van hem aan, met de gedachte dat het ingewikkelde patroon leek door te lopen over zijn hand en naar boven over zijn arm tot onder de mouw van zijn grove, grijze hemd, die tot aan de elleboog was opgerold. 'Ik moet wakker kunnen worden wanneer hij wakker wordt.'
'Je moet ook weleens slapen.'
'Jij ook.'
'Maak je om mij geen zorgen. Neem er tenminste een slok van. Het zal je helpen uit te rusten.'

Ik zette de flacon aan mijn lippen en nam een slok. Het brandde als vuur. Ik hijgde en voelde een warme gloed door me heen trekken. 'Jij ook,' zei ik terwijl ik de flacon teruggaf.

Hij nam een slok, deed toen de stop op de flacon en stond op. 'Roep me wanneer hij wakker wordt.' Voor het eerst klonk er iets van verlegenheid in zijn stem. 'Je hoeft dit niet alleen te doen, moet je weten.'

Brighid sta me bij. Opeens werd ik overvallen door een gevoel van diepe droefheid. Hooghartigheid, verachting, onverschilligheid, daar kon ik mee omgaan. Rustig meehelpen was prima. Met hem bekvechten was bijna een genoegen. Maar juist die onverwacht vriendelijke woorden dreigden me te veel te worden. Ik was zeker erg moe. Ik viel in slaap met een beeld van Zeven Wateren voor ogen: donkere, schaduwrijke bomen, vlekken zonlicht, het heldere water van het meer. Heel klein en volmaakt, en o zo ver weg.

HOOFDSTUK ZES

Er ontstond een zekere regelmaat. We raakten aan elkaar gewend. Wanneer ik sliep, hield Bran de wacht en verzorgde hij de smid. Wanneer Bran sliep, wat niet zo vaak gebeurde, wilde hij dat ik binnen bleef, en ik deed wat hij zei. De dagen volgden elkaar op, en we zagen hoe de koorts het vlees van Evans botten wegteerde en het leven langzaam uit zijn ogen liet verdwijnen. Het zou voor Bran gemakkelijk zijn geweest mij eraan te herinneren dat ik deze man per se in leven had willen houden, lang genoeg om een langzame en pijnlijke dood te sterven. Het zou voor mij gemakkelijk zijn geweest Bran ervan te beschuldigen dat hij de smid had laten vervoeren voor hij in staat was om te reizen. Maar we spraken daar niet over. We spraken helemaal niet veel. Het leek eigenlijk niet nodig. Hij wist wanneer ik hem nodig had, en dan was hij er. Ik begon in de gaten te krijgen wanneer hij er behoefte aan had alleen te zijn, en dan trok ik me stilletjes terug naar binnen, of ik ging naar de poel om op de rotsen te zitten en mijn geest tot rust te dwingen. Er waren daar stenen met inscripties, oeroude, monumentale steenplaten, begroeid met kruipende korstmossen en omringd met zachte varens. Ik twijfelde er niet aan of zij hielden op de een of andere manier de wacht bij de oude waarheden die hier hun oorsprong hadden, en ik knikte ze in het voorbijgaan eerbiedig toe.

Onze gesprekken kregen een andere toon, alsof het niet meer nodig was met onze woorden een strategisch spel te spelen. Evan hield vol, en ik gunde mezelf een straaltje hoop dat nog niet alles verloren was. Op een nacht hadden we een kort moment van rust, tijd om samen buiten te zitten onder de wassende maan en het gewelf van duizend sterren. We aten konijn, in de gloeiende kooltjes gebakken met wilde knoflook, en de enige geluiden om ons heen waren het lichte geritsel van nachtdieren in de onderbegroeiing en het krassen van een enkele jagende uil. Het was een kameraadschappelijk stilzwijgen. Ik besefte dat ik deze man was gaan vertrouwen, iets wat ik nooit voor mogelijk had gehouden.

'Zeg eens eerlijk hoe je erover denkt,' zei hij toen we klaar waren met eten. 'Heeft hij nog een reële kans?'

'Hij haalt de morgen. Ik probeer niet te ver vooruit te kijken.'

'Je leert snel.'

'Sommige dingen. Het is een andere wereld, hier buiten. De oude regels lijken niet meer te gelden.'

'Zeg eens. Je schijnt heel wat van kruiden en dranken af te weten. Wat je gebruikte toen je hem in slaap bracht, toen we zijn arm eraf haalden; dat was heel sterk. Heb je daar nog wat van?'

Ik kon zijn gezicht in de schaduwen niet duidelijk zien, maar zijn ogen stonden waakzaam, doelgericht.

'Een beetje. Meeuw zei er iets over. Hij hoefde maar even te ruiken en kon toen bijna alle ingrediënten opnoemen. Dat verraste me.'

'Zijn moeder was kruidengenezeres. Ze was een beroemdheid in haar eigen land. Sommigen noemden haar een heks. Na verloop van tijd leidde dat tot vervolging en dood. Meeuw heeft bijna ondraaglijke beproevingen doorstaan.'

Ik kon de verleiding niet weerstaan en vroeg: 'Ik dacht dat deze mannen geen verleden hadden?'

'Ze leren het los te laten. Om het soort werk te doen dat wij doen, moet een man zonder bagage reizen. Hij mag geen herinneringen meedragen, geen hoop. Om te zijn wat wij zijn, mag je alleen aan de taak van vandaag denken.'

'Ik kende het verhaal van Meeuw al.'

'Heeft hij het je verteld?'

'De anderen hebben het me verteld. Elk van hen heeft zijn verhaal. Het is niet zo erg diep begraven. Elk van hen heeft nog hoop. Geen man kan helemaal zonder hoop.'

'O nee?'

Ik besloot dat het verstandig was hier niet verder op door te gaan.

'Ben je nooit in de verleiding gekomen?' vroeg hij zacht. 'Wanneer je patiënt pijn lijdt en je weet dat hij het toch niet zal halen? Het zou toch heel gemakkelijk zijn om de drank net iets sterker te maken? Zodat hij, in plaats van langer te lijden, gewoon in slaap viel om nooit meer wakker te worden?'
Ik had precies dezelfde gedachten gehad.
'Je moet voorzichtig zijn,' zei ik. 'Het kan gevaarlijk zijn je met die dingen te bemoeien, en niet alleen voor het slachtoffer. We hebben allemaal onze toegemeten tijd. Zo wil de godin het. Ik zou alleen op die manier ingrijpen als ik dacht dat zij mijn hand stuurde.'
'Volg jij het oude geloof?'
Ik knikte; ik wilde liever niet over mijn familie praten.
'Zou je het doen?' vroeg hij. 'Als hij nog verder achteruitgaat?'
'Dan zou ik niet anders zijn dan jij, met je mesje. Jouw handige oplossing. Ik genees. Ik dood niet.'
'Volgens mij zou je het doen. Als het moest.'
'Ik zou de godin niet willen beledigen, en ik zou zo'n stap nooit doen als ik niet zeker wist dat Evan het zelf wilde. Ik denk dat ik niet kan zeggen wat ik zou doen, tenzij ik voor de keus gesteld werd.'
'Misschien krijg je nog de kans om erachter te komen.'
Ik antwoordde niet.
'Geloofde je,' vervolgde hij na een tijdje, 'dat ik het gedaan zou hebben? Dat ik deze handige oplossing voor jou zou hebben gebruikt, omdat je me in de weg stond?'
'Toen wel. Ik geloofde dat het mogelijk was. En... wat ik over je had gehoord leek dat te ondersteunen.'
'Ik zou nooit zoiets gedaan hebben.'
'Dat weet ik nu.'
'Begrijp me niet verkeerd. Ik ben niet weekhartig. Ik heb geen last van een geweten. Ik neem snel beslissingen en ik sta mezelf niet toe er spijt van te hebben. Maar ik ben niet iemand die blindelings onschuldige mensen afslacht.'
'Waarom heb je dan...' Het was te laat om mijn woorden in te slikken.
'Waarom heb ik wat?' Zijn stem had plotseling een gevaarlijke klank gekregen. Hij had me in de val laten lopen met zijn vriendelijke benadering.

'Niets.'

'Zeg het. Wat heb je over me horen vertellen?'

'Ik...' Het was duidelijk dat zwijgen niet tot de mogelijkheden behoorde. En hij zou het weten als ik loog. 'Ik hoorde over een keer, nog niet zo lang geleden, dat een groep mannen op hun eigen grondgebied werd overvallen en gedood terwijl ze de lichamen van hun doden meevoerden om ze te begraven. Ik hoorde dat hun leider werd vastgehouden en gedwongen werd zijn vrienden een voor een te zien sterven. Zomaar. Nergens anders om dan om te laten zien dat dit moeiteloos gedaan kon worden. De beschrijving die hij... het verhaal werd zodanig verteld dat het duidelijk was dat jij daarvoor verantwoordelijk was.'

'Hm. Wie vertelde dat verhaal? Waar heb je het gehoord?'

'Wie was jouw vader? Waar ben je geboren? Gelijk oversteken, weet je nog wel?'

'Je weet dat ik je dat niet zal vertellen.'

'Ooit zul je het me vertellen.' Daar was die plotselinge kou weer, alsof er een geestverschijning was langsgekomen die me met zijn adem beroerde. Ik wist niet waarom ik deze woorden had gesproken, maar ik wist dat het de waarheid was.

'Voelde jij dat ook?' vroeg Bran met een vreemde stem.

Ik staarde hem aan. 'Voelde ik wat?'

'Een... een kilte, een plotselinge tochtvlaag. Misschien slaat het weer om.'

'Misschien.' Dit begon echt idioot te worden. Niet alleen deelde ik zijn nachtmerries, maar hij voelde het wanneer het Gezicht mij aanraakte. Het was heel beslist tijd om naar huis te gaan.

'Zijn naam is Eamonn,' zei hij langzaam. 'Eamonn van de Moerassen, zo wordt hij genoemd. Zijn vader had een slechte naam en de zoon heeft niets gedaan om een betere te verdienen. Mijn mannen hebben jou toch ergens bij Littlefolds opgepikt? Precies op de grens van het land van deze Eamonn? Wat is hij van jou? Een neef? Je broer? Je vrijer?'

'Geen van die dingen,' stamelde ik, en mijn hart bonsde. Ik mocht hem niet vertellen wie ik was, ik mocht mijn familie niet kwetsbaar maken. 'Ik ken hem alleen. Ik heb hem het verhaal horen vertellen, dat is alles.'

'Waar?'

'Dat gaat je niets aan.'
'Je zou er goed aan doen geen banden met die man aan te gaan. Zijn soort is het gevaarlijkste. Je kunt zo'n man niet dwarsbomen zonder kleerscheuren op te lopen.'
'Nu heb je het toch zeker over jezelf en niet over Eamonn.'
'Je neemt het wel erg snel voor hem op. Is hij niet degene die vol zorg op je terugkeer wacht, zoals mijn mannen zo aangrijpend vertelden?'
'Je mannen beschikken over een zeer levendige fantasie, ten gevolge van te weinig vermaak. Er wacht thuis geen vrijer op me. Alleen mijn familie. Dat is mijn keus geweest.'
'Dat klinkt erg onwaarschijnlijk.'
'Het is de waarheid.'
We bleven een tijdlang zwijgend zitten. Hij schonk mijn beker weer vol, en de zijne. Ik begon me erg slaperig te voelen.
'Het was geen daad van willekeur.' Brans woorden vulden de ruimte tussen ons. 'Het doden. Het was geen afslachten van onschuldige mensen. Wij zijn mannen. We doen mannenwerk. Je zou aan die Eamonn van je kunnen vragen hoevelen hij zelf op die manier heeft gedood. We kregen goed betaald om te doen wat we deden, door een oude, machtige vijand van hem. Zijn vader heeft destijds velen onrecht aangedaan, en zijn zoon betaalt daar nog altijd de prijs voor. Ik geef toe dat ik er een eigen accent aan heb gegeven. Ik hoorde dat hij er niet van onder de indruk was.'
'Het klonk mij in de oren als een stompzinnige slachtpartij. En de nasleep als het hooghartige gebaar van een man die zich als onaantastbaar beschouwt.'
Dit werd met een ijzig stilzwijgen begroet. Ik begon mijn woorden te betreuren, al waren ze ook nog zo waar. Toen hij weer iets zei, klonk zijn stem anders. Gespannen, bijna moeizaam: 'Ik hoop dat je dit ter harte zult nemen. Vertrouw die Eamonn niet. Als je hem als echtgenoot of als minnaar neemt, zal hij je leegzuigen. Vergooi jezelf niet aan hem. Ik ken dat soort. Zo'n man zal je de mooie woorden geven die je wilt horen; hij zal je in slaap sussen tot je hem gelooft. Zo'n man kan alleen maar nemen.'
Ik staarde hem stomverbaasd aan. 'Dit is niet te geloven! Jij die me raad gaat geven over hoe ik mijn leven moet inrichten? Bovendien, heb ik ooit gezegd dat ik mooie woorden wilde horen?'

'Alle vrouwen willen graag gevleid worden,' zei hij smalend.
'Niet waar. Het enige wat ik ooit heb gewild, is eerlijkheid. Woorden van genegenheid, woorden van... van liefde, zulke zoete woorden zijn betekenisloos als ze alleen uitgesproken worden om een bepaald doel te bereiken. Ik zou het weten, als een man me daarover leugens vertelde.'
'Ik neem aan dat je veel ervaring hebt op dat gebied.' Het was onmogelijk om erachter te komen of hij dit in ernst zei of niet, behalve dat ik dacht dat hij niet tot humor in staat was.
'Ik zou het weten. In mijn hart zou ik het weten.'

Er kwam een dag dat Evan helemaal niets meer in zijn maag kon houden. Zijn keel was vreselijk gezwollen en in plaats van koorts leed hij nu aan een holwangige lethargie die het einde voor hem voorspelde. Zonder mijn kruidendranken was de pijn waarschijnlijk zeer hevig, maar hij stond al met een been op het laatste pad, en omdat hij een sterke man was, leed hij zonder klagen. Ik kon hem geen rustgevende slaap bieden, dieper gemaakt door deskundige hulp, van waaruit hij vredig kon overgaan naar de volgende wereld. Dat was voor hem niet weggelegd. Hij wist dat het tijd was en ging er met open ogen op af.
De dag sleepte zich traag voort tot de middag, en ik had het gevoel dat de koele, droge lucht in de oude ruimte vol was van ijl gefluister en geritsel, alsof bepaalde oude krachten de smid wegriepen.
'Zeg het maar eerlijk,' zei Evan. 'Dit is het einde voor mij, hè?'
Ik zat naast hem op de grond, met zijn hand in de mijne. 'De godin roept je. Het is misschien je tijd om verder te gaan. Je draagt het moedig.'
'Goed gedaan. Een goed meidje geweest. Je best gedaan.'
'Ik heb het geprobeerd. Het spijt me dat het niet genoeg was.'
'O, nee. Nee, huil niet om mij, meidje...' Zijn adem ging reutelend. 'Droog die tranen. Er komt nog tijd voor je. Verspil je verdriet niet aan een gewone man zoals ik.'
Daardoor begonnen de tranen juist sneller te stromen, niet alleen om het verlies van een goede man, maar om mijn moeder die op dezelfde weg was, en om die arme Niamh, die de wens van haar hart niet had mogen volgen, en om de wereld, die het nodig maakte dat mannen hun beste jaren verdeden aan een leven van vluchten,

zich verschuilen en doden. Ik huilde omdat ik niet wist hoe ik daar iets aan moest veranderen. Evan bleef lang zwijgen. Later begon hij te praten over zijn vrouw, Biddy. Twee zonen had ze, de kinderen van een andere man. Prima jongens, allebei. Hun vader was een onprettig heerschap, sloeg haar geregeld bont en blauw. Een zwaar leven had ze gehad. Afijn, de kerel was doodgegaan. Hij kon maar beter niet precies vertellen hoe. En nu was ze de zijne, en wachtte ze tot hij dit leven op zou geven en bij haar terug zou komen. Dan zouden ze ergens anders heen gaan, Biddy en hij en de jongens; een kleine smidse beginnen in een dorp, misschien in het buitenland. Er was altijd werk voor een man die zijn vak verstond, en Biddy, die kon alles aanpakken. Hij zou de jongens het vak leren, zodat ze een toekomst hadden. Af en toe praatte hij alsof Biddy bij hem zat en zijn hand vasthield, en ik knikte en glimlachte terug.

Wat later kreeg ik een kans om hem die moeilijke vraag te stellen, en ik greep hem aan.

'Evan. Ik moet openhartig met je praten, terwijl je me kunt begrijpen.'

'Wat is er, meisje?'

'Er is niet veel tijd meer. Dat weten we allebei. Je hebt pijn, en het zal nog erger worden. Ik wilde... ik wilde je een heel sterke slaapdrank geven, een drank die je tot aan het einde zou helpen. Maar op dit moment lukt het je niet meer die in te nemen. Als je... als je dit wilt bekorten, zou ik aan Bran... zou ik aan de Baas kunnen vragen of hij... of hij...' Ik merkte dat ik uiteindelijk toch niet in staat was deze woorden uit te spreken.

'... weet wat ik wil. Roep de Baas binnen, zeg ik het tegen jullie beiden... kost minder adem.'

Ik moest dus naar buiten gaan om Bran te halen, maar eerst boende ik mijn gezicht met mijn hand af in een poging de tranen weg te wissen. Hij was niet ver weg; hij stond met zijn rug tegen de stenen wand van de oude grafheuvel geleund, in de verte starend, kennelijk in gedachten verzonken. Zijn mond was vertrokken tot een sombere streep.

'Zou je... zou je alsjeblieft binnen kunnen komen?'

Hij schrok op alsof ik hem een klap had gegeven en volgde me zonder iets te zeggen.

'Wil een paar dingen vragen. Ga zitten, Baas. Heb weinig adem meer. Moet zacht praten.'
'Ik ben hier. We zijn hier allebei.'
'Weet je wat ze me vroeg?' Het was alsof hij heel zacht, reutelend grinnikte.
'Ik heb geen idee.'
'Ze vroeg of ik wilde dat jij er een eind aan maakt? Omdat ze het zelf niet kan. Kun jij dat geloven? Wat een meid.'
Ze keken me allebei aan, met precies dezelfde uitdrukking op hun gezicht. Lieve Brighid, waarom kon ik deze tranen toch niet tegenhouden?
'Dat wil ik niet. Maar toch blij dat ze het aanbood. Nooit makkelijk. Ik wil... wil buiten zijn. Onder de sterren. Vuurtje. Geur van brandende sparrenkegels, de nachtwind op mijn gezicht voelen. Drupje sterke drank misschien, tegen de kou. Een verhaal vertellen. En mooi lang verhaal. Dat wil ik.'
'Ik denk dat dat wel zal lukken.' Maar Bran keek niet naar hem; hij keek naar mij en hij had weer die uitdrukking op zijn gezicht, minder vluchtig ditmaal. De grijze ogen helder en intens, de ogen van een betrouwbare man. De mond verzacht door medeleven, en door nog iets. Ik voelde wel dat deze Bran zonder masker oneindig veel gevaarlijker voor mij was dan de Beschilderde Man ooit kon zijn.
'Nog iets,' fluisterde Evan. 'Baas. Over mijn vrouw. Meeuw weet waar mijn spullen verborgen zijn. Moet voor haar en de jongens zorgen. Heb gespaard. Meer dan genoeg denk ik. Meeuw weet waar ze is.'
Bran knikte nuchter. 'Maak je daarover geen zorgen. Ik zal erop toezien dat ze beschermd worden en dat er voor hen gezorgd wordt. Er zijn plannen voor.'
Een flauwe grijns verlichtte de grauwe, holle gelaatstrekken van de smid, en hij keek naar mij. 'Goeie man, de Baas,' mompelde hij.
'Dat weet ik,' zei ik.
Bran droeg de smid schijnbaar zonder veel moeite naar buiten, ook al was Evan veel groter en zwaarder dan hij. Ik haalde dekens, water en doeken. Eindelijk was de schemering ingevallen, na een eindeloze dag. We namen de tijd om Evan een goede plaats

te geven, ondersteund in halfzittende houding tegen de rotsen, met zijn lichaam zo warm mogelijk ingepakt. We kozen een beschutte plek, waar hij toch de beweging in de nachtlucht zou kunnen voelen. Er hing een geur van regen in de lucht; ik hoopte dat het niet zou gaan regenen voor het ochtend werd. Bran legde een klein vuur aan, omgeven door platte stenen uit de beek, en toen verdween hij. Evan was nu stil. De korte verplaatsing had bijna al zijn resterende krachten gevergd.

Ik vroeg me af welk verhaal geschikt was voor de laatste nacht in deze wereld van een stervende man. Een lang verhaal, had hij gezegd. Lang genoeg. Ik zat met mijn handen om mijn knieën en staarde in de vlammen van het vuurtje. Een verhaal dat hoop gaf. Een verhaal dat ik kon uitvertellen zonder te gaan huilen. Bran kwam even geruisloos terug als hij was weggegaan met iets wat hij tegen zijn borst hield. Hij liet de vracht op de grond vallen. Sparappels. Ik pakte er een paar en gooide ze op het vuur, met een stilzwijgend woord naar de godin. Het was een geur die de belofte inhield van hoge bergen, van sneeuw en grote vogels die rondcirkelden aan een lichte hemel.

'Baas.' De stem was ijl.

'Hier ben ik.' Bran ging aan de andere kant naast de smid zitten. Hierdoor bevond hij zich iets dichter bij mij dan de drie of vier pas afstand die de regel voorschreef.

'Het meisje. Beloof me dit. Ze moet veilig naar huis gaan, wanneer dit afgelopen is. Beloof het, Baas.'

Bran antwoordde niet. Hij staarde in het vuur.

'Ik meen het, jongen.' Hoe zwak hij ook was, de stem van de smid eiste een antwoord.

'Ik vraag me af wat de belofte van een man zoals ik waard kan zijn. Maar ik geef je mijn woord, smid.'

'Mooi. Vertel nu het verhaal, meisje.'

En terwijl hij daar zwijgend zat, begon ik. Ik weefde zoveel wonderbaarlijks, toverachtigs en begoochelends in dit verhaal als ik kon. Maar ik vergat de gewone dingen niet; de dingen die als zodanig prachtig zijn, zonder dat ze in welk opzicht ook ongewoon zijn. De held van dit verhaal werd verliefd en trouwde, en hield zijn eerstgeboren zoon in zijn armen. Hij kende de vriendschap en trouw van wapenbroeders. Hij reisde door verre landen en over geheimzinnige zeeën, en hij beleefde de vreugde van het thuiskomen. Ik keek onder het praten meestal in de vlammen, maar soms keek ik naar Evans grove, eerlijke gezicht en zijn wijd open ogen die omhoog tuurden naar de sterren. Een paar keer haalde Bran de zilveren flacon te voorschijn, deed een beetje van de inhoud op zijn vingertoppen en bevochtigde daarmee de lippen van de smid. Maar na een tijdje deed hij de stop op de flacon en stak hem weer in zijn zak; en daarna zat hij alleen te luisteren. Het verhaal ging verder. Sommige avonturen ontleende ik aan andere verhalen en sommige verzon ik gaandeweg. De wassende maan kwam op en verspreidde een zacht licht over ons, en nog altijd praatte ik door. De wind stak op en bracht de geur van de zee mee, en het werd kouder. Bran stond op en ging zijn mantel halen.

'Hier,' zei hij zacht en vlijde hem keurig om mijn schouders. Wat later bracht hij me een beker water. Het was een lang, lang verhaal. Ik had Sean, of Niamh, of Conor er graag bij gehad om me ermee te helpen, maar er was niemand. Pas op, ik mocht niet weer beginnen te huilen. De sterren waren als schitterende juwelen op een mantel van diepzwart fluweel. Maar je zou nooit een mantel kunnen maken van zo'n wonderbaarlijke pracht.

'Er kwam een tijdstip,' zei ik ten slotte, 'dat de godin Eoghan bij zich terugriep. Want het was de dag waarop bepaald was dat hij zou overgaan; dat zijn ziel van dit leven werd vrijgemaakt om verder te gaan in het volgende. Wanneer zij je roept, is geen weigering mogelijk. Maar Eoghan dacht aan zijn vrouw en aan zijn zoon die nog geen man was. En hij ging zitten bij de gebeeldhouwde stenen waar hij deze roep had gehoord en vroeg hoe hij hen kon achterlaten? Hoe zouden ze zonder hem verder kunnen gaan? Wie zou het hout hakken voor zijn vrouw, wie zou zijn zoon leren jagen? Toen zond de godin haar wijsheid diep in zijn hart, en hij begreep het. Je vrouw zal om je rouwen, maar haar liefde zal haar sterk houden. Ze zal haar liefde in elke steek van de gewaden die ze maakt meenaaien (want zijn vrouw was naaister). Je zoon zal leren wie zijn vader werkelijk was terwijl hij het vak uitoefent dat je hem hebt geleerd. Op den duur zal ook hij een man zijn, en hij zal liefhebben en gelukkig zijn en het zoekende hart meedragen in zijn leven, het gretige verlangen dat jij hem meegaf toen je over je avonturen vertelde. Eens zal jouw ziel weer bij hen zijn; misschien in de vorm van een grote boom met een brede kroon die de plek beschaduwt waar je kleinkinderen spelen Misschien in de vorm van een breedgevleugelde arend die hoog in de lucht zweeft en toekijkt terwijl je liefste haar linnengoed te drogen uitspreidt over de meidoorns, en plotseling omhoogkijkt naar de hemel, terwijl ze haar ogen afschermt tegen de zon. Jij zult daar zijn, en zij zullen het weten. Ik ben niet wreed. Ik neem en ik geef.'

Mijn vingers gingen naar Evans pols, zochten naar de plaats waar het bloed klopte onder de huid.

'Hij ademt nog wel,' zei Bran zacht. 'Maar amper. Ik weet niet of hij je kan horen.'

Een lang verhaal, had Evan gezegd. Dat betekende dat ik door moest gaan. Niet veel langer. Mijn hele lichaam voelde stijf en akelig. Ik was zo moe dat ik vermoedde dat ik onzin uitkraamde.

'Diezelfde dag was Eoghans zoon eropuit geweest om de schapen na te zien, en toevallig kwam hij op weg naar huis langs de ingekerfde stenen, want hij hield ervan met zijn vingers de vreemde vormen na te trekken die erop stonden. Een lange spiraal, een keten van veel wonderlijke schakels, een grijnzende wolfshond, een klein raadselachtig gezicht. Maar toen hij op die plek aankwam, lag daar zijn vader vredig op de aarde, met zijn ogen open naar de hemel. De jongen was nog geen twaalf jaar, maar hij was de zoon van zijn vader. Dus legde hij Eoghans handen gekruist over zijn borst en sloot de nietsziende ogen. Daarna rende hij naar het dorp en haalde twee mannen en een plank. Toen dat gebeurd was, ging hij rustig naar binnen om het bericht aan zijn moeder te brengen. En het was zoals de godin had gezegd. Ze rouwden, maar ze gingen door en bouwden verder aan hun leven. Eoghans liefde had hen sterk gemaakt. Ze had hen als met een glanzende mantel omwikkeld om hun hart warm en hun geest helder te houden, en zijn dood maakte die liefde alleen maar sterker. Ze bleef ook bestaan in de zielen van zijn goede vrienden, die zijn nagedachtenis eerden door middel van hun dappere daden en hun stoutmoedige ontdekkingsreizen. Eoghan was via het rijk van de Andere Wereld overgegaan naar zijn volgende leven. Maar wat hij had gedaan en wie hij was geweest, dat bleef stralend en zuiver gedurende vele jaren na zijn overgang. Dat is de nalatenschap van een goede man.'

We hoorden een reutelend, schrapend geluid toen Evan inademde, en er ging een rilling door zijn lichaam. Bran stak een arm onder zijn schouders en tilde hem een klein eindje op.
'Draai hem naar deze kant,' zei ik. 'Zodat hij naar het westen kijkt.' Het was tijd. Mijn verhaal had precies lang genoeg geduurd. Ik stond op en keek naar de besterde hemel.
'Manannán mac Lir, zoon van de zee!' riep ik met de laatste kracht van mijn stem. 'Neem deze man mee op zijn reis! Hij heeft lang en hard gewerkt en is klaar om te gaan. Laat hem nu wegvaren op zijn reis, met gunstige winden en kalme zeeën.' Ik hief mijn armen en strekte ze uit naar het westen. Er trok een wolk voor de maan, en rondom ons ritselden de bladeren. Terwijl de windvlaag over de opening boven aan de grafheuvel woei, dacht ik een vaag, diep vibreren te voelen, want het was bijna te laag om te horen, als een toon van een reusachtig instrument. Als de oeroude stem van de aarde zelf. Mijn handen maakten een beschermend teken in het donker. Moge Dana ons behoeden. Moge de godin onze passen geleiden.
Naast me liet Bran de smid weer zakken op de deken. Ik hoefde het niet te vragen. Het was voorbij. Vandaag was voorbij. Ik wilde niet aan morgen denken. Mijn rug deed pijn en mijn hoofd was vol van ingehouden tranen. Ik was zo moe dat ik niet dacht dat ik een stap kon doen van de plaats waar ik nog naar het westen stond te kijken, zonder iets te zien. Ik had behoefte aan iets wat onmogelijk was. Thuis zou er iemand geweest zijn om liefdevol zijn armen om me heen te leggen, om tegen me te zeggen: goed, Liadan, nu is het gebeurd. Je hebt het goed gedaan. Huil maar, als je wilt. Maar hier was niemand, alleen hij. En dat was ondenkbaar.
Ik dwong mezelf om in beweging te komen. Evan lag rustig op de grond, met zijn arm langs zijn zij en met gesloten ogen. Misschien was zijn ziel nog niet helemaal vertrokken, maar tegen de ochtend zou hij weg zijn. Ik knielde naast hem neer en boog me om met mijn lippen over de zijne te strijken, om zijn wang aan te raken en me te verwonderen over de diep vredige uitdrukking die zich nu over zijn uitgeputte gezicht verspreidde.
'Vaarwel,' fluisterde ik. 'Je bent moedig gestorven, net zoals je hebt geleefd. Rust nu.'
Toen ik weer opstond, knikten mijn knieën en de sterren tolden

door de hemel. Bran kwam snel naar me toe om mijn armen te pakken voor ik viel.

'Je moet rusten. Ga terug naar binnen. Neem de lantaarn mee. Ik zal bij hem waken. Morgenochtend is er nog tijd genoeg voor wat er moet gebeuren.'

Ik schudde mijn hoofd. 'Nee. Ik ga daar niet naar binnen. Niet alleen.' Mijn stem klonk vreemd, als uit de verte.

'Ga dan hier liggen.' Een ferme hand leidde me naar de andere kant van het vuur. Toen lag ik op een deken en de mantel daalde over me neer.

'Ik wil niet... je moet me wekken wanneer...'

'Sst. Slaap eerst wat. Ik maak je op tijd wakker.'

Te moe om te huilen, te moe om te denken, deed ik wat hij zei en sliep.

Ik wilde niet nog meer huilen. In plaats daarvan had ik een hol, leeg gevoel, alsof alle levenslust uit me gezogen was en ik, licht als het geraamte van een blad, willoos door de lucht zweefde, overgeleverd aan de genade van de vier winden. Ik had geen tranen meer. Mijn korte slaap was bezocht geweest door dromen van een vreemde intensiteit, die ik onmogelijk helder zou hebben kunnen weergeven. Ik herinnerde me dat ik op de rand van een klif had gestaan, zo hoog dat je beneden niets anders kon zien dan een wervelende nevel, en dat een stem tegen me zei: Spring. Je weet dat je dingen kunt veranderen. Doe het, spring. Het was een opluchting wakker te worden, kort na zonsopgang, en aan de slag te gaan. Ik waste het lichaam van de smid met schoon water waarin ik een paar blaadjes van de polei had gedaan, die overvloedig langs de beek groeide. De geur was fris en zoet. Ik werkte snel, maar met eerbied. Het lichaam zou binnenkort verstijven, dus moesten we hem voor die tijd verplaatsen. Bran was onder aan de heuvel bezig met een spade. Ik vroeg niet waar hij die had gevonden of wat hij aan het doen was. Nu mijn taak bijna afgelopen was en ik tijd had om om me heen te kijken, zag ik dat het hier buiten niet allemaal zo was als ik me had voorgesteld. Want er was opeens een paard te voorschijn gekomen van tussen de struiken; het liet me schrikken toen het zacht tegen me hinnikte terwijl ik daar geknield zat. Het was een stevig dier met lange manen en een zachtgrijze vacht. Het droeg een primitief hoofdstel, maar was niet vastgebonden. Ik nam aan dat het Brans paard was en dat het geleerd had niet weg te lopen. Het zou dus mogelijk zijn hier weg te gaan. De zon kwam op, maar er stond een felle bries en de bewolking nam toe. Ik kon de zee ruiken. Ik dacht dat het voor de avond wel zou gaan regenen. Misschien zou ik dan al weg zijn. Ik maakte het werk af en ruimde alles op, en toen riep ik Bran.

'We moeten het nu maar doen.' Het zou beter zijn geweest om te wachten, om volkomen zekerheid te hebben. Na de laatste ademtocht kon het drie dagen duren voor de ziel vertrokken was. Een andere man had misschien vredig in een duistere kamer gelegen, met een paar kaarsen om hem heen, terwijl vrienden en familie afscheid kwamen nemen. Maar deze man moest nu begraven worden, zolang we het nog konden doen; en zijn graf zou geen teken dragen. De Beschilderde Man zou geen sporen willen achterlaten.

We legden Evan neer met zijn hoofd naar het noorden. Het graf was goed voorbereid. Er lag een hoop aarde klaar om het dicht te gooien, en de lengte en diepte waren goed berekend. Ik keek even naar mijn metgezel. Zijn gezicht stond kalm, al was het wat bleek. Ik vermoedde dat dit weinig voor hem betekende. Hij was er goed in omdat hij het al zo vaak had gedaan. Wat was het verlies van één man wanneer je leven eruit bestond te dobbelen met de dood? De zon gaf Evans vermoeide trekken een gouden glans. Om ons heen bewogen en ritselden de struiken.

'Als je er geen bezwaar tegen hebt, wil ik dit graag doen zoals het hoort. Als je het niet erg vindt.'

Bran knikte, met strakke mond. Ik liep in een kring om het graf heen, heel langzaam. Toen bleef ik staan met mijn gezicht naar het oosten; ik voelde de wind tegen mijn huid.

'Wezens van de lucht, wij eren jullie aanwezigheid. De ziel van deze man vliegt weg uit zijn lichaam en reist door jullie rijk op zijn weg naar de Andere Wereld. Draag hem naar de hoogte op jullie vleugels; beschut hem en geef zijn vlucht snelheid, zodat hij als een pijl recht op zijn doel afgaat.'

Ik liep naar de andere kant, zodat ik naar het westen keek. De grond was bespikkeld met lichte en donkere vlekken. Er viel een regendruppel, die een ronde donkere plek op de aarde maakte.

'Wezens van de diepte, volk van Manannán, jullie die in de donkere, geheimzinnige wateren wonen, wees nu met ons. Draag deze man op zijn reis als een sterk, rond schip van eikenhout, dat met trots en kracht de golven doorklieft. Want zo was hij ook tijdens zijn leven.'

Nu liep ik weer een stuk, zodat ik naar het noorden keek, tegen de helling op in de richting van de grote, met gras bedekte grafheuvel.

'Jullie die in de aarde wonen, wier geheime liederen diep in haar herinnering meetrillen, jullie die dicht bij het kloppende hart van onze grote moeder leven, hoor mij aan. Neem het gebroken omhulsel van een goede man en gebruik het goed. Moge hij in zijn dood het leven voeden. Moge hij deel worden van het oude en het nieuwe, die zich verstrengelen in deze plaats van diepe mysteriën.'

Bijna klaar. Ik liep naar het hoofdeinde van het graf, zodat ik nu naast Bran stond met mijn gezicht naar het zuiden.

'Als laatste roep ik jullie aan, stralende salamanders, geesten van het vuur! Sta op en straal, en neem een man terug die tot jullie soort behoorde. Want deze man was een grote smid, de beste buiten Gallië en in alle windstreken, zeiden ze. Zijn vak had te doen met vuur en hij gebruikte het bekwaam, met respect voor de kracht ervan. Met hitte smeedde hij wapens en gereedschappen, hij arbeidde en zweette en boog het ijzer naar zijn wil. Vonk naar vonk, vlam naar vlam, laat zijn ziel opstijgen naar de hemel, zoals de hitte opstijgt uit een grote brand.'

Boven aan de helling brandde ons eigen vuurtje nog. Je kon het nu ruiken, want de rook werd naar ons toe geblazen door windvlagen uit de andere richting. Je kon de geur ruiken van het poeder dat ik op de gloeiende kooltjes had gestrooid, een kleine hoeveelheid, maar indringend en zuiver. De wortels van monnikskap en kervel, tot stof vermalen, die ik diep in mijn tas bewaarde voor een gelegenheid als deze. Ik had dit nog nooit eerder hoeven doen, en hoopte vurig dat het nooit meer nodig zou zijn.

We bleven een ogenblik zwijgend staan, en toen nam ik een handvol aarde en liet die in het graf vallen. Ik ontdekte dat ik toch nog tranen had om te vergieten, maar ik hield ze tegen en dwong mezelf daar te blijven wachten terwijl Bran de spade nam om het werk af te maken. Dat ging snel en netjes. De aarde vlak maken. Er afgevallen blad overheen spreiden, een paar afgevallen takken.

Het was alsof er niemand was geweest, geen dier behalve een rennende eekhoorn of een bosmuis op zoek naar voedsel. Het lichaam zou weer een worden met de aarde. De ziel was weggevlogen Ik had gedaan wat ik kon om hem een voorspoedige reis te geven. Nu was het voorbij, en ik kon niet langer om de vraag heen. Ik kon niet langer doorgaan met bij de dag te leven en te doen alsof morgen er niet toe deed. Ik zou met hem moeten praten. Ik zou hem moeten vragen wat er nu zou gebeuren, met ons beiden.

Maar geen van ons tweeën zei een woord. We gingen terug naar het vuurtje en ik ruimde mijn spullen op. Bran maakte een soort maaltijd klaar, ik herinner me niet meer waaruit die bestond, en we zaten daar en aten zwijgend. Toen haalde hij de zilveren flacon uit zijn zak, deed de stop eraf en dronk. Hij gaf hem aan mij en ik nam een slok. Het was sterk spul. Ik voelde me iets beter. Van het vuur was niet meer over dan wat smeulende houtskool, maar de scherpe geur van monnikskap was er nog steeds. Ik gaf de flacon terug. We keken elkaar niet aan. Geen van ons zei iets. Misschien wachtten we allebei tot de ander zou beginnen. De tijd verstreek; de zon verschoof naar het westen en de wolken namen in omvang toe. De lucht was zwaar van het vocht. Naar huis, dacht ik vaag. Ik moet naar huis gaan. Ik moet het hem vragen. Maar ik vroeg het niet. Er was een treurig gevoel over me gekomen, een gevoel dat ik in het luchtledige zweefde, dat ik plotseling op een onbekend pad in een nog niet in kaart gebracht land was gezet. In plaats van hier verder over na te denken bleef ik zwijgend zitten, accepteerde de flacon wanneer hij me werd aangeboden en gaf hem weer terug, zodat hij er ook van kon drinken. En na een poos was hij leeg en hadden we nog steeds helemaal niets gezegd. Mijn hoofd was wazig; mijn gedachten gingen hun eigen gang. Hoe kon je leven zonder dat je door mensen werd aangeraakt? Dat was toch het eerste wat je leerde kennen wanneer je op de wereld kwam en ze je op de buik van je moeder legden? Dan kwam haar hand naar je toe om je rug te strelen en je hoofd te omvatten, en ze lachte naar je door tranen van uitputting en verwondering heen. Die liefdevolle aanraking was het allereerste wat je meemaakte. Later zou ze je in haar armen houden en liedjes voor je zingen. Er was een wiegelied, een kort fragment in een taal zo oud dat niemand meer wist wat de woorden betekenden. Ik neuriede het binnensmonds, heel zacht. Mijn moeder had dit liedje zo vaak voor Sean en mij gezongen dat het diep in ons was ingebed. Hier, op deze plaats van oude geesten, leek dit lied goed te passen. Terwijl ik zong, woei de aanwakkerende wind over de grote heuvel met zijn verborgen opening, en weer hoorde ik die vage, lage toon, die kwam en ging alsof hij deel uitmaakte van mijn lied, alsof mijn woorden zelf uit de diepten van de aarde voortkwamen. *Spring*, zei de stem. *Spring nu*. Er rolde een traan over mijn wang, of was het een regendruppel? Als ik huilde, begreep ik niet waarom. Het lied was afgelopen, maar de diepe stem van de wind bleef doorhuilen en de wolken pakten zich samen. Ik keek even naar Bran, want ik wilde voorstellen een schuilplaats te gaan zoeken. Het vreemde grijze paard had zich al onder de bomen teruggetrokken.

Bran sliep. Dat verbaasde me niet, want hij had niet zoals ik voor zonsopgang nog even gerust. Hij zag er vreemd uit zo: de getekende huid, de leren riem met ijzerbeslag en het wapen opzij waren in tegenspraak met zijn houding. Hij sliep met opgetrokken knieën, het hoofd rustend op zijn ene arm, de vuist van de andere hand tegen zijn mond. Zo slapend leek hij zo kwetsbaar als een kind. Er waren diepe schaduwen onder zijn ogen. Zelfs een man zoals hij kon het niet zo lang buiten slaap stellen zonder daardoor getekend te worden. Ik stond onhoorbaar op, haalde de mantel en legde die zorgvuldig over hem heen. Ik wilde hem niet wakker maken, want ik wist dat hij het niet op prijs zou stellen zo gezien te worden, zo zonder pantser. Het zou het beste zijn hem maar alleen te laten. Eigenlijk zou het beste zijn het paard en een scherp mes mee te nemen en hem helemaal achter te laten. Naar huis te gaan. Naar het zuiden rijden, naar Zeven Wateren. Als ik snel reed, kon ik de weg bereiken voor het ging schemeren.

Maar ik ging niet. Dat wil zeggen, ik ging alleen ver genoeg weg om hem zijn afzondering te gunnen. Ik wikkelde een deken om me heen, voor als het zou gaan regenen, en ik nam de lantaarn mee voor later. Ik liep naar de andere kant van de grafheuvel, naar de poel, en ging op de gladde stenen zitten terwijl de hemel donkerder werd en de paarsige tint van de vroege avondschemer kreeg. Nog steeds dreven de wolken boven voorbij, donker als metaal, met roze randen. In de verte hoorde ik het rollen van de donder. Lafaard, zei ik tegen mezelf. Waarom ben je niet gegaan terwijl je de kans had? Je wilt toch naar huis? Waarom grijp je de gelegenheid dan niet aan? Stommeling. Maar onder deze woorden was een vreemd soort kalmte, het gevoel dat je krijgt wanneer je een stap in het onbekende zet, wanneer alles veranderd is, en je nog niet weet wat het betekent.

Ik bleef daar heel lang zitten. Het werd donker, afgezien van de kleine lichtkring die weerspiegeld werd in het zwarte water. Een paar dikke regendruppels vielen spetterend op de stenen. Tijd om naar binnen te gaan, dacht ik. Maar ik kon het niet. Iets hield me tegen, iets riep me toe te blijven waar ik was, temidden van die vreemde, ingekerfde stenen die boven de varens uitstaken, hier waar de stem van de aarde via de wind tot me kwam. Misschien zou ik hier de hele nacht wachten. Misschien zou ik hier in het donker blijven en zou er de volgende morgen nog zo'n vreemde, getekende steen bij gekomen zijn, en zou Liadan verdwenen zijn... Het was koud. Het onweer was vlakbij. Thuis lag mijn moeder waarschijnlijk te slapen, en vader zat bij haar bed, misschien bij kaarslicht te werken aan de boeken van de boerderij. Hij doopte zijn ganzenveer voorzichtig in de inktpot en keek naar Sorcha, die daar lag als een kleine schim, met haar handen klein en breekbaar, witter dan de linnen sprei. Mijn vader huilde natuurlijk niet. Tenminste niet zo dat je het kon zien. Hij begroef zijn verdriet diep in zijn binnenste. Alleen zijn allernaasten wisten hoe het zijn hart verscheurde. Ik stond op en sloeg mijn armen om mezelf heen. Naar huis. Ik moest naar huis. Ze hadden me nodig. Ik had hen nodig. Er was hier niets voor mij, het was dom van me om ook maar te denken dat... dat...

'Liadan.' Brans stem was heel zacht. Ik draaide me langzaam om. Hij was vlakbij, geen twee pas van me af. Het was de eerste keer dat ik hem mijn naam had horen gebruiken. 'Ik dacht dat je weg was gegaan,' zei hij.

Ik schudde mijn hoofd, snoof.

'Je huilt,' zei hij. 'Je hebt je best gedaan. Niemand kan meer doen dan zijn best.'

'Ik... ik had niet moeten... ik...'

'Het was een goede dood. Daar heb jij voor gezorgd. Nu mag je... nu kun je naar huis gaan.'

Ik stond maar naar hem te kijken en kon niets zeggen.
Hij haalde diep adem. 'Ik wilde... ik wilde dat ik die tranen kon drogen,' zei hij onhandig. 'Ik wilde dat ik dit voor jou beter kon maken. Maar ik weet niet hoe.'
Ik kan niet zeggen wat me bewoog die ene stap naar voren te doen. Misschien was het de aarzeling in zijn stem. Ik wist wat het hem kostte, om zichzelf toe te staan zo te spreken. Misschien was het de herinnering aan hoe hij eruit had gezien toen hij sliep. Ik wist alleen met verpletterende zekerheid dat ik hem moest aanraken, anders zou ik uit elkaar spatten. *Spring*, riep de wind. *Waag de sprong*. Ik deed mijn ogen dicht en ging naar hem toe, en mijn armen gingen om zijn middel en ik legde mijn hoofd tegen zijn borst en liet mijn tranen stromen. *Zo*, zei de stem diep vanbinnen. *Zie je wel hoe makkelijk het was?* Bran bleef roerloos staan, en toen kwamen zijn armen heel voorzichtig om me heen, alsof hij dit nog nooit had gedaan en niet goed wist hoe je het moest aanpakken. Zo bleven we een poosje staan, en het was een heerlijk gevoel, zo heerlijk, alsof je thuiskwam na langdurige moeilijkheden. Voor ik zijn aanraking voelde, wist ik niet hoe ik ernaar had verlangd. Voor ik hem in mijn armen hield, besefte ik niet dat hij precies de goede lengte had om zijn armen zonder moeite om mijn schouders te leggen. En ik kon precies mijn voorhoofd in de holte van zijn hals leggen, waar het bloed onder de huid klopte. We pasten precies in elkaar.
Ik zou niet kunnen zeggen op welk moment deze omhelzing, die als een gewone, troostende omhelzing begon, in iets heel anders veranderde. Ik zou niet kunnen zeggen wat er eerst gebeurde, zijn lippen die mijn ooglid, mijn slaap, de punt van mijn neus, mijn mondhoek beroerden, of mijn handen die omhooggingen om zijn nek, en mijn vingers die onder zijn hemd kropen om tegen de gladde huid te bewegen. We herkenden beiden het moment van gevaar. Toen zijn lippen eenmaal langs de mijne streken, was het niet mogelijk om onze monden van elkaar af te houden. Deze kus was geen kuis symbool van vriendschap, maar een wanhopig, hongerig samenkomen van lippen, tanden en tongen dat ons de adem benam en ons bevend achterliet.
'We kunnen dit niet doen,' mompelde Bran terwijl zijn hand over de welving van mijn borst onder het oude hemd ging.

'Nee, beslist niet,' fluisterde ik terwijl mijn vingers de spiralen en wervelingen volgden die de rechterkant van zijn gladgeschoren hoofd bedekten. 'We moesten... we moesten maar liever vergeten dat dit gebeurd is... en...'
'Sst,' ademde hij tegen mijn wang, en zijn handen gingen verder naar beneden langs mijn lichaam, en het ogenblik van ophouden was voorgoed voorbij. De behoefte vlamde tussen ons op, even heftig en plotseling en onhoudbaar als een grote bosbrand die alles op zijn weg verteert, een woest samenkomen dat tegelijkertijd vreugdevol was en angstwekkend in zijn kracht. Het begon hevig te regenen en het water stroomde over de rotsen waarop we in elkaars armen lagen. We werden doornat, maar merkten het nauwelijks terwijl onze handen zachte huid verkenden en onze lippen geheime plekken proefden. We bewogen samen alsof we eigenlijk twee helften van een geheel waren, die nu weer waren samengevoegd. Toen ik hem in mij nam, voelde ik een scherpe pijnscheut, en ik moest een geluid hebben gemaakt, want hij zei: 'Wat is er? Is er iets?' Ik dekte zijn woorden af met mijn vingers. Toen was de pijn vergeten, want ik voelde mezelf onder zijn aanraking veranderen in vloeibaar goud. Ik sloeg mijn armen om zijn lichaam en drukte hem zo dicht mogelijk tegen me aan. Ik dacht dat ik hem nooit meer los zou laten, nooit. Maar ik zei het niet hardop. Deze man had nooit tederheid geleerd. Hem was nooit geleerd lief te hebben. Hij had het zelf gezegd, hij kende hij geen mooie woorden. Maar zijn handen en zijn lippen en zijn harde lichaam voerden welsprekend het woord voor hem. Terwijl hij zich op zijn rug draaide om me boven hem vast te houden, keek ik in het licht van de sputterende lantaarn in zijn ogen, en de mengeling van verbazing en verlangen die ik daar zag, was haast hartverscheurend. Ik strekte me boven hem uit, drukte mijn lippen op zijn lichaam en vond ergens diep in mezelf een ritme, als een krachtige, trage trommelslag, dat mij tegen hem aan bewoog, het spannen en ontspannen van spieren, het aanraken en loslaten, de geweldige, toenemende zoetheid – gezegende Brighid, toen het kwam, was het heel anders dan ik me had voorgesteld. Hij schreeuwde het uit en trok me naar zich toe, en ik hijgde van de hitte die door mijn lichaam stroomde. Ik voelde het zinderen diep in mij en wist dat niets ooit meer hetzelfde kon zijn. Hierover wordt verteld in ver-

halen, de verhalen over grote geliefden die gescheiden worden en naar elkaar verlangen, en uiteindelijk samen vreugde vinden. Maar geen enkel verhaal was hiermee te vergelijken. Naderhand lagen we roerloos in elkaars armen en geen van beiden konden we woorden vinden om te spreken.

Een tijdje later stonden we op en gingen naar binnen. Bij het licht van de lantaarn trokken we elkaars natte kleren uit en droogden elkaar af, en hij zei met haperende stem dat ik het mooiste was wat hij ooit had gezien. Ik stond mezelf een tijdlang toe het te geloven. Hij knielde voor me neer en veegde de regen van mijn lichaam af. En hij zei: 'Je bloedt. Hoe komt dat? Ik heb je pijn gedaan.'

Ik liet mijn verbazing niet merken. 'Dat is niets,' zei ik. 'Het is heel gewoon, de eerste keer. Dat heb ik tenminste gehoord.'

Hij antwoordde niet en keek me alleen maar aan, en ik dacht: dit is een andere man, een heel andere man dan degene die me bedreigde en beledigde. En toch is het dezelfde man. Hij streek met zijn vingers over mijn wang, heel zacht. Toen er woorden kwamen, klonken ze aarzelend. 'Ik weet niet wat ik tegen je moet zeggen.'

'Zeg dan maar niets,' zei ik. 'Doe alleen je armen om me heen. Raak me alleen maar aan. Dat is genoeg.'

En ik deed wat ik al zo lang had willen doen. Ik begon boven op zijn hoofd, waar de ingewikkelde tekening op zijn lichaam begon, en volgde de rand ervan met mijn vingers, langzaam, over de hoge brug van zijn neus, over het midden van zijn strenge mond, omlaag langs kin en hals en gespierde borstkas. Toen bracht ik mijn lippen naar zijn huid en volgde de lijn naar beneden. Het patroon bedekte hem werkelijk volkomen, de hele rechterkant van zijn lichaam. Het was echt een kunstwerk; niet alleen de fijn gedetailleerde tekening, maar ook de man wiens identiteit het was geworden. Hij was niet te lang en ook niet te klein; hij was breedgeschouderd en tevens slank, en zijn lichaam was hard geworden door het leven dat hij leidde; maar toch was de huid aan de linkerkant licht van tint en jong.

'Houd daarmee op, Liadan,' zei hij onvast. 'Niet... niet doen, tenzij je...'

'Tenzij ik wat?'

'Tenzij je wilt dat ik je weer neem,' zei hij, terwijl hij me heel zacht weer omhoog trok.
'Dat zou... heel aanvaardbaar zijn,' antwoordde ik. 'Tenzij je genoeg hebt gehad?'
Hij ademde uit en sloeg zijn armen om me heen, en ik voelde zijn snelle hartslag tegen me aan. 'Nooit,' zei hij hartstochtelijk met zijn lippen tegen mijn haar. 'Ik zou nooit genoeg van je kunnen krijgen.' Toen gingen weer samen liggen, en ditmaal deden we het langzaam en zorgvuldig. En het was anders, maar precies even heerlijk, terwijl we elkaar bevoelden en proefden en elkaar leerden kennen.

We sliepen die nacht niet veel. Misschien wisten we beiden dat de tijd maar al te snel verstreek; dat wanneer de dag aanbrak, morgen vandaag zou zijn, en er keuzes moesten worden gemaakt en het ondenkbare onder ogen moest worden gezien. Wie zou zo'n kostbare nacht verdoen met slapen? Dus we betastten en fluisterden en bewogen samen in het donker. Mijn hart was zo vol dat het dreigde over te lopen, en ik dacht: dit gevoel zal ik altijd vasthouden, wat er ook gebeurt. Zelfs als... zelfs wanneer... Tegen het aanbreken van de dag viel hij toch in slaap, met zijn hoofd op mijn borst. Eén keer riep hij iets in zijn dromen, woorden die ik niet kon verstaan, en hij bewoog heftig met zijn arm alsof hij iets wegduwde.
'Stil,' zei ik met bonzend hart. 'Stil maar, Bran. Ik ben hier. Je bent veilig. Alles is goed.' Ik hield hem in mijn armen terwijl ik opkeek naar het gewelf van het hoge plafond, en ik zag hoe het licht langzaam toenam door de smalle spleet daar. *Laat de dag nog niet aanbreken*, smeekte ik stilzwijgend. *Alstublieft, nog niet.* Maar de regen was opgehouden en de zon kwam op, terwijl bosvogels begonnen te fluiten in de koude lucht. En op het laatst kon ik niet meer doen alsof deze donkere, geheime ruimte die ons beiden bevatte de werkelijkheid was en die andere plek de droom.
We stonden zwijgend op en kleedden ons aan. Ik vouwde dekens op terwijl hij naar buiten ging, het paard verzorgde en droog hout zocht. Wat viel er te zeggen? Wie zou durven beginnen? Toen het vuur was aangelegd en er water opstond om warm te worden, gingen we niet aan weerskanten van het vuur zitten, zoals we tot nu

toe hadden gedaan, maar dicht naast elkaar, zodat onze lichamen elkaar aanraakten en we elkaars handen konden vasthouden. Het werd steeds lichter om ons heen. Er waren hier geen wegwijzers, geen herkenningstekens. We waren hier samen verdoold.

'Je zei gelijk oversteken,' bracht Bran ten slotte uit. Het klonk alsof hij de woorden eruit moest trekken. 'Vraag voor vraag misschien?'

'Dat hangt ervan af. Wie stelt de eerste vraag?'

Hij raakte mijn wang aan met zijn lippen, heel licht. 'Jij, Liadan.'

Ik haalde diep adem. 'Wil je me nu je naam zeggen? Je echte naam? Zou je me die toevertrouwen?'

'Ik ben tevreden met de naam die je voor mij hebt gekozen.'

'Dat is geen antwoord.'

'En als ik nou zeg dat ik de naam die ik gekregen heb, vergeten ben?' Zijn hand spande zich in de mijne. 'Dat ik ben gaan geloven dat mijn naam mispunt, stuk ongeluk, hondsvot, stuk vuil is, dat ik deze namen zo vaak heb gehoord dat ik me geen andere naam kan herinneren? Een naam staat voor trots; hij staat voor een plaats. Een waardeloos schepsel heeft geen naam, behalve een verwensing.'

Ik kon nauwelijks spreken. 'Is dit de reden waarom je... kun je me zeggen wanneer je...' Mijn vingers gingen zacht over de binnenkant van zijn pols, waar het ingewikkelde patroon een kleine onderbreking vertoonde. Een blanco ruimte in de vorm van een ovaal, met in het midden een kleine tekening van een insect, ik hield het voor een bij. Heel eenvoudig uitgevoerd, maar tot in alle details volmaakt; fijn dooraderde vleugels, dunne pootjes, een bol, keurig gestreept lijf. Het was de enige plek waar zo'n duidelijke afbeelding was gemaakt.

'Je begrijpt het bijna al te goed,' zei hij somber. 'Ik heb die verwensingen lange tijd verdragen. Toen ik negen jaar was, besloot ik dat ik een man was, en ik... ik brak met dat leven. Ik ging weg. Vanaf dat moment ben ik mijn eigen weg gegaan. Dit,' en hij wees op het kleine insect, 'was het begin. Ik had gehoord van een ambachtsman die dit soort werk tegen betaling maakte. Hij zei dat ik te jong, te klein was voor wat ik van hem vroeg. Maar alles wat ik had, was dit lichaam, deze handen. Het verleden was weg; ik had het uitgewist. Van de toekomst kon ik me geen voorstelling maken. Ik had behoefte aan... nou ja, hij luisterde naar me en hij zei: kom terug wanneer je vijftien bent, en volwassen. Dan zal ik doen wat je vraagt. Maar ik hield aan en uiteindelijk zei hij: goed dan, één kleine tekening nu, de rest wanneer je een man bent. Ik ben een man, zei ik. Hij lachte me tenminste niet uit. En hij maakte dit, heel klein zoals je ziet, maar het was een begin. De rest kwam later, in de loop van een lange tijd.'

'Heb jij deze tekening gekozen? Dit... beestje?'

Hij knikte.

'Waarom?'

'Je hebt vier vragen gehad,' zei hij met een spoor van een glimlach. 'Ik... ik weet het niet precies. Misschien herinnerde ik het me ergens van. Ik kan het niet zeggen.'

Hij stond op en ging aan de gang met het vuur. Er was eten: kleine wilde pruimpjes, hard en zuur; hard brood, dat je pas kon kauwen als je het in een beker heet water doopte. Geschikte kost voor een man op reis.

'Nu ik,' zei hij. Ik knikte, in de verwachting dat hij zou vragen wie ik was en waar ik vandaan kwam. Ik zou het hem moeten vertellen. Ik zou hem moeten vertrouwen.

'Waarom ik?' vroeg hij in de verte starend. 'Waarom mocht ik, van alle mannen die je had kunnen kiezen, de eerste zijn, waarom neem je een... waarom koos je een uitgestotene, een man wiens levenswijze je totaal veracht? Waarom vergooi je jezelf aan... uitschot?'

De stilte duurde, terwijl vogels druk in de weer waren in de bomen rondom.

'Je moet antwoord geven,' zei hij op strenge toon. 'En als je liegt, zal ik het weten.' Hij raakte me nu niet meer aan, maar zat een stukje van me af, met zijn armen om zijn knieën en een barse uitdrukking op zijn gezicht. Hoe kon ik antwoorden? Wist hij het dan niet? Kon hij het antwoord niet opmaken uit de manier waarop ik hem aanraakte, waarop ik hem aankeek? Wie kon zulke gevoelens verwoorden?

'Ik... het was niet mijn bedoeling dat het zo zou gaan,' zei ik zwakjes. 'Maar... ik had geen keus.'

'Deed je dit uit medelijden? Gaf je jezelf misschien met het idee dat je me kon veranderen, me kon herscheppen tot iets wat voor

jou meer acceptabel was? Als een soort ultieme genezing?'
'Houd op!' riep ik fel terwijl ik overeind sprong. 'Hoe kun je dat zeggen? Hoe kun je dat denken, na vannacht? Ik heb niet tegen je gelogen, noch met woorden, noch met daden. Ik heb je uit vrije wil gekozen, wetend wat je bent en wat je doet. Ik wil geen ander. Ik wil niemand anders hebben. Kun je dat niet zien? Kun je dat niet begrijpen?'
Toen ik me weer naar hem toe draaide, had hij zijn beide handen voor zijn gezicht geslagen.
'Bran?' zei ik zacht na een poos. Ik knielde voor hem neer en nam zijn handen weg. Geen wonder dat hij zijn ogen had bedekt, want ze waren nu ontdaan van elk pantser, en in de heldergrijze diepte ervan zag ik hoop en angst.
'Geloof je me?' vroeg ik.
'Je hebt geen reden om tegen me te liegen. Maar ik dacht niet... ik kon niet geloven... Blijf bij me, Liadan.' Zijn handen klemden zich vast om de mijne en er was een plotselinge gewelddadigheid in zijn stem die mijn hart deed bonzen.
'Dat is niet het meest praktische voorstel dat ik je heb horen doen,' zei ik beverig.
Bran haalde diep adem, en toen hij weer iets zei, was het heel ingehouden en had hij zijn stem weer stevig in bedwang. 'Dit is geen leven voor een vrouw, dat weet ik. Dat zou ik niet van je verwachten. Maar ik ben niet helemaal zonder middelen. Ik heb een huis, ik denk dat het je wel zou bevallen. Ik zou voor je kunnen zorgen.' Hij wilde me niet aankijken terwijl hij dit zei.
'Ik kan niet,' zei ik onomwonden. 'Ik moet naar huis, naar Zeven Wateren. Mijn moeder is erg ziek, ze heeft nog maar weinig tijd. Ze hebben me daar nodig. Ik moet daar ten minste tot Beltaine blijven. Daarna zal ik misschien kunnen kiezen.'
Ik wist op hetzelfde moment dat ik dit zei, dat er iets heel erg mis was gegaan. Zijn gezicht veranderde zo plotseling alsof er een masker overheen was gezet, en hij maakte langzaam en voorzichtig zijn handen los van de mijne. Hij was weer de Beschilderde Man, maar zijn stem was donker van schrik en verdriet.
'Wát zei je daar?'
'Ik... ik zei dat ik nu naar huis moet gaan. Ik ben daar nodig... Bran, wat is er? Wat is er aan de hand?' Mijn hart hamerde. Zijn

ogen waren zo koud, zo afstandelijk als die van een vreemde.
'Naar huis, naar Zeven Wateren. Dat zei je toch?'
'J-ja. Dat is de naam van mijn ouderlijk huis. Ik ben de dochter des huizes.'
Hij kneep zijn ogen half toe. 'Je vader... is de naam van je vader Liam? Heer van Zeven Wateren?'
'Ken je hem?'
'Geef antwoord op mijn vraag.'
'Liam is mijn oom. De naam van mijn vader is Iubdan. M-maar mijn broer is erfgenaam van Zeven Wateren. We behoren tot dezelfde familie.'
'Je kunt het maar beter meteen zeggen. Deze man... Iubdan. Is dat Liams broer? Zijn neef?'
'Wat doet dat er toe? Waarom ben je zo boos op me? Er is toch niets veranderd, het is toch...'
'Haal die hand weg. Geef antwoord op mijn vraag. Deze man Iubdan, heeft hij nog een andere naam?'
'Ja.'
'Vervloekt, Liadan, zeg het!'
Mijn hele lichaam was koud. 'Dat is de enige naam die hij nu draagt. Die naam is gekozen omdat hij lijkt op de naam die hij vroeger had, voor hij met mijn moeder trouwde. Hij heette eerst Hugh.'
'Een Brit. Hugh van Harrowfield.' Hij sprak deze naam uit alsof de eigenaar ervan de laagst denkbare levensvorm was.
'Hij is mijn vader.'
'En je moeder is... is...'
'Haar naam is Sorcha.' Ook al was ik geschrokken, ik begon een eerste vonkje van boosheid te voelen. 'Liams zuster. Ik ben er trots op hun dochter te zijn, Bran. Ze zijn goede mensen. Prima mensen.'
'Ha!' Weer zo'n uitbarsting van verachting. Hij stond opeens op, beende weg en begon naar de bomen buiten te staren. Toen hij weer begon te spreken, was het heel zacht, en hij sprak niet tegen mij.
'... *dit is niet voor jou bedoeld, tevenjong... zwak, dat ben je, een slappeling, alleen geschikt om in het donker te leven... hoe heb je ook maar even kunnen geloven... ga terug naar je hok, straathond...*'

'Bran.' Ik sprak zo ferm als ik kon, ondanks mijn bonzende hart. 'Wat is er? Ik ben nog dezelfde vrouw die je in je armen hield toen de dag aanbrak. Je moet me zeggen wat er is.'
'Ze heeft het je goed geleerd, hè?' zei hij met zijn rug naar me toe. 'Je moeder. Hoe je een man van zijn weg af kunt brengen, zijn besluitvaardigheid kunt aantasten en hem naar je hand kunt zetten? Daar was ze een meesteres in.'
Ik was sprakeloos.
'Wanneer je naar huis gaat, kun je haar vertellen dat ik niet zo zwak ben als hij was, die achtenswaardige Hugh van Harrowfield. Ik doorzie je kunsten, ik weet wat je toneelspel in werkelijkheid is. Dat ik ooit geloofde... dat ik zo onnozel was om te vertrouwen op... dat was natuurlijk dom. Zo'n fout zal ik nooit meer maken.'
Ik begreep helemaal niets van wat hij zei.
'Mijn moeder heeft nooit... als je haar kende, zou je inzien dat...'
'Nee, nee, daarmee kom je er niet,' zei hij terwijl hij zich weer naar me toe draaide. 'Die vrouw en de man die zij betoverde, maakten van mij dit schepsel dat je hier ziet: de man zonder geweten, de man zonder naam, die geen talent heeft behalve voor moorden, die geen identiteit heeft behalve die welke op zijn huid is aangebracht. Ze hebben me mijn familie en mijn geboorterecht afgenomen, ze hebben me mijn naam afgenomen. Misschien hebben ze jou iets anders verteld. Maar zij heeft je vader gestolen, weggehaald van de plaats waar hij thuishoorde. Hij verzaakte zijn plichten om met haar mee te gaan. En daardoor heb ik alles verloren. Door hen ben ik... ben ik werkelijk waardeloos, het schuim der aarde.'
'Maar...'
'Hoe ironisch. Je zou haast denken dat iemand daarginds een spel met ons speelde. Hoe kan het toeval zijn dat de enige vrouw voor wie ik... dat de vrouw die me het bijna deed vergeten... dat jij uitgerekend haar dochter moet zijn. Dat kan niet toevallig zijn. Dit is mijn straf. Mijn noodlot, omdat ik het waagde te geloven dat er een toekomst kon zijn.'
'Bran...'
'Houd je mond! Gebruik die naam niet! Pak je spullen en ga, ik wil je hier geen ogenblik langer zien.'

Een koude steen op de plaats van mijn hart. Zo voelde het. Er was niet veel in te pakken. Toen ik klaar was, liep ik naar beneden en bleef even bij Evans graf staan. Het was haast niet te zien waar de aarde omgewoeld was geweest. Het zou niet lang duren voor er geen spoor meer van over was.

'Vaarwel, vriend,' fluisterde ik.

Bran had het paard gehaald, dat nu een zadelkleed droeg dat keurig op zijn plaats was vastgesnoerd. Erachter had hij mijn kleine zak gebonden. Een waterfles. Zijn mantel, opgerold en met een eind touw vastgemaakt. Dat was een beetje vreemd.

'Zij zal je veilig naar huis brengen,' zei hij. 'Je hoeft geen moeite te doen om haar terug te geven. Noem het maar... betaling voor bewezen diensten.'

Ik voelde het bloed uit mijn gezicht wegtrekken. Ik hief mijn hand en sloeg hem hard in het gezicht, waarna ik een rode vlek op de blanke huid van zijn wang zag verschijnen. Hij deed geen poging de klap te ontwijken.

'Je moet nu maar gaan,' zei hij koel. 'Rijd in oostelijke richting, dan bereik je vanzelf de weg. Ga dan naar het zuiden, naar Littlefolds. Het is niet zo heel ver.'

Toen voelde ik zijn handen om mijn middel, en tilde hij me in het zadel; maar een hand rustte nog op mijn dij, alsof hij toch niet goed kon loslaten.

'Liadan,' zei hij, terwijl hij aandachtig naar de grond tuurde.

'Ja,' fluisterde ik.

'Trouw niet met die Eamonn. Als hij jou neemt, is hij er geweest. Zeg dat tegen hem.' Zijn stem had een intense klank. Het was een gelofte.

'Maar...'

Hij gaf het paard een klap op de achterhand en het gehoorzame dier ging er in een vlotte galop vandoor. En voor ik afscheidswoorden kon bedenken, was hij al uit het gezicht verdwenen, en was het te laat.

Het had geen zin boos te zijn. Dit was voorbij. Ik zou de Beschilderde Man nooit meer zien. Het was tijd om naar huis te gaan, en voor het weer nieuwe maan was, zou dit allemaal een vage herinnering zijn, als een fantastische droom. Ik fluisterde dit tegen de stevige grijze merrie terwijl ze flink in oostelijke richting doorstapte, onder de bomen door, langs verlaten beekjes en roerloze vennen en voorzichtig tussen de rotsen door. Ik hoefde haar niet te mennen; ze scheen de weg te kennen.

Toen de zon hoog aan de hemel stond, rustten we uit bij een beek. Zij dronk en knabbelde van het gras. Ik maakte mijn zak los en ontdekte harde kaas en droog brood, in een doek gewikkeld. Voor een man die zo snel mogelijk van me af wilde zijn, was hij verrassend grondig te werk gegaan. Ik neem aan dat hij gewoon het ingeslepen patroon volgde dat bij een haastig opbreken hoorde; alle beslissingen werden al doende genomen. Dat was zijn leven. Het diende hem de ene klap na de andere toe, en hij incasseerde ze en ging verder. Ik deed mijn uiterste best niet aan hem te denken. Thuis. Daar moest ik mijn gedachten op richten. Straks, wanneer ik ver genoeg weg was, moest ik het vermogen van mijn geest gebruiken om een bericht te sturen naar mijn broer, Sean, zodat hij me te paard tegemoet kon rijden. Nu nog niet, dacht ik. Als ik dit te vroeg deed, liep ik het risico dat ik Bran en zijn mannen de strijdmacht van Zeven Wateren op hun dak stuurde. Ik had het af en toe gevoeld in het kamp, een soort trekken aan mijn gedachten, een binnendringen in mijn geest, mijn broer die zacht riep: *Liadan! Liadan, waar ben je?* Maar ik had mezelf voor hem afgesloten. Als iemand de bende van de Beschilderde Man zou verraden en hun kameraadschap te gronde zou richten, zou ik dat niet zijn.

We gingen verder. Ik begon moe te worden; ik had weinig slaap gehad, en ondanks mezelf hoorde ik telkens weer de woorden van die morgen in mijn hoofd weerklinken. *Haal die hand weg. Ik wil je hier geen ogenblik langer zien. Noem het betaling voor bewezen diensten.* Ik zei tegen mezelf dat ik niet zo dom moest zijn. Had ik soms verwacht dat ik zijn leven voorgoed kon veranderen, zoals hij het mijne had veranderd?

Ik richtte mijn gedachten vooruit, op mijn thuiskomst. Wat kon ik tegen mijn familie zeggen? Niet waar ik was geweest; niets over de bandieten die mijn hulp hadden gevraagd en die tegen alle verwachting in mijn vrienden waren geworden. En zeker niets over de man aan wie ik me zo onbesuisd had gegeven. Ik had immers Niamhs fout herhaald. Dan was het ook logisch dat ik, als de waarheid bekend werd, geen betere behandeling kon verwachten dan de arme Niamh gekregen had. Een overhaast huwelijk gevolgd door ballingschap, ver van familie en vrienden, ver van het woud. Er ging een huivering door me heen. Zeven Wateren was mijn thuis; de donkere schoonheid ervan zetelde in het diepst van mijn ziel. Maar ik had alles veranderd; ik had geslapen met de Beschilderde Man, en hoe wreed de woorden waarmee hij me had afgewezen ook waren, ook hij was nu een deel van mij. Ik wilde de waarheid vertellen; ik wilde aan mijn vader vragen welk duister geheim in het verleden geleid had tot de verbitterde haat die deze man mij en de mijnen toedroeg. Als ik mijn verhaal niet vertelde, zou ik nooit weten waarom Bran me had weggestuurd. Maar toch, vertellen kon ik het niet.

Ik hoorde hoefgetrappel opzij van me, links en rechts. Licht hoefgetrappel van een paard in draf, een dansende, lichte gang. Mijn merrie rilde en trok zenuwachtig met haar oren. Ik keek om me heen. Er was niemand te zien. Middagschaduwen trilden in de zomerwind. Ik meende dat ik vaag tinkelend gelach hoorde. En nog steeds de voetstappen die me begeleidden, alsof er onzichtbare wezens naast me reden. Met bonzend hart hield ik de merrie in en wachtte zwijgend. Het geluid hield op.

'Goed,' zei ik zo kalm mogelijk, terwijl ik probeerde me alles te herinneren wat Iubdan me over zelfverdediging had geleerd. 'Waar zijn jullie? Wie zijn jullie? Kom te voorschijn en laat je zien!' Ik haalde het mesje dat mijn vader me had gegeven uit mijn gordel en hield het gereed, waarvoor wist ik niet.

Het bleef even stil.

'Dat ding heb je niet nodig. Nog niet.' Aan mijn rechterkant zag ik een man op een paard zitten. Een bijna-man op een bijna-paard. Hij was niet plotseling uit het niets verschenen; het was eerder alsof hij er de hele tijd geweest was, maar dat ik hem niet had kunnen zien tot hij gezien wilde worden. Zijn haar had dezelfde onwaarschijnlijke kleur als zijn rijdier, helder klaproosrood, en zijn kleren hadden allerlei tinten, veranderlijk als een zonsondergang. Hij was buitengewoon lang.

'Rijd maar weer door,' raadde een stem van de andere kant me aan, en mijn merrie begon weer te lopen zonder dat ik haar aanzette. 'Het is nog een heel eind naar het woud.' De vrouw die dit zei, had zwart haar en droeg een blauwe mantel; ze was heel bleek maar mooi. Ik had me weleens afgevraagd of ik hen ooit te zien zou krijgen zoals mijn moeder hen had gezien: de Vrouwe van het Woud en de vuurrood gelokte Heer die haar gemaal was. Ik slikte en had mijn stem terug.

'W-wat willen jullie van mij?' zei ik. Ik bleef verbaasd en verwonderd naar hun lange, statige gestalten kijken en naar de vluchtige bijna-paarden die ze bereden.

'Gehoorzaamheid,' zei de Heer en hij richtte zijn te fel stralende ogen op mij. Hem aankijken was alsof je in de kern van een groot vuur keek. Als je te lang bleef kijken, zou je verbranden.

'Gezond verstand,' zei de Vrouwe.

'Ik ben op weg naar huis.' Ik begreep niet waarom zulke bijzondere wezens ook maar een greintje belangstelling hadden voor wat ik deed. 'Ik heb een goed paard om me erheen te brengen, en warme kleren, en een wapen dat ik weet te gebruiken. Morgenochtend zal ik vragen of mijn broer komt. Getuigt dat niet van gezond verstand?'

De Heer brulde van het lachen, een geluid dat zo uit volle borst kwam dat de grond ervan schudde. Ik voelde het beven via het lichaam van mijn grijze paard, dat heel mak bleef doorlopen.

'Het is niet genoeg.' De stem van de Vrouwe was zachter, maar heel ernstig. 'We willen dat je ons iets belooft, Liadan.'

Dat beviel me helemaal niet. Een belofte aan het Feeënvolk was een belofte die je gestand moest doen, als je ook maar een greintje benul had. Als je zo'n belofte brak, waren de gevolgen niet te overzien. Deze wezens bezaten een onvoorstelbare macht. Dat bleek uit alle verhalen.

'Wat moet ik beloven?'

'Het is mogelijk dat het lot van Zeven Wateren, en dat van de Eilanden, in jouw handen ligt,' zei de man met het lichtende haar.

'De toekomst van jouw volk, en zelfs van ons volk, hangt misschien van jou af,' bevestigde de Vrouwe.

'Wat bedoelt u toch?' Mijn woorden klonken misschien een tikje knorrig. Ik had een lange dag achter de rug.

De Vrouwe zuchtte. 'We hadden gehoopt bij de kinderen van Zeven Wateren iemand aan te treffen die misschien de kracht en het geduld van je vader zou paren aan de zeldzame gaven van je moeder. Iemand die eindelijk onze lange queeste zou kunnen vervullen. Je hebt ons teleurgesteld. Het lijkt erop dat jij te grof besnaard bent, dat je niet veel begrijpt, behalve vleselijke lusten. Je zuster werd op een dwaalspoor gelokt. Zelf heb je ook een buitengewoon onverstandige keus gedaan. Je had beter niet naar de stemmen kunnen luisteren.'

'Stemmen?'

'De stemmen van de aarde, daarginds op de Oude Plek. Je had er geen gehoor aan moeten geven.'

Ik beefde, in tweestrijd tussen angst en boosheid. 'Vergeef me,' zei ik, 'maar waren dat geen stemmen van Feeën zoals u?'

Ze schudde haar hoofd, met opgetrokken wenkbrauwen van ongeloof over mijn onwetendheid. 'Een ouder ras. Primitief. Wij hebben hen verbannen, maar ze zijn er nog steeds. Ze zullen je op het verkeerde pad brengen, Liadan. Sterker nog, dat hebben ze al gedaan. Je moet hun aansporingen niet opvolgen.'

Ik trok een smalend gezicht. 'Ik ben heel goed in staat mijn eigen keuzes te maken, zonder dat ik daarbij... aansporingen nodig heb, zoals u het noemt. Maar om terug te komen op de profetie. Die zal toch eens in vervulling gaan? U keurt mij en mijn zus af, maar er is nog een kind, mijn broer Sean. Een hoogstaande jongeman die nog nooit iets fout heeft gedaan. Waarom laat u mij niet gewoon buiten beschouwing, zodat ik verder kan gaan met mijn leven?'

'Geen sprake van. Dat zal niet gaan, denk ik. Nu niet meer.'

'Hoe bedoelt u, nu niet meer?'

'Profetieën gaan niet zomaar uit zichzelf in vervulling, moet je weten. Ze moeten een handje geholpen worden.' De Heer had een sluwe uitdrukking op zijn gezicht terwijl hij me met zijn gloeiende ogen van opzij aankeek. 'We hoopten op kinderen. Maar ik zal je één ding vertellen. Jóú hadden we niet verwacht.'

Ik dacht aan de woorden van mijn moeder toen ze vertelde dat ik voor iedereen bij verrassing was gekomen, als onverwacht tweelingzusje. Dat dit mij het vermogen gaf dingen te veranderen.

'Ik heb een vraag,' zei ik.

Ze wachtten.

'Waarom hebt u mij op het spoor gezet van mijn zus en... en haar liefje, in het bos? Ze hebben haar weggestuurd, en nu is ze diep ongelukkig. En Ciarán ook. In de familie gaven ze elkaar de schuld, er kwam niets dan narigheid van. Waarom hebt u zoiets gedaan?'

Er viel een stilte. Hij keek naar haar en zij keek naar hem.

'Het oude kwaad is gewekt,' zei de Vrouwe ten slotte, en haar stem had een donkere klank. 'We moeten al onze kracht gebruiken om het tegen te houden. Wat we deden, was het beste wat we konden doen. Wat je zuster wilde, was onmogelijk. Die mannen en vrouwen, ze zijn onbelangrijk, met hun kleinzielige verdrietjes en wrokjes. Ze dienen hun doel, dat is alles. Alleen het kind is van belang.'

'Het oude kwaad?' vroeg ik tandenknarsend. Misschien besefte ze niet hoe boos haar woorden mij hadden gemaakt. Het lijden van mijn soort leek haar volkomen koud te laten.

'Het is teruggekomen,' zei ze op plechtige toon, met haar blauwe ogen strak op mijn gezicht gericht. 'Wij dachten dat het verslagen was; daarin hebben we ons vergist. Nu worden we allemaal bedreigd met het einde; het vuur wordt ons steeds nader aan de schenen gelegd, en zonder het kind zullen we dit niet kunnen overwinnen. Je moet naar huis teruggaan, Liadan. Zo snel mogelijk. Dit spelletje is afgelopen.'

'Dat weet ik,' zei ik. Tot mijn ergernis voelde ik tranen in mijn ogen prikken. 'Ik zei toch dat ik al op weg ben.'

De Heer schraapte zijn keel. 'Er zijn twee jongemannen die je begeren: de man bij wie je vandaan komt en de man naar wie je terugkeert. Geen van beiden is geschikt. Je geeft blijk van een betreurenswaardige smaak in je keuze van een levensgezel. Maar goed, het is niet nodig dat je huwt. Vergeet hen beiden. Ga terug naar het woud en blijf daar.'

Ik staarde hem verbijsterd aan. 'Het zou helpen als u het een beetje uitlegde. Welk kwaad? Welk einde?'

'Dat kan jullie soort toch niet begrijpen,' zei hij uit de hoogte. 'Jullie gezichtsveld is uiterst beperkt. Jij moet leren geen aandacht te besteden aan de verleidingen van het vlees en de kwellingen van het hart. Dat zijn onnozele dingen, vluchtig als de jeugd. Het gaat om het grotere goed.'

'U beledigt me,' zei ik, 'en dan verwacht u ook nog blinde gehoorzaamheid.'

'En jij verdoet je tijd terwijl er geen tijd te verliezen is.' Er lag nu een nieuwe, dreigende klank in de stem van de Heer. 'Je hapt naar ons als een wild diertje dat in een val zit. Je zou er beter aan doen je zwakheid te erkennen en te doen wat je gezegd wordt. Wij kunnen je helpen. We kunnen je beschermen. Maar niet als je deze eigenzinnige weg volgt. Op die weg schuilen gevaren waarvan je nauwelijks kunt dromen.' Hij hief zijn hand en beschreef er een lange boog mee, en ik kreeg de indruk dat er een schaduw langsging; grashalmen bogen neer alsof ze ervoor wegschrokken, bomen huiverden, struiken ritselden. Vogels lieten een plotselinge roep horen en zwegen daarna.

'We staan weer oog in oog met een vijand die ons al heel lang heeft bedreigd,' zei de Vrouwe. 'We meenden dat ze verslagen was. Maar ze heeft een manier gevonden om aan onze waakzaamheid te ontsnappen; ze heeft zowel het Feeënvolk als het mensenvolk weten te ontwijken, en nu houdt ze zelfs de toekomst van ons ras in haar boosaardige greep.'

Ik staarde haar ontzet aan. 'Maar... maar ik ben een gewone vrouw, zoals u ziet. Hoe kan mijn keuze een rol spelen in zulke grootse en gevaarlijke zaken? Waarom moet ik beloven op Zeven Wateren te blijven?'

De Heer zuchtte. 'Zoals ik al zei, gaat dit jouw begrip te boven. Ik zie geen reden voor je verzet, behalve pure koppigheid. Je moet doen wat wij je zeggen.'

Hij leek groter te worden terwijl ik naar hem keek. Een flakkerend licht steeg langs zijn lichaam op, alsof hij in brand stond. Zijn ogen waren doordringend; hij hield mijn blik vast zonder me los te laten, en mijn hoofd bonsde van de pijn.

De Vrouwe sprak zacht, maar haar stem had een ijzeren ondertoon. 'Wees niet ongehoorzaam, Liadan. Daarmee breng je meer in gevaar dan je kunt begrijpen.'

'Beloof het,' zei de Heer, en zijn haar leek rondom zijn edele hoofd op te rijzen als een kroon van glinsterend vuur.

'Beloof het,' herhaalde de Vrouwe met een droevige klank in haar stem, die hartverscheurend was.

Ik drukte mijn knieën in de flanken van de grijze merrie, en ze begon te stappen; en ditmaal reden ze niet naast me mee, maar bleven ze achter. Hun stemmen volgden me, bevelend en smekend. Beloof het. Beloof het.

'Ik kan het niet beloven,' zei ik met een fluisterend stemmetje dat van diep binnen in me kwam. Dat was heel vreemd, want tot dat moment was ik van plan geweest precies te doen wat ze wilden: teruggaan naar Zeven Wateren en de draad van mijn oude leven oppakken, en mijn best doen om alles te vergeten van de Beschilderde Man en zijn volgelingen. Maar er was iets veranderd. Ik wenste niet zonder vragen te stellen te gehoorzamen aan lieden die het leed van mensen die mij dierbaar waren, afdeden als te onnozel om rekening mee te houden. Op de een of andere manier wist ik dat ik niet aan hun verzoek kon voldoen. 'Ik moet mijn eigen beslissingen nemen en mijn eigen weg gaan,' zei ik. 'Op dit moment ga ik inderdaad naar huis, naar Zeven Wateren, en ik zie ook geen reden waarom ik daar voorlopig niet zou blijven. Maar de toekomst – die is onbekend; wie weet wat er kan gebeuren? Ik ga jullie niets beloven.'

Ik hoorde hun stemmen weer, met zo'n boze kracht dat er een diepe huivering door mijn lichaam ging. De merrie voelde het ook; ze trilde onder me. *Je zult doen wat wij je bevelen, Liadan. Je zult wel moeten.* Maar ik antwoordde niet, en toen ik achterom keek, waren ze verdwenen.

Het was laat in de middag; het begon al bijna te schemeren. Ik was op de weg gekomen en volgde die in zuidelijke richting, terwijl de zon onderging in een schitterend vertoon van goud en roze. Hoe luidde het oude gezegde ook weer? Avondrood, mooi weer aan boord. Morgenrood, water in de sloot. Ik glimlachte bij mezelf. Ik wist heel goed van wie en waar ik dit had gehoord. Van mijn vader, die me in zijn armen optilde terwijl hij op een heuveltop stond, met zijn jonge eiken om hem heen, en die me liet zien hoe de zon onderging in het westen, boven het land van Tir Na n'Og, dat aan de overkant van de zee lag. Elke avond ging de zon onder en de avondhemel van vandaag zei iets over morgen. Leer de tekenen te lezen, kleintje, zei hij. Het Feeënvolk had hem gekozen als de vader van een kind dat volgens hun wens geboren moest worden; hij was gekozen om zijn kracht en geduld. Dan moest Bran zich toch vergissen. De Grote Man, zo kalm en begaan met anderen, met zijn eerbied voor alles wat leefde en groeide, kon nooit iets zo boosaardigs hebben gedaan dat het iemands hele leven had bedorven.

De merrie hinnikte zacht en bleef plotseling staan. Voor ons op de weg was iets aan de hand. Mannenstemmen, hoefgetrappel, metaalgekletter. We trokken ons zwijgend terug onder de beschutting van de bomen, en ik steeg af in de schaduwen. De geluiden kwamen dichterbij. In het afnemende licht kon ik een vijftal mannen onderscheiden gehuld in donkergroene kleding, en een man gekleed in een vreemd kledingstuk van leer en wolfsvacht, een man met een halfgeschoren hoofd die als een waanzinnige vocht, zodat je soms bijna ging geloven dat hij hen in zijn eentje aan zou kunnen. Een man wiens lengte en krachtige bouw hem een voordeel gaven, maar toch niet zoveel dat hij ten slotte niet van zijn paard gestoten en ontwapend werd, zodat hij aan de genade van zijn vijand was overgeleverd. Er werden spottende dingen geroepen, en vervloekingen, en uitdagende woorden. Er werd gegromd, gesist en gevloekt, en iemand schreeuwde iets van een koekje van eigen deeg, en ik hoorde kreten en vloeken toen wapens doel troffen. Maar uiteindelijk werd het bijna stil, afgezien van de doffe klappen van trappen en slagen die neerdaalden op de man die ineengedoken op de weg lag, terwijl zijn aanvallers in een kleine kring om hem heen stonden. Ik kon niets doen. Hoe kon ik naar voren komen en mezelf bekendmaken, hoe kon ik proberen deze ongelijke daad van barbaarsheid tegen te gaan, zonder tegelijkertijd te onthullen waar ik was geweest? Welke reden zou een braaf meisje zoals ik kunnen hebben om een bandiet, een vogelvrije boef te verdedigen? Bovendien was het heel goed mogelijk dat ze me in het bloedige strijdgewoel niet opmerkten voor ik zelf getroffen werd door een zwaardsteek of een bijlslag. Daarom bleef ik volkomen stil staan, en het paard bleef gehoorzaam naast me staan, tot een van de mannen zei: ‘Genoeg. Laat hem in zijn eigen sop gaar koken.’ De mannen in het groen bestegen hun paarden, namen het paard van de andere man bij de teugel en reden weg naar het zuiden.
Ik kwam voorzichtig tussen de bomen uit. Er was niet veel licht meer; ik vond hem door af te gaan op het zwakke, borrelende geluid van zijn ademhaling en niet omdat ik hem zag. Ik knielde naast hem neer.
‘Hond?’
Hij lag op zijn zij. Zijn gezicht was vertrokken in doodsstrijd. Hij

hield zijn beide handen tegen zijn buik, en er lag iets naast hem op de grond. Bloed en... Díancécht sta me bij, zijn buik was kruiselings opengereten en zijn ingewanden hingen eruit, en hij deed zijn best om alles bij elkaar te houden.
Er kwamen woorden, uitgestoten op een wanhopige, piepende ademtocht. Maar ik kon er maar een van verstaan.
'... mes...'
En ik zag dat nu het erop aankwam, ik geen andere keus had. Mijn handen beefden heftig toen ik het kleine, scherpe mes te voorschijn haalde dat mijn vader me gegeven had.
'Doe je ogen dicht,' fluisterde ik bibberig. Ik knielde in het schemerende licht bij zijn stuiptrekkende lichaam neer en ik plaatste de punt van het mesje zorgvuldig op de holte onder zijn oor. Toen sloot ik mijn ogen en trok het lemmet dwars over zijn hals, snel en zo hard mogelijk drukkend, terwijl mijn hart bonkte en mijn keel dichtgeknepen zat en mijn maag in opstand kwam. Warm bloed stroomde over mijn handen. Het paard bewoog onrustig heen en weer. Het lichaam van Hond werd slap; zijn armen vielen neer en lieten de grote wond in zijn buik en alles wat eruit hing los, en... ik stond snel op en liep achteruit weg. Lange tijd kon ik alleen maar tegen een boom leunen, kokhalzend en hijgend, terwijl mijn maag zich omkeerde; vocht stroomde uit mijn ogen en neus, mijn hoofd deed pijn van ontzetting. Logisch denken was onmogelijk. Alleen razende woede, allesverterende walging. De Beschilderde Man. Eamonn van de Moerassen. Het was lood om oud ijzer. Samen hadden ze ervoor gezorgd dat er voor deze man geen morgen meer was. En ik zou hiervan het litteken dragen op mijn ziel, terwijl zij schouder ophalend verder gingen met hun zinloze achtervolging van elkaar.
Na verloop van tijd verspreidde de maan een zwak zilverig licht over de verlaten weg en ik voelde dat de merrie met haar neus tegen mijn schouder duwde, zacht maar dringend.
'Goed,' zei ik. 'Goed. Ik weet het.' Tijd om verder te gaan. Maar ik kon hem niet zo achterlaten. Ik kon hem niet verplaatsen; te zwaar. In het zachte licht was zijn gezicht vredig, de gele ogen waren gesloten, de pokdalige trekken in rust. Ik probeerde niet naar de gapende wond in zijn hals te kijken.
'Dana, neem deze man tot je,' mompelde ik, terwijl ik het geleende

hemd uittrok dat ik over mijn jurk droeg. Er glinsterde iets in het maanlicht. De reep leer was doorgesneden; toen ik de halsketting pakte, kwam er bloed aan mijn vingers. 'Je was zo wild als een grote wolf,' zei ik, terwijl mijn tranen begonnen te stromen. 'Zo sterk als een onbevreesde jachthond die zijn leven voor zijn meester geeft. Zo zachtaardig als de trouwste hond die ooit naast een vrouw heeft gelopen. Ga nu naar je laatste rustplaats.' Ik legde het hemd over zijn gezicht en borst. Toen hees ik me weer op de merrie en gingen we op weg naar het zuiden, tot ik vond dat het ver genoeg was. Ik vond een beschutte plek, achter een hoop stro. Ik rolde de mantel van Bran uit, wikkelde hem om me heen en ging liggen, en de merrie ging naast me liggen alsof ze wist dat ik haar warmte nodig had om het donker op afstand te houden. Nooit was ik er zo dichtbij geweest te wensen dat ik in slaap zou vallen om nooit meer wakker te worden.

De volgende morgen reed ik verder naar het zuiden. Ik zag een paar boeren op hun wagen, en nog een paar reizigers, en ze namen me allemaal nieuwsgierig op, maar niemand zei iets. Ik neem aan dat ik er nogal vreemd uitzag, met mijn bos verward haar op mijn rug en mijn kleren bevlekt met bloed en braaksel. Een gekkin of zo. Toen ik vond dat ik dicht genoeg bij Littlefolds was gekomen, hield ik stil naast de weg en opende eindelijk mijn geest voor mijn broer. Ik liet hem in zorgvuldig gekozen beelden zoveel zien, dat hij me kon vinden, meer niet. Toen ging ik onder een lijsterbes zitten en wachtte. Hij kon niet erg ver weg zijn geweest. Voor de zon zijn hoogste punt had bereikt, hoorde ik het roffelen van hoeven op de weg, en daar was Sean; hij sprong van zijn paard, omhelsde me stevig en keek zoekend in mijn ogen. Maar die waren even zorgvuldig afgeschermd als mijn gedachten. Ik had me tot hem gewend, maar ik had hem niets verteld. Na een poosje zag ik dat Eamonn er ook was, met een aantal van zijn mannen. Er lag een vreemde uitdrukking op Eamonns gezicht; zijn ogen brandden, zijn gezicht was asgrauw. Hij omhelsde me niet; dat zou niet gepast zijn geweest. Maar zijn stem beefde toen hij me begroette.

'Liadan! We dachten... is je iets aangedaan? Ben je gewond?'

'Met mij is alles goed,' zei ik vermoeid, terwijl de mannen in het groen hun paarden achter hem tot stilstand brachten.

'Daar zie je niet naar uit,' zei Sean onomwonden. 'Waar was je? Wie heeft je ontvoerd? Waar ben je geweest?' Mijn broer wist dat ik hem buitensloot, en hij gebruikte alle kunstgrepen die hij kende, met zijn geest, om te proberen mij ertoe te brengen hem toe te laten.
'Met mij is alles goed,' zei ik weer. 'Kunnen we nu naar huis gaan?'
Eamonn keek naar mijn paard en naar de grote grijze jas die ik droeg, een mannenjas. Hij had zijn voorhoofd gefronst. Sean keek naar mijn gezicht en naar mijn bebloede handen.
'We gaan niet verder dan Sídhe Dubh,' zei hij nuchter. 'Daar kun je rusten.'
'Nee!' zei ik een tikje te heftig. 'Nee,' herhaalde ik wat rustiger. 'Naar huis. Ik wil nu naar huis.'
De twee mannen wisselden een blik.
'Het is misschien beter als jij vooruitrijdt met je mannen,' zei Sean. 'Breng bericht aan de Grote Man. Hij wil ons waarschijnlijk tegemoet komen. Wij zullen onderweg rusten en rustig aan doen.'
Eamonn knikte kortaf en reed weg zonder nog iets te zeggen. De mannen in het groen volgden hem. Nu waren er alleen nog mijn broer, twee gewapende mannen en ik.
Gedurende de hele weg naar huis ondervroeg Sean me. Waar was ik geweest? Wie had me ontvoerd? Waarom wilde ik het niet zeggen, begreep ik dan niet dat het gewroken moest worden als mij ook maar iets was aangedaan? Was ik soms vergeten dat hij mijn broer was? Maar ik wilde niets vertellen. Bran had gelijk gehad. Je kon niemand vertrouwen. Zelfs niet degenen die je het naast stonden.
Zo reed ik terug naar Zeven Wateren op het paard van de Beschilderde Man, met zijn mantel om me warm te houden. Met een halsketting van wolfsnagels in mijn zak, en bloed op mijn handen. Kon ik dingen veranderen? Mooi niet. Het Feeënvolk, oude stemmen en doodsvisioenen, het had allemaal niets uitgehaald. Wat was ik anders dan de zoveelste machteloze vrouw in een wereld van onnadenkende mannen? Er was niets veranderd. Helemaal niets, behalve diep binnen in me, waar niemand het kon zien.

HOOFDSTUK ZEVEN

De dag na mijn thuiskomst maakte ik een kaars. Dat was op zichzelf niets bijzonders; het maken van kaarsen was een normaal onderdeel van het werk in huis. Maar het was eigenlijk de bedoeling dat ik rustte. Moeder ging kijken in mijn slaapkamer, zag daar dat de vloer schoongeveegd was en de quilt netjes en glad op bed lag, en kwam me zoeken in de distilleerkamer, waar ik aan het werk was, met mijn pasgewassen haar strak naar achteren getrokken onder een linnen band. Als ze al zag dat mijn lippen gezwollen en verkleurd waren, als ze al in mijn hals de sporen van liefdesbeten herkende, ze zei er niets over. In plaats daarvan keek ze naar mijn handen, die de ene kant van de bijenwas systematisch bewerkten met een ingewikkeld patroon van spiralen, wervelingen en arceringen. De andere kant was blanco. Ik zei niets. Toen de kaars naar mijn smaak af was, zette ik hem in een stevige houder, en om de onderkant bond ik de doorgesneden reep leer met de eraan geregen wolfsnagels, en een kleine krans die ik had gemaakt. Nu zei mijn moeder eindelijk iets.

'Dat is een krachtige talisman. Kornoelje, duizendblad en jeneverbes. Appel en lavendel. En zijn dat veren uit een ravenvleugel? Waar zal deze kaars branden, dochter?'

'Voor mijn raam.'

Moeder knikte. Ze had eigenlijk niets van belang gevraagd.

'Je baken is gemaakt met beschermende kruiden en met liefdeskruiden. Ik begrijp wat het doel ervan is. Het is misschien maar goed dat je vader en je broer het niet begrijpen. Je sluit je af voor Sean. Dat kwetst hem.'

Ik keek naar haar. Bezorgdheid tekende zich af op haar kleine gezicht, maar haar ogen waren zoals altijd diep en kalm. Zij was van iedereen de enige die me had geloofd toen ik zei dat ik me goed voelde. De anderen zagen de vervagende blauwe plekken op mijn pols, de beetplekken, de vlekken op mijn kleren, en hadden hun conclusie al klaar. Ze waren witheet van woede.

'Ik heb geen andere keus.'

'Mm.' Sorcha knikte. 'En je probeert niet jezelf te beschermen. Je hebt een groot vermogen tot liefhebben, je geeft gul, dochter. En net als je vader maak je jezelf kwetsbaar.'

De kaars was klaar. Hij zou vele nachten branden. Hij zou standvastig branden bij nieuwe maan, en de weg naar huis verlichten.

'Ik heb geen andere keus,' zei ik weer, en toen ik de kamer uitging, bukte ik me om mijn moeder op het voorhoofd te kussen. Haar schouder onder mijn vingers was breekbaar als die van een vogel.

Er kwamen veel vragen. Liam had vragen. Hoe ben je ontvoerd? Wat voor mannen waren het? Wist je dat drie van mijn mannen gedood zijn toen ze jou bewaakten? Waar hebben ze je mee naartoe genomen? Naar het noorden? Die vervloekte koppigheid van jou, Liadan! Dit zou van het grootste belang kunnen zijn! Sean had zijn eigen vragen, maar na een tijdje hield hij ermee op ze te stellen. Ik voelde zijn gekwetstheid en zijn bezorgdheid alsof ze de mijne waren, want zo was het altijd met ons beiden. Maar ditmaal kon ik hem niet helpen.

Wat mijn vader betreft, bij hem had ik al mijn wilskracht nodig om het zwijgen vol te houden. Hij zat zwijgend in de tuin toe te kijken terwijl ik aan het werk was, en hij zei: 'Al die tijd wist ik niet of je levend of dood was. Ik heb al een dochter verloren, en je moeder is getekend. Ik zou alles willen doen wat in mijn macht ligt om jouw veiligheid te waarborgen, Liadan. Maar ik zal wachten tot je eraan toe bent het me te vertellen, lieverd.'

'Dan zult u misschien lang moeten wachten.'

Iubdan knikte. 'Zolang je maar veilig thuis bent,' zei hij zacht.

Eamonn kwam op bezoek, maar ik weigerde hem te ontvangen. Dat was misschien onbeleefd van me, maar niemand drong echt aan. Als reden werd opgegeven dat ik me nog niet goed voelde na mijn ervaringen, en rust nodig had. Wat Eamonn zei, wist ik niet, maar de mannen van het huishouden liepen na zijn vertrek met tamelijk strakke gezichten rond. In werkelijkheid had ik me opmerkelijk snel hersteld en na korte tijd had ik juist veel energie, at met smaak en sliep als een kind zo vast terwijl mijn kaars om me heen wonderlijke schaduwen op de muren toverde. Het enige wat ik niet kon verklaren, want het was voor mij een volkomen nieuw en vreemd gevoel, was de pijn vanbinnen, het verlangen te worden vastgehouden, de behoefte aan te raken en dichtbij te zijn en uiteindelijk weer te komen tot dat toppunt van vreugde dat niet met woorden te beschrijven is. Het is moeilijk om het uit te leggen. Natuurlijk voelde ik de lusten van het lichaam, de hete drang van een dier naar zijn partner. Maar dat was niet alles. Ik had de hand van de dood over Bran en over mezelf gezien bij de ingang van de oude grafheuvel. Ik voelde dat ons beider lot vervlochten was; we stonden dichter bij elkaar dan andere partners, geliefden of levensgezellen. Dit was een band die de dood zou overstijgen; een onverbrekelijke binding. Dit werd me steeds duidelijker, een zekerheid die onaantastbaar was. Het maakte geen verschil dat hij me had weggestuurd. Dit was zo, en zou zo zijn. En wat het Feeënvolk aanging, als zij wilden dat ik me ergens toe verbond, zouden ze met betere verklaringen moeten komen. Zonder vragen te stellen aan hun wensen voldoen, dat kwam niet overeen met wat ik gezond verstand noemde.

Ik had gewild dat Niamh thuis was. Over sommige dingen kun je alleen met je zus praten. Ik wilde tegen haar zeggen dat ik nu begreep waarom ze gedaan had wat ze had gedaan, hoewel ik dat toen kortzichtig en zelfzuchtig had gevonden. Dat ik wist hoe pijnlijk het voor haar moest zijn om dag in dag uit zonder Ciarán te leven, om zich aan een andere man te geven, om elke dag alleen te zijn temidden van een zee van vreemden terwijl ze alleen aan hem dacht, zich afvroeg waar hij was, of hij veilig was, terwijl ze droomde van de aanraking die ze nooit meer zou voelen.

Het leven hernam zijn oude patroon. Hetzelfde en toch niet hetzelfde. We misten Niamh allemaal, maar daar werd niet over gesproken. Wat gebeurd was, was gebeurd; je kon het verleden niet herschrijven. Wat mezelf betrof, ik had de indruk dat ze allemaal een stap verder van me af stonden. Ze wantrouwden mijn stille buien, mijn behoefte om alleen te zijn met mijn gedachten. Alleen met moeder was het anders. Zij had haar eigen idee van de waarheid, en ze vroeg Liam me niet verder te ondervragen.

Op een avond niet lang na Lugnasad, toen het al koud werd door de omslag van het seizoen, kwam er een boodschapper van Tirconnell met nieuws dat met blijdschap werd ontvangen. Er zou een bijeenkomst in het zuiden zijn; de opperhoofden van vele clans werden door de Hoge Koning opgeroepen naar Tara te komen, en Fionn zou erheen gaan als vertegenwoordiger van zijn vader. De twee takken van de Uí Néill konden elkaar weliswaar niet uitstaan, maar het zou uitermate dom zijn een dergelijke uitnodiging af te wijzen. Met het voorbijgaan van generaties was de titel van Ard Ri, of Hoge Koning, menigmaal van de ene tak van deze grote familie overgegaan op de andere, en weer terug. Ook Liam zou de bijeenkomst bijwonen. Het beste nieuws was dat Fionn zijn echtgenote zou meenemen, in elk geval tot Zeven Wateren, zodat ik mijn zus zou terugzien.

Het linnengoed werd gelucht en de vloeren werden geveegd; in keukens op het erf bij de stallen werd alles in gereedheid gebracht voor een invasie van bezoekers. Ik was van plan geweest me nuttig te maken en Janis en haar vrouwen te helpen met inzouten en brouwen. Maar het leek of mijn maag zich omdraaide bij de sterke geur van het bier, en ik moest me snel excuseren en naar buiten rennen om over te geven onder een lijsterbes. Ik had waarschijnlijk te veel gegeten bij het ontbijt. Ik leek de laatste tijd altijd honger te hebben. Later voelde ik me weer prima, en ik deed mijn misselijkheid af als onbelangrijk. Maar toen het de volgende dag weer gebeurde, en de volgende dag weer, bleef ik 's morgens maar weg uit de keukens en beperkte me tot snoeien, vegen, zaad oogsten, kruiden drogen en opbergen. Ik werkte buitengewoon hard. Ik was altijd bezig. Ik gunde mezelf geen tijd om na te denken.

Het werd nieuwe maan, en na verloop van tijd werd het weer nieuwe maan. In die maanloze nachten sliep ik niet. In plaats daarvan zat ik bij het raam waar de kaars stond te branden, en ik dacht aan het kleine kind dat in het donker zijn hand naar mij had uitgestoken, in mijn nachtmerrie. *Ga niet weg.* In gedachten nam ik dit kind, dat tevens een man was, in mijn armen en drukte het tegen mijn hart, tot het eerste gloren van de dageraad aan de hemel verscheen. En hoewel ik hardop geen woord zei, praatte ik voortdurend tegen hem door de schaduwen die hem omgaven. *Ik ben hier. Je bent nu veilig bij mij. Ik zal je niet loslaten.* Altijd kwam uiteindelijk de dageraad. De zon kwam altijd op en dan was er een nieuwe dag. Dat zei ik tegen hem, en wanneer het zo licht was geworden dat hij zelf de weg kon vinden, blies ik de kaars uit, raakte zacht met mijn vingertoppen de ravenveer aan en ging geeuwend de kamer uit om aan het werk van de dag te beginnen.

Het was een goed oogstjaar. Iubdan was overal te zien, door zijn lengte en zijn haarkleur viel hij op tussen de andere mannen van het huishouden wanneer hij toezicht hield op het rooien van de knolgewassen, het slachten van runderen en schapen waarvan het vlees werd ingezouten of gedroogd en het herstellen van daken en muren om bewoners van huisjes en stallen te behoeden voor de grijpgrage klauwen van de winter. Sean was vaak naast hem te vinden, een tengerder gestalte, met haar even donker en wild als dat van onze moeder. Er was geen Aisling om hem af te leiden, want hun eigen oogst hield haar en haar broer weg van Zeven Wateren, en daar was ik blij om. Liam trof voorbereidingen voor zijn reis naar het zuiden; hij verzond en ontving talloze boodschappen, maakte plannen en overlegde met zijn hoofdmannen. Hoewel Sean ook bij deze vergaderingen aanwezig was, zou hij niet meegaan naar de bijeenkomst van de Hoge Koning. Liam, de strateeg bij uitstek, wilde zijn neef nog niet openlijk aan die invloedrijke en gevaarlijke kringen blootstellen. Volgens hem was mijn broer nog te jong om die subtiele machtspelletjes te spelen. Eens zou Sean heer van Zeven Wateren zijn. Hij moest leren zijn buren altijd een stap vooruit te zijn, want een buur kon in een oogwenk van een bondgenoot in een vijand veranderen. Liam onderrichtte hem hierin en wachtte tot Sean de onbesuisdheid van de jeugd zou afleggen en zich zou ontpoppen tot een echte leider. Mij kwam het goed uit dat iedereen in huis het zo druk had, want de oogst en de vergadering leidden de aandacht van mij af. Niamh en haar echtgenoot zouden hier zijn met Meán Fómhair, wanneer de nacht even lang is als de dag, en we op de drempel staan van de donkere tijd. Door die poort kom je bij de hoedster van geboorten en sterfgevallen. Zij is weliswaar een stokoud besje, maar een hoge leeftijd gaat gepaard met onmetelijke wijsheid. Op het moment van de omslag kunnen diegenen die de moed hebben hun geest voor haar stem open te stellen, haar om raad vragen. En o, ik had behoefte aan wijsheid, ik had behoefte aan leiding, en snel ook. Maar niet aan die van het Feeënvolk. Ik wist wat zij zouden zeggen, en ik begon al een vaag vermoeden te hebben van wat daar misschien achter lag. Ik begon het gevoel te krijgen dat ik in de val was gelopen, en dat beviel me helemaal niet.

Ik sneed de zoom van Brans mantel af, zodat ik ermee naar buiten kon zonder er te veel modder aan te krijgen. Toen ik die reep stof had gewassen, sneed ik hem in keurige vierkante stukken, en die legde ik in de kleine eiken kist naast mijn bed. Ik had daar al meer stukken stof klaarliggen. Delen van een oud hemd van mijn vader, zacht geworden door het dragen. Een mooi roze wollen lapje, van een jurk van Niamh. Ik had daar de verf zelf voor bereid, lang geleden. Ze had de jurk met plezier gedragen, tot ze de voorkeur gaf aan een andere. Er waren lapjes praktische grove stof van de jurk die ik had gebruikt voor het paardrijden en die helemaal bedorven was. Dit stuk was uit de rug gesneden, omdat dat het enige gedeelte was dat niet reddeloos bedorven was, zo bevlekt was de jurk met bloed en braaksel en andere onvoorstelbare dingen. Nadat ik er lapjes uit had gesneden, was de jurk verbrand. Ik vergoot er geen tranen om. Ik probeerde er niet aan te denken. In plaats daarvan werkte ik. De distilleerkamer was misschien nog nooit zo goed voorzien geweest, de tuin zelden zo keurig opgeruimd, nergens was een wilde uitloper of ongewenst onkruid te zien. En toen was het alweer bijna nieuwe maan, en mijn moeder kwam op een dag binnen terwijl ik rozenbottels aan een draad reeg om ze te laten drogen. Ik besefte dat ik binnensmonds had zitten neuriën, een gedeelte van een oud, oud wiegelied.

'Ga vooral door,' zei Sorcha, terwijl ze in de brede vensterbank ging zitten, een kleine schim met reusachtige ogen, als een heel kleine, tere kerkuil. 'Ik houd ervan je te horen zingen. Dan weet ik dat het goed met je gaat, ondanks alles. Een ongelukkige vrouw zingt niet.'

Ik keek even naar haar en ging toen weer verder met mijn rozenbottels. Ze hingen aan mijn draad als heldere druppels levensbloed. Waar was hij? In welk ver land waagde hij nu zijn leven, voor een zak met zilvergeld van een of andere vreemdeling? Onder welke exotische boom, in welk wonderlijk gezelschap lag hij 's nachts wakker, met het wapen in de hand, zwijgend op de dageraad te wachten?

'Liadan.'

Ik draaide me naar haar toe.

'Ga zitten, Liadan. Ik heb iets voor je meegebracht.'

Ietwat verbouwereerd deed ik wat ze zei. Ze schudde het bundeltje stof dat ze in haar hand hield los.

'Je kent deze jurk natuurlijk. Hij is heel oud. Te oud om nog te dragen.' Haar hand streelde de verbleekte blauwe stof; haar magere vingers streken over het oude borduursel, dat nu bijna onzichtbaar was. 'Ik dacht dat je misschien hier een stuk zou kunnen redden, en hier misschien ook. Je zou de randen heel goed moeten omzomen. Maar je bent heel handig met een naald. Er is een dag geweest dat de zee en het zand deze rokken hebben aangeraakt, een dag zoals je maar eens in je leven meemaakt... en ik heb hem weer gedragen op een dag vol vuur en bloed. Het is voor mij niet nodig de jurk nog te bewaren om het me te herinneren; die twee dagen staan beide in mijn hart gegrift. Maar wat je ook bezig bent te maken voor je kind, deze stof moet er deel van uitmaken.'

Er volgde een lange stilte, waarin ik na verloop van tijd opstond, een pot muntthee maakte en die in twee kommen schonk. Ik zette er een naast mijn moeder op de stenen vensterbank en kon er niet langer onderuit haar aan te kijken. Ze glimlachte.

'Was je van plan het me te vertellen, dochter, of wachtte je tot ik het jou zou vertellen?'

Ik verslikte me in mijn thee.

'Ik... natuurlijk zou ik het u verteld hebben. U bent niet degene aan wie ik het niet durf te vertellen, moeder.'

Ze knikte. 'Ik heb maar één vraag,' zei ze. 'En niet de vraag die je wellicht verwacht. Ik wil je vragen of dit kind in vreugde verwekt is?'

Ik keek haar recht in de ogen en ze las het antwoord op mijn gezicht.

'Mm.' Ze knikte weer. 'Dat dacht ik al. Hoe je loopt, dat lachje, je manier van doen horen niet bij een vrouw die gekwetst of bang

is. En toch is hij niet bij je gebleven? Hoe is dat mogelijk?'
Ik ging tegenover haar zitten op een driepotig krukje en warmde mijn handen aan de kom. 'Hij weet niet dat dit kind op komst is. Het is duidelijk dat hij het niet had kunnen weten. En hij heeft me gevraagd bij hem te blijven. Ik heb nee gezegd.'
Het bleef even stil. Ze nam kleine teugjes van de thee, meer om mij een genoegen te doen, geloof ik, dan omdat ze er echt trek in had.
'Ik dacht dat dit kind misschien,' zei ze voorzichtig, 'is verwekt door... door een van die Anderen, en dat dat de reden is waarom je zo spoorloos hebt kunnen verdwijnen, zodat Liam en Eamonn, hoewel ze alles in het werk hebben gesteld, toch geen spoor van je hebben kunnen vinden. Is dat de reden waarom je dit geheim zo voor jezelf houdt, Liadan?'
Een kind uit de Andere Wereld. Ik kwam bijna in de verleiding ja te zeggen; het zou een bruikbare verklaring zijn geweest.
'Ik ben niet over de grenzen van het mensenrijk gereisd, moeder, al heb ik... ik heb de Feeën wel gezien, en ze hebben tegen me gesproken. De vader van dit kind is een sterfelijke man. En ik zal zijn naam niet noemen.'
'Juist,' zei ze langzaam. 'Je hebt hen gesproken. Dus dit maakt ook deel uit van hetzelfde patroon. Zullen we ooit te weten komen wie je dit heeft aangedaan? Je zwanger gemaakt, en verdwenen alsof hij nooit bestaan heeft? Je vader zal deze man ter verantwoording willen roepen; en Sean en Liam zullen waarschijnlijk nog verder willen gaan, en van wraak spreken.'
Ik zei niets. Buiten stak de wind op; schaduwen van takjes en droge bladeren bewogen over de stenen muren. Ik zag het stralende, schuin invallende zonlicht van een herfstmorgen, een licht dat verlangen wekte, een warmte beloofde die niet meer zou komen.
'Moeder.' Ik kon niet verhelpen dat mijn stem toch een beetje trilde.
'Het is goed, Liadan. Vertel het me, als je kunt.'
'Dat is juist het probleem. Ik kan het aan niemand vertellen, zelfs niet aan u. Moeder... hoe kan ik hierover met vader spreken? Ik kan niet... ik wil niet aan een vreemde worden uitgehuwelijkt, zoals met Niamh is gebeurd. En ik wil mijn kind niet in schande en stilzwijgen ter wereld brengen. Hoe kan ik het hem vertel-

len? Hoe kan ik het aan Sean en aan Liam vertellen, en... en...'
'En aan Eamonn?' vroeg ze zacht.
Ik knikte ongelukkig.
'Zou je man terugkomen om je te halen?' vroeg moeder, en haar gelaat zag er nog steeds kalm uit. 'Een man die je liefde verdient, zou dat toch moeten doen.'
'Hij... hij leidt een leven vol gevaar,' wist ik te zeggen. 'In zo'n leven is geen plaats voor een vrouw en een kind. En bovendien... nee, dat doet er niet toe. Hij is... hij is geen man die vader... geschikt zou vinden. Meer kan ik niet zeggen.'
'Je vader en Liam zullen willen dat je trouwt,' zei Sorcha rustig. 'Dat weet je zelf ook wel. Ze zullen niet begrijpen dat je je kind liever alleen op de wereld wilt zetten.'
'Daar heb ik een antwoord op,' zei ik. 'De Feeën hebben me met klem opgedragen hier op Zeven Wateren te blijven. Altijd hier te blijven, bedoelden ze geloof ik. Trouwen was niet nodig, zeiden ze. Niet met Eamonn, ook niet met een ander. Toen had ik geen idee waarom ze me dat opdroegen. Nu begin ik het te begrijpen.'
Moeder knikte, het scheen haar niet te verbazen. 'Het kind,' zei ze zacht. 'Het kind, dát moet in het woud blijven. Ze willen dat je het kindje hier grootbrengt. Dat klopt, Liadan. Toen... toen dat met Niamh gebeurde, zagen we een kwaad de kop opsteken waarvan we dachten dat het allang verdwenen was. Misschien is jouw kind hun wapen daartegen.'
'Het oude kwaad? Zo noemden ze het. Welk kwaad? Wat kan zo verschrikkelijk zijn dat het het Feeënvolk zelf bedreigt?'
Sorcha zuchtte. 'We weten het eigenlijk niet. Niemand kan zeggen welke vorm deze krachten zullen aannemen. Het is beter als je de waarschuwingen die je gekregen hebt ter harte neemt.'
Ik fronste mijn voorhoofd. 'Dit bevalt me niks. Dat heb ik ook tegen hen gezegd. Ik heb geweigerd het te beloven. Ik denk er niet over me te laten gebruiken als instrument voor hun doeleinden. En mijn zoon ook niet.' Ik twijfelde er geen moment aan dat dit kind een jongen zou zijn. Zijn vader, dacht ik, was beslist een man die zonen zou verwekken.
'Het is niet verstandig hun gebod naast je neer te leggen,' zei moeder ernstig. 'Wij zijn maar pionnen in hun langdurige spel. De reikwijdte ervan is groter dan wij kunnen zien, Liadan. Maar toch

kan hun plan ons op den duur duidelijker worden. Het baart me zorgen dat je de naam van deze man niet wilt noemen. Hoe kan iemand die je zonder meer in de steek laat zoveel loyaliteit waard zijn? Of is het schaamte die je belet te spreken?'

Ik bloosde heftig. 'Nee, moeder,' zei ik beslist. 'Ik geef toe dat ik aanvankelijk mijn best heb gedaan om dit voor mezelf te ontkennen. Niet uit schaamte, maar omdat ik wist hoe moeilijk het zou zijn, denk ik. Ik deed alsof ik niet gemerkt had dat mijn lichaam veranderde, ik besteedde geen aandacht aan het voorbijgaan van het seizoen, het wassen en afnemen van de maan. Maar nu dit kind in mij groeit, ben ik vol van een vreugde die zo sterk is, een kracht die zo intens is dat ik niets kan bedenken waarmee dat te vergelijken is. Ik heb een gevoel alsof... alsof ik het hart van de aarde in mij kan horen kloppen.'

Sorcha zweeg een tijdje.

'Geloof me, dochter,' zei ze ten slotte, 'dit kind is even kostbaar voor mij als voor jou. Je woorden maken me blij, maar ook bang. Ik zal je iets beloven, en je moet erop vertrouwen dat ik mijn belofte zal houden. Ik beloof je dat ik hier nog zal zijn, in het voorjaar, om je kind met mijn eigen handen te halen. Ik zal er zijn, Liadan.'

Ik barstte in tranen uit, en ze omhelsde me en drukte me zo stevig als ze kon tegen zich aan, en ik voelde weer hoe klein en breekbaar ze geworden was. En toch was er in die omhelzing een kracht die in me en door me heen stroomde, en ik wist dat Bran het mis had gehad, mis over Sorcha, en mis over Hugh van Harrowfield, die mijn vader was. Hier was geen kwaad. Ergens was het verhaal op de een of andere manier verdraaid en veranderd, en ik wilde het rechtzetten. Eens zou ik het rechtzetten.

'Huil niet, dochter. Niet om mij.'

'Het spijt me.' Ik veegde snel de tranen van mijn gezicht.

'Het is moeilijk je loyaliteit jegens deze man te begrijpen. Hij houdt van je, maar komt toch niet terug. Hij geeft je zijn kind, en hij verdwijnt. En toch doe je alles om hem te beschermen. Je bewaakt zijn veiligheid met een ondoordringbare muur van stilzwijgen die zelfs je broer buitensluit. En je denkt dat zelfs dat misschien niet genoeg is. Want je hebt toch nog slapeloze nachten om iets.'

Ik antwoordde niet.

'Is het de liefde die je aan deze man bindt?'
Er stond me een klein, duidelijk beeld voor ogen. Van mezelf, gezeten op het paard, en van Bran die naast me stond, met een boze trek op zijn gezicht terwijl hij woest naar de grond staarde. En van zijn hand die in tegenspraak was met de uitdrukking op zijn gezicht, zijn getekende vingers die warm tegen mijn dij lagen, het laatste wat ik van hem voelde. Trouw niet met die Eamonn. Als hij jou neemt, is hij er geweest. Zeg dat tegen hem.
'Wat is er, Liadan?' Moeders stem klonk geschrokken. Alleen de godin wist wat er op mijn gezicht te lezen was geweest.
'Hij en ik... we hebben iets gemeen. Niet direct liefde. Het overstijgt dat. Hij is de mijne, even zeker als de zon de maan volgt door de hemel. De mijne, nog voor ik van zijn bestaan wist. De mijne tot de dood, en daarna. Hij is in groot gevaar. Door toedoen van anderen, en van zichzelf. Als ik meer kon doen om hem te beschermen, zou ik het doen. Maar ik zal niet spreken over wie hij is en wat hij is. Dat kan ik niet.'
Sorcha knikte en haar gezicht stond somber. 'Je kunt het niet veel langer uitstellen, dit bekend te maken. Je hebt een aantal zware dagen voor de boeg. Ik vind dat je dit nieuws zelf aan Red moet vertellen.'
'Ik... ik wil niet dat hij tegen mij spreekt zoals hij tegen Niamh gesproken heeft. Ik wil niet dat hij me wegstuurt zonder vriendelijk woord, alsof ik een vreemde ben geworden.'
Ze zuchtte. 'Dat was voor hen beiden moeilijk. Hij heeft altijd iets van zichzelf in Niamh gezien; ik denk dat hij zich verantwoordelijk voelde voor haar zwakheden. Hij heeft echt geprobeerd met haar tot een vergelijk te komen; hij wilde dolgraag aan haar uitleggen, voor zover hij dat kon, waarom zijn beslissing zo was uitgevallen, maar zij wilde niet luisteren. Ze sloot zich voor ons beiden af. Je vader heeft het diep betreurd dat hij niet langer kon wachten, om te kijken of er andere mogelijkheden voor Niamh waren. Conor heeft ons het zwijgen opgelegd, Liadan; we konden jullie niet de hele waarheid vertellen, en dat kunnen we nog steeds niet. Mijn broers waren van mening dat we door dat te doen rampspoed over jullie zouden afroepen. Ze hadden hiervoor een goede reden; op den duur zal alles misschien bekend worden gemaakt. Maar juist vanwege wat er met Niamh is gebeurd, en vanwege het

feit dat hem dat zo bedroeft, is het niet waarschijnlijk dat je vader jou even hardvochtig zal behandelen. Hij ziet in jou en in Sean de sterke kanten van mijn eigen familie, de mensen van het woud. Hij heeft jouw beoordelingsvermogen altijd vertrouwd, net als het mijne. Wees eerlijk tegen hem, dan zal hij zijn best doen het te begrijpen.'

'Ik weet amper waar ik zou moeten beginnen.'

Ze stond op om weg te gaan. 'Vertel het spoedig aan je vader. Dan zal ik het aan Liam en aan Sean vertellen. Het is niet nodig dat je dit nieuws meermalen vertelt.'

'Dank u.' Mijn keel was droog; ik was plotseling doodmoe. 'Ik zou... ik zou er liever mee wachten, dit bekend te maken. Ik zou het liefst willen wachten tot Niamh komt, en het als eerste aan haar willen vertellen.'

Het voorhoofd van Sorcha was licht gefronst. 'Je vader kan goed zien wat er in me omgaat, vooral nu. Ik zal hem niets vertellen, maar hij zal het aanvoelen, en daarom mag je het niet te lang uitstellen. Wij hebben geen geheimen voor elkaar. Bovendien zal het binnenkort voor iedereen duidelijk zichtbaar zijn.'

Geen van beiden hadden we over Eamonn gesproken, maar ik was het niet vergeten: de weg, en de mannen in het groen, en de vriend wiens keel ik in het donker had doorgesneden. Er zijn dingen die je nooit vergeet.

Onze gasten konden nu elke dag komen. Alles was gereed. De avonden werden koud, en de mensen dronken Janis' krachtige warme wijn, maar ik dronk water, want de sterke geur van de wijn maakte me misselijk. Janis lette op me, evenals de vrouwen van de keuken, maar zij zorgde ervoor dat hun geroddel binnen de perken bleef. De mannen zagen zoiets niet. Zij praatten alleen over strategieën en handel, en soms liepen de gemoederen hoog op. Er broeide iets tussen Sean en Liam, en op een avond kwam het tot een uitbarsting.

Er brandde een vuur in de haard van de kleine kamer waar de familie bijeenkwam voor vertrouwelijke gesprekken. Mijn moeder zat op een houten bank met Iubdans steunende arm om haar heen. Hij was stil, misschien moe na een lange dag op de velden. Ik hoorde de stemmen van Sean en Liam zonder echt naar hun woorden te luisteren. Ik naaide aan een dekentje. Het was heel klein. Hier een grijs vierkantje, daar een roze vierkantje. Een rand van grove stof. Een stukje heel licht blauwpaars, met een spoor van heel oud borduursel. Fijne steekjes; een rand van bladeren, een klein insect. Mijn naald bewoog met precisie en voegde alles aan elkaar. Mijn gedachten waren ver weg. Toen hoorde ik Sean weer iets zeggen.

'Misschien bent u te oud,' zei hij botweg, zodat ik met een schok terug was in het hier en nu. 'Misschien kunt u niet inzien dat uw voorzichtigheid verhindert dat deze zaak wordt beslist.'

'Sean.' Iubdans toon was nog heel vriendelijk. 'Je bent nog niet de meester van dit huis.'

'Laat hem spreken,' zei Liam met opeengeklemde kaken.

Sean liep met over elkaar geslagen armen heen en weer. Ik voelde zijn frustratie zonder er de reden van te kennen.

'We hebben het immers keer op keer geprobeerd, en we zijn telkens weer teruggeslagen. We hebben goede mannen verloren, hun plaatsen werden ingenomen door andere goede mannen, die op hun beurt zijn gesneuveld. Deze vete heeft ons leven generaties lang vergiftigd. We sneuvelen voor de zaak, en sneuvelen weer, en toch blijven we komen. Een buitenstaander zou het zinloos noemen.'

'Een buitenstaander kan niet begrijpen wat de Eilanden voor onze familie en voor ons volk betekenen.' Mijn moeder sprak zacht. 'Er kan hier geen harmonie, geen evenwicht zijn tot ze zijn teruggegeven. Het Feeënvolk vraagt dat van ons.'

'Denk je wel aan de profetie?' vroeg ik.

'De profetie kan me gestolen worden,' snauwde Sean. 'Hebben we ooit ook maar een glimp opgevangen van die geheimzinnige persoon die ons moet verlossen? Die niet van Ierland of Brittannië is, maar van beide; die het teken van de raaf draagt, wat dat ook mag betekenen. Dat is waarschijnlijk op een avond verzonnen door iemand die een slok bier te veel op had. Nee, wat we moeten hebben, is een nieuwe benadering. We moeten af van het idee van een regelrechte aanval. Ons denken moet verder gaan dan de gedachte dat we alleen kunnen overwinnen door middel van meer mankracht of de aftandse strategieën van onze grootvaders. We moeten bereid zijn risico's te nemen, de Brit in zijn eigen spel te overtroeven. Zijn positie is bijna onaantastbaar; dat blijkt wel uit lange jaren van mislukking. Om het probleem op te lossen, moeten we bereid zijn het ondenkbare te denken; het onaanraakbare aan te raken.'

'Nooit.' Liams stem had een barse klank. 'Je weet niet wat je zegt. In wat je zegt, klinken je jeugd en je gebrek aan ervaring. Ik heb dit eerder horen bepleiten, en ik vind het nu evenmin verteerbaar als toen. Deze familie heeft nooit oneerbare methoden gebruikt om een gevecht te winnen, en ik schaam me dat uitgerekend jij, mijn erfgenaam, zoiets voorstelt. Bovendien zijn we niet alleen in deze zaak. Hoe moet het met onze bondgenoten? Wat zou Seamus Roodbaard hiervan zeggen?'

'Hij zou overtuigd kunnen worden.' Er was geen spoor van twijfel in de stem van mijn broer.

'Dat zal je nog niet meevallen.'

'Hij zou overtuigd kunnen worden. Niets is belangrijker dan de herovering van de Eilanden. En we zijn nu in een positie om het te doen, want Fionn zal zich zeker bij ons bondgenootschap willen voegen, en...'

'En Eamonn dan? Zijn steun is van levensbelang. Hij zal er net zo over denken als ik. Eamonn is niet van zijn standpunt af te brengen. Er is niets denkbaar dat hem ertoe zou kunnen bewegen om dit in overweging te nemen.'

'Ik zou hem kunnen overtuigen.'

'Eamonn?' Liam lachte blaffend maar humorloos. 'Je kent je vriend toch niet zo goed als ik dacht. Op dit punt zal hij nooit toegeven. Nooit.'

Het gesprek begon me een erg ongemakkelijk gevoel te geven. 'Wat houdt het voorstel van Sean precies in?' dwong ik mezelf te vragen, hoewel ik opzag tegen het antwoord. Aan de rand van mijn denken doemde een schaduw op, en ik wilde niet dat die dichterbij kwam.

'Het zit zo.' Sean kwam naar mijn stoel toe en hurkte naast me neer. Zijn opwinding was groot; zijn energie leek door de lucht te knetteren. Ik hield het schild stevig om mijn geest. 'Je kunt niet winnen met een aanval, hoe sterk ook. Dat is bewezen. Twee van je ooms zijn bij de laatste poging gesneuveld, en met hen vele dappere mannen; zoveel dat het een hele generatie heeft geduurd om ons te herstellen. En toch waren onze manschappen sterk en gedisciplineerd en werden we gesteund door onze bondgenoten; de Britten hadden geen kans om tussen onze posities en de Noorse nederzettingen op deze kust een basis te vestigen. Waarom is het ons dan toch niet gelukt? Ten eerste zijn ze in het voordeel door het bezit van de Eilanden. Hun uitkijktoren op het Grote Eiland biedt uitzicht over een enorm gebied. Er is maar één manier om veilig te naderen, en die houden ze gedekt. Ten tweede hebben ze hier een onovertroffen netwerk van informanten. We weten allemaal wie dat jaren geleden heeft opgezet. Misschien is Eamonns onwrikbare houding nu een gevolg van het verraad van zijn vader. In elk geval is het zo dat de Britten van tevoren op de hoogte schijnen te zijn van elke actie die wij ons voornemen. Wat valt hier dus uit te leren?' Zijn lange handen bewogen om zijn punt kracht bij te zetten. 'Dat het nutteloos is om een voorspelbare koers te volgen. We merken dat we niets geheim kunnen houden voor onze vijand. Hoe sterk ons bondgenootschap aan deze kant van het water ook is, hij zal het evenaren en overtreffen. Hij is in het voordeel. Niemand onder ons heeft genoeg kennis en vakmanschap om een alternatieve benadering van het Grote Eiland te bedenken.' Hij haalde adem; zijn blik was begeesterd. 'Op dit moment is onze positie bijzonder gunstig. Seamus heeft een gedisciplineerd leger en kan bogen op jaren ervaring. We kennen Eamonns capaciteit. En dan zijn er de Uí Néill, want Fionn is familie en zal gemakkelijk kunnen worden overtuigd dat hij ons hierin moet steunen. Hij heeft de veiligheid van ons gebied en dat van Eamonn nodig als buffer tegen een mogelijke aanval van zijn familie in het zuiden. Met Fionn kunnen we zaken doen. We beschikken dus over meer hulpbronnen dan ooit tevoren.'

'Voldoende, als ik het mag zeggen, om de Eilanden terug te veroveren zonder dat daar kunstgrepen bij nodig zijn,' zei Liam streng.

'Nee, oom. U gelooft dat evenmin als ik. Northwoods kan elke hoeveelheid manschappen bijeenroepen die hij nodig heeft, en zijn verspieders kunnen hem voor onze plannen waarschuwen, lang voordat we afvaren. Wij hebben twee dingen nodig. Ten eerste een onovertroffen stuurmanskunst, die alles zal overtreffen wat hier eerder is gezien. Schepen die heimelijk kunnen varen en onder dekking van het donker kunnen landen op plaatsen waar dat tot nu toe niet voor mogelijk werd gehouden. Een legermacht die midden in zijn fort staat voordat hij hem als zodanig herkent. Een bondgenoot met het vermogen het netwerk van informanten van de Brit op te sporen en te vernietigen.'

'Een ten tweede?' Mijn hart bonsde. Ik wist wat er zou komen.

'Om het eerste te bereiken, moeten we het tweede doen. Het tweede is, onze scrupules overboord zetten. We moeten gebruikmaken van de diensten van de Beschilderde Man, wie hij ook is.'

Mijn moeder hield even haar adem in. Iubdan keek ernstig. Liam klemde zijn kaken nog wat stijver op elkaar. Hij had het ongetwijfeld allemaal al eerder gehoord.

'Ik heb hier en daar navraag gedaan,' vervolgde Sean. 'Bij die bende is een man, een vreemde kerel met een zwarte huid, die een enorme kennis van zeeschepen heeft, en de bijbehorende stuurmanskunst. Zijn kennis overtreft alles wat we ons zouden kunnen dromen. Er zijn anderen bij, Noormannen en Picten, die ons samen alles zouden kunnen leren wat we moeten weten. Ik heb verhalen over hun wapenfeiten gehoord die je nauwelijks zou geloven als ze niet ondersteund werden door harde bewijzen. Hun leider is een man die ons veel te bieden heeft. Hij is een meester in het verspreiden van valse informatie. Ik heb gehoord dat hij de meest subtiele strateeg nog te slim af kan zijn. Als we deze man en zijn bende voor ons laten werken, kan het naar mijn overtuiging niet mislukken.'

'Hij zou er niet over peinzen.' Ik sprak zonder nadenken, en mijn stem beefde Vier paar ogen werden nieuwsgierig op mij gericht. 'Eamonn,' zei ik vlug, en mijn gezicht vertrok pijnlijk toen ik met de naald in mijn vinger stak. 'Die zou er niet over peinzen samen te werken met... met de Beschilderde Man. Weten jullie niet meer wat hij zei? Als die man zich weer op mijn grondgebied waagt, is zijn leven niets meer waard. Of zoiets. Jullie zouden hem nooit kunnen overhalen.'

Het bleef even stil.

'Ik begrijp Liams aarzeling,' zei Iubdan kalm. 'Jij verwacht misschien veel van zo'n onderneming. Ook ik heb met een mengeling van angst en bewondering over deze huurling horen spreken. Misschien is het waar wat ze over zijn vermogens zeggen. Maar je zou zo'n man nooit kunnen vertrouwen, want zijn waarde wordt juist voor een deel bepaald door zijn vermogen te bedriegen, in het ontbreken van trouw aan een bepaalde zaak. De man is een bedrieger, zonder geweten of scrupules. Hij is bij machte je onderneming te laten slagen. Of te laten mislukken. Je zou pas op het allerlaatste ogenblik weten wat hij zou doen.'

Liam knikte. 'Hij zou ons kunnen laten betalen, om vervolgens gewoon weg te lopen. En hij zou ook een te hoge prijs kunnen vragen.'

'Maar hiervoor,' zei Sean fel, 'is toch zeker geen enkele prijs te hoog?'

Op dat moment kwam de schaduw. De kamer om me heen vervaagde, en in plaats ervan zag ik twee mannen in gevecht, die elkaar probeerden te overmeesteren. Achter hen stonden donkere pilaren, gebeeldhouwd met wonderlijke beesten, een kleine draak, een wyvern, een griffioen met messcherpe klauwen. De man in het groen had zijn handen om de hals van de ander geklemd en kneep, kneep. De man in het groen had een vierkante kaak, en een weerspannige lok bruin haar viel voor zijn ogen. Het was Eamonn. Het zag ernaar uit dat hij aan de winnende hand was. Waarom hijgde hij dan naar lucht, waarom was zijn gezicht zo akelig bleek? De schaduw viel over beiden, in hun dodelijke omhelzing. Toen zag ik het dolkmes dat diep in de borst van de groene tuniek was gedreven, een dolkmes dat stevig werd vastgehouden door een hand waarvan de witte knokkels en gespannen pezen een verfijnd patroon van spiralen, wervelingen en arceringen droegen. Ik hoefde niet naar het half gewurgde gezicht van deze man te kijken om hem te herkennen. Maar ik keek toch; en het visioen verzwom en veranderde, en het gezicht van de ene man werd dat van de andere, vervuld van haat, en ik kon de een niet meer van de ander onderscheiden. Ik slaakte een kreet; en de schaduw liet me los en ik was weer in de kamer die verlicht werd door het haardvuur. Ik moet van mijn stoel voorover zijn gevallen in een soort flauwte, want ik lag half op de vloer met Seans arm om mijn schouders. Liam keek naar mijn moeder, en zij keek naar hem, alsof het hun maar al te bekend voorkwam wat ze zagen. Mijn vader bracht me een beker water, en ik dronk. En even later was ik weer hersteld, uiterlijk in elk geval. Maar ik wilde niet zeggen wat ik had gezien.

'Sean beredeneert zijn voorstel heel goed,' zei mijn vader wat later. 'Het valt op zijn minst te overwegen. Misschien heeft hij gelijk. Misschien heeft er genoeg bloed gevloeid.'
'Denk je soms dat de Beschilderde Man niet meer bloed zal laten vloeien?' vroeg Liam met ongelovig opgetrokken wenkbrauwen. 'Zijn handen stinken ervan. Je hebt het verhaal van Eamonn gehoord.'
'We hebben allemaal mannen gedood vroeger. En er gaan veel verhalen. Ik steun jullie geen van tweeën. Ik zeg alleen dat je Seans idee niet zonder meer moet afwijzen. Leg het voor aan onze bondgenoten, wanneer ze hier allemaal bijeen zijn. Ik zou zo'n onderwerp niet in de zalen van Tara aan de orde stellen. Maar hier op Zeven Wateren is het veilig. Leg het aan hen voor, voordat jullie naar de vergadering van de Hoge Koning vertrekken. Dan kun je hun stemming peilen.
Liam zei niets.
'Jullie zouden het aan Conor moeten vragen,' zei mijn moeder. 'Hij zal hier morgen zijn. Vraag of het hem verstandig lijkt, de profetie te negeren.'
'Conor!' Liams stem klonk koel. 'Conors oordeel is niet langer te vertrouwen.'
'Dat is te scherp,' zei Iubdan. 'We hebben allemaal een rol gespeeld in het gebeurde met Ciarán. Je kunt niet de hele schuld aan je broer geven.'
'Dat weet ik ook wel, Brit,' snauwde mijn oom. 'Het gebrek aan zelfbeheersing van je dochter was ook een factor.'
Mijn vader stond langzaam op. Hij was ruim een hoofd groter dan Liam. Naast hem hief Sorcha haar hand op om een lichte geeuw te maskeren.
'Het is al laat,' mompelde ze. 'Tijd om ons terug te trekken, denk ik. Liadan, jij voelt je niet goed. Kom, dan breng ik je naar bed. Red, zou jij een kaars mee willen nemen?' Ze stond op en liep naar haar broer, wiens gezicht op onweer stond. 'Welterusten, Liam.' Ze ging op haar tenen staan en kuste hem op beide wangen. 'Dat de godin je mooie dromen geve en een helder hoofd morgenochtend. Welterusten Sean.' De mannen zwegen alle drie, in hun ogen was geen boosheid meer. Dana mocht weten hoe ze het met elkaar moesten rooien wanneer mijn moeder er niet meer was.

De volgende dag stonden we bij zonsopgang diep in het bos onder de grote eik om het ritueel van Meán Fómhair te volvoeren. Conor was er met verscheidene andere druïden, maar ditmaal was er geen roodharige leerling die zijn roerloze, rechte gestalte in de blinkend witte kleding als een schaduw volgde. We droegen de vruchten van de goede oogst van dit seizoen in onze handen, van elk één volmaakt voorbeeld. Een goudgele koolraap, een mooie kool met veel blad eraan. Een handvol zijdezacht graan, een kleine flacon mede. Cider, honing, verse kruiden. Mijn vingers hielden een eikel vast, veilig in zijn glanzende, beschermende schil en stevig gevat in zijn kleine houder. We stonden om de heilige boom heen, rillend in de kou voor zonsopgang. Liam, plechtstatig en bleek, en naast hem Sean, een jongere uitgave van dezelfde man. Mijn vader, die niet gelovig was, stond heel stil naast de reusachtige stam, met zijn armen om mijn moeder heen. Zij had een dikke mantel om tegen de kou. Niemand van ons had haar kunnen overhalen binnen te blijven en uit te rusten. Stil stonden hier naast elkaar keukenvrouw en krijger, paardenknecht en houthakker, de mensen van het huishouden, de boerderij en de nederzetting. Het kwam goed uit dat Fionn en zijn gezelschap nog niet gearriveerd waren. Hij wist natuurlijk dat onze familie de oude gebruiken volgde, maar het was beter als hij niet precies besefte hoe belangrijk dit in ons leven was, want het was slecht te combineren met het sterke christelijke geloof in zijn eigen huishouden. Als we hem wilden verleiden zich bij ons bondgenootschap te voegen, mochten we geen enkele misstap maken.
Conor sprak de woorden uit toen het eerste koele licht van de dageraad door het herfstige bladerdak heendrong, en we begonnen onze offergaven meer te leggen tussen de knoestige en verwarde wortels van deze oudste bewoner van het woud. We raakten de ruwe schors aan, de een knikte eerbiedig, de ander fluisterde een groet. Dit keer kwamen er geen vuurwerk, geen toverkunsten bij te pas. Mijn oom hield een eenvoudige toespraak, die recht uit het hart kwam.
'Onze dankbaarheid is onuitsprekelijk diep. We geven er zo goed mogelijk uiting aan, hier onder de eiken. Aan de zon, die leven te voorschijn riep uit de aarde. Aan de hoeders van het bos, die gedurende het hele groeiseizoen de wacht houden over alles wat goed

is, die toezien op alle dingen van geboorte tot dood en voorbij de dood. In u is de wijsheid van vele eeuwen; wij eren uw aanwezigheid en bieden u de mooiste vruchten van dit overvloedige seizoen aan. Want ook wij zijn de bewoners van het woud, ook wij behoren tot Dana's volk, al zijn we sterfelijk; en we volgen de wegen die u voor ons opent, van onze eerste tot onze laatste ademtocht, en daarna.'

Conor maakte een vermoeide indruk, alsof hij al zijn wilskracht moest verzamelen om door te gaan. Er was een zwaarte in zijn denken, de een of andere zware last die hem terneerdrukte. Ik voelde dit in mijn eigen hart, maar toch zou ik niet hebben kunnen zeggen wat het was. Zijn gezicht was zoals altijd in rust, de ogen diep en kalm in het toenemende licht.

'We eren het komende donker niet minder. Alle wezens moeten slapen. Alle wezens moeten dromen en wijs worden. Welkom, koningin en tovenares, u die voor ons de weg der geheimen opent. Wij erkennen uw inzicht. Wij verlangen naar uw wijsheid, die we tegelijkertijd vrezen. U geeft geboorte; u oogst de dood. Wij verwelkomen uw terugkeer. Wij maken ons gereed voor de tijd der schaduwen.'

We bleven daar enige tijd staan, met gebogen hoofd, terwijl de zon opkwam en de grijze wereld van de vroege dageraad langzaam opwarmde naar bruine, groene en gouden tinten. Iubdan had nog steeds een beschermende arm om mijn moeder, en zijn ogen stonden somber. Conor sprak natuurlijk de waarheid; de dood komt en is niet tegen te houden. De wenteling van het rad is meedogenloos. Alles verandert; alles gaat voort. Een Brit zou dat op den duur kunnen begrijpen, als hij lang genoeg onder ons leefde. Maar hij zou het nooit accepteren.

Toen het ritueel afgelopen was, gingen de mensen terug over de bospaden, ongetwijfeld met gedachten aan een warm vuur en een kom pap in het hoofd. Na een poos bleek ik naast mijn oom Conor te lopen, en in een flits leek het of de anderen weg waren en alleen wij beiden er nog waren, gelijk oplopend in de ontzaglijke stilte van het bos.

'Ik ben blij dat je een warme mantel en een paar stevige schoenen hebt,' merkte mijn oom op. 'Het is een heel eind lopen.'

Ik zei niets. Het leek onnodig. Maar nadat we een tijdje hadden

gelopen zei ik: ‘Mijn vader zou zich ongerust kunnen maken.’
Er kwam een vluchtig lachje op Conors kalme trekken.
‘Iubdan weet dat je bij mij bent. Nou ja, dat hoeft hem natuurlijk nog niet gerust te stellen. Hun vertrouwen in mij is niet meer zo groot als voorheen. En het schijnt dat jij een zeker vermogen hebt om... complicaties aan te trekken.’
Onze voeten stapten zacht over een tapijt van vochtige bladeren.
‘Maar als Niamh vandaag komt?’ vroeg ik. ‘Dan loop ik haar misschien mis. Ik moet thuis zijn wanneer mijn zus komt.’
Hij knikte ernstig. ‘Dat begrijp ik, Liadan. Ik begrijp het beter dan je denkt. Maar voor jou is dit belangrijker. We zullen voor de avond terug zijn.’
Ik trok mijn wenkbrauwen op, maar gaf geen antwoord.
Na een tijdje zei mijn oom: ‘Je bent er heel bedreven in, hè? Zelfs ik kan niet door je schild heen dringen. Waar heb je geleerd zo’n ijzeren muur om je geest te zetten? En waarom? Wat houd je daar verborgen? Ik heb pas een keer eerder zo’n beheersing gezien, toen Finbar je moeder niet wilde toelaten, lang geleden. Dat heeft haar diep gekwetst.’
‘Ik doe wat ik moet doen.’
Hij keek me van opzij aan. ‘Mm,’ was het enige wat hij zei. En we liepen zwijgend verder, in een behoorlijk tempo, terwijl de dag steeds lichter werd en het bos rondom ons begon te leven. We liepen door de eikenlanen, waar goudgele bladeren wervelend om ons neerdaalden in een opstekend windje en eekhoorns druk bezig waren voorbereidingen te treffen voor de donkere tijd. We kwamen langs het grijze water van het meer en liepen langs de bedding van de zevende beek omhoog, die door de herfstregens was aangezwollen tot een miniatuur stormvloed. Het was een steile klim over her en der neergevallen stenen waarvan het oppervlak merkwaardige patronen vertoonde, alsof een vreemde vinger ze elk had gemarkeerd met een afzonderlijk geheimschrift waarvan de codes alleen bestonden in de geest van iemand die lang geleden was heengegaan. Boven aan de helling rustten we uit, en hij kwam voor de dag met een sobere maaltijd van gedroogd brood en gerimpeld fruit. We dronken uit de beek, en het water was zo koud dat mijn hoofd er pijn van deed. Het was een vreemde morgen, maar niet ongezellig.

'Je vraagt niet waar we heen gaan,' zei Conor toen we weer op weg gingen, weer een helling op tussen dicht opeen staande lijsterbessen, vol met rode bessen.
'Nee, dat vraag ik niet,' antwoordde ik vriendelijk.
Hij grijnsde weer, en heel even kon ik de jongen zien die hij vroeger geweest was, die met zijn vijf broers en zijn kleine zusje vrij rondzwierf door de geweldige ruimte van het bos. Maar bijna onmiddellijk kwam het kalme masker van de aartsdruïde weer over zijn gezicht.
'Ik zei dat dit belangrijk voor je was. Ik hoopte eigenlijk dat ik je een paar dingen rechtstreeks zou kunnen uitleggen, van geest tot geest. Maar ik merk dat je niemand binnen wilt laten. Je bewaart een groot geheim. Ik moet dus woorden gebruiken. Er is een bron, en een poel, zo goed verscholen gelegen dat weinigen van het bestaan ervan weten. Daar breng ik je heen. Je moet leren begrijpen welke gaven je bezit, en wat je ermee kunt doen, anders loop je gevaar blindelings rond te lopen met een vermogen waarvan je amper een besef hebt. Ik zal het je laten zien.'
'U onderschat me,' zei ik koeltjes. 'Ik ben geen kind meer. Ik ken de gevaren van een vermogen dat onnadenkend, op onverstandige wijze wordt gebruikt.' Boud gesproken, want ik begreep maar in de verte wat hij bedoelde.
'Misschien,' zei hij. We maakten een scherpe bocht naar links, onder neerhangende wilgentakken door, en plotseling was daar een kleine, roerloze poel tussen bemoste stenen, waar vers water uit de bodem opwelde. Op zichzelf onbeduidend, een plek waar je vrijwel zeker aan voorbij zou gaan als je niet wist dat hij er was.
'Deze plaats toont zich niet aan iedere reiziger,' zei Conor; hij maakte vlug een teken in de lucht voor zich, en bleef twee passen voor de rand van het water staan.
'Wat nu?' vroeg ik.
'Ga op de stenen zitten. Kijk in het water. Ik zal niet ver weg zijn. Dit is een plaats waar geheimen veilig zijn, Liadan. Deze stenen bewaren geheimen van wel duizend jaren.'
Ik ging zitten en richtte mijn blik op het gladde oppervlak van de poel. Deze plek straalde een gevoel van beschutting, van bescherming uit. Het was alsof hier heel lang niets was veranderd. Stilzwijgend kwamen er woorden tot me. Deze steen is je moeder. Ze

houdt je in haar handpalm. Mijn oom had zich onder de wilgen teruggetrokken, waar ik hem niet meer kon zien. Ik probeerde mijn geest vrij te maken van gedachten en beelden, maar er was een beeld dat zich niet liet uitwissen, en ik weigerde het schild dat ik daar had opgetrokken te laten zakken. Als iemand de Beschilderde Man opspoorde, zou het niet zijn omdat ik had verraden wat ik wist. Niemand was te vertrouwen. Zelfs een aartsdruïde niet.

Het water bewoog, verschoof. Maar in dit kleine dal, omringd door bomen en rotsen, stond geen zuchtje wind. Het water rimpelde. Er was even een flits van wit in de diepte te zien, toen was het weer weg. Ik dwong mezelf om daar te blijven en niet op te kijken. De lucht was zo roerloos en zwaar alsof er een zomers onweer op til was, maar toch was er een herfstige kou in de lucht. Er stond iemand aan de overkant van het poeltje, en dat was niet mijn oom Conor.

Je lijkt veel op je moeder. Wie het ook was, hij was bliksemsnel door de afscherming rond mijn geest gekomen, met een vermogen dat zelfs dat van Conor ver overtrof. Het was uitgesloten me tegen zoveel kracht teweer te stellen. *Hetzelfde, maar toch niet hetzelfde.* Ik bleef zitten; voelde me niet in staat om op te kijken.

Je hoeft niet te kijken. Je weet wie ik ben. Het water werd ondoorzichtig en begon te spiegelen. En daar zag ik zijn beeld. Het had Conor kunnen zijn. Het had bijna Conor kunnen zijn. De kleren waren natuurlijk anders. In plaats van het sneeuwwitte gewaad droeg deze man vormeloze kleren in een ondefinieerbare tint tussen grijs en bruin. Zijn voeten stonden bloot op de stenen. Conor droeg zijn haar in de keurige vlechtjes van de druïden. Deze man had zwarte krullen die als een verwarde bos om zijn schouders golfden. Conors ogen waren grijs, stil en kalm. Deze man had een blik, zo diep dat hij onpeilbaar was, en zijn ogen leken even kleurloos als het water waarin ik ze weerspiegeld zag. Ik kon mezelf er niet toe brengen op te kijken.

Je weet wie ik ben. Hij bewoog even, en daar was die witte flits weer. Hij droeg een ruime mantel van donkere, grove stof; een versleten kledingstuk dat ongelijk tot op de grond hing, en op één schouder was vastgemaakt. Hij veranderde weer van houding, en nu moest ik de waarheid erkennen. Mijn ogen hadden me niet be-

drogen. In plaats van zijn linkerarm had deze man de vleugel van een grote vogel, krachtig en wit bevederd. Hij trok er de mantelplooien weer overheen.
Oom. Als de stem van de geest kon trillen, klonk de mijne zo.
Sorcha's dochter. Je lijkt heel erg op haar. Hoe heet je?
Liadan. Maar...
Kijk nu op, Liadan.
Ik verwachtte half dat er niemand zou zijn. Hij stond zo stil dat je hem haast niet kon zien, alsof hij deel uitmaakte van de stenen, en van de mossen en varens die daar groeiden. Een man die jong noch oud was; zijn gelaatstrekken waren sprekend die van mijn moeder, maar in plaats van haar groene ogen waren de zijne helder en op de verte gericht, en hadden de kleur van licht dat door helder water schijnt. Zijn spiegelbeeld had hem goed weergegeven. Een man van gemiddelde lengte, slank, recht van rug. Een man die voorgoed het teken droeg van wat er met hen was gebeurd, de zes broers met hun ene zusje.
Wat bent u? Bent u een druïde?
Mijn broer is de druïde.
Wat bent u dan? Bent u een van de filidh?
Ik ben de slag van een zwanenvleugel op de adem van de wind. Ik ben het geheim in de kern van de staande steen. Ik ben het eiland in de woeste zee. Ik ben het vuur in het hoofd van de ziener. Ik ben noch van die wereld noch van deze. En toch ben ik een man. Ik heb bloed aan mijn handen. Ik heb liefgehad en verloren. Ik voel jouw pijn, en ik ken jouw kracht.
Ik staarde hem vol ontzag aan. *Ze dachten dat u dood was. Iedereen dacht dat. Ze zeiden dat u zichzelf verdronken had.*
Sommigen kenden de waarheid. Ik kan niet in de ene wereld leven, of in de andere. Ik loop op de grens. Dat is de vervloeking die de tovenares mij heeft opgelegd.
Ik aarzelde. *Mijn moeder – u weet dat ze ernstig ziek is?*
Zij nadert het einde van haar reis. Mijn oom leek heel kalm.
Wilt u haar niet komen bezoeken, voor het zover is? Zou u dat niet kunnen doen?
Ze kan me zien, daarvoor hoef ik daar niet te zijn. Onder het kalme uiterlijk school een diep verdriet. Er was veel verloren, door toedoen van vrouwe Oonagh.

Ze weet het dus? Ze weet waar u bent?
Eerst wist ze het niet. Nu is het anders. Ze weten het allemaal, mijn zuster, mijn broers, degenen die er nog zijn. Het is beter dat anderen het niet weten. Conors novieten komen me van tijd tot tijd bezoeken.
Het moet... het moet erg zwaar voor u zijn. Hoe zwaar kon ik me nauwelijks voorstellen.
Ik zal het je laten zien. Maak je geest stil, Liadan. Stil en roerloos. Adem diep in en uit. Zo, ja. Wacht nog even. Voel nu wat ik doe. Voel mijn gedachten terwijl ze zich om de jouwe plooien. Terwijl ze je veilig omvatten. Voel mijn geest terwijl hij één wordt met de jouwe. Laat wat ik ben een tijdlang deel van jou worden. Zie zoals ik zie.
Ik deed wat hij me vroeg, onbevreesd, want ik begreep op de een of andere manier dat hier geen gevaar was. Ik ademde dezelfde adem; ik voelde zijn geest terwijl die subtiel en geheimzinnig als een schaduw in de mijne schoof en me vasthield. Maar niet als gevangene, want binnen de beschermende ommanteling van zijn gedachten was ik nog mezelf, en tegelijkertijd was ik de jonge Finbar, die in de kilte van een nevelige dageraad bij het meer stond, oog in oog met het kwaad, en ik voelde mezelf veranderen, veranderen zodat mijn geest alleen dat begreep wat een wild dier begrijpt: koude, honger, gevaar. Eten, slapen. De eieren in het nest, de partner met haar sierlijk gebogen hals en haar glanzende veren. Geboorte, dood. Verlies. De koude, het water, de aanstormende verschrikking van de gedaanteverwisseling. *Zo was het voor ons. Zo is het nog voor mij.* Hij liet me zacht weer gaan, en ik bleef rillend en haast huilend achter.
'Ik begrijp het niet,' fluisterde ik. 'Ik begrijp niet waarom ik hierheen ben gebracht. Waarom wilde u zich zo aan mij tonen? Ik ben geen druïde.'
Misschien niet. Maar toch heb je gaven. Krachtige en gevaarlijke gaven, die op de mijne lijken. Het Gezicht. De genezende kracht van de geest, die je nog nauwelijks hebt aangesproken. Ik zie je in gevaar; ik zie je als schakel in de keten, een schakel waar veel van afhangt. Je moet leren je gaven in banen te leiden, anders zullen ze niet meer worden dan een last.
'In banen te leiden? Mijn visioenen komen ongevraagd. Ik weet

nooit of ze waar of onwaar zijn, of ze het verleden of de toekomst weergeven.'

Ditmaal sprak hij hardop, en zijn stem klonk stroef en aarzelend alsof hij in lange tijd niet gebruikt was. 'Het kunnen raadsels zijn, cryptisch en misleidend. Soms zijn ze beangstigend helder. Hier op deze beschermde plek is het gemakkelijker ze in de hand te houden. Buiten dit bosje komen de schaduwen dichterbij. Ik zal het je laten zien, als je wilt. Wat draag je daar zo diep in je hart? Wat zou je liever dan wat ook willen zien? Kijk in het water. Maak je geest stil.'

Onwillekeurig keek ik even om me heen, om te zien of Conor soms keek; hij was nergens te bekennen. Toen dwong ik mezelf tot uiterste kalmte Ik maakte mijn ademhaling langzaam en diep en voelde tijd en plaats veranderen en om me heen tot rust komen. Er was een flikkerend licht, een flits van kleur in het water, en een beeld dat geleidelijk duidelijker werd. Het beeld rimpelde en veranderde. Het was donker. Donker, afgezien van een kleine lantaarn die brandde onder de beschutting van vreemde bomen, met varenachtige bladeren. Er waren twee mannen; de een sliep, in een deken gerold, en zijn gevlochten haar viel naar achteren van een ebbenzwart gezicht. Misschien had hij geprobeerd wakker te blijven, om bij zijn vriend te zijn in het donkere uur, maar de vermoeidheid na de strijd had hem uiteindelijk overmand. De andere man zat in kleermakerszit, met een lang mes in zijn ene hand en een steen in de andere, en hij wette het mes met weloverwogen, gelijkmatige streken, een, twee, drie. Zijn ogen leken de regelmatige beweging van het mes te volgen, maar hij zag het niet echt. Af en toe keek hij even op, alsof hij hoopte dat de hemel zou beginnen op te lichten, en dan ging hij berustend weer verder met zijn werk. Het lemmet van dat mes zou dwars door een man heen kunnen snijden, met wapenrusting en al.

Mijn hand kwam naar voren, ondanks mezelf, en ik maakte een geluidje. En op dat moment keek de man in het water op, keek me recht aan. Zijn uitdrukking trof me diep. Verbittering, wrok, verlangen; ik zou niet kunnen zeggen wat zich het scherpst aftekende op zijn gelaatstrekken. Zijn ogen werden groot van schrik en langzaam, heel langzaam, legde hij het mes neer. Hij hief zijn hand op en strekte zijn getekende vingers naar me uit, en ik strekte mijn ei-

gen hand nog iets verder uit, nog een klein stukje verder...
Je mag het wateroppervlak niet aanraken.
Maar dat had ik al gedaan, en het oppervlak rimpelde weer, en Brans beeltenis was weg. Ik slaakte een zucht en ging wat naar achteren zitten, met tranen in mijn ogen.
'Je zult dit nodig hebben, Liadan. Je moet het leren, terwijl je hier bent. Je moet het snel leren, en het goed oefenen. Binnenkort zullen deze wandeling en deze klim te veel voor je zijn, een tijdlang tenminste.'
Mijn mond viel open en ik vergat bijna naar beneden te blijven kijken. Was er dan niets geheim?
'Geheimen zijn hier veilig.'
'U zag het ook, zeker. U zag wat mij werd getoond.'
'Ja, natuurlijk. En hij zag jou, daar hoef je niet aan te twijfelen. Maar dat is voor hem niets nieuws. Jouw beeld staat hem voor ogen in elk gevecht, tijdens elke vlucht, tijdens de minste beweging van zijn mes, in elke lange donkere nacht. Je hebt hem aan je gebonden, met je moed en je verhalen. Je hebt hem nu in je macht. Je hebt een wild dier gevangen, hoewel je geen plaats had om het te huisvesten. Hij kan niet aan je ontsnappen, hoe graag hij ook zou willen dat het anders was.'
'U vergist zich. Hij zei dat hij me niet wilde. Hij heeft me weggestuurd. Ik probeer alleen hem veilig te houden, zijn weg te verlichten. Er is niemand anders om dat te doen.' Zijn woorden gaven me een vervelend gevoel. Ze wekten de indruk dat ik een soort verleidster was die een man tegen zijn wil vasthoudt.
'Je spreekt de waarheid, niet meer en niet minder. Jij bent verantwoordelijk. Jij hebt zijn weg veranderd. Nu sluit je hem buiten. Wil je hem soms zijn kind ontzeggen?' Finbars gezicht stond ernstig, maar zijn stem hield geen oordeel in. Toch voelde ik boosheid opvlammen om zijn woorden.
'Wat moet ik dan doen? Ik weet niet eens waar hij is. Bovendien veracht hij me. Hij zal nooit naar Zeven Wateren komen. Hij geeft ons de schuld – hij geeft mijn vader en mijn moeder de schuld van wat hij geworden is. Zegt u dat ik naar hem op zoek moet gaan?'
'Ik zeg niets. Ik laat je alleen zien wat er te zien is.'
'Ik... ik heb een ontmoeting gehad met het Feeënvolk. De Vrouwe van het Woud, en een heer met vlammend haar. Zij zeiden...

ze bevalen me deze man op te geven. Ze wilden dat ik beloofde in het bos te blijven, en nooit te trouwen. Maar ik heb het niet willen beloven.'

'Ah.'

'Ik weet niet wat ik moet denken. Er waren daar ook andere stemmen. Oudere stemmen, en die zeiden... die leken tegen me te zeggen dat mijn eigen keuzes goed waren. Nu weet ik niet meer wat ik moet doen.'

'Niet huilen, kind.'

'Ik huil niet... ik...' Mijn gevoelens dreigden me te overspoelen. Ik had er zo naar verlangd Bran te zien, maar hem te zien had een pijnlijk gevoel van droefheid in me wakker gemaakt, droefheid om wat niet kon zijn.

'Ik heb ooit, lang geleden, een kans gehad om de loop der gebeurtenissen te veranderen,' zei Finbar. 'De kans om het leven en de vrijheid van een man te redden, met groot gevaar. Ik greep die kans aan, en ben blij dat ik dat gedaan heb, hoewel ik niet kan zeggen of mijn keuze goed of fout was. Misschien is datgene wat later gebeurde mijn straf geweest, omdat ik geloofde dat het iets uitmaakte wat ik deed. Want zoals je ziet, is het me nu onmogelijk gemaakt een rol te spelen in de wereld van gebeurtenissen. Ik ben erbuiten geplaatst, en behoor tot geen van beide domeinen. Ik ben alleen een medium.' Achter zijn uitdrukking van kalme berusting, zijn toon van kalme acceptatie, voelde ik een groot verdriet. 'Ik weet wat ik je graag zou zien doen. Maar ik zal je geen raad geven. Op dit moment zie ik dat je een zware last draagt voor zo'n klein mensje. Laat ik dit tenminste even voor je verlichten. Ik zal je laten zien hoe het gaat, want je zult dit vermogen later zelf ook moeten gebruiken. Blijf heel stil zitten. Laat de dingen die je bezwaren van je afglijden.'

Heel geleidelijk begonnen er beelden in mijn hoofd te komen: een volle maan, die opkwam boven een meer, zodat een brede zilveren baan over het stille water viel. Een leeuwerik die spiralend omhoog vloog in een ochtendhemel, met zijn liedje dat klonk als een zuivere hymne van vreugde. Het gevoel omvat te worden door sterke armen, warm en troostend. Sean en ik die langs de oever van het meer renden, met snel kloppend hart, ons haar verwaaid door de wind terwijl wij lachten en schreeuwden van opwinding over het feit dat we leefden, en jong waren, en vrij. Een helling beplant met jonge eiken, en het zonlicht dat schuin op hun jonge blaadjes viel en ze omtoverde in schitterend goud. Het geluid van een baby, die kirrend lachte. Nog meer beelden, allemaal mooi, en allemaal met een speciale betekenis die me herinnerde aan de goede dingen in mijn leven, de dingen waardoor ik blij was deel uit te maken van Zeven Wateren en de familie die daar thuishoorde. Ik was vervuld van hoop, van een gevoel van welzijn. Het visioen werd even donkerder, en ik keek in twee grijze ogen die vast waren als een rots, betrouwbare ogen. Ik hoorde een stem, niet die van Finbar, zeggen: *Je hoeft dit niet alleen te doen, weet je.* Toen vervaagden de beelden even geleidelijk als ze gekomen waren, en mijn geest kwam weer tot zichzelf, en ik deed mijn ogen open en zag voor me het stille water van de vijver en de gestalte van mijn oom, die me kalm aankeek van over het spiegelende oppervlak. Er waren erg veel vragen in mijn hoofd, ik wist niet waar ik moest beginnen.

'Je zult leren dit net zo te doen als ik. Je hebt er wilskracht voor nodig. Je moet jezelf sterker maken dan de ander; sterk genoeg om zijn gedachten naar de jouwe te voegen.'

'U denkt dat het nodig zal zijn dat ik dit doe? Wanneer?'

'Ik weet het. Ik kan niet zeggen wanneer. Je zult merken wanneer het nodig is. Nu, Liadan. Het kind.'

Plotseling sloeg de angst toe. 'Het kind is van mij,' zei ik, en mijn stem klonk woest. 'Ik zal over zijn toekomst beslissen. Het is niet aan het Feeënvolk, en ook niet aan het mensenvolk, om zijn weg te bepalen.'

'Dat zeg jij. Het kind is van jou. En je wilt de man ook, dat zag ik in je ogen toen je je hand uitstrekte naar zijn beeld. Maar deze man is niet te temmen, Liadan. Je zult hem niet op Zeven Wateren houden. En het kind moet hier blijven, omwille van ons allemaal. Het kind is misschien de sleutel. Dat hebben de Feeën je ongetwijfeld ook gezegd. Is het ooit bij je opgekomen dat je het misschien niet allebei kunt krijgen zoals je het hebben wilt?'

'Zo hoeft het vast niet te gaan,' zei ik; de strekking van zijn woorden beviel me allerminst.

'Je man draagt het teken van de raaf.'

'Hij is een Brit. Daarvan ben ik overtuigd. Ik zou er een eed op doen dat er geen druppel Iers bloed door zijn aderen stroomt. Hij kan niet degene zijn waarvan de profetie spreekt. Het is toeval, meer niet.'

'Je reageert heel snel.' Finbars uitdrukking was ernstig. 'Je hebt hier kennelijk zelf al aan gedacht. Maar je hebt gelijk. Zijn gezicht is getekend naar het beeld van de raaf, zo woest dat iedereen behalve de meest vastberaden mensen erdoor wordt afgeschrikt. En toch beantwoordt hij niet aan de woorden van de profetie. Noch van Brittannië, noch van Ierland, maar tegelijkertijd van beide. Deze man beantwoordt er niet aan, maar zijn zoon zal er wel aan beantwoorden.'

Ik maakte een ontkennend gebaar.

'Stil, Liadan. Ik zeg dit alleen om je te waarschuwen. De zoon draagt het teken van zijn vader in zijn bloed en in zijn gedrag. Daar valt niet aan te ontkomen. Je zoon zal de zoon van de raaf zijn. Hij zal de afstammingslijn van zowel zijn moeder als zijn vader voortzetten. Een Brit en een vrouw van Ierland die zelf een kind van beide volken is. Het klopt. En het is tijd. Zodra zijn afstamming bekend is, zal iedereen dat zeggen.'

Ik voelde me koud worden tot op het bot.

'Zegt u dat het beter is als niemand weet wiens kind hij is?'

'Dat zei ik niet. Het is iets vreselijks als een zoon nooit weet wie zijn vader is. Als een vader zijn zoon nooit te zien krijgt. Vraag jezelf maar eens waarom je de verhalen hebt uitgekozen die je hebt gekozen om te vertellen terwijl je bij de fianna was. Ik probeer niet je te beïnvloeden, ik weet wel beter. Je zult je eigen keuzes maken, en deze man met het ravenmasker, die niet weet dat hij vader wordt, zal dat ook doen. Misschien zul jij het patroon verder doorbreken. Toch zou het verstandig zijn het kind te beschermen. Er roeren zich krachten waarvan we dachten dat ze sinds lang verdwenen waren. Er zijn mensen die niet zullen willen dat dit kind opgroeit tot een man. Hier in het bos zal hij veilig zijn.'

'Hoe komt het dat u zoveel weet?'

'Ik wéét niets. Ik vertel je alleen wat ik gezien heb.'

Ik fronste mijn voorhoofd. 'Iedereen zegt maar steeds – u, moeder, Conor, zelfs de Vrouwe – ze hebben het steeds over het oude kwaad. Iets wat terugkomt en dat bestreden moet worden. Welk kwaad? Waarom legt niemand het uit?'

Hij keek me aan met iets wat op medelijden leek. 'Hebben ze het je dan nog niet verteld?'
'Wat? Me wat verteld?'
'Ik geloof dat het niet aan mij is dat aan je te onthullen. Conor heeft ons het zwijgen opgelegd. Misschien zul je het later weten. Houd intussen je kaars brandende, kind. Je man is ver weg. Hij is omringd door schaduwen.'
'Ik ben sterk,' zei ik. 'Sterk genoeg om hem vast te houden, en mijn kind. Ik zal hen beiden behouden. Ik zal hen niet opgeven.' Ik was verrast door mijn eigen woorden; ze leken bepaald niet ingegeven door gezond verstand, maar op de een of andere manier wist ik toch dat het de waarheid was.
Het bleef even stil, en toen hoorde ik het onverwachte geluid van zacht lachen.
'Hoe kon ik ook aan je twijfelen?' zei Finbar, met een brede grijns die op die van zijn broer leek, en die eigenlijk niet paste in het fragiele, beschaduwde gezicht. 'Je bent de dochter van je moeder.'
Toen stond, zonder dat ik iets had gehoord, Conor opeens naast me en legde een geruststellende hand op mijn schouder.
'We moeten gaan,' zei hij, en ik kon er niet achter komen of hij iets had gehoord van wat er tussen zijn broer en mij was voorgevallen. 'Je vader zit zich waarschijnlijk op te vreten.' Voor ons was de vijver glad als glas.
Ga nu naar huis, Liadan. Ik zal er zijn wanneer je me nodig hebt. Oefen je kunst.
Ik knikte, en we keerden om en liepen onder de overhangende bomen door, en begonnen aan de lange wandeling naar huis. Ik nam mijn kans te baat toen het meer bijna in het gezicht was gekomen, en vroeg aan Conor: 'Oom? Weet u wat er geworden is van de jonge druïde, Ciarán? Is hij teruggegaan naar de nemetons?'
Het bleef heel lang stil, en toen zei hij zacht: 'Nee, Liadan. Hij is niet teruggekomen.'
'Waar is hij heen gegaan?'
Conor zuchtte. 'Ver weg. Hij heeft een zeer gevaarlijke weg gekozen, om zijn verleden te zoeken. Hij heeft gezworen dat hij nooit tot de broederschap zal terugkeren. Het is een groot verlies. Groter dan hij zelf beseft.'
'Oom... heeft dit iets te maken met dat kwaad, het kwaad waar-

over mijn moeder spreekt, een schaduw uit het verleden die is teruggekomen?'
Conors mond verstrakte. Hij gaf geen antwoord.
'Waarom wilt u het me niet vertellen?' vroeg ik, geërgerd maar ook een beetje bang. 'Waarom wil niemand het me vertellen?'
'Dit mag niet verteld worden,' zei Conor ernstig, en we vervielen weer in zwijgen.
Het was donker tegen de tijd dat we bij de rand van het bos waren en de velden overstaken naar het huis, waar bij de hoofdingang brandende lantaarns waren opgehangen en veel mensen druk bezig waren op het erf.
'Je bent moe,' merkte Conor op terwijl we over het grindpad aan kwamen lopen. 'Zelfs ik ben ietwat vermoeid. Maar we zullen vanavond niet vroeg naar bed kunnen gaan. Zo te zien worden de Uí Néill en je zuster vandaag nog verwacht. Red je dat nog?'
'Ik red het altijd.'
'Dat is niet onopgemerkt gebleven.'
We kwamen de helverlichte zaal binnen. Conor had gelijk gehad. Mijn zuster werd verwacht voor het avondmaal, en tijdens onze afwezigheid waren er andere gasten gearriveerd, en het huis was vol licht en gesprekken en heerlijke etensgeuren. Daar was Seamus Roodbaard, die zijn forse achterwerk warmde voor het vuur, en zijn jonge vrouw die verlegen giechelde toen hij iets in haar oor fluisterde. Sean en Aisling hand in hand, stralend gelukkig dat ze weer samen waren. Mijn vader die Conor bestraffend aankeek. En Eamonn. Eamonn die opstond toen we binnenkwamen, met een bleek gezicht en zijn ogen op mij gericht alsof hij de hele tijd op dit ogenblik had gewacht. Ik vluchtte naar boven om me te verkleden. Nooit had ik er zo naar verlangd onder de dekens te kruipen, mijn benen op te trekken en meteen te gaan slapen. Het vuur in mijn kamer was aangestoken, alsof Janis wist wanneer ik thuis zou komen, en er was een groene jurk klaargelegd op het bed. Ik trok vermoeid mijn oude kleren uit en wurmde me in de nieuwe. Mijn buik was iets boller geworden. Je zou het niet opmerken als je er niet speciaal op lette. Maar het zou niet lang duren voor iedereen het zou weten. Ik maakte de jurk dicht en maakte mijn gezicht nat met water uit de kom die voor me was klaargezet. Ik boog me naar het vuur en hield een stuk hout in

het midden van de gloed tot het vlam vatte. De kaars was al een heel eind opgebrand. Binnenkort moest ik een nieuwe maken. Ik stak de pit aan, en de geur van kruiden steeg op in de avondlucht. Liefdeskruiden, genezende kruiden. *Houd vol, waar je ook bent. Houd vol.*

Toen ik weer beneden was, kon ik Eamonn niet meer ontlopen. Voor ik een gesprek met Aisling, of met Seamus' jonge echtgenote kon aanknopen, stond hij naast me, nam me bij de arm om me naar een houten bank te geleiden, en haalde een beker wijn voor me.

'Gewoon water, alsjeblieft.'

'Je ziet erg bleek,' zei Eamonn terwijl hij me een andere bokaal bracht. Hij kwam naast me zitten en zijn vingers streken langs de mijne toen hij me de beker aangaf. 'Je zorgt niet goed voor jezelf, Liadan. Wat is er aan de hand? Waarom wilde je me niet ontvangen?'

Ik ademde diep in en liet de adem weer ontsnappen zonder iets te zeggen.

'Liadan? Wat is er?' Zijn stem klonk vriendelijk, de bruine ogen keken bezorgd.

'Het spijt me, Eamonn. Het is beter als we het hier niet over hebben. Ik ben erg moe. Ik heb een heel eind gelopen.'

Hij fronste zijn voorhoofd. 'Iemand zou beter voor je moeten zorgen.'

Daar had ik geen antwoord op. Temidden van de drukte en het gelach vormden wij een eiland van stilte.

'Ik accepteer dit niet,' zei hij plotseling. 'Je kunt dit niet doen.'

'Wat doen?' Brighid sta me bij, wat was ik moe. De aanraking van zijn hand riep herinneringen wakker, riep iets op dat beter kon blijven rusten.

'M-mij buitensluiten.' Eamonns gezicht vertrok van ergernis over zichzelf. Als kind had hij gestotterd, maar dat deed hij allang niet meer. 'Je bent me iets beters verschuldigd, Liadan. Ik moet je alleen spreken, voor ik wegga.'

Ik haalde diep adem. Opeens stonden er tranen in mijn ogen. Hoe kon ik het hem zeggen? Hoe kon ik al die dingen doen? Ik sprak zonder na te denken.

'Ik ben echt moe. Alleen ontzettend moe.'

Zijn gezicht veranderde. Hij keek snel om zich heen, om er zeker van te zijn dat niemand keek, en toen kwam zijn hand heel zacht naar mijn gezicht toe en hij streek één keer met zijn vingers langs mijn wang en veegde de ene traan weg die was ontsnapt.
'O, Liadan.'
De intensiteit van de uitdrukking op zijn gezicht was beangstigend. Ik kreeg het gevoel dat er maar een dunne grens was tussen liefde en haat, tussen hartstocht en woede. Ik hoefde niet te reageren, want ik werd gered doordat er buiten hoefgetrappel klonk, doordat iedereen naar de deur liep. Maar toen we opstonden om hen te volgen, voelde ik Eamonns hand op mijn rug, een lichte aanraking om me tegen de menigte te beschermen. Ik zou het hem gauw moeten vertellen. Op de een of andere manier zou ik er woorden voor moeten vinden.
Klepperende hoeven. Toortsen die walmden en vlamden in het donker. Een hemel zonder sterren, zwaar bewolkt. Ze kwamen twee aan twee het erf oprijden; de rechte ruggen en trotse houding van de mannen van de Uí Néill toonden geen spoor van vermoeidheid. Een van hen droeg zijn standaard, wit met een rood embleem, een slang die omkrulde zodat hij zijn eigen staart verslond. Dan Fionn zelf, breedgeschouderd, met strakke mond, en naast hem mijn zuster Ik had er zo naar verlangd haar te zien, Niamh die me in mijn kinderjaren altijd had geplaagd en gekweld, Niamh die het ene ogenblik tegen me tekeer ging, en me het volgende ogenblik haar diepste geheimen toevertrouwde. De lachende Niamh met haar gouden haar, die rondwervelde in een straal zonlicht, in haar witte jurk. *Verlang jij ook niet iets waardoor je leven een vlammende gloed krijgt zodat de hele wereld het kan zien? Verlang jij daar niet naar, Liadan?* Ik had haar vreselijk gemist, en ik popelde van verlangen om met haar te praten, ook al had ze een lange reis achter de rug. Daarom liep ik naar voren en de trap af, en ging naast Liam staan die daar stond om zijn gasten te begroeten, en het paard van mijn zuster kwam vlak voor me tot stilstand. Ik keek naar haar op; en op hetzelfde ogenblik wist ik dat, wat ik verder ook tegen haar zou zeggen, ik haar mijn geheim niet kon vertellen. Want ik stond daar in mijn groene jurk, gloeiend van het nieuwe leven dat me geschonken was; en zij keek me heel even aan en wendde meteen haar blik af, en haar gezicht

was star, haar grote blauwe ogen hol en leeg, alle hartstocht, alle hoop, alle fantastische dromen waren erin gedoofd. Fionn kwam om het paard heen om haar zijn hand te reiken, en ze steeg elegant af. Haar met bont gevoerde reismantel en haar zachte, geitenleren laarsjes waren onberispelijk. Haar glanzende haar was gesluierd met sneeuwwit linnen, en bedekt met een fluwelen kap. Ze leek op een prachtige schelp waaruit de levende bewoner door een plotselinge storm was weggerukt, het mooie restant van een levend wezen dat voorgoed verdwenen was. Ik deed een stap naar voren en legde mijn armen om haar heen, en drukte haar tegen me aan als om te ontkennen wat ik zag, en ze onttrok zich aan mijn omhelzing.

'Liadan.' Het leek haar al de grootste moeite te kosten om mijn naam uit te brengen.

'O, Niamh. O, Niamh, het is heerlijk om je te zien.'

Maar het was niet heerlijk. Het was helemaal niet heerlijk. Ik keek in het mooie, lege gezicht van mijn zus, en voelde mijn hart verkillen door een angstig voorgevoel.

HOOFDSTUK ACHT

Er was iets heel erg mis, en ik kwam er maar niet achter wat het was. Niamh vermeed me. Ze weigerde te praten, alsof ze voor zichzelf wilde ontkennen dat ze thuis was. En toch zag ik in haar gezicht zo weinig wilskracht en waren haar ogen zo zielloos leeg dat ik eigenlijk niet kon geloven dat ze de moeite kon opbrengen om mij te ontlopen. Zelfs wanneer de mannen bij elkaar zaten rond de grote eiken tafel en verdiept waren in strategische gesprekken, kon ik Niamh nog niet alleen vinden. Vaak kon ik haar helemaal niet vinden.

'Niamh ziet er niet goed uit,' merkte Aisling licht fronsend op. 'Zou ze soms in blijde verwachting zijn?'

Op de derde avond van het bezoek vroeg ik Liam een gunst.

'U ziet hoe het met Niamh is, oom. Ze lijkt uitgeput, verslagen. Ze kan niet mee naar Tara. Dat zal Fionn toch moeten erkennen. Vraag aan hem of ze bij ons mag blijven terwijl de mannen verder reizen.'

Liam keek me streng aan. 'Vertel me, nicht, waarom zou ik Niamh een gunst bewijzen?'

'Vraagt u dat nog? Ziet u dan niet wat dit huwelijk bij haar heeft aangericht? Herinnert u zich niet meer hoe ze was?'

'Dat is onredelijk, Liadan. Een vrouw moet zich onderwerpen aan het gezag van haar vader, en later aan dat van haar echtgenoot. Dat is zonder meer juist en vanzelfsprekend. Fionn is een gerespecteerd man, een man van aanzien. Hij behoort tot de Uí Néill. Niamh moet volwassen worden en zich aanpassen als ze iets van waarde aan zijn huishouden wil bijdragen. Ze moet het verleden achter zich laten.' Het klonk alsof hij niet alleen mij, maar ook zichzelf probeerde te overtuigen.

'Oom. Wilt u het alstublieft aan Fionn vragen?'

'Goed dan. Ik zal niet ontkennen dat het een bruikbaar idee is. Eamonn heeft al voorgesteld dat jij en je zuster over een paar dagen met Aisling mee terug reizen. Die regeling heeft mijn voorkeur. Je bent volkomen veilig in zijn huis, je kunt Aisling gezelschap houden terwijl haar broer weg is, en het zou de thuisreis voor Niamh onderbreken. Je hebt gelijk, ze ziet er niet goed uit.'

Sean had op de tweede ochtend zijn plannen aan de bondgenoten voorgelegd. Ze bevonden zich ditmaal in de kleinere, afgescheiden kamer. Toen ik met een stapel linnengoed door de bovengang liep, hoorde ik luide stemmen, die niet zozeer boos klonken, als wel verbluft en opgewonden. Ik ving iets op van Seans gedrevenheid en zijn hartstochtelijke wil hen te overtuigen. Het middagmaal stond op tafel koud te worden terwijl zij achter gesloten deuren over het onderwerp beraadslaagden; en toen ze naar buiten kwamen, waren Fionn en Sean nog steeds diep in gesprek. Eamonn was bleek en stil en had een bedrukte uitdrukking op zijn gezicht. De felle discussie werd voortgezet terwijl ze aten en dronken. De meningen waren verdeeld. Fionn voelde wel iets voor het idee, Seamus weifelde. Liam hield vast aan zijn standpunt; hij wenste geen zaken te doen met de fianna, hij wilde niet onderhandelen met anonieme huurlingen, hij was niet van plan aan een missie deel te nemen zonder dat hij er zelf de leiding over had. En iedereen wist dat niemand leiding kon geven aan de Beschilderde Man. Die hield er zijn eigen wet op na, als wet tenminste het goede woord was voor iemand die zo duidelijk buiten de wet leefde. Hem vertrouwen was eigenlijk net zoiets als je hoofd in de muil van een draak steken. Pure waanzin. Bovendien, merkte Seamus op, hoe moest je eraan beginnen? De bandiet kwam en ging naar eigen believen; niemand wist waar zijn hoofdkwartier was. Hij was zo glad als een aal. Hoe liet je hem weten dat je geïnteresseerd was? Sean antwoordde dat daar methoden voor waren, maar hij legde dat niet verder uit. Eamonn zei heel weinig. Toen de tafel was afgeruimd, ging hij niet met de anderen mee terug om de discussie voort te zetten, maar liep alleen naar buiten.

Ik dwong mezelf om achter hem aan te gaan. Ik kon niet langer wachten tot hij naar me toe kwam; ik zou hem het slechte nieuws meedelen en daarmee uit. Het was beter dat hij het zo snel mogelijk wist. Dit was niet wat mijn moeder en ik ons hadden voorgesteld, maar Eamonn liet me geen keus.

Ik vond hem bij de stallen. Hij stond te kijken naar de grijze merrie die mij naar huis had gebracht, terwijl een van de jongens haar over het erf liet ronddraven. Een, twee, en drie en vier; ze tilde haar voeten keurig op als een danseres. Haar vacht glansde, haar zilverige manen en staart glommen door de goede verzorging.

Ik ging naast Eamonn staan; hij stond in de schaduw te kijken.

'Liadan.' Zijn stem klonk terughoudend.

'Je wilde met me praten,' zei ik. 'Nou, hier ben ik dan.'

'Ik weet niet of... dit is niet het goede moment. Ik ben... je broer heeft me teleurgesteld. Hij heeft me geschokt, met een verkeerde inschatting. Ik vrees dat ik niet tegen je kan zeggen wat ik ervan denk.'

'Ik weet dat dit geen goed moment is, Eamonn. Maar ik moet je iets zeggen, en dat moet nu gebeuren, nu ik er de moed voor heb.'

Ik had onmiddellijk zijn aandacht.

'Je hebt... moed nodig om het me te zeggen? Je hoeft nooit bang voor me te zijn, Liadan. Je moet weten dat ik datgene wat voor mij het kostbaarst is, nooit kwaad zou doen.'

Zijn woorden maakten het niet gemakkelijker om te doen wat ik moest doen. We liepen zwijgend naar een plek achter de stallen, waar je in de zon op een trapje kon zitten. Dit was een goede plek geweest voor kindergeheimen. Hier kon niemand je zien, behalve misschien een druïde.

'Wat is het, Liadan? Wat kan zo erg zijn dat je het niet aan een vriend durft te vertellen?' En hij nam mijn beide handen in de zijne, hield ze gevangen, zodat ik niet weg kon. 'Zeg het, lieve.'

Brighid sta me bij. Ik huiverde van top tot teen. 'Eamonn. We kennen elkaar al heel lang. Ik respecteer je, en ik ben het aan je verplicht je de waarheid te vertellen, of zoveel van de waarheid als ik kan. Een tijd geleden heb je... heb je me gevraagd je vrouw te worden, en ik heb gezegd dat ik je met Beltaine een antwoord zou geven. Maar ik voel dat ik je nu mijn antwoord moet geven.'

Er viel een stilte.

'Ik zie dat ik je op dit punt te veel onder druk heb gezet,' zei hij voorzichtig. 'Als je dat liever hebt, zal ik zo lang wachten als jij wilt. Neem de tijd die je nodig hebt om je beslissing te nemen.'

Ik slikte. 'Dat is het juist. Ik kan niet de tijd nemen. En ik kan niet met je trouwen, nu of later. Ik draag het kind van een andere man.'

En toen bleef het heel lang stil, en tijdens die stilte staarde ik doodongelukkig naar de grond en bleef hij roerloos zitten, nog steeds met mijn handen in de zijne. Ten slotte sprak hij met een stem die kalm klonk, zelfs aan een vreemde leek toe te behoren.

'Ik geloof dat ik je niet goed heb verstaan. Wat zei je?'

'Je hebt me wel verstaan, Eamonn. Vraag me niet het nog eens te zeggen.'

Weer een stilte. Hij liet mijn handen los. Ik kon hem niet aankijken.

'Wie heeft dit gedaan?'

'Dat kan ik je niet zeggen, Eamonn. Ik zal het je niet vertellen.'

Toen kwam hij in beweging, en ik voelde zijn handen op mijn schouders, in een hardhandige greep.

'Wie heeft dit gedaan? Wie heeft genomen wat van mij was?'

'Je doet me pijn. Ik heb je verteld wat ik je moest vertellen, en nu ben je vrij wat mij betreft. Ik ga je niet meer vertellen.'

'Vertellen? Wat bedoel je, vertellen? Wat stellen ze zich voor, je broer, je vader? Ze zouden op zoek moeten zijn naar het uitvaagsel dat jou dit heeft aangedaan, hem moeten laten boeten voor deze... deze schanddaad!'

'Eamonn...'

'Zodra ik je zag, op het moment dat Sean en ik je vonden, was ik al bang dat er zo'n misdaad was gepleegd. Maar je wilde niet met me praten, en je leek kalm, bijna al te kalm... en niemand praatte er verder over, dus ik dacht... maar als zij het niet doen, zal ik deze barbaarse wreken. Ik zal zorgen dat hij ervoor betaalt. Dit k-kind had van mij moeten zijn.'

'Zij wisten het niet.' Mijn stem beefde. 'Sean, Liam, mijn vader. Ze weten het nog steeds niet. Jij bent pas de tweede die dit nieuws hoort, na mijn moeder.'

'Maar waarom?' Hij was opgestaan, ijsbeerde en opende en sloot zijn handen alsof ze graag iets of iemand schade zouden willen toebrengen. 'Waarom vertel je het niet? Waarom gun je je mannelij-

ke familieleden niet de voldoening van gerechtvaardigde wraak?'
Ik haalde diep adem.
'Omdat ik,' zei ik heel duidelijk, zodat het onmogelijk was dat hij me verkeerd zou begrijpen, 'hieraan uit vrije wil heb meegewerkt. Dit kind is in liefde ontvangen. Ik weet dat dit jou meer zal kwetsen dan de gedachte dat mij een gewelddaad is aangedaan. Maar het is de waarheid.' Nog steeds kon ik mezelf er niet toe brengen hem in de ogen te kijken.
Hij liep met grote passen op en neer, op en neer. Nu had ik hem tenminste de waarheid meegedeeld, en zijn sterke gevoel voor fatsoen zou hem geen andere keus laten dan mij te verlaten. Hij zou iets verontschuldigends mompelen en naar Tara vertrekken om zijn gekwetste trots te koesteren en een andere vrouw te zoeken.
'Ik geloof je niet.' Hij bleef voor me staan en bukte zich om mijn handen te pakken. Hij trok me overeind zodat ik voor hem kwam te staan. Ditmaal moest ik hem wel aankijken, en ik kon aan de verbijstering in zijn ogen zien dat hij meende wat hij zei. 'Ik ken je te goed. Jij bent niet in staat tot zo'n daad, je bent de verstandigste en evenwichtigste vrouw die ik ken. Ik weiger te geloven dat je jezelf zo, ongehuwd en aan een ander toegezegd, zou geven. Dit kan niet de waarheid zijn.'
Hij had het me niet moeilijker kunnen maken, zelfs niet als het zijn bedoeling was geweest om dat te doen. 'Toch is het de waarheid, Eamonn,' zei ik zacht. 'Ik houd van deze man. Ik draag zijn kind. Ik kan het niet duidelijker zeggen. Bovendien heb ik je nooit iets toegezegd.'
'Heeft hij aangeboden met je te trouwen? Je kind een naam te geven?'
Ik schudde mijn hoofd. Hield hij nu maar op. Ging hij nu maar weg. Elk woord maakte het alleen maar erger.
'Deze ellendeling heeft misbruik gemaakt van jouw onschuld, en nu neem je hem in bescherming vanwege een misplaatst gevoel van loyaliteit. Ik zal hem opsporen en ik zal hem met mijn blote handen wurgen. Het zal me een diepe voldoening geven hem te zien sterven.'
Heel even kwam dat beeld terug, de knijpende handen, het snakken naar levensadem, het mes, het bloed. Toen vervaagde het weer en stond ik op mijn benen te zwaaien.

'Liadan, wat is er? Hier, ga zitten. Laat me je helpen. Je voelt je niet goed.'
'Ik wil dat je nu gaat. Ga alsjeblieft weg.' Ik legde mijn hoofd in mijn handen, zodat ik de uitdrukking in zijn ogen niet hoefde te zien.
'Je hebt hulp nodig...'
'Zo meteen voel ik me weer beter. Ik moet echt alleen zijn. Ga alsjeblieft weg, Eamonn.' Mijn eigen zwakheid maakte me wreed.
'Als dat is wat je wilt.' Hij sprak nu met een uiterst beheerste stem. Hij draaide zich al om en wilde gaan.
'Wacht.'
Ik hoorde hoe hij zijn adem inhield, maar ik zei niet wat hij wilde horen.
'Ik moet je om een gunst vragen. Ik moet dit nieuws nog bekendmaken. Geef me alsjeblieft de tijd om het aan mijn vader, Sean en mijn oom te vertellen, voor je erover spreekt. En... en Eamonn, het spijt me dat ik je pijn heb gedaan.'
Hij antwoordde niet.
'Eamonn?'
'Je zou ja hebben gezegd, hè?' Hij sprak snel, alsof de woorden er tegen beter weten in uit rolden. 'Met Beltaine. Je zou me hebben geaccepteerd, als dit niet was gebeurd?'
'O, Eamonn. Wat heeft het voor ons allebei voor zin om die vraag te beantwoorden? Het is allemaal anders geworden. Alles is veranderd. Ga nu, alsjeblieft. Het heeft geen zin verder te praten. Het is gebeurd, en bloedvergieten kan er niets aan veranderen.'
'Ik zal tijd nodig hebben.' Dit verraste mij ook. 'Tijd om dit te verwerken.'
'Dat zal voor anderen ook het geval zijn,' zei ik wrang. 'Er zijn veel mensen die ik het nog moet vertellen. Ik moet je nogmaals vragen hier niet over te spreken, tot...'
'Natuurlijk zal ik dat niet doen. Ik heb altijd het grootste respect voor je gehad, en dat heb ik nog steeds.' Hij maakte een stijf begin van een buiginkje, draaide zich op zijn hielen om en was eindelijk weg.
Het was een vreemd avondmaal, met veel blikken en gebaren en onuitgesproken woorden. Niamh droeg een ingetogen gewaad van een zachte, goudkleurige stof, hoog gesloten, met lange mouwen,

en ze zat zwijgend naast haar echtgenoot terwijl deze met Liam strategieën besprak. Ze at weinig. Mijn moeder zat niet aan tafel, mijn vader was afgeleid. Van tijd tot tijd betrapte ik hem erop dat hij naar Niamh keek, en dan naar Fionn, en in zijn gezicht zag ik een somberheid die mijn eigen gedachten weerspiegelde. Ik had voor de verandering geen honger. Ik had nog maar door één zure appel heen gebeten. Eamonn was genoodzaakt geweest aan tafel te verschijnen, net als mijn vader, omdat zijn afwezigheid aanstoot had kunnen geven. Hij dronk zijn wijn, en de beker werd weer volgeschonken, en hij dronk weer. Een schotel met eten werd voor hem neergezet, en onaangeroerd weer weggenomen. Er waren donkere gedachten in zijn blik.

De volgende ochtend was het mooi weer. Ik stond vroeg op, kleedde me warm aan in een jurk voor buiten en sloeg de grijze jas eroverheen, een onelegante maar praktische combinatie. Het water in de kleine waskom was zo koud dat ik meteen helemaal wakker was. Ik ging naar buiten om mijn vader te zoeken. De meeste lammetjes werden bij ons in het voorjaar geboren, maar sommige ooien lammerden in de herfst, en wanneer het een koude herfst was, kon dat een probleem zijn. Iubdan was bezig in de hoogste weiden, waar hij de kudde nakeek met de hulp van een stokoude herder en twee jongens die als ogen en handen van de oude man fungeerden. Er was een pasgeboren lammetje. Het stond al wel op zijn pootjes maar nog erg wankel, en ze overlegden of ze de ooi mee naar beneden zouden nemen om te proberen haar te redden of dat ze haar ter plaatse uit haar lijden zouden verlossen.

'Geef haar tenminste een kans,' zei ik, toen ik van achter hen aan kwam lopen. 'Dat jonkie zou over een paar jaar een eersteklas fokram kunnen zijn. Gun haar een paar dagen.'

'Dat weet ik zo net nog niet.' De oude man krabde aan zijn kin, die dun begroeid was met borstelige haren. 'Het zou tijdverspilling kunnen zijn.'

'Geef haar een dag of twee,' zei ik weer, terwijl de ooi haar onschuldige ogen naar mij opsloeg.

Iubdan, die gehurkt naast het getroffen dier zat, stond op. 'Jongens, jullie nemen haar mee naar de schuur beneden. Daar is een ooi die gisteren haar eigen lam heeft verloren. Jullie weten wat je moet doen.'

'Ja hoor. Het vel van het dode lam nemen, en er dit lam mee inwrijven en hem daarna bij de andere ooi zetten. Dan neemt ze hem waarschijnlijk als haar eigen lam aan.' De jongen wilde graag laten horen hoeveel hij wist.

'Nou, ga dat dan maar gauw doen,' zei mijn vader met een lach.

'Vader. Hebt u misschien even tijd?'

'Natuurlijk, liefje. Wat is er?'

Het drietal, jong en oud, hees de ooi op een plank en begon de heuvel af te lopen naar de schuur. De kromgebogen oude herder volgde de twee jongens, terwijl hij het piepkleine lammetje voorzichtig in zijn armen droeg.

'Wat zit je dwars, dochter? Gaat het over Niamh?'

'Ik maak me inderdaad zorgen over haar. Maar ik moet nu over iets anders praten. Iets heel ernstigs, vader, dat geen uitstel gedoogt. U zult... u zult meer dan misnoegd zijn, vrees ik.'

'Kom, ga hier zitten, Liadan. Dit is niet gering, zo te horen. Er is veel voor nodig om mij te misnoegen, dat weet je.'

We gingen naast elkaar zitten op het muurtje van stenen. Van hieraf liepen de laagste uitlopers van het grote bos naar beneden waar ze de grimmige vestingmuren van Zeven Wateren omgaven. Het bastion werd verzacht door talloze takken van eik en beuk, lijsterbes en berk. Het blad begon te verkleuren, en de frisse lucht was helder, afgezien van de opstijgende pluimen houtrook van vroege kookvuren.

'Het wordt een mooie morgen,' zei Iubdan.

'De ooi,' begon ik plompverloren middenin. 'U hebt haar een paar dagen gegund. U had haar kunnen afmaken. Waarom?'

Hij dacht even na. 'Normaal gesproken zou ik op het oordeel van de oude man zijn afgegaan. Hij was al voor mijn geboorte herder. Ik deed het omdat jij het vroeg. Misschien gaat de ooi dood, misschien ook niet. Waarom vraag je dat?'

'Toen... toen ik weg was, heb ik een man gedood. Ik heb zijn keel doorgesneden met mijn mes, en hij stierf. Ik heb dat nooit eerder gedaan.'

Mijn vader zei geen woord. Hij wachtte tot ik verder ging.

'Het was het enige wat ik kon doen, begrijpt u? Hij was stervende, ze hadden hem laten liggen om te sterven, hij leed verschrikkelijk, ik kon niet anders. U hebt ooit gezegd dat u hoopte dat ik de dingen die u me leerde, met mes en boog en stok, nooit zou hoeven gebruiken. Nu heb ik ze dus gebruikt, en ik voel me er niet beter door. Maar toch was het op dat moment mijn enige keus.'

Iubdan knikte. 'Was dat wat je me moest vertellen?'

'Maar een gedeelte ervan.' Mijn keel zat plotseling dichtgeschroefd. 'Er was nog een man, die ik heb geprobeerd te genezen. Net als die ooi. Ik stond erop dat ze hem lieten leven, en hij heeft geleden, en uiteindelijk is hij toch gestorven. Ik had de verkeerde keus gemaakt. Maar op dat moment was ik er heilig van overtuigd dat ik het juiste deed.'

Mijn vader knikte weer. 'Je doet wat je moet doen. Niet elke keuze kan de juiste zijn. En je kunt nooit zeker weten of de jouwe verkeerd was. Je moeder zou zeggen dat er krachten buiten jezelf zijn die hun invloed in dit soort dingen laten gelden. Je bent een kundig genezeres; als iemand die man had kunnen redden, was jij het geweest. Er is misschien een andere reden geweest waarom het leven van deze man langer heeft moeten duren.'

Ik zei niets.

'Weet je,' zei Iubdan op conversatietoon, 'als ik iets heb geleerd van al die jaren dat ik temidden van de mensen van Erin heb gewoond, is het wel dat er in een verhaal meestal niet twee dingen zitten. Het zijn er altijd drie. Drie wensen; drie draken. Drie mannen.'

Ik haalde diep adem. 'Vader. U hebt, nog niet zo lang geleden, tegen me gezegd dat ik mijn eigen keus zou mogen maken wanneer het tijd was om te trouwen. Herinnert u zich dat?'

Hij wachtte even voordat hij iets zei. 'Dit is niet wat ik verwachtte.' De zon klom al hoger; het ochtendlicht gaf zijn haar precies dezelfde roodgouden tint als dat van Niamh. Herfstrood; eikenbladrood. 'Maar ja, natuurlijk herinner ik me dat.'

'Ik...' Ik kreeg de woorden niet uit mijn mond. 'Vader, ik...'

'Je hebt een man ontmoet die je aardig vindt? Misschien die stokoude, betrouwbare, armlastige kerel over wie we het toen hebben gehad?' Hij lachte, maar zijn blauwe ogen stonden vragend en waren strak op mijn gezicht gericht.

'Ik moet het zeggen zoals het is, vader, hoewel het je pijn zal doen, en dat doet me verdriet. Ik verwacht een kind. Ik kan de naam van de vader van dit kind niet noemen, en ik zal niet met hem trouwen, en ook niet met een ander. Er is mij geen onrecht aangedaan, er is geen wandaad gepleegd. Deze man is... hij is de man die ik zou kiezen, boven alle andere mannen. Maar ik zal mijn kind alleen ter wereld brengen en grootbrengen, want deze man wil niet naar Zeven Wateren komen. Ik heb dit aan moeder en aan Eamonn verteld. Nu vertel ik het aan u, en ik ben bang omdat... omdat ik meer dan wat ook uw respect niet wil verliezen. Als u uw vertrouwen in mij verloor, zou ik misschien aan mezelf gaan twijfelen. En dat kan ik me niet permitteren. Ik heb hiervoor al mijn kracht nodig.'

In tegenstelling tot Eamonn bleef mijn vader stil zitten terwijl hij het nieuws tot zich liet doordringen. Hij keek uit over de verre bossen en zijn gezicht verried niets. Hij vroeg me niet te herhalen wat ik gezegd had. Hij begon niet heen en weer te lopen. Uiteindelijk vroeg hij: 'Wat zei je moeder?'

'Dat ze het kind even kostbaar achtte als ik. Dat ze er zou zijn om hem met eigen handen te verlossen, in het voorjaar.'

'Juist,' zei hij, en ik hoorde een grimmige klank in zijn stem en zag een spanning rond zijn kaak, waaruit ik opmaakte dat hij erg zijn best deed om zijn boosheid te bedwingen. 'Ik vind dat je het me moet vertellen. Ik vind dat je me de naam van deze man moet noemen. Niamhs ongelukkig gekozen minnaar had tenminste de moed om voor de dag te komen en zich te verantwoorden. De jouwe, schijnt het, neemt domweg wat hem bevalt en gaat op zoek naar de volgende gelegenheid.'

Ik voelde de hitte naar mijn wangen stijgen. 'Zoals u het zegt, klinkt het goedkoop wat er tussen ons was,' zei ik. Tot mijn schrik was ik nu bezig ruzie te maken met mijn vader, die ik meer respecteerde dan wie ook op de wereld. 'Dit was geen... geen losse liaison, geen achteloze ontmoeting... Het was...'

'Help me even herinneren, hoelang ben je ook alweer weg geweest?' vroeg vader.

'Niet doen! Dit is helemaal verkeerd! O, wat gebeurt er toch met ons, dat we elkaar allemaal kwetsen en niet meer kunnen luisteren!'

Het bleef even stil, en toen begon hij weer te spreken, heel zacht. 'Goed dan,' zei hij. 'Ik heb het resultaat van Niamhs fout gezien; hoe het haar heeft veranderd, en dat stelt me allesbehalve gerust. Ik zal naar je luisteren. Misschien is de naam van de man niet zo belangrijk. Het is zijn handelwijze die ik moeilijk kan begrijpen. Je zei dat hij niet naar Zeven Wateren wilde komen. Waarom niet? Welke man zou een vrouw zoals jij niet volgen en ernaar verlangen haar als zijn echtgenote te houden? Welke man zou zijn eigen zoon niet willen kennen? Tenzij hij al getrouwd is, of je anderszins onwaardig is. Maar je oordeel is er zelden naast, dochter.'

'Hij... hij heeft me gevraagd bij hem te blijven, en ik heb nee gezegd. Het ging om moeder; ik moest naar huis. Toen, later... toen hij ontdekte wie ik was, wilde hij maar al te graag van me af.' Plotseling stond het huilen me nader dan het lachen.

'Dit bevalt me absoluut niet. Werd er een reden gegeven?'

Ik was niet van plan geweest het hem te vertellen. Maar het kwam er toch uit. 'Iets van lang geleden. Toen u van Harrowfield wegging. Er is een of ander onrecht geschied. Hij zei... hij zei dat u hem zijn geboorterecht hebt ontnomen. Zoiets. Vader, u mag hierover met niemand spreken, begrijpt u?'

Hij had zijn voorhoofd gefronst. 'Dat is erg lang geleden. Van welke leeftijd is die man van jou?'

'Niet heel oud. Ongeveer zo oud als Eamonn, misschien jonger.'

'En hij is een Brit?' Zijn stem klonk vragend, maar ik antwoordde niet, want ik was niet bereid toe te geven dat ik het antwoord niet wist 'Hij kan niet veel meer dan een zuigeling zijn geweest toen ik van Harrowfield wegging,' vervolgde vader. 'Dit kan toch niet juist zijn.'

'U hebt nooit over die tijd verteld. Was er iets... is er iets gebeurd dat zou kunnen verklaren wat hij zei? Is er een kind iets aangedaan? Er is een kwaad in het verleden dat zwaar op hem drukt.'

Iubdan schudde zijn hoofd. 'Er waren natuurlijk kinderen daar, in het huishouden, in de dorpen, op de boerderijen. Maar ik heb mijn landgoed in goede handen achtergelaten. Ik heb ervoor gezorgd dat alles veilig en geordend was voor ik hierheen ging. Mijn mensen waren goed beschermd, hun toekomst was zo goed gewaarborgd als mogelijk is in deze moeilijke tijden. Misschien zou ik, als ik met hem zou kunnen praten...'

'Nee,' zei ik. 'Dat is niet mogelijk.'

'Schaam je je voor hem? Of voor mij?'

'Nee, natuurlijk niet, vader. Dat mag je niet eens denken. Hij kan niet hier komen. Hij leidt een leven van... van gevaar en vluchten. Er is in zo'n leven geen plaats voor mij of voor zijn kind. Het is beter als ik dit gewoon zelf doe.'

'Maar je wilde niet met Eamonn trouwen.'

'Als ik deze man niet kan krijgen, wil ik geen ander.'

'Heb je het aan Niamh verteld?'

'Hoe zou ik het haar kunnen vertellen? U hebt gezien hoe het met haar is. Ze heeft nauwelijks een woord tegen me gesproken sinds ze thuis is.'

We stonden op en begonnen langzaam de heuvel af te lopen naar de schuur. We zwegen een poos en toen zei hij: 'Sinds Niamhs terugkomst schijn ik haar niet te kunnen bereiken, Liadan. Ze wil niet naar haar moeder toe, terwijl die er juist zo naar verlangt de wonden te verzachten die Niamh zijn toegebracht toen ze niet met haar minnaar mocht meegaan. Het is net of er in plaats van onze dochter een andere vrouw is teruggekomen; alsof iemand dat stralende meisje heeft veranderd in een schim van zichzelf. Ik heb één dochter verloren, en je moeder bewandelt een donkere weg. Ik wil jou niet ook nog verliezen.'

Ik legde mijn arm om de zijne. 'Ik ben altijd van plan geweest hier te blijven. Dat weet u.'

'Ja. Mijn dochtertje, zo bekwaam in alle huishoudelijke werkjes, altijd het gelukkigst met haar eigen mensen om haar heen. Jij bent het hart van het huishouden, Liadan. Maar weet je wel zeker dat dit nog steeds het enige is wat je wilt?'

Ik antwoordde niet. Mijn vader en ik logen niet tegen elkaar.

'Stel dat deze man morgen bij je voor de deur staat, en je vraagt met hem mee te gaan? Wat zou je antwoord dan zijn?'

Als hij morgen bij me voor de deur staat, terwijl Eamonn nog hier is, zou hij van geluk mogen spreken als hij heelhuids wegkomt.

'Ik weet het niet. Ik weet niet wat ik zou doen.'

We waren onder de bomen uit gekomen en konden de wit geverfde muren van de schuur voor ons zien.

'Ik heb een voorstel voor je, dat we zullen uitvoeren als je moeder het ermee eens is.' Het leek wel of vader een plan ging uitleggen om een muur te bouwen of een boomgaard te planten. Maar zijn ogen waren beslist niet kalm. 'Wanneer Aisling naar huis gaat, ga je met haar mee naar Sídhe Dubh, en daar blijf je terwijl Eamonn op Tara is. Neem Niamh mee en probeer erachter te komen wat er met haar aan de hand is. Ik heb het gevoel dat er iets ergers mis is dan wij weten, iets wat diep ingrijpt en verwondt. Ik heb mijn best gedaan haar te bereiken, maar ze ziet mij als haar vijand en wil niet met me praten. Het is voor je moeder al zwaar genoeg haar eigen zwakheid en pijn te verdragen, zonder de dagelijkse kwelling dat ze haar dochter zo moet zien en haar niet mag helpen. Je moeder zei dat als Niamh met iemand zal willen praten, het met jou zal zijn. Ik vraag je dit voor mij te doen. Dat wil zeggen, tot Fionn terugkomt om haar te halen, en dan moet je naar huis komen. Je zult wel niet in Eamonns huis willen verblijven wanneer hij terug is. Je zegt dat je hem dit nieuws al hebt verteld. Dat is waarschijnlijk voor jullie allebei moeilijk geweest. Eamonn is een trotse man; hij kan een verlies niet goed verdragen.'

'Het was afschuwelijk.'

Mijn vader legde zijn arm om mijn schouders. 'Goed dan. Wat zeg je ervan?'

'Als u dit wilt, zal ik gaan.' Bij het vooruitzicht zonk de moed me in de schoenen. Ik was er niet zeker van dat ik wilde weten wat er achter Niamhs mooie, lege ogen schuilging. Ik wist dat ik niet in het huis van Eamonn wilde vertoeven, zelfs al was hij zelf afwezig.

'Je zult dit voor mij doen, en voor je moeder. Als tegenprestatie zal ik jou en mijn kleinkind in bescherming nemen. Ik zal zorgen dat Liam hiervan op de hoogte is voor hij naar Tara vertrekt. Ik zal het ook aan Sean en aan Conor vertellen.'

'Moeder zei dat zij dat zou doen...'

'Ik zal het doen. En ik zal het op zo'n manier doen dat er geen vragen worden gesteld en dat aan jou geen eisen zullen worden gesteld. Je bent mijn dochter. Jij en je kind zullen hier op Zeven Wateren veilig zijn, voor zo lang als je hier wenst te blijven.'

'O, vader.' Ik sloeg mijn armen om hem heen en omhelsde hem.

'Ik wens jou niet in wanhoop te zien vervallen, zoals met Niamh is gebeurd. Ook ik heb de regels doorbroken om te krijgen wat ik wilde, Liadan. Ik heb nooit vergeten wat ik achter heb gelaten toen ik hierheen kwam. Maar ik heb nooit ook maar een ogenblik geloofd dat het verkeerd was om te doen wat ik verkoos te doen. Je bent de dochter van je moeder. Het is voor mij onmogelijk om te denken dat jouw keuzes verkeerd kunnen zijn. Het zal vast en zeker ergens goed voor zijn. Ja, liefje, huil maar eens

uit. Later moet je Aisling opzoeken en je bezoek voorbereiden. Misschien moeten jullie per paard en wagen reizen; het is misschien niet verstandig als jij op een paard rijdt.'
'Paard en wagen!' Mijn tranen waren als bij toverslag gestelpt. 'Ik ben niet ziek. Het is volkomen veilig als ik op de kleine merrie rijd. We houden een kalm tempo aan.'

Hij hield woord. Hoe hij het precies voor elkaar kreeg, weet ik niet, maar op de avond voordat de mannen naar Tara zouden vertrekken, waren Liam en Sean op de hoogte van mijn nieuws, en Conor ook, maar misschien had hij het al geweten. Ik was me er voortdurend van bewust hoe anders het ging dan bij Niamh. Voor mijn zus was er sprake geweest van koele afkeuring, van streng ingrijpen, van uitsluiting en een haastig, gedwongen huwelijk. Voor mij was er domweg aanvaarding van een feit, alsof mijn vaderloze kind al deel uitmaakte van de familie op Zeven Wateren. Ik had met mijn vergrijp meer regels overtreden dan Niamh. Ik kon nog steeds niet begrijpen waarom de familie vond dat Ciarán een ongeschikte huwelijkskandidaat voor haar was; en waarom ze hun redenen daarvoor geheim hadden gehouden. Er was geen kind op komst geweest. En toch had Niamh niets van de liefde en warmte gekregen die mij omringden. Het had iets vreselijk onrechtvaardigs. Ik was me bewust van mijn zus terwijl ze zich stijfjes door het huis bewoog, afgesloten achter haar onzichtbare scherm, zonder uitdrukking in haar ogen, met haar armen om zich heen geslagen of haar handen stijf in elkaar gestrengeld alsof ze haar pantser geen moment mocht laten verslappen, alsof ze dacht dat wij allemaal vijanden van haar waren.
Hoewel ik het oneerlijk vond, was ik mijn vader diep dankbaar omdat hij mijn weg op wonderbaarlijke wijze wist te effenen. Nieuws reist snel. Ik ging voor het avondeten naar beneden, en daar was niemand minder dan Janis, die naging of er genoeg bokalen, schalen en messen waren voor het huishouden en de gasten. Janis was leeftijdloos. Ze was mijn moeders min geweest; ze moest in jaren behoorlijk oud zijn, maar haar donkere ogen blonken van intense belangstelling voor elk nieuwtje, en haar haar, dat naar achteren was getrokken in een streng gevlochten knotje in haar nek, was nog zwart en glanzend als een kraaienvleugel. Haar

familie bestond uit reizende mensen, maar Janis had zich al lang geleden op Zeven Wateren gevestigd; ze hoorde bij ons.

'Zo, meiske,' zei ze met een brede grijns. 'Het hoeft niet langer een geheim te blijven, hoor ik.'

'Heeft mijn vader het je verteld?'

'Hij heeft het nieuws laten verspreiden, op zijn eigen manier. Niet dat ik het niet al wist. Een vrouw weet zoiets. Ik ben alleen maar blij dat je je goed voelt. Je zult een veilige zwangerschap hebben, ook al ben je nog zo'n klein ding.'

Ik kon warempel glimlachen.

'Ik zal je helpen wanneer het zover is,' vervolgde Janis zacht. 'Zij heeft er tegen die tijd misschien de kracht niet meer voor. Ze zal me zeggen wat ik moet doen. Ik zal haar handen zijn. Nou, nou, geen tranen, meiske. Dit nieuws heeft een glimlach op het gezicht van je moeder gebracht. En dat maakt hem weer blij, de Grote Man. Je hoeft je niet te schamen.'

'Dat is het niet,' zei ik hevig met mijn oogleden knipperend. 'Ik schaam me niet. Het komt door mijn moeder, en Niamh, en... en alles. Alles verandert, het verandert te snel. Ik weet niet of ik het bij kan houden.'

'Hier, meiske.' Ze deed haar armen om me heen en drukte me stevig tegen zich aan. 'Veranderingen zullen je blijven volgen. Je bent een van de mensen die erom vragen. Maar je bent een sterk meisje. Je zult altijd weten wat goed is, voor jou en je kindje. En voor je man.'

'Dat hoop ik maar,' zei ik nuchter.

Toen ik die avond rondkeek in de zaal, kwam de gedachte bij me op dat dit misschien voorlopig de laatste keer zou zijn dat we allemaal bij elkaar waren. Liam zat in zijn gebeeldhouwde stoel; zijn strenge aanblik werd enigszins verzacht door de jonge wolfshonden die elkaar nazaten rond zijn gelaarsde benen. Mijn broer stond naast hem; de gelijkenis was zoals altijd treffend. Sean had hetzelfde lange gezicht en dezelfde harde kaaklijn; de gelaatstrekken van een toekomstige leider. Conors gezicht was ook weer datzelfde gezicht, maar toch anders, want het was steeds vervuld van een innerlijk licht, een oeroude rust. Niamh zat zwijgend naast haar echtgenoot. Ze hield haar rug recht en haar hoofd was geheven, maar ze keek niemand aan. Ze droeg een sluier over haar

haar, en haar jurk was uiterst ingetogen. Haar licht, dat zo sterk had gestraald toen ze danste en schitterde op het Imbolc-feest, was te snel gedoofd. Fionn besteedde geen aandacht aan haar. Aan de andere kant van mijn zuster zat Aisling, die er geen moeite mee had een eenzijdig gesprek te voeren. En Eamonn was er ook; hij zat in het donker, met een pul bier in zijn handen. Ik probeerde te vermijden zijn blik te kruisen.

Mijn moeder was moe, dat zag ik wel, en het deed haar verdriet haar oudste dochter zo veranderd te zien. Ik zag haar in Niamhs richting kijken, en haar blik afwenden, en ik zag de kleine rimpel die steeds op haar voorhoofd stond. Toch glimlachte ze en babbelde met Seamus Roodbaard; ze deed haar best om de indruk te wekken dat alles was zoals het hoorde te zijn. Vader lette op haar en zei niet veel. Toen we de maaltijd beëindigd hadden, wendde mijn moeder zich tot Conor.

'We hebben vanavond behoefte aan een mooi verhaal, Conor,' zei ze glimlachend. 'Iets inspirerends om Liam en zijn bondgenoten gesterkt op weg te laten gaan naar Tara. Er zullen veel mensen vertrekken, want Sean begeleidt de meisjes over een paar dagen naar het westen, en het zal hier bij ons een tijdlang erg stil zijn. Kies je verhaal met zorg.'

'Dat zal ik doen.' Conor stond op. Hij was niet erg groot, maar hij had een uitstraling die hem indrukwekkend maakte, bijna vorstelijk in zijn witte gewaad. De gouden torque om zijn hals blonk in het licht van de toortsen, en zijn gezicht erboven was bleek en kalm. Hij bleef enkele ogenblikken zwijgend staan, alsof hij het goede verhaal voor deze speciale avond opriep.

'In deze tijd van scheiden, van nieuwe ondernemingen, is het gepast een verhaal te vertellen over dingen die geweest zijn, die zijn en die zullen zijn,' begon Conor. 'Laat ieder van jullie luisteren en dit verhaal zo interpreteren als jullie hart en ziel je ingeven, want ieder vormt de draad van woorden naar zijn eigen lichtende inzicht, zijn eigen donkere herinnering. Wat je ook gelooft, wat je overtuiging ook is, laat mijn verhaal tot je spreken; vergeet deze wereld een tijdlang en sta je geest toe terug te gaan door de jaren, terug naar een andere tijd toen ons volk dit land nog niet had betreden; toen de Túatha Dé Danann, het Feeënvolk, voor het eerst voet aan wal zetten op de Ierse kusten en onverwachte te-

genstand ontmoetten bij degenen die hier voor hen waren.
'Een mooi verhaal, een mooi verhaal,' bromde Seamus Roodbaard, en hij zette zijn beker met een zware klap op tafel.
'De Túatha Dé waren invloedrijke lieden, het waren stuk voor stuk goden en godinnen,' zei Conor. 'Er waren machtige genezers bij; krijgers met een geweldig vermogen tot herstel; tovenaars die een meer droog konden leggen, een man in een zalm konden veranderen, of een ziel met een vingerknip van zijn gekozen weg konden afbrengen. Ze waren zowel sterk als eigenzinnig. Toch konden ze Ierland niet in bezit nemen zonder er strijd om te leveren. Want zij waren niet de eersten die op deze kusten aankwamen. Er waren anderen voor hen. De Fomhóire waren eenvoudige lieden, mensen die met beide benen op de grond stonden. Sommige verhalen zeggen dat ze lelijk en mismaakt waren; sommige zeggen dat ze demonen waren. Dat zijn woorden van mensen wier begrip zich beperkt tot de oppervlakte van dingen. De Fomhóire waren geen goden. Maar ze hadden hun eigen ambachten en hun eigen soort macht. Zij hadden een oeroude vorm van magie, de magie van het binnenste van de aarde, van de bodemloze grotten, van de geheime bronnen en de geheimzinnige diepten van meren en rivieren. Zij plaatsten de staande stenen die wij voor onze eigen rituelen hebben gebruikt, de plechtige punten die de baan van zon, maan en sterren markeren. Zij bouwden de grote grafheuvels en grafmonumenten die als doorgang dienden naar de Andere Wereld. Zij waren ouder dan de tijd. Ze woonden niet alleen in het land van Erin. Ze wáren het land.
Toen kwam het Feeënvolk, en anderen na hen, en na tal van verbitterde veldslagen, na heimelijk verraad en geveinsde vriendschappen kwam er uiteindelijk een soort vrede, een wankele wapenstilstand, een verdeling van het land die zo onbillijk was dat de Fomhóire er om gelachen zouden hebben als ze niet zodanig verzwakt waren dat ze geen verdere verliezen durfden te riskeren. Daarom stemden ze in met de vrede en trokken zich terug naar de weinige plaatsen die hun nog node werden gegund. De Túatha Dé bezaten het land, of dachten dat ze het bezaten, en ze regeerden hier tot de komst van ons eigen ras hen op hun beurt naar geheime plekken verdreef, naar plaatsen van de Andere Wereld, onder de oppervlakte, in de diepe wouden, in de verlaten grotten

onder de heuvels, of terug naar de diepten van de oceaan, waarover ze oorspronkelijk naar Erin waren gekomen. Zo leken beide rassen toverwezens verloren voor deze wereld.
Tijd brengt verandering. Het ene volk volgt het andere en houdt een tijdlang stand, en dan komt er een nieuwe veroveraar om de plaats van de oude in te nemen. Zelfs voor ons eigen volk, zelfs binnen het tijdsbestek van het leven van de vaders van onze vaders, hebben we dit zien gebeuren. Ons eigen geloof is een tijdlang op een haar na uitgestorven geweest. Zelfs hier, in het grote woud van Zeven Wateren, was de heilige leer zo goed als vergeten. Want zodra die leer alleen nog als herinnering bestaat in de geest van één zeer oude man, is hij zo broos en teer als de vleugel van een vlinder, als een enkele draad van een spinnenweb. We hebben hem bijna door onze vingers laten glippen. Het heeft maar een haar gescheeld.'
Conor boog zijn hoofd. Het werd doodstil in de kamer.
'Jij hebt het weer tot leven gewekt, Conor,' zei mijn moeder zacht. 'Jij en je soortgenoten zijn voor ons een lichtend voorbeeld. In deze woelige tijden hebben jullie de oude gewoonten in stand gehouden en de vonk weer aangewakkerd tot een vlam.'
Ik keek even naar Fionn; hij was tenslotte een christen. Misschien was het niet zo verstandig geweest om juist dit verhaal te kiezen. Maar Fionn leek niet verstoord te zijn. Ik vroeg me zelfs af of hij wel had geluisterd. Hij hield zijn vingers luchtig om Niamhs pols en zijn duim streek over haar huid. Hij keek haar van opzij aan, met een soort geamuseerde uitdrukking op zijn gezicht en een lachje om zijn lippen. Niamh zat stijf rechtop, haar blauwe ogen groot en blind als die van een dier dat in de val zit en dat in het licht van een brandende toorts staart.
'We vergeten weleens,' hervatte Conor het verhaal, 'dat deze twee rassen, het Feeënvolk en de Fomhóire, hier heel lang hebben gewoond, lang genoeg om hun stempel te drukken op elke uithoek van Erin. Elke beek, elke bron en elke verborgen grot hebben hun eigen verhaal. Elke holle heuvel en elke verlaten rots in de zee hebben hun magische bewoner, hun verhaal en hun geheim. En dan zijn er nog de kleinere, minder machtige rassen die ook hun plaats hebben in het levensweb. De luchtgeesten van het hemelgewelf, de vreemde, visachtige bewoners van het water, de *selkies* van de wij-

de oceaan, het kleine volkje van paddestoel en boomstronk. Zij maken evengoed deel uit van het land als de grote eik en het veldgras, als de glanzende zalm en het springende hert. Zij zijn allemaal onderling verbonden en verweven, en als een deel ervan uitvalt, als een deel ervan wordt verwaarloosd, wordt alles kwetsbaar. Het is als een poortgewelf, waarin elke steen de andere ondersteunt. Haal er een weg, en het hele bouwsel stort in elkaar.
Ik heb jullie verteld hoe ons geloof zwakker werd en in een schuilplaats werd gedreven. Maar dit verhaal gaat niet over het christelijke geloof of over hoe dat in ons hele land aan kracht en invloed wint. Het is een verhaal over rentmeesterschap en vertrouwen. Het is een verhaal dat jullie niet mogen vergeten, wanneer jullie als bondgenoot van Zeven Wateren op weg gaan.'
Hij zweeg even.
'Erg cryptisch,' mompelde Liam, terwijl hij bukte om een van de honden achter het oor te krabbelen. 'Ik heb het gevoel dat het verhaal nog niet begonnen is, broer.'
'Je kent me goed,' antwoordde Conor met een vage glimlach.
'Ik ken druïden,' zei zijn broer droog.
Conor stond precies op de plaats waar Ciarán had gestaan om het verhaal te vertellen van Aengus Óg en de schone Caer Ibormeith, die hij schiep naar het beeld van mijn zuster, met haar lange koperkleurige haar en haar melkwitte huid. Ik keek even naar mijn zus en vroeg me af of ze aan hetzelfde dacht, en ik zag de vingers van haar echtgenoot speels bewegen in haar handpalm, strelend, plagend en opeens knijpend, zodat ze plotseling een pijnlijk gezicht trok.
'Kom een poosje bij me zitten, Niamh.' Mijn stem klonk helder op in de stilte terwijl Conor nadacht over het volgende gedeelte van zijn verhaal. 'We hebben je haast niet gezien. Ik ben ervan overtuigd dat Fionn je wel een tijdje kan missen.'
Fionns lippen vertrokken in een verbaasd lachje. 'Je spreekt boude taal, jonge zuster,' zei hij, terwijl hij zijn donkere wenkbrauwen optrok. 'Ik rijd morgenochtend naar Tara; ik zal het een groot deel van een maand, misschien langer, zonder mijn mooie vrouw moeten stellen, omdat haar gevraagd is mij te verlaten. Wil je me nog meer ontzeggen? Ze is me zo... tot troost.'
'Kom, Niamh,' zei ik, en ik moest een huivering onderdrukken

toen ik hem recht in de ogen keek en mijn hand uitstak naar mijn zus. Iedereen keek nu, maar niemand zei iets.
'Ik... ik zou wel willen...' zei Niamh zwakjes, maar haar echtgenoot hield haar pols nog steeds vast. Daarom stond ik op, liep erheen en stak mijn hand door haar andere arm.
'Alsjeblieft,' zei ik poeslief en lachte de echtgenoot van mijn zuster op een naar ik hoopte verzoenende manier toe, al straalden mijn ogen vermoedelijk iets anders uit.
'O, goed, ik zie haar straks wel weer,' zei hij, en zijn vingers strekten zich en lieten haar pols los.
Dit is de Uí Néill, Liadan. Sean keek me met gefronst voorhoofd aan. De stem van zijn geest had een strenge klank. *Bemoei je er niet mee.*
Ze is mijn zus. En de jouwe ook. Hoe kon hij dat vergeten. Maar het leek wel of ze dat allemaal vergeten hadden toen ze haar wegstuurden.
Niamh kwam naast me zitten terwijl Conor het verhaal hervatte. Ik voelde dat ze diep en huiverend inademde, en de adem in een grote zucht uitblies. Ik hield haar hand vast, maar losjes, want ik had de indruk dat ik langzaam te werk moest gaan, heel voorzichtig, alsof ik op eieren liep, wilde ik haar vertrouwen terugwinnen.
'Dit is een verhaal over de eerste man die zich op Zeven Wateren vestigde,' zei Conor ernstig. 'Zijn naam was Fergus, en onze hele familie stamt van hem af. Fergus kwam uit het zuiden, uit Laigin, en hij was een derde zoon met weinig kans aanspraak te kunnen maken op het land van zijn vader. Hij behoorde tot de fianna, de wilde jongelieden die er te paard op uittrekken om hun zwaard te koop aan te bieden aan de hoogste bieder. Nu goed, op een mooie zomermorgen raakte Fergus gescheiden van zijn vrienden, precies bij de rand van een groot bos, en hoe hij het ook probeerde, hij kon hun spoor niet meer vinden. Hij werd aangelokt door de schoonheid van de bomen met hun takkengewelf, door de paden waar licht en schaduw op speelden en door het schuin invallende licht, en daarom reed hij na een poosje het oude bos in met de gedachte: ik ga waarheen dit pad me brengt, en dan zie ik wel welk avontuur me daar wacht.
Hij reed en hij reed, steeds dieper het hart van het bos in, en hoe

verder Fergus kwam, hoe meer het bos zijn ziel aangreep en hoe meer hij zich verwonderde over de schoonheid en de vreemdheid ervan. Hij voelde geen angst, ook al was hij inmiddels helemaal verdwaald. In plaats daarvan voelde hij de drang om steeds verder te gaan, hoog over heuvels bekroond met grote eiken, essen en pijnbomen, omlaag in verborgen valleien dichtbegroeid met lijsterbes en hazelaar, langs beken omzoomd met wilgen en vlieren, tot hij uiteindelijk de oever bereikte van een prachtig meer, dat als goud blonk in het late middaglicht. Hij wist niet of deze reis één dag had geduurd, of twee of drie. Hij was niet vermoeid; integendeel, hij voelde zich verkwikt, herboren, want er was iets in zijn ziel ontwaakt waarvan hij tot nu toe nooit had geweten dat het er was.
Fergus hield stil bij het meer en steeg van zijn paard af. Hij bukte zich om wat van het heldere water in zijn handen op te scheppen en te drinken, want hij had dorst. Het water smaakte goed. Het scherpte zijn geest en gaf zijn hart moed.
"Wat is je allerliefste wens, Fergus?"
Fergus draaide zich geschrokken om. Achter hem stonden een man en een vrouw, zo dichtbij dat hij niet begreep dat hij ze niet eerder had gezien. Beiden waren buitengewoon lang; veel langer dan stervelingen. Het haar van de man had de kleur van vlammen, die om zijn voorhoofd krulden en flakkerden alsof ze werkelijk uit vuur bestonden. De vrouw was heel bleek, met lange, donkere vlechten en diepblauwe ogen in dezelfde kleur als haar golvende mantel. Fergus besefte dat zij tot de Túatha Dé Danann moesten behoren, en dat hij de vraag moest beantwoorden. Maar het vreemde was dat zijn antwoord heel anders luidde dan het een paar dagen eerder zou hebben gedaan.
"Ik wil hier blijven en me hier vestigen," zei hij. "Ik wil deel uitmaken van deze plaats. Ik wil dat mijn kinderen onder deze bomen opgroeien, en het schone water van het meer proeven. Dan zullen ze een heldere blik en een rijke ziel hebben." Zo snel had deze plaats zich in zijn ziel genesteld.
"Weet je wie wij zijn?" vroeg de vrouwe.
"Ik... ik heb er een idee van, ja," zei Fergus, plotseling verlegen, want hij had nog nooit feeën ontmoet. "Ik wil me niets aanmatigen, vrouwe. Ik neem aan dat dit land van u is. Ik kan er natuurlijk geen aanspraak op maken. Maar u vroeg ernaar."

De man met het vurige haar lachte. "Het is van jou, jongen. Daarom ben je hierheen gebracht."
"Van mij?" Fergus' mond viel open van verbazing. "Het bos, het meer – van mij?" Het was natuurlijk een droom.
"Van jou om te beheren als rentmeester, als je daar iets voor voelt. Als hoeder. Vestig je hier bij het meer van Zeven Wateren. Het bos is oud. Het is een van de laatste veilige woonplaatsen voor ons volk en voor... de anderen. Het bos zal jou en de jouwen behoeden, en je zult machtig en welvarend zijn als je het trouw blijft. Maar jij moet ook je aandeel leveren. De oude gewoonten beginnen te verdwijnen en de geheime plaatsen zijn niet meer veilig; ze worden opengelegd, ontwijd. Jij en je erfgenamen zullen de mensen van Zeven Wateren zijn, en je invloed in de sterfelijke wereld moet gebruikt worden om de veiligheid van het bos en zijn bewoners te waarborgen. Van alle bewoners. Er zijn nog maar weinig van dergelijke toevluchtsoorden over in Erin, en het worden er met elke wenteling van het rad minder. Het is niet onze gewoonte jouw soort te hulp te roepen. Maar de wereld verandert, en we hebben jou en de jouwen nodig, Fergus. Wil je deze rentmeester zijn? Heb je daar de kracht toe?"
Wat kon het antwoord anders zijn dan ja? En zo bouwde Fergus zijn bastion van sterke stenen, en na verloop van tijd omringde hij zich met een paar van zijn vroegere vrienden van de wilde fianna en met een aantal boerenmensen uit deze streek. En hij rooide een aantal bomen, net genoeg om ruimte te maken voor grasland voor zijn vee en voor enkele kleine nederzettingen. En hij nam een vrouw. Niet de dochter van een boer of de zuster van een van zijn vrienden, zoals je misschien zou verwachten. Nee, zijn vrouw was van een totaal ander slag. Hij vond haar op een dag toen hij bezig was de heuvels boven het meer te verkennen, op zoek naar een geschikte plek om een wachttoren te bouwen. Hij klom een met lijsterbessen begroeide helling op, en daar zat ze, hoog op de rotsen in een rafelige jurk die de kleur had van wilgenblad, en ze kamde haar donkere haren en keek over de bomen uit naar het meer, en hij keek haar één keer in haar vreemde, heldere ogen en was verloren. Ze heeft nooit gezegd waar ze vandaan kwam of wat ze was. Ze was maar een klein ding, een tenger meisje; ze was zeker niet een van de Túatha Dé. Fergus herinnerde zich soms dat

de geheimzinnige vrouwe het over "de anderen" had gehad, maar hij heeft het nooit gevraagd.

Ze heette Eithne, en ze was een goede vrouw voor hem. Ze schonk hem drie stoutmoedige zonen en drie dappere dochters. Hij onderrichtte zijn eerste zoon in de krijgskunsten en de tweede in de kunst van goed beheer, zodat ze samen het bos en het meer van Zeven Wateren konden behouden en behoeden. De derde zoon werd op zijn zevende verjaardag opgeëist door een zeer oude man met gevlochten haar, die hinkend uit het bos kwam, steunend op een eikenhouten staf. Deze zoon werd druïde, en op die manier werd de oude gewoonten nieuw leven ingeblazen bij de mensen van Zeven Wateren.'

'En de dochters?' Ik kon het niet laten ernaar te vragen, al was het eigenlijk ongemanierd om de stroom van het verhaal van een druïde te onderbreken.

'Ah, de dochters,' zei Conor glimlachend. 'Ze hadden alle drie de geringe lichaamsgrootte, het donkere haar en de vreemde ogen van hun moeder, en er was geen gebrek aan vrijers voor hen toen ze vrouw werden. Fergus was een bekwaam strateeg. Hij huwelijkte de eerste dochter uit aan de man die de túath ten westen van het bos bezat. De tweede huwelijkte hij uit aan de zoon van een andere buur, die midden in het moerasgebied woonde dat aan de pas naar het noorden grensde. De derde dochter bleef thuis en bekwaamde zich in de kruidenleer en de geneeskunst, en de mensen noemden haar het hart van Zeven Wateren.'

'En de Eilanden?' vroeg Sean, die graag het verdere verloop van het verhaal wilde horen.'

'Ah, ja.' Conors stem kreeg een plechtige klank. 'De Eilanden. Dat is het volgende gedeelte van dit verhaal. Maar mijn gehoor begint misschien vermoeid te worden. Het is een lang verhaal, dat misschien beter in twee avonden verteld kan worden.' Hij keek om zich heen, met vragend opgetrokken wenkbrauwen.

'Vertel de rest, Conor,' zei mijn moeder zacht.

'Zoals ik al zei vroeg Fergus nooit aan zijn vrouw Eithne wat ze was of waar ze vandaan kwam. Hij kwam nooit te weten of ze een gewone stervelinge was of iets anders. Ze werd ouder, net als een sterveling. Maar ze zeggen dat als een wezen uit de Andere Wereld ervoor kiest met een van ons te trouwen, ze haar onsterfelijkheid verliest. Als dit waar is, moet Eithne wel veel van haar man gehouden hebben, en dat is misschien de wortel van de manier waarop de mensen van Zeven Wateren liefhebben, tot op de huidige dag. Eithne gaf haar echtgenoot alle reden om te geloven dat ze werkelijk een van de Ouden kon zijn. Ze zeggen dat de Fomhóire uit de zee stammen, dat ze lang geleden uit de diepten van de oceaan zijn opgedoken om in het land van Erin te wonen. Eithnes geheim had met de zee te maken. Ze vertelde Fergus van drie eilanden, drie rotspunten in het grote water dat ons land van Alba en Brittannië scheidt. Het waren geheime eilanden, heel klein en heel moeilijk te vinden, behalve door degenen die het wisten. Die wat wisten? vroeg Fergus. Die wisten hoe ze ze moesten vinden, zei Eithne. De Eilanden waren het hart. Het hart van alles, de as van het wiel. Fergus moest erheen gaan, dan zou hij het begrijpen. Wanneer verder alles verloren was, wanneer niets meer baatte, zouden de Eilanden de Laatste Plek zijn. De Eilanden moesten veilig bewaard blijven, meer nog dan het meer, meer nog dan het bos. Wat Eithne zei, gaf Fergus een koud gevoel, maar hij vroeg haar niet het uit te leggen. Hij liet zijn mannen een stevige boot bouwen, een grote *curragh* met een zeil erop. Hij volgde de kaart die hij op aanwijzingen van Eithne had gemaakt en zette vanaf de oostkust koers naar het eiland Man. Dat was nog voordat de zee onveilig werd gemaakt door de Noormannen; maar het was toch geen veilig water voor een boot met een bemanning van houthakkers en boeren. Eithne ging niet met haar man mee. Ze verwachtte een kind en bovendien, zei ze, had ze altijd last van zeeziekte. Zo reisden Fergus en zijn mannen dus naar het oosten en een beetje naar het zuiden, en toen ze de kust van Man naderden, daalde er een mist neer, zo dicht dat je geen hand voor ogen kon zien. Ze streken het zeil en de riemen, maar de boot voer toch door, meegetrokken door een onzichtbare stroming. De bemanning zat rillend van angst in de boot, vervuld van gedachten aan zeemonsters met lange tanden en klippen met messcherpe punten. En na een lange tijd schraapte de kiel van de boot over een schelpenstrand, en de mist verdween even snel als hij gekomen was. Ze bevonden zich op de kust van een klein, rotsig eiland, niet meer dan een vlekje in de zee, een verlaten oord waar alleen zeehonden en wilde vogels woonden. De mannen waren ontzet. Fergus stelde hen gerust, hoewel hij eerlijk gezegd zelf ook allerminst gelukkig was met de situatie. Er hing een vreemde stilte over het eiland, een gevoel dat iets groots elke beweging die ze maakten in de gaten hield. Hij beval de mannen de curragh aan land te slepen en een kamp in te richten onder de beschutting van overhangende rotsen, terwijl hij naar boven klom om poolshoogte te nemen.

Al klauterend over de rotsen zag hij tot zijn verbazing dat er allerlei leven bestond op deze afgelegen plek: lage kruipende planten, door de wind kromgebogen struiken, krabben, schelpdieren en kleine, zijwaarts kruipende dieren. En vele, vele vogels die boven zijn hoofd voorbijvlogen en rondzwenkten. Fergus ging op het hoogste punt van het kleine eiland staan en keek naar het noorden. Daar in de verte, maar toch onrustbarend dichtbij, lag het eiland Man. In het oosten, veel dichterbij, lag nog een rotseiland, groter dan het eiland waar ze geland waren. Een eiland met baaien en vlakke, met ruig gras begroeide grond, die omhoogging om aan de zuidkant in kliffen te eindigen; een plek waar een soort basis kon worden gevestigd, als er tenminste zoet water te vinden was. En in het westen... daar lag het derde eiland. Fergus wist onmiddellijk dat dit het eiland was dat Eithne bedoelde. Het stond in de zee als een grote zuil van steen, steil, slank, met eromheen een hoop scherpe, gevallen rotsen waarover de zee bruiste en kolkte. En ongelooflijk maar waar, er was in de steen een soort ruwe trap uitgehouwen die helemaal naar boven ging. Daar was een soort richel, en er waren bomen. Bomen! Fergus kon het nauwelijks geloven, maar de punt was bekroond met een bosje lijsterbessen, en daarboven cirkelden vogels.

Fergus dacht een tijdje na en ging toen weer naar beneden naar de mannen. Hij hielp hen een vuur aan te leggen en beloofde dat ze de volgende morgen naar huis zouden gaan. De mannen waren opgelucht. Deze reis was wel erg vreemd verlopen. Toen zei Fergus: "Maar eerst wil ik dat jullie me daarheen brengen." "Waarheen?" vroegen zijn mannen. "Daar," zei Fergus, en hij wees. Vanaf de plaats waar ze stonden, kon je niet meer dan de top van het derde eiland zien, en dus stemden de mannen toe. Pas de volgende morgen, toen ze in de boot zaten en erheen roeiden, zagen ze de rotsen en de bruisende branding rondom, en ze werden door doodsangst bevangen. "Doorroeien," zei Fergus bars, en dat deden ze, ondanks zichzelf. Toen werden ze gegrepen door de stroming. Ze trokken hun riemen binnenboord en de boot werd naar voren gezogen, steeds dichter naar de rotsen toe, tot de mannen begonnen te schreeuwen en Manannán mac Lir aan te roepen om hen te redden. En op het moment dat ze te pletter zouden slaan, werd de boot plotseling tussen de rotsen door getrokken in een soort grot waar het water kolkte. In de zijkant van de grot was een vlakke plaat, en een opening, en er waren treden uitgehakt in de steen, die naar boven gingen.

Voor iemand iets kon zeggen, was Fergus uit de boot op de plaat gesprongen. Hij bond het vaartuig vast aan een ijzeren pin die in een spleet tussen de natte rotsen was geslagen. "Ik blijf niet lang weg," zei hij terwijl hij de treden begon te beklimmen. De mannen bleven muisstil in de boot zitten. Het was donker in de grot, en het water bewoog vreemd langs de kiel, alsof er vlak onder de oppervlakte levende wezens huisden. De zee stroomde door een opening naar binnen en door een andere weer naar buiten, waar zelfs met gestreken mast nauwelijks genoeg ruimte was om een boot door te laten. Ze probeerden maar niet aan de vloed te denken. Niemand vroeg wie de leiding zou nemen als Fergus niet meer terugkwam.

Ze wachtten lange tijd; het leek tenminste erg lang, vanwege het kolkende water, de verschuivende schaduwen en hun verbeelding die hun parten speelde. Na verloop van tijd kwam Fergus terug met een vreemde uitdrukking op zijn gezicht, alsof hij iets had gezien dat zijn stoutste dromen overtrof en dat niet onder woorden gebracht kon worden. Hij stapte in de curragh en maakte het touw los, en de mannen bukten toen de stroom hen door de lage opening mee naar buiten nam en hen voorwaarts stuwde, buiten bereik van het schuimende water en de rotsen, en hun bootje uitspuwde in de open zee. Toen zetten ze de mast op en hesen het zeil; ze namen ook de riemen op en haastten zich huiswaarts. En ze vroegen niets aan Fergus tot ze weer veilig op de kust van Erin geland waren.

Hij vertelde niet wat hij had gezien. Misschien wel aan Eithne, maar niet aan de rest van zijn huishouden. Het was geheim, zei hij. Maar wat Eithne tegen hem had gezegd was waar: de Eilanden waren de Laatste Plek, en het hoogste eiland, dat hij de Naald noemde, was het waardevolst. Hier bevonden zich de grotten der waarheid, bewaakt door heilige lijsterbessen die groeiden op een plek waar geen gewone boom het zou uithouden. De Eilanden moesten tegen de buitenwereld worden beschermd. Als ze verstoord werden, als ze ingenomen werden, zou het evenwicht verschuiven en dan zou, ook al werd het bos nog zo zorgvuldig beheerd, al werden de landerijen van Zeven Wateren nog zo goed bewaakt, alles misgaan. Toen Fergus dit tegen zijn mensen zei, geloofden ze hem, want er blonk een licht in zijn ogen, en zijn gelaatsuitdrukking was zo eerbiedig dat ze konden zien dat hij werkelijk iets onuitsprekelijk wonderbaarlijks had gezien.

Vanaf die tijd werden de Eilanden onder bewaking geplaatst; er werd een kampement gevestigd op het Grote Eiland, en de zee ten zuiden van Man werd bewaakt, zodat geen Noorman, Brit of nieuwsgierige visser in de buurt zou durven komen. Fergus moest snel veel leren. De mensen van Zeven Wateren waren geen zeelui, en in de loop van de jaren verloren ze veel goede mannen, want de Eilanden liggen ver in de zee, even dicht bij de kust van Brittannië als bij de Ierse kust. Maar de wil was sterk. Er kwam een tijd dat de druïden van het woud de zee overstaken naar de Naald, en het ritueel van Samhain verrichten op de top onder de heilige lijsterbessen. Ja, zo was het,' zuchtte Conor; zijn ogen zagen het voor zich, zijn gezicht straalde van verwondering.

'Generaties lang deed de familie op Zeven Wateren haar belofte gestand. Ze zorgde voor het bos en de mensen erin, en hield toezicht op de Eilanden, en het bos liet hen op zijn beurt delen in zijn overvloed en zorgde ervoor dat hun vijanden weg bleven. In elke generatie was er iemand die druïde werd en waren er een paar die leiding gaven aan het huishouden, en ervoor zorgden dat de mensen en het vee te eten hadden en gezond bleven, en er zorg voor droegen dat de mensen zichzelf konden verdedigen. Ook was er in elke generatie een genezeres. Buiten het bos verspreidde het christelijke geloof zich over het land, soms onder bedreiging van geweld, maar vaker op subtiele, rustige wijze. Buiten het woud kwamen de Noormannen en andere rovers, en niets was veilig; stille dorpjes, de vesting van de koning, de kloosters, niets bleef gespaard. De mensen geloofden niet langer in de Túatha Dé, en evenmin in de uitingsvormen van de Andere Wereld, want in hun angst zagen de mensen alleen de barbaar met zijn bijl die droop van het bloed van hun dierbaren. Maar Zeven Wateren was veilig, en ook de landerijen die eraan grensden, hadden niets te vrezen, als bondgenoten door huwelijk en langdurige samenwerking, verenigd tegen elke vijand. Er brak onvermijdelijk een tijd aan dat de familie zelfingenomen werd. Er kwam een generatie die geen kind afstond aan de wijzen. Dochters werden verder weg uitgehuwelijkt en stierven jong. Een leider verloor zijn verstand en zijn boeren vervielen in slechte gewoonten. Toen het verval eenmaal was ingetreden, werd het snel erger.

Hun beheer verslapte en hun vijanden roken bloed. Met name de Brit Northwoods van Cumbria verlangde ernaar zijn invloed overzee uit te breiden, en op een zwarte dag voor Zeven Wateren kwam hij met een hele vloot schepen, bemand door ervaren krijgers, en nam de Eilanden in. De bewaking was verslapt, men had het garnizoen laten verlopen. Het was maar al te gemakkelijk voor Northwoods. Toen lagen er Britse schepen afgemeerd bij het Grote Eiland, vertrapten Britse laarzen de grond van de heilige plaatsen, en weerklonken er Britse stemmen in de grotten der waarheid. Ze hakten de eerbiedwaardige lijsterbessen om en stookten er hun vuren mee. En het ging zoals Eithne had gezegd. Vanaf dat moment begon het mis te gaan voor Zeven Wateren. Zonen sneuvelden in de strijd tegen de Britten. Dochters stierven in het kraambed. Bomen werden ten onrechte geveld en er kwamen branden en overstromingen. Bondgenoten keerden hun de rug toe. Oogsten mislukten en de schapen kregen de *murrain.* Zo ging het door, en de familie deed al het mogelijke om zich te handhaven. Ze beraamden de ene aanval na de andere, maar Northwoods hield stand, en zijn nakomelingen na hem.

Het was later, veel later, in de tijd van mijn vaders grootvader, wiens naam Cormack luidde. Dat was ook de naam van mijn broer, weer een man die zijn leven gaf voor de goede zaak en door dit verhaal te vertellen bewijs ik hem eer.' Conors stem klonk nog steeds kalm, maar er lag een schaduw over zijn gezicht toen hij dit zei. Cormack was zijn tweelingbroer geweest. 'De Cormack van dit verhaal was een goede, sterke man, uit hetzelfde hout gesneden als zijn voorvader Fergus. Hij deed zijn uiterste best, maar zag alles nog steeds achteruitgaan. Op een dag begaf hij zich diep in het woud en riep de hulp in van de oudste der druïden, een man die zo stokoud was dat zijn gezicht een en al rimpels was en zijn ogen troebel en blind waren. Cormack vroeg aan hem: "Hoe kan ik mijn mensen redden? Hoe kunnen het bos en zijn bewoners behouden blijven? Ik ben niet van plan mijn opdracht te verzaken; ik ben de hoeder van deze landerijen en van allen die hier leven. Ik ben de heer van Zeven Wateren. Er moet een manier zijn."

De oude druïde keek in het vuur en zweeg zo lang dat Cormack zich begon af te vragen of hij soms ook doof was. De rook steeg kringelend op en het vuur gloeide in vreemde kleuren: groen, goud en paars. "Er is een manier," zei de oude man, en zijn stem was diep en krachtig. "Niet voor jou, maar voor je kindskinderen, of hun kindskinderen. Het evenwicht moet worden hersteld of alles zal verloren zijn."

"Hoe?" vroeg Cormack gretig.

"Velen zullen vallen," vervolgde de druïde. "Velen zullen sterven voor deze zaak. Dat is niets nieuws. De slechten zullen aan kracht winnen. Zeven Wateren zal op een haar na alles verliezen, familie en woud, hart en ziel. Maar het kan hersteld worden."

"Wanneer?"

"Niet in jouw tijd. Er zal er een komen die niet van Brittannië noch van Ierland is, en toch van beide tegelijk. Dit kind zal het teken van de raaf dragen, en door zijn tussenkomst zullen de Eilanden gered worden, en zal het evenwicht hersteld worden."

"Wat kan ik doen?"

"Houd vol. Houd vol, tot het tijd is. Dat is het enige dat je kunt doen."'

Conor zweeg. Het was een vreemd einde voor een verhaal, maar het was onmiskenbaar het einde. Het was doodstil in de zaal. Mijn moeder pakte een karaf pastinaakwijn en schonk er wat van in een bokaal.

'Liadan? Geef dit eens aan je oom Conor. Hij heeft vanavond hard voor ons gewerkt.'

Ik liet Niamhs hand los, die slap en koud in de mijne lag, en bracht de wijn naar mijn oom.

'Dank je wel,' zei hij met een knikje. 'Vertel eens, Liadan, wat betekent dit verhaal voor jou? Als jij er één waarheid uit zou moeten halen, wat zou die dan zijn?'

Ik keek hem in de ogen. 'Dat zelfs een lid van de fianna, een huurling zonder banden, een goed en betrouwbaar man kan zijn als hem de kans wordt geboden,' zei ik. 'We moeten niet te snel afgaan op uiterlijkheden, want we stammen allemaal van precies zo'n man af.'

Conor grinnikte. 'Waarachtig. En jij, Sean? Welke waarheid hield mijn verhaal voor jou in?'

Seans gezicht stond somber. 'De bedoeling van dit verhaal is natuurlijk om tegen mij te zeggen dat ik de profetie niet naast me neer kan leggen,' zei hij.

'Ah.' Conor ging zitten met zijn bokaal in zijn lange handen. 'Een verhaal heeft niet de bedoeling iets te zeggen. Het zegt wat de toehoorder wenst te horen.'

'Het zegt iets tegen mij,' zei mijn moeder. 'Het zegt dat de tijd nu gekomen is. Of heel binnenkort komt. Ik voel het.'

'U hebt gelijk.' Liam zat met een slapend hondje op zijn schoot, het andere had zich over zijn voeten gevlijd. Het was tekenend voor zijn postuur dat hij er toch nog waardig uitzag. 'Dit verhaal was een goede keus voor vanavond. Wanneer we in Tara zijn, moeten we ons eigen doel niet uit het oog verliezen. Er zal, verwacht ik, een beroep op ons worden gedaan om onze steun te geven aan andere ondernemingen. We mogen niet vergeten wat ons ware streven in de eerste plaats moet zijn.'

'En, als Sorcha gelijk heeft, moeten we alle mogelijkheden in aanmerking nemen om dat snel te verwezenlijken.' Ik had gedacht dat Seamus Roodbaard sliep, maar hij had geluisterd terwijl hij gemakkelijk onderuitgezakt in zijn stoel lag.

'Het is voor mij moeilijk,' zei Fionn met een flauwe glimlach, 'de manier waarop jullie fantasie als waarheid opvatten, te accepteren. Het is wel een andere manier om de wereld te bekijken. Maar hoe dan ook, er zijn praktische redenen voor jullie onderneming. De Eilanden hebben Northwoods lange tijd een veilige haven verschaft. Neem hem die af en je verzwakt zijn invloed in hoge mate. Wat jullie eigen gebieden betreft, die hebben jullie nu weer stevig in handen, en Liam staat in hoog aanzien in heel Ulster en daarbuiten. Het zou dom zijn om Zeven Wateren niet als bondgenoot te willen.'

'Maar toch,' zei mijn vader zacht, 'zijn er, zoals het verhaal ver-

telt, hele generaties goede mannen gestorven voor deze zaak, en niet alleen mensen van Erin. Aan beide kanten van het water zijn er weduwen en vaderloze kinderen geweest. Het is misschien verstandig de woorden van de profetie nauwkeuriger na te gaan, als we niet meer willen verliezen dan strikt nodig is. Er wordt niet over strijd gesproken.'
Fionn trok zijn wenkbrauwen op. 'U bent zelf nauw verwant aan Northwoods, meen ik? Dat levert een interessante complicatie op. Het is onvermijdelijk dat u de situatie in een iets ander licht ziet.'
'De man die die naam draagt, is inderdaad familie van me,' zei mijn vader. 'Een verre neef. Na de dood van mijn oom Richard maakte hij met succes aanspraak op het landgoed. Ik maak er geen geheim van dat ik aan die familie verwant ben. En aangezien jij met mijn dochter getrouwd bent, kun jij nu ook aanspraak maken op een verwantschapsband.'
Conor stond geeuwend op. 'Het wordt al laat,' zei hij.
'Inderdaad,' zei Liam, en hij stond op en schoof de hondjes zonder plichtplegingen op de vloer. 'Bedtijd. We moeten morgen vroeg op, en we zijn niet allemaal jong meer.'
'Kom, Niamh.' Fionn stak mijn zus zijn hand toe, maar zijn ogen waren op mij gericht, met een uitdagende blik. Ze ging zonder iets te zeggen naar hem toe, en hij legde zijn arm om haar middel en ze verdwenen de trap op. Ik draaide me om en wilde mijn kaars pakken, maar Eamonn was er eerder bij dan ik. Hij stak de kaars aan met behulp van een toorts en gaf hem mij aan.
'Ik zal je een tijdlang niet zien,' zei hij. Het flakkerende kaarslicht vormde vreemde patronen op zijn gezicht. Hij was erg bleek.
'Ik wens je een goede reis naar Tara,' bracht ik uit; ik vroeg me af waarom hij nog de moeite nam met me te praten, nu ik het hem had verteld. 'En... het spijt me.'
'Je m-moet je geen zorgen maken over mij. Wees veilig tot ik terugkom, Liadan.' Zijn vingers streken langs de mijne waar ze de kaars vasthielden, en toen was hij weg.

HOOFDSTUK NEGEN

Eamonns huis had een echte naam, de naam die ze op de kaarten zetten, en hij betekende het donkere fort. Maar iedereen noemde het huis Sídhe Dubh, alsof het een sprookjesfort was en niet het huis van een clanhoofd van Ulster, in elk geval niet van een menselijk clanhoofd. Het verhaal ging dat de geheimzinnige, door nevelen omhulde heuvel die uit de omringende moerasgronden oprees, ooit, lang geleden, een verblijfplaats van de Andere Wereld was geweest, bevolkt door het Feeënvolk of, nog waarschijnlijker, door het oudere volk dat daaraan was vooraf gegaan. Bogles, misschien, of clurichauns. Die waren nu allemaal weg, gevlucht nadat Eamonns voorouders waren gekomen om hun stempel op dit onwaarschijnlijke domein te drukken. Maar het was een vreemd gebied gebleven.

Op ons eigen land en op het bezit van Seamus Roodbaard bevonden zich kleine veenmoerassen, die goede turf voor het haardvuur leverden. Op Eamonns land was het anders. Hier waren de moerassen onmetelijk groot, onbegaanbaar, bedekt met wonderlijke nevelen, hier en daar bezet met kluwens wonderlijk misvormde bomen waarvan de wortels zich aan de eilandjes vastklampten temidden van een oceaan van zwart, zuigend slijk. Op sommige plaatsen was er een stuk open water, maar dit soort water zag je nergens anders; het was donker, zelfs als de zon scheen, en bedekt met een olieachtig glanzend vlies. In zulk onherbergzaam terrein waren maar weinig plaatsen waar men veilig woningen kon bouwen. Op geïsoleerde stukken hoger terrein waren

kleine nederzettingen gebouwd, met de schuur in het midden; de mensen woonden aan weerskanten op pieren die uitstaken in het moeras. Deze eilandjes, opgebouwd uit stenen en rijshout, met ruwhouten palissades om indringers te weren, waren met het droge land verbonden door middel van gammele loopbruggen. Bij warm weer verzamelden zich hier wolken van insecten en hing er een zoetige geur van verrotting in de lucht. Toch bleven de mensen er wonen, zoals hun vaders en de vaders van hun vaders ook hadden gedaan. Eamonn was een krachtige leider en zijn mensen waren hem trouw. Bovendien kenden ze geen ander leven.
In het noorden had Eamonn weiden en graanvelden en verschillende andere projecten. Toch gaf hij er de voorkeur aan om net als zijn voorvaderen precies midden in de moerassen te wonen. Er was één manier om er te komen, via een verhoogde weg die net breed genoeg was voor drie ruiters naast elkaar of voor een zware door ossen getrokken wagen. Eigenlijk was Sídhe Dubh nog veiliger dan Zeven Wateren, want deze toegangsweg kon gemakkelijk bewaakt worden, en geen menselijke indringer zou zo dom zijn om te proberen een aanval in te zetten door de moerassen. Want dit was niet alleen een veenmoeras. Het was een vals, verraderlijk landschap. Een man kon op pad gaan om turf te steken, zijn kruiwagen vol laden en voor zonsondergang thuis zijn. Maar hij kon ook één stap te ver naar rechts of naar links doen, en in de diepte gezogen worden voor hij tijd had de Dagda te roepen om hem te bevrijden. Of zoals Eamonn zelf wel zei, het was volkomen veilig, als je de weg maar kende.
Sinds de Beschilderde Man Eamonns krijgers had verrast, was de verdediging duidelijk versterkt. Dit was niet mijn eerste bezoek hier, maar ik herinnerde me niet dat er zeven schildwachthuisjes stonden tussen de grens van Eamonns gebied en het begin van de verhoogde weg. Ik herinnerde me ook niet de hekken met kettingen en grendels die de ingang afsloten, en die met drie sleutels moesten worden geopend. Het was maar goed dat we samen reisden met Aisling, die de vrouwe van dit sombere huis was, anders waren zelfs Sean, Niamh en ik er misschien door afgeschrikt.
Sídhe Dubh was een ringvormig fort waaraan weinig was veranderd sinds het gebouwd was. Het kwam in zicht als een lage steenheuvel, in de vorm van een schild, die oprees uit het half-

duister van het in mist gehulde landschap. Een reiziger die over de verhoogde weg reed, proberend zich niet te veel aan te trekken van de vreemde kraak-, plop- en gorgelgeluiden die aan weerskanten uit het inktzwarte water opstegen, zou langzamerhand beseffen dat de heuvel bekroond werd door een sterke, ondoordringbare vestingmuur van donkere steen, die alles erbinnen aan het zicht onttrok. Vervolgens werd duidelijk dat de stenen op de heuvel zorgvuldig waren geplaatst en een barrière van scherpe punten vormden die listig en uitgekiend bijna helemaal rondom waren uitgelegd. Een paard zou deze heuvel nooit op kunnen rijden. Een man die hem probeerde te beklimmen zou door vele pijlen getroffen zijn nog voor hij een armlengte was gevorderd door de cirkel van puntige stenen. De enige ingang door deze getande hindernis was een zware, ijzeren traliedeur die toegang scheen te geven tot het binnenste van de heuvel zelf. De deur werd bewaakt door twee buitengewoon grote mannen met bijlen en twee reusachtige zwarte honden aan korte, strakke kettingen. Naarmate we dichterbij kwamen, begonnen de honden te kwijlen en te grauwen, en ze ontblootten hun tanden. Aisling liet zich van haar paard afglijden. Ze liep er achteloos heen en stak haar slanke, blanke hand uit om er een op zijn ronde, grove kop te kloppen. Het grote beest hijgde van verrukking en het andere jankte zacht.

'Jullie hebben het goed gedaan,' zei ze tegen de wachten. 'Maak nu de poort open en laat ons binnen. Mijn broer heeft opdracht gegeven het onze gasten naar de zin te maken tot hij terugkomt. En blijf waakzaam. Hij wil dat ze hier veilig zijn. Hij vraagt of er nog iets vernomen is van de fianna? Van de Beschilderde Man en zijn bende?'

'Nee, vrouwe. Helemaal niets. Ze zeggen dat de kerel het water is overgestoken om een klus te doen voor de een of andere koning in den vreemde. Dat zeggen ze.'

'Blijf niettemin de wacht houden. Mijn broer zou het me niet vergeven als onze gasten iets overkwam.'

Ik dacht over Aisling na toen we werden toegelaten tot de lange, schemerige, overdekte weg die eerst omlaag- en toen omhoogging, in een stijgende spiraal rondom de heuvel. Op Zeven Wateren was ze lief en gedwee, maar hier was ze heel anders. Tijdens de afwezigheid van haar broer nam ze onmiddellijk de leiding, en ze gehoorzaamden haar allemaal, al was ze nog zo klein van stuk. In het licht van de toortsen die in houders aan de stenen muren flakkerden, zag ik Sean grijnzen toen ze bevelen uitdeelde. Wat Niamh betreft, die had geen woord gesproken sinds we van Zeven Wateren waren vertrokken. Ze had stijfjes afscheid genomen van onze ouders, en ik had gezien dat mijn moeder haar tranen moest bedwingen en dat mijn vader moeite had zijn kalmte te bewaren in aanwezigheid van het hele huishouden. Ik had weer gezien hoe geheimen onze familie uit elkaar dreven, hoe we elkaar begonnen te kwetsen, en ik moest denken aan Conors verhaal en aan de betekenis ervan. Ik probeerde niet te denken aan wat Finbar had gezegd. Misschien kun je het niet allebei krijgen zoals je het hebben wilt.

De ondergrondse weg ging nog steeds verder naar boven; hier en daar openden zich donkere gangen naar links en rechts, en de weg was vol donkere hoeken en onverwachte effecten van het licht van de toortsen. Ik was blij toen we boven op de binnenplaats uitkwamen, waar we afstegen bij de ingang van het hoofdgebouw. Boven op de hoge, cirkelvormige stenen muur die ons het uitzicht op het omliggende landschap benam, was een verscholen gaanderij, met op regelmatige afstanden wachtposten. Er stonden vele mannen in het groen op hun post, op de uitkijk, paraat. Binnen de muur van het fort bevond zich een heel dorp, smederij, stallen, voorraadschuren, molen en brouwerij. Het was een hele gemeenschap, die doende was met de dagelijkse bezigheden alsof het helemaal niet vreemd was zo in een omsloten ruimte te leven. Ik gaf mijn geest even toestemming om stil te staan bij de gedachte dat, als bepaalde gebeurtenissen me niet hadden verhinderd Eamonns huwelijksaanbod te accepteren, ik hier zelf over een jaar of wat meesteres had kunnen zijn. Ik zou een heel goede reden nodig hebben gehad om bereid te zijn zo te leven, zonder over bomen en water te kunnen uitkijken, zonder over bospaden te kunnen dwalen op zoek naar bessen, zonder heuvels vol met jonge eiken te kunnen beklimmen. Ik had hem wel heel graag als man moeten willen hebben, om daarmee in te stemmen. Maar ja, Niamh had Fionn ook niet als man gewild. Ze wilde niet uit het bos weg om in Tirconnell te gaan wonen, maar ze was toch gegaan. Mijn zuster was niet de gelegenheid gegund om te kiezen.

We richtten ons in. Niamh overwon haar lethargie lang genoeg om ertegen te protesteren dat ze een slaapkamer met mij zou delen, hoewel ze dat ongeveer zestien jaar had gedaan zonder ook maar een kik te geven. Aisling liet zich niet ompraten; alles was al geregeld, zei ze, en er was geen passende kamer beschikbaar, behalve natuurlijk haar eigen kamer; Niamh kon ook bij haar op de kamer slapen. Niamh keek mij aan en wachtte tot ik zou zeggen dat ik graag de kamer met Aisling zou delen, zodat zij alleen kon zijn. Maar ik zei niets. Toen zweeg Niamh weer, met een gefronst voorhoofd, en draaide haar vingers in elkaar.

'Misschien is een Uí Néill te deftig voor iemand als ik,' zei ik, en probeerde zonder veel succes te glimlachen terwijl we de trappen opliepen naar onze kamer. De kamer was ruim, maar donker; de smalle spleet die het raam vormde, keek uit op de binnenplaats. Er waren twee simpele bedden, opgemaakt met sneeuwwit linnengoed en donkere, wollen dekens. Er stond een tafel met een kan water en een waskom, en zachte doeken. Alles was keurig opgeruimd en smetteloos schoon. Ik had onder aan de trap en in de bovengang in het groen geklede wachten zien staan.

'Misschien willen jullie je even wassen en dan rusten tot het avondeten,' stelde Aisling voor, die nog achter ons stond. 'Het spijt me dat er bewaking is. Eamonn stond erop.'

Ik bedankte haar en ze ging weg. Sean was nog beneden op de binnenplaats, in diep gesprek met een van onze eigen mannen. Hij zou hier niet lang blijven, want tijdens Liams afwezigheid was hij verantwoordelijk voor Zeven Wateren, en hij moest dus terug naar huis om zijn plichten daar te vervullen. Mijn vader had dat natuurlijk heel goed kunnen doen, maar hoewel de mensen de Grote Man aardig vonden en vertrouwden, vergaten ze nooit helemaal dat hij een Brit was, en daarom kon hij nooit Liams plaats innemen, ook al wilde hij dat wel. Dat was eigenlijk jammer, want als er ooit iemand een geboren leider was, was het Hugh van Harrowfield. Maar toch had hij zijn eigen weg gekozen.

Zodra de deur dicht was, trok ik mijn bovenkleren en daarna mijn laarzen uit. Ik goot wat water in de kom en maakte mijn gezicht, armen en handen nat. Ik was blij dat ik wat van het stof en het zweet van de reis kon wegwassen. Ik grabbelde in mijn tassen, op zoek naar mijn kam en spiegel.

'Nu mag jij,' zei ik terwijl ik op het bed ging zitten en mijn door de wind verwaaide krullen begon te ontwarren. Maar mijn zus had alleen haar rijlaarzen uitgetrokken. Ze ging volledig gekleed op het bed liggen en sloot haar ogen.

'Je zou toch tenminste je gezicht moeten wassen,' zei ik, 'en laat mij je haar uitkammen. En je zult lekkerder slapen als je die jurk uitdoet. Niamh?'

'Slapen?' zei ze toonloos zonder haar ogen open te doen. 'Wie zei dat ik ging slapen?'

Mijn haar was een ramp. Ik mocht van geluk spreken als ik er voor het eten alle knopen uit kreeg. Ik trok de benen kam erdoor, sliert voor sliert, te beginnen bij de uiteinden en met pijn en moeite doorwerkend tot bij de wortels. Er was inderdaad iets te zeggen voor een geschoren hoofd, als je buitenshuis moest leven. Niamh lag bewegingloos op haar rug. Ze ademde traag, maar ze sliep niet. Haar knokkels waren wit, haar lichaam was gespannen.

'Waarom vertel je het me niet?' zei ik zacht. 'Ik ben je zus, Niamh. Ik zie heus wel dat er iets is, iets ergers dan... dan gewoon getrouwd zijn en van huis weggaan. Het zou misschien helpen als je erover praatte.'

Het enige wat ze deed, was iets verder van me af schuiven. Ik ging door met het kammen van mijn haar. Er kwamen geluiden naar binnen vanaf de binnenplaats, de beweging van paarden, roepende mannen, bijlslagen op hout, krak, krak. Er begon zich een vreselijk vermoeden te vormen in mijn geest, een vermoeden waaraan ik nauwelijks geloof kon hechten. Ik kon het haar niet vragen. Ik sloot mijn ogen terwijl ik daar zat en stelde me voor dat ik mijn zuster was, die daar zwijgend in de schemerige stenen kamer lag. Ik voelde de zachtheid van de deken onder me, de vermoeidheid in mijn lichaam van de lange rit, de zware bos goudblond haar om mijn hoofd, onder de verhullende sluier. Ik liet mezelf wegzweven in de stilte van de kamer. Ik werd mijn zuster. *Ik voelde hoe eenzaam ik was, nu ik niet langer bij Zeven Wateren hoorde, nu mijn moeder en mijn vader, mijn ooms en zelfs mijn zuster en broer me hadden weggeworpen als een stuk afval. Ik was waardeloos. Waarom was Ciarán, die zei dat hij altijd van me zou houden, anders weggegaan en had hij me verlaten? Fionn had gelijk met wat hij zei – ik was een totale teleurstelling, die niet be-*

schikte over de vaardigheden van een echtgenote en ook niet over de liefdeskunsten van een minnares. Ik kon niet omgaan met gasten, zei hij. Ik was niets waard in het huishouden. Ik had geen fantasie in bed, ondanks al zijn pogingen om me iets bij te brengen. Ik was een totale mislukking. Het was maar goed dat ik was wie ik was, anders had het helemaal geen nut gehad. Nu was er tenminste het bondgenootschap, zei mijn echtgenoot. Ik voelde hoe het overal pijn deed, pijn waardoor het paardrijden zo moeilijk ging, pijn als gevolg van de kwetsuren, die ik vooral niet mocht laten zien, anders zou het allemaal nog erger worden. Ik mocht hun niet laten zien dat ik zelfs hierin had gefaald. Als ik maar niets liet merken, werden de nare dingen er op de een of andere manier minder werkelijk door. Als ik niets zei, zou ik me misschien nog iets langer staande kunnen houden.

Met een ruk dwong ik mezelf terug te komen; ik voelde dat het zweet me uitbrak over mijn hele lichaam. Mijn hart bonsde snel. Niamh lag nog steeds bewegingloos op het bed. Ze was zich er volstrekt niet van bewust dat ik in haar gedachten had gekeken. Ik beefde van ontzetting. Die ellendige oom Finbar! Ik had liever nooit geweten dat ik dit kon, ik had deze gave graag teruggegeven aan degene, wie het ook was, die haar me geschonken had, en in plaats ervan een praktische vaardigheid gekregen, zoals het vermogen vissen te vangen of in mijn hoofd getallen op te tellen. Maar niet dit, niet de kunst de gedachten van mensen te lezen, hun geheime pijn te voelen en te begrijpen. Niemand zou zo'n gevaarlijke gave mogen krijgen.

Na een poos gaf ik toe dat dit niet eerlijk was tegenover mijn oom. Het was verstandig van hem geweest om me te waarschuwen. Bovendien was dit niet de eerste keer. Ik herinnerde me die nacht, toen Bran had gehuiverd en mijn arm zo stijf had vastgepakt dat hij hem bijna had gebroken, toen ik een kind had horen roepen dat het niet alleen gelaten wilde worden. Zelfs nadat hij me had afgewezen, brandde ik nog altijd mijn kaars, hield ik nog altijd een wake in de donkere nachten en droeg ik zijn beeltenis in mijn gedachten. Als ik de gave had om die diep weggestopte innerlijke wonden te zien, dan moest ik tevens het vermogen hebben om ze te genezen. Die twee dingen gingen samen; dat hadden moeder en Sean me wel verteld. Ik zou een lief ding geven om nooit te we-

ten wat Niamh nog meer in haar hoofd had, achter dat lege, gesloten gezicht; mijn fantasie riep beelden op die me deden rillen. Maar ik moest het weten, wilde ik haar kunnen helpen.
Doe het langzaam aan. Met de lichte tred als van een winterkoninkje, dat nauwelijks een ritseling veroorzaakt in de bladeren van de hazelaar. Met zachte tred, hield ik mezelf voor, anders zou ze helemaal instorten en zou het te laat zijn. Er was nog tijd, misschien een maand, tot Fionn terugkwam met Eamonn, en Niamh weer bij ons weg zou moeten. Dat was lang genoeg om... om wat te doen? Ik had geen flauw idee, maar er moest iets gedaan worden. Ik moest eerst achter de waarheid komen en dan zou ik een plan maken. Maar niet zo snel dat het mijn zus te veel zou worden. Dus toen ze zich onmiddellijk na het avondeten excuseerde en terugvluchtte naar boven, gaf ik haar wat tijd om alleen te zijn. Iemand die zo tot het uiterste was belast als zij, kon niet veel meer hebben. De hele toestand drukte zwaar op me en mijn gedachten waren ver weg toen Sean iets tegen me zei. Aisling was naar de keukens gegaan, en mijn broer en ik zaten samen aan tafel met ons bier voor ons, op enige afstand van de mannen en vrouwen van het huishouden.
'Ik vertrek morgenochtend, Liadan,' zei Sean zacht. 'Liadan?'
'Neem me niet kwalijk. Ik luisterde niet.'
'Mm. Ze zeggen dat vrouwen zo worden wanneer ze moeder gaan worden. Een beetje wazig in het hoofd. Er niet helemaal bij.' Het was voor het eerst dat hij het onderwerp ter sprake bracht, en zijn stem klonk luchtig, hoewel zijn ogen een vraag inhielden.
'Jij wordt zelf oom,' zei ik streng. 'Oom Sean. Dat klinkt wel oud, vind je niet?'
Hij grijnsde, maar werd opeens weer ernstig. 'Het hele geval zit me niet lekker. Ik vind dat ik de waarheid verdien te weten. Maar ik heb opdracht je geen vragen te stellen, en dat doe ik dan ook niet. Liadan, ik rijd morgen naar het noorden. Ik ga nog niet naar huis. Ik zeg je dit omdat ik weet dat je het voor je zult houden. En er moet iemand zijn die weet waar ik heen ben gegaan, voor het geval dat ik niet terugkom.'
'Naar het noorden,' zei ik op effen toon. 'Waar in het noorden?'
'Ik ga iemand een voorstel doen en horen wat hij daarop zegt. Ik denk dat je de rest van het verhaal zelf wel in kunt vullen.'
'Mm-mm,' zei ik, en ik voelde me koud worden. 'Dat is niet zo'n

goed idee, Sean. Je neemt een groot risico, wanneer het antwoord nee moet zijn.'
Seans ogen waren recht op de mijne gericht. 'Je lijkt behoorlijk overtuigd van het antwoord. Hoe kun je zoiets weten?'
'Je loopt gevaar als je gaat,' zei ik ronduit.
Sean krabde op zijn hoofd. 'Een krijger loopt altijd gevaar.'
'Stuur een ander, als je per se contact wilt zoeken met deze man. Het is gekkenwerk om zelf te gaan, en in je eentje.'
'Naar wat ik hoor, is dit misschien de enige manier om hem te vinden. Als het ware het hol van de leeuw binnen te gaan.'
Ik rilde. 'Je reis zal voor niets zijn. Hij zal nee zeggen. Je zult merken dat ik gelijk heb.'
'Een huurling zegt alleen nee wanneer de prijs niet hoog genoeg is, Liadan. Ik kan heel goed onderhandelen. Ik wil de Eilanden terug. Deze man kan ze voor me veroveren.'
Ik schudde mijn hoofd. 'Dit is niet zomaar een overeenkomst, je huurt niet zomaar iemand in. Het is heel anders. Er zal sprake zijn van dood en verlies, Sean. Ik heb het gezien.'
'Misschien. Misschien niet. Laat me mijn theorie tenminste toetsen. En, Liadan, dit is geheim, dat spreekt voor zich. Zelfs Aisling denkt dat ik naar huis ga. Laat het daarbij, tenzij... je weet wat ik bedoel.'
'Sean...' Ik aarzelde, omdat ik niet wist hoeveel ik kon zeggen.
'Wat?' Sean fronste zijn voorhoofd.
'Ik zal dit natuurlijk voor me houden. En ik moet je vragen – ik moet je vragen dat als je de man die je gaat zoeken vindt, je met hem alleen over je voorstel praat en niet over... over andere dingen.'
Nu keek hij werkelijk boos; zijn ogen flitsten.
Toe, Sean. Ik ben je zus. Alsjeblieft. En – trek niet te snel conclusies.
Hij keek me aan alsof hij me door elkaar wilde rammelen om de waarheid uit me te krijgen. Maar Aisling kwam weer binnen en hij knikte met tegenzin. *Ik kan niet verhinderen dat ik conclusies trek, maar ik denk dat die niet juist kunnen zijn. Ze zijn domweg te onvoorstelbaar.*

De volgende dag was Sean vertrokken, en ik zei niets, maar ik maakte me zorgen over hem, want ik wist dat hij op zoek ging naar de Beschilderde Man en zijn bende, om hun diensten te kopen. Na Brans verachtelijke afwijzing van alles wat me dierbaar was, mijn vader en moeder, en zelfs mijn naam, kon ik niet geloven dat hij Seans voorstel zou willen aanhoren. Het was waarschijnlijker dat mijn broer in de een of andere val zou lopen. Nog waarschijnlijker was het dat hij hen domweg niet zou kunnen vinden. Waar hij ook heen ging, zij zouden hem altijd een stap voor zijn. Bovendien, hadden de mannen in het groen niet gezegd dat Bran ver weg overzee was? In mijn visioen had ik hem ergens in een ver oord gezien, onder vreemde bomen. Ze waren waarschijnlijk allemaal weg, Meeuw, Slang, de hele bonte bende krijgers. Als dat zo was, was het goed. Dat betekende in elk geval dat mijn broer weliswaar teleurgesteld, maar toch veilig thuis zou komen.

Intussen was daar Niamh. Ik wist niet hoe ik tegen haar moest zeggen wat ik in haar gedachten had gezien, maar het bleek niet nodig te zijn, want een paar dagen later kwam de waarheid aan het licht, ondanks haar pogingen die te verbergen. Het was niet lang voor de schemering en ik voelde me rusteloos. Ik vond de afgesloten omgeving van Sídhe Dubh drukkend en verlangde nu al sterk naar open lucht, bomen en water. Ik had Niamh aan zichzelf overgelaten en was naar boven gegaan, naar de zwaar bewaakte gaanderij die rondom langs de muur van het fort liep, hoog boven de moerassen en nederzettingen, zo hoog dat als je naar het oosten keek, je nog net de rand van het bos van Zeven Wateren kon zien, als een grijsblauwe schaduw in de verte. Langzaam liep ik helemaal rond; ik hield hier en daar stil om door de nauwe spleten in het metselwerk naar buiten te kijken, spleten die zo gevormd waren dat er een pijl door kon worden afgeschoten zonder dat de schutter de kans liep zelf door een pijl getroffen te worden. Ik was niet lang genoeg om over de borstwering te kijken; die was ontworpen om een staande man te beschermen, en ik ben klein, zelfs voor een vrouw. De wachttorens, die boven de muur uitstaken, konden via een trap bereikt worden. Ook deze torens waren zwaar versterkt en boden uitzicht naar alle kanten. Ik wist met vrouwelijke charme toegang te krijgen tot de noordelijke wachttoren, en mocht boven komen en kijken. De man die er dienst had, mopperde wat over heer Eamonn en dat het tegen de regels was, en ik lachte poeslief en zei dat ze vast allemaal erg dapper waren, en wat voor gevaarlijk werk ze deden, en dat ik dacht dat Eamonn het vast niet erg zou vinden als ze me het uitzicht lieten zien, één keertje maar. Maar als ze zich daar zorgen over maakten: ik zou het niet tegen hem zeggen, als zij er ook niets over zeiden. De drie wachten grijnsden en begonnen me te vertellen wat er allemaal te zien was.

'Daar ziet u het noorden, vrouwe. Het is helemaal niet zo ver naar die heuvels; dat is droog land, waar dekking te vinden is. Maar je kunt er niet recht naartoe oversteken, dat is te verraderlijk. Zuigende modder, ziet u. Heel naar spul.'

'Dat betekent dat je helemaal om moet lopen,' zei de tweede. 'Terug over de weg waarover u bent gekomen, bij de kruising naar het oosten, dan weer naar het noorden en even ver terug. Als je te voet reist, ben je een halve dag extra kwijt tot je bij de pas bent. Er is natuurlijk ook een weg die er recht doorheen gaat. Een snellere weg.'

De eerste man liet een vreugdeloos grinniken horen. 'En of die sneller is. Je zakt snel weg als je een stap verkeerd doet. Ik ga dat niet proberen, al hing mijn leven ervan af.'

De derde wacht was iets jonger, niet veel meer dan een jongen, en hij zei fluisterend: 'Als je daar 's nachts buiten bent, hoor je de boze geest krijsen over het moeras. Bloedstollend om te horen. Dat voorspelt dat er weer iemand doodgaat. Weer een ziel die de donkere met haar koude hand grijpt.'

'Maar er is dus een snelle weg door het moeras?' vroeg ik, terwijl ik naar buiten staarde over wat zo te zien één uitgestrekt moerasgebied was, helemaal tot aan de verre lijn van lage heuvels in het noorden.

'Mm-mm. Snel en geheim. Heer Eamonn maakt er gebruik van, en een paar van de mannen. Er zijn er maar een paar die het weten. Stap voor stap, één man tegelijk, je moet de volgorde precies onthouden, twee stappen naar links, een naar rechts, en zo verder. Anders ben je er geweest.'

'Was het in dit soort terrein dat die huurling, jullie weten wel wie, ze noemen hem de Beschilderde Man...'

'Dat hij onze mannen overviel en ze afslachtte als een prooi bij een jachtpartij? Dat was niet hier, vrouwe, maar het had er veel

van weg. Hoe hij er de weg wist, weet Morrigan alleen. Die vervloekte moordenaar.'
'We hebben er nog wel eentje te pakken gekregen, later,' zei de eerste man. 'Toen hebben we een van die slagers te grazen genomen. Mooi dat we zijn buik hebben opengehaald.'
'Ik zal niet voldaan zijn tot ze allemaal dood en begraven zijn,' zei de ander. 'Alleen is begraven nog te goed voor die lui. Vooral voor degene die ze de Baas noemen. Die man heeft een zwarte ziel hoor, door en door slecht. Ik zal je dit vertellen, het zou erg dom van hem zijn als hij ook maar zijn kleine teen op het land van mijn heer zet. Dat zou zijn doodvonnis zijn.'
'Neem me niet kwalijk.' Ik glipte tussen hen door de wachttoren uit en ging snel de trap af naar de gaanderij.
'Het spijt me, vrouwe. We hebben u hopelijk niet van streek gemaakt. Mannen zeggen nu eenmaal waar het op staat, begrijpt u.'
'Nee, nee, niets aan de hand. Bedankt voor de uitleg.'
'Past u op waar u loopt, vrouwe. De stenen zijn hier en daar wat ongelijk. Vrouwen horen hier niet thuis.'
Toen ik terugkwam bij de slaapkamer, was de deur dicht. Ik duwde ertegen, maar er stond iets voor. Ik duwde harder, en de deur ging een eindje open, waardoor de kist die erachter was gezet om hem dicht te houden, verschoof. Er was een grote pan naar de kamer gebracht, en badwater. Niamh hoorde me en graaide naar een doek om zich te bedekken, maar het was te laat om zich te verbergen. Ik had het al gezien. Ik kwam stilletjes naar binnen en sloot de deur achter me. Ik stond daar en staarde naar de blauwe plekken die het hele lichaam van mijn zus bedekten. Ik zag dat haar vroeger mollige gestalte met de blanke huid vaal en mager was geworden, zodat haar ribben te zien waren en haar heupbeenderen naast haar ingevallen buik naar buiten staken, alsof ze uitgehongerd was. Ik zag dat het lange, glanzende haar dat vroeger als een waterval over de welvingen van haar vrouwelijkheid viel, nu botweg ter hoogte van haar kin was afgesneden, met ongelijke punten alsof het was afgesneden met een boze zaagbeweging van het mes. Het was de eerste keer dat ik haar zonder sluier zag sinds ze was teruggekomen van Tirconnell.
Zonder iets te zeggen liep ik naar haar toe, nam de doek uit haar bevende handen en legde hem om haar schouders om haar arme,

beschadigde lichaam af te schermen van het licht. Ik pakte haar hand, hielp haar uit het bad en liet haar op het bed zitten. Toen begon ze te huilen, eerst zacht en daarna met hevige, hikkende snikken als een kind. Ik probeerde niet haar tegen me aan te drukken; daar was ze nog niet aan toe.

Ik haalde schoon ondergoed en een eenvoudige jurk, en trok ze haar aan. Ze huilde nog steeds toen we klaar waren, en ik pakte mijn kam en begon hem voorzichtig door de gehavende restanten van mijn zusters mooie haar te halen.

Na een poos werden de snikken minder hevig en werden haar woorden samenhangender, en wat ze zei was: 'Niemand zeggen! Beloof me dat, Liadan. Je mag het aan niemand van de familie zeggen, zelfs niet aan vader of moeder. Niet aan Sean. En vooral niet aan de ooms.' Ze greep mijn pols, heel hard, zodat ik de kam bijna liet vallen. 'Beloof het, Liadan!'

Ik keek recht in haar grote, blauwe ogen, die vol tranen stonden. Haar gezicht was asgrauw, met een angstige uitdrukking erop.

'Heeft je echtgenoot dit gedaan, Niamh?' vroeg ik zacht.

'Waarom denk je dat?' snauwde ze onmiddellijk.

'Iemand heeft het gedaan. Als het niet Fionn is, wie dan? Want je man zou je toch kunnen beschermen tegen mishandeling?'

Niamh ademde huiverend in. 'Het is mijn schuld,' fluisterde ze. 'Ik heb alles verkeerd gedaan, alles. Het is voor straf.'

Ik keek haar stomverbaasd aan.

'Maar Niamh – welke reden zou Fionn kunnen hebben om zoiets te doen? Waarom zou hij je zo vreselijk bezeren? Waarom zou hij je haar afsnijden, je prachtige haar? De man moet gek zijn.'

Niamh haalde haar schouders op. Ze was vreselijk mager geworden; onder de zachte blauwe wol van haar jurk waren haar schouders even benig en breekbaar als die van onze moeder. 'Ik verdiende het. Ik maakte de ene fout na de andere. Ik ben zo – zo onhandig en dom. Ik ben een teleurstelling voor hem, een mislukking. Geen wonder dat Ciarán...' Haar stem brak. 'Geen wonder dat Ciarán is weggegaan en niet is teruggekomen om me te halen. Ik was nooit iets waard.'

Dit was zo onzinnig dat ik in de verleiding kwam haar scherp toe te spreken, zoals ik vroeger zou hebben gedaan; om te zeggen dat ze niet zo mal moest doen en haar zegeningen moest tellen. Maar dit keer geloofde ze haar eigen woorden werkelijk; er waren niet alleen blauwe plekken en littekens op haar zachte lichaam, maar ze zaten ook diep in haar ziel, en die wonden waren niet te genezen met snelle woorden.

'Waarom heeft hij je haar afgesneden?' vroeg ik weer.

Ze deed haar hand omhoog om hem door de grof afgesneden lokken te halen, alsof ze zelf niet goed kon geloven dat die vracht aan zijden goud weg was.

'Dat heeft hij niet gedaan,' zei ze. 'Ik heb het zelf afgesneden.'

Ik staarde haar aan. 'Maar waarom dan?' vroeg ik ongelovig. Niamh had haar haar altijd verzorgd, want ze wist zonder ijdelheid dat het een van haar voornaamste schoonheden was. En hoewel ze zich soms had beklaagd over het feit dat ze op haar vader leek, die zo duidelijk een Brit was, was ze toch erg gesteld op de manier waarop haar lange lokken glansden in de zon, en om haar heen zwierden wanneer ze danste, en de blikken van de mannen trokken. Ze had ze gewassen met kamille en er bloemen en zijden linten doorheen gevlochten.

'Ik denk niet dat ik het je kan vertellen,' zei mijn zus met een klein stemmetje.

'Ik wil je helpen,' zei ik. Ik dacht natuurlijk aan wat ik had gezien toen ik in haar gedachten had kunnen kijken. Maar het was veel beter dat ze het me zelf vertelde, uit vrije wil. Ze had al een keer gedacht dat ik haar bespioneerd had. 'Maar ik kan je niet helpen als je me niet vertelt wat er precies aan de hand is. Is je man erachter gekomen wat er met Ciarán gebeurd is? Was het dat? Was hij boos omdat je al met een man was geweest, voor je huwelijksnacht?'

Ze schudde ongelukkig haar hoofd.

'Wat dan? Niamh, een man kan zijn vrouw niet ongestraft bont en blauw slaan. Volgens de wet zou je op die grond kunnen proberen van hem te scheiden. Liam zou dat graag voor je doen. Vader zou diep verontwaardigd zijn. We moeten het hun vertellen.'

'Nee! Zij mogen het niet weten!' Ze beefde.

'Dit is krankzinnig, Niamh. Je moet je door je familie laten helpen.'

'Waarom zouden ze me helpen? Ze haten me. Zelfs vader. Je hebt gehoord wat hij tegen me zei. Sean heeft me geslagen. Ze hebben me weggestuurd.'

Daarna zaten we een tijdlang zwijgend bij elkaar. Ik wachtte; zij strengelde haar magere vingers in elkaar, plukte aan de stof van haar jurk en beet op haar lippen. Toen ze eindelijk begon te spreken, klonk haar stem vlak en berustend.
'Ik zal het je vertellen. Maar eerst moet je me beloven dat je het niet aan vader of Liam vertelt, of aan wie ook van de familie. En ook niet aan Eamonn of Aisling. Zij zijn bijna familie. Beloof het, Liadan.'
'Hoe kan ik zoiets beloven?'
'Je moet het beloven. Omdat het helemaal verkeerd is gegaan, alles. Als je het vertelt, zal dat het einde zijn van het bondgenootschap, en dan zal ik ook daarin gefaald hebben en hen weer allemaal teleurstellen. Dan zullen ze me allemaal nog erger verachten dan ze nu al doen, en dan heeft het helemaal geen zin meer om door te gaan, geen enkele zin, dan zou ik net zo goed een mes op mijn polsen kunnen zetten en er een eind aan maken. En dat zal ik ook doen als je het vertelt, ik doe het echt, Liadan. Beloof het. Zweer het!'
Ze meende het. Terwijl haar woorden eruit rolden, straalde er een angst uit haar ogen die echt was en me deed huiveren.
'Ik beloof het,' fluisterde ik, en ik besefte dat ik er door deze gelofte alleen voor stond, dat ik afgesneden was van de hulp die ik had kunnen inroepen. 'Vertel het me nu, Niamh. Wat is er verkeerd gegaan?'
'Ik dacht,' zei ze terwijl ze haperend inademde, 'ik dacht dat het allemaal nog goed zou aflopen. Tot het allerlaatste ogenblik geloofde ik toch nog dat Ciarán zou terugkomen om me te halen. Het leek onmogelijk dat hij dat niet zou doen; dat hij zou toelaten dat ik uitgehuwelijkt en weggestuurd werd, zonder te proberen tussenbeide te komen. Ik was er zo zeker van. Zo zeker dat hij van me hield zoals ik van hem hield. Maar hij kwam niet. Hij kwam niet meer terug. En daarom dacht ik... dacht ik...'
'Neem rustig de tijd,' zei ik vriendelijk.
'Vader was zo boos op me,' zei ze met een ijl stemmetje. 'Vader, die nooit tegen iemand schreeuwt. Toen ik klein was, was hij er altijd, weet je, om me op te helpen als ik gevallen was, hij zorgde ervoor dat we ons allemaal veilig en gelukkig voelden. Als ik verdrietig was, ging ik altijd naar hem toe en dan knuffelde hij me of

hij zei iets liefs. Wanneer er iets verkeerd ging, zorgde hij er altijd voor dat het weer goed kwam. Maar nu niet. Hij deed zo koel, Liadan. Hij luisterde niet eens naar me, of naar Ciarán. Hij zei alleen maar nee, zonder te zeggen waarom. Hij stuurde me voorgoed weg. Alsof hij me nooit meer wilde zien. Hoe kon hij dat doen?'

'Dat is niet helemaal waar,' zei ik zacht. 'Hij is nu erg bezorgd over je, en moeder ook. Als het lijkt of hij boos is, komt dat misschien doordat hij haar voor deze dingen wil afschermen. En je vergist je als je zegt dat hij niet luisterde. Ze hebben in elk geval wel naar Ciarán geluisterd. Conor zei dat Ciarán er zelf voor heeft gekozen om uit het bos weg te gaan. Hij zei dat het... dat hij op reis ging om zijn verleden te zoeken.'

Niamh snoof. 'Wat heb je aan het verleden als je de toekomst weggooit?' zei ze somber.

'Nu goed, je voelde je gekwetst door wat vader deed, en toen ging je naar Tirconnell. Wat gebeurde er toen?'

'Ik... ik kon het gewoon niet. Ik wilde dat het goed ging; ik dacht, jammer voor Ciarán, maar als hij niet genoeg van me houdt om terug te komen, dan trouw ik met een andere man en begin een nieuw leven, en laat hem zien dat het me niets kan schelen. Dan laat ik hem zien dat ik ook zonder hem kan. Maar dat kon ik niet, Liadan.'

Ik wachtte. En ze vertelde het me, vertelde het zo duidelijk dat het was alsof ik hen kon zien, Niamh en haar echtgenoot, samen in een slaapkamer. Er waren veel van dit soort scènes geweest sinds ze getrouwd was. Sinds ze ontdekt had dat ze niet kon doen alsof.

Fionn was naakt, en hij keek naar mijn zuster terwijl ze haar lange haar uitborstelde, zorgvuldig, slag voor slag. Ik kon haar angst voelen, het bonzen van haar hart, de kou die op haar huid prikte. Ze droeg een mouwloze nachtpon van fijn batist, en de blauwe plekken op haar lichaam, nieuwe en oude, waren duidelijk zichtbaar. Fionn staarde naar haar; hij had zijn hand tussen zijn benen en liefkoosde zichzelf, en hij zei: 'Schiet eens op! Een man kan niet eeuwig wachten.'

'Ik...' zei Niamh, met een blik als van een dier in de val. 'Ik wil eigenlijk niet... ik heb geen zin om...'

'Mm.' Fionn kwam met grote stappen naar haar toe, zonder een geheim te maken van de begeerte die zijn lichaam hard maakte. Hij ging vlak achter haar staan en nam het neervallende roodgouden haar in zijn handen. 'Daar zullen we dus iets aan moeten doen, hè? Een echtgenote moet er op zijn minst af en toe zin in hebben, Niamh. Het zou anders zijn als je een kind verwachtte, dat zou als excuus kunnen gelden. Maar het lijkt erop of je zelfs dat niet voor me kunt doen. Het is voor een man voldoende reden om het buiten de deur te zoeken. Denk maar niet dat er niet genoeg aanbod is. Menig aardig meisje in dit huishouden heeft me in zich gevoeld, lang voordat jij hier kwam, en ze was er dankbaar voor. Maar jij...' Hij trok hard aan haar haar en haar hoofd werd achterover gerukt zodat ze hijgde van pijn en schrik. 'Jij schijnt er niet om te geven, hè? Je kunt blijkbaar maar niet aan me wennen.' Hij trok weer en ze smoorde een gil. Toen liet hij plotseling los, en zijn handen betastten haar lichaam, trokken de nachtpon ruw omhoog, trokken haar lichaam tegen hem aan, en hij stootte zonder verder omhaal van achteren in haar. Dit keer kon ze haar kreet van pijn en ontzetting niet inhouden.

'Stout meisje,' zei Fionn, terwijl hij grimmig en doeltreffend zijn genot nam. 'Waar is een echtgenote anders voor dan om haar man te bevredigen? Al kun je dit nauwelijks bevrediging noemen. Eerder of je het met een lijk doet. Gewoon een – uitlaat – voor – de lichamelijke – behoeften – aah,' zei hij, en trok zich sidderend uit haar terug, terwijl hij naar een doek greep om zich af te drogen. 'Misschien heb je wat oefening nodig, lieve. Ik heb een paar vrienden die je graag wat... variatie zouden willen geven. En je misschien een paar kunstjes willen leren. Dat zouden we weleens kunnen proberen, op een nacht. Dan zou ik kunnen toekijken.'

Niamh stond met haar rug naar hem toe en staarde voor zich uit alsof hij er helemaal niet was.

'Wat, heb je niets te zeggen?' Hij greep haar haar weer, in haar nek, en draaide haar met een ruk om zodat ze hem aan moest kijken. 'Mijn god, als ik had geweten wat voor koude vis ik kreeg, zou ik nooit met deze verbintenis hebben ingestemd, bondgenootschap of niet! Ik had dat jongere zusje van je moeten nemen. Een schriel onderdeurtje, maar daar zit tenminste leven in. Jij, jij hebt niet eens genoeg fut om iets terug te zeggen. Nou, schiet dan maar op, trek je kleren aan. Maak jezelf mooi, als ik daarmee niet

het onmogelijke vraag. Ik heb gasten voor het avondeten, en je kunt maar beter op zijn minst doen alsof je hen beleefd ontvangt.'
Toen hij weg was, bleef Niamh een tijd alleen in de kamer zitten en staarde met lege ogen naar haar spiegelbeeld in de bronzen spiegel die aan de muur hing. Toen pakten haar handen de kam weer, en ze haalde hem één keer door haar haar, van haar kruin tot helemaal onderaan, waar de roodgouden lokken eindigden, ter hoogte van haar heupen. Ze keek naar de andere kant van de kamer, waar de mantel van haar echtgenoot aan een pin hing, en daarnaast een gordel met een dolkmes eraan, keurig in een leren schede. Het was geen besluit, enkel de wil om op te staan en erheen te lopen, het mes te pakken en te snijden, telkens een handvol haar, trekken en snijden, trekken en snijden, helemaal rondom tot al haar mooie, glanzende haar om haar heen op de vloer lag als een vreemde oogst van de herfst. Ze stak het mes netjes terug, en kleedde zich toen aan, zorgvuldig in een hooggesloten japon met polslange mouwen, een japon die niet één blauwe plek onthulde. Over haar hoofd plaatste ze een sluier van fijne wol, die strak aansloot bij de slapen en in de nek, zodat haar haar elke kleur en elke lengte had kunnen hebben.
'Ik dacht dat het geen zin meer had, zie je,' zei Niamh. 'Alles moet een reden hebben, anders kon ik net zo goed dood zijn. Waarom zou ik gestraft worden, als ik het niet verdiende? Als hij me pijn doet, is het omdat ik waardeloos ben. Waarom doen alsof? Waarom proberen mooi te zijn? Vroeger zeiden de mensen dat ik mooi was, maar dat is een leugen. Ik houd van Ciarán meer dan van wat ook op de wereld. En hij heeft me gewoon de rug toegekeerd en is weggegaan. Mijn eigen familie heeft me uitgestoten. Ik verdien geen geluk, Liadan. Ik heb het nooit verdiend.'
Mijn geest was vol woede. Als ik een mes in mijn handen had gehad en Fionn Uí Néill binnen mijn gezichtsveld was geweest, had niets me kunnen weerhouden mijn wapen in zijn hart te stoten en het nog eens om te draaien. Als ik de beschikking had gehad over een drietal huurlingen en een zakje zilver om hen mee te betalen, had ik er een grimmige voldoening in gevonden hen op te dragen hem terecht te stellen. Maar ik was hier op Sídhe Dubh, en Fionn was de bondgenoot van mijn broer en Liam. Ik was hier met mijn zus, die nu haar ogen opendeed en me aankeek met een gezicht

zo treurig, zo hulpeloos en kwetsbaar dat ik wist dat boosheid niet baatte, op dit moment niet. Ik had haar wel bij de schouders willen pakken en haar door elkaar willen rammelen en zeggen: *Waarom kwam je niet voor jezelf op? Waarom spuugde je hem niet in zijn arrogante gezicht, waarom gaf je hem geen welgemikte trap als zijn verdiende loon? En als je dat niet kon, waarom ben je niet gewoon weggelopen?* Want ik wist dat als ik in haar plaats was geweest, ik zo'n behandeling nooit zou hebben geaccepteerd. Ik zou nog liever een bedelares langs de weg zijn geworden dan mezelf zo te laten vernederen. Maar op de een of andere manier was het in Niamhs denken allemaal omgedraaid. Het was precies zo verdraaid dat ze alles geloofde wat Fionn tegen haar zei. Haar echtgenoot zei dat het haar schuld was, en dus moest het haar schuld zijn. Inmiddels was Niamh bijna helemaal verteerd door de monsterlijkheid van wat haar was aangedaan. En wij droegen er allemaal de schuld van. De mannen van ons huishouden hadden haar lot bezegeld toen ze haar wegstuurden van Zeven Wateren. Zelfs ik was schuldig. Ik had tegen haar verbanning kunnen vechten, maar dat had ik niet gedaan.

'Ga liggen, Niamh,' zei ik zacht. 'Ik wil dat je rust, ook al kun je niet slapen. Je bent hier veilig. Deze burcht is zo goed bewaakt dat zelfs de Beschilderde Man niet door de verdediging heen zou kunnen breken. Niemand kan hier aan je komen. En ik beloof je dat je nooit meer terug hoeft naar je echtgenoot. Je zult veilig zijn. Dat beloof ik, Niamh.'

'Hoe... hoe kun je zoiets beloven?' fluisterde ze, en ze verzette zich tegen mijn handen toen ik probeerde haar op het kussen neer te vlijen. 'Ik ben zijn vrouw, ik moet doen wat hij wil. Het bondgenootschap... Liam... er is geen andere keus... Liadan, je zei dat je het niet zou vertellen...'

'Sst,' zei ik. 'Ik zal een manier vinden. Vertrouw op mij. Ga nu rusten.'

'Dat kan ik niet,' zei ze beverig, maar ze ging wel liggen, met haar bleke wang rustend op haar slanke hand. 'Zodra ik mijn ogen dichtdoe, komt alles terug. Ik kan het niet buitensluiten.'

'Ik zal bij je blijven.' Ik had moeite mijn eigen tranen binnen te houden. 'Ik zal je een verhaal vertellen, of tegen je praten, of wat je maar wilt. Ik zal voor je zingen als je dat wilt.'

'Dat denk ik niet,' zei mijn zus met een schaduw van haar vroegere scherpte.
'Dan zal ik gewoon tegen je praten. Ik wil dat je naar mijn stem luistert en over mijn woorden nadenkt. Denk alleen aan de woorden, zie alleen datgene waarover ik praat. Hier, laat me je hand vasthouden. Goed zo. We zijn in het bos, jij en ik en Sean. Weet je nog dat brede pad onder de beuken, waar je eindeloos kunt rennen? Jij was altijd ver vooruit, altijd de snelste. Sean deed altijd zijn best om je te pakken, maar het lukte nooit, tot je besloot dat je te oud was voor zulke spelletjes. Ik kwam achteraan, omdat ik altijd stilhield om bessen te zoeken of een half verteerd blad op te rapen, of om te luisteren naar egels die door de varens snuffelden, of om te proberen de stemmen van het boomvolk te horen, hoog boven mijn hoofd.'
'Jij met je boomvolk,' snoof ze ongelovig, maar ze luisterde tenminste.
'Je rent op blote voeten, je voelt de wind in je haar, de zachte droge bladeren onder je voeten, je rent door de lichtbanen van de zon die schuin tussen de takken door schijnt en het groen en het goud van de laatste herfstbladeren verlicht, die zich nog aan de takken vastklampen. En dan ben je plotseling bij de oever van het meer. Je hebt het warm van het rennen en je loopt door, het water in, en je voelt de koelte ervan om je enkels spoelen, en de zachte modder onder je voeten. Later lig je samen met Sean en mij op de rotsen; we steken onze vingers in het water en kijken naar de vissen die voorbijglijden, met zilverige lijven die half verborgen blijven door de glinstering van het zonlicht op het oppervlak van het meer. We wachten tot de zwanen komen en op het water neerstrijken, een voorop, de andere daarachter, ze komen in het gouden middaglicht in glijvlucht omlaag om ssjsj, ssjsj te landen, en hun witte vleugels vouwen zich keurig dicht wanneer het water hen ontvangt. Daar drijven ze als grote geesten op de golfjes terwijl de schemering in de hemel komt aansluipen.'
Zo ging ik een tijdje door. Niamh lag stil te luisteren, maar ze was wakker, en ik zag genoeg van haar geest om te weten dat de wanhoop nooit ver onder de oppervlakte lag.
'Liadan,' zei ze toen ik even zweeg om adem te halen. Haar ogen gingen open en ze waren allesbehalve kalm.

'Wat is er, Niamh?'
'Je vertelt over vroeger; over wat er toen goed en eenvoudig was. Die tijd kan nooit meer terugkomen. O, Liadan, ik schaam me zo. Ik voel me zo... zo vies, zo waardeloos. Ik heb alles verkeerd gedaan.
'Dat geloof je toch niet echt?'
Ze rolde zich op, met een arm om haar lichaam heen en een vuist tegen haar mond gedrukt. 'Het is de waarheid,' fluisterde ze. 'Ik moet het wel geloven.'
Er werd op de deur geklopt. Het was Aisling, die kwam kijken of alles in orde was, want het was bijna tijd voor het avondeten en we waren nog niet verschenen. Ik praatte zacht met haar en zei dat Niamh erg moe was; ik vroeg of er een dienblad met wat eten en drinken kon worden gebracht, als het niet te lastig was. Korte tijd later kwam een vrouwelijke bediende met brood, vlees en bier. Ik nam het blad aan, bedankte haar en sloot de deur stevig achter haar.
Niamh wilde niet eten of drinken, maar ik wel. Ik had honger; het kind groeide. Ik kon nu duidelijk de lichte bolling van mijn buik zien, kon voelen dat mijn borsten zwaarder waren geworden. Binnenkort zouden de veranderingen voor iedereen zichtbaar zijn. Maar Niamh wist het niet; misschien had niemand eraan gedacht het haar te vertellen.
'Liadan?' zei ze met zo'n zwak geluid dat ik het amper kon horen.
'Mm?'
'Ik heb moeder van streek gemaakt. Ik heb haar pijn gedaan terwijl zij... terwijl zij... en dat wist ik niet eens. O, Liadan, hoe is het mogelijk dat ik niet zag...'
'Sst,' zei ik, terwijl ik met moeite mijn eigen tranen bedwong. 'Moeder houdt van je, Niamh. Ze zal altijd van ons houden, wat er ook gebeurt.'
'Ik... ik wilde met haar praten, ik wilde het, maar ik kon het niet. Ik kon me er niet toe brengen. Vader was zo streng, hij haatte me omdat ik haar van streek maakte, en...'
'Sst. Het komt allemaal wel goed. Dat zul je zien.' Dwaas vertrouwen, dat nergens op sloeg. Hoe kon ik ervoor zorgen dat het goed kwam, terwijl degenen die zo sterk waren geweest nu afge-

sneden leken en rond leken te dwarrelen als bladeren die hulpeloos werden voortgedreven op de grillige stormwinden van Meán Fómhair? Misschien maakte het deel uit van het oude kwaad waarvan ze spraken, iets wat zo slecht en zo krachtig was dat het iedereen in de war bracht. Toch suste ik haar en uiteindelijk lag ze weer stil, maar nog steeds met gebalde vuisten. Ik herinnerde me wat Finbar me had laten zien, hoe hij mijn geest had gevuld met vreugdevolle beelden en vredige gedachten, om te maken dat ik me beter voelde. Hij had gezegd dat ik moest leren de gave om te genezen te gebruiken. Misschien hield het niet meer in dan dit: mijn zusters rust te vergemakkelijken. Daarom deed ik wat ik eerder had gedaan: ik stelde me voor dat ik Niamh was die daar verstijfd op het bed lag en probeerde de wereld buiten te sluiten. Ik liet mijn geest de hare binnengaan, maar dit keer hield ik het in de hand, zodat ik Liadan bleef, in staat om antwoorden te vinden, in staat om te genezen.

Het was anders dan die andere nacht, toen Bran mijn arm bijna brak, zo stijf had hij hem vastgehouden, en zijn geest me had toegeschreeuwd als die van een angstig kind. Maar ik zag dingen die ik veel liever niet had geweten. Ik doorleefde met mijn zuster de vernedering, de bespotting, het geweld. Voor ze trouwden, had Fionn haar schoonheid gezien en over haar deugden gehoord. En ze had beide in overvloed bezeten. Maar hij had geen rekening gehouden met Ciarán en het feit dat Niamhs hart en haar lichaam al waren vergeven toen ze hem huwde. Had ze het strategisch aangepakt, met wat speels flirten, dan had ze een beter uitgangspunt gehad. Dan was ze misschien in staat geweest haar echtgenoot te behagen. Het is wreed als een vrouw moet veinzen om zichzelf te beschermen. Maar ongetwijfeld hebben veel vrouwen dat gedaan en op die manier hun eigen bestaan tenminste draaglijk gemaakt. Maar mijn zuster niet. Ze was niet in staat geweest tot het toneelspel dat nodig was om te overleven. En Fionn was geen geduldig man. Ik voelde de slagen van zijn hand en van zijn riem, zoals zij ze had gevoeld. Ik voelde de onwaardigheid van genomen te worden terwijl ik niet wilde, en ik voelde haar schaamte, ook al was het niet haar schuld.

Na enige tijd begon ik mijn aanwezigheid in haar verwarde gedachten kenbaar te maken. Ik liet haar een jongere Niamh zien:

het meisje met de vlammende haardos dat in haar witte jurk ronddraaide en naar een leven vol avontuur verlangde. Ik liet haar het kind zien dat snel als een hert op een tapijt van gevallen bladeren rende. Ik liet haar ogen zien, zo blauw als de hemel, en de warmte van de zomerzon in haar haar. En de uitdrukking op Ciaráns gezicht toen hij me de kleine witte steen gaf en zei: *Zeg haar... geef haar dit.* Hij hield van haar. Hij was dan wel weggegaan, maar hij hield van haar. Daarvan was ik overtuigd. Ik kon haar de toekomst niet laten zien, want die kon ik zelf niet zien. Maar ik dompelde haar geest in liefde, licht en warmte, en haar hand ontspande zich in de mijne terwijl de kaars langzaam opbrandde. Ze sliep en snurkte zacht, ontspannen als een klein kind. Heel langzaam, heel voorzichtig trok ik mijn geest uit de hare terug, stopte de deken in om haar benige schouders, stond op en rekte me uit. Ik voelde de pijn van totale uitputting in mijn hele lichaam. Finbar had het goed gezegd; je verrichtte dit werk niet zonder dat het je iets kostte. Ik wankelde naar het smalle raam en keek uit over de binnenplaats, met de gedachte dat ik me ervan moest overtuigen dat de werkelijke wereld daar nog was, want mijn geest was vol van kwaadaardige beelden en verwarde gedachten. Mijn energie was op en het huilen stond me nader dan het lachen.

De afnemende maan stond als een smalle sikkel in een donkere hemel vol jachtende wolken. Beneden op de binnenplaats brandden toortsen en ik kon vaag de vormen van de altijd aanwezige schildwachten zien, die zowel beneden als hoog boven op de gaanderij patrouilleerden. Ze bleven de hele nacht de wacht houden. Het was genoeg om je het gevoel te geven dat je gevangen zat, en ik vroeg me af hoe Aisling en de rest van het huishouden dit uithielden. Ik staarde naar de nachtelijke hemel buiten en mijn geest ging verder dan de stenen muren van de vesting, verder dan de moerassen, verder dan de gebieden in het noorden. Ik was doodmoe, zo moe dat ik verlangde naar iemand die sterke armen om me heen zou leggen, me tegen zich aan zou drukken en zou zeggen dat ik mijn best had gedaan en dat alles goed zou komen. Ik moet inderdaad wel uitgeput zijn geweest om mezelf toe te staan zo zwak te zijn. Ik tuurde in het donker en mijn geest vormde een beeld van die mannen rond hun kookvuur, terwijl ze verrukt luisterden naar het verhaal van Cú Chulainn en zijn zoon Conlai, een zeer droevig verhaal. En ik dacht, zij zijn dan wel fianna, maar ik zou liever daar zijn dan hier, dat weet ik wel. Ik sloot mijn ogen en voelde dat hete tranen over mijn wangen omlaag begonnen te stromen, en voor ik tegen mezelf kon zeggen dat ik hiermee op moest houden, riep mijn innerlijke stem luid: *Waar ben je? Ik heb je nodig. Ik geloof niet dat ik het zonder je kan.* En precies op dat moment voelde ik het kind voor het eerst in me bewegen, een kleine woeling alsof hij zwom, of danste, of beide. Ik legde zacht mijn hand op de plaats waar hij zich kenbaar had gemaakt en glimlachte. *We gaan hier weg, zoon*, zei ik stilzwijgend tegen hem. *Eerst gaan we Niamh helpen. Ik weet niet hoe, maar ik heb het beloofd, dus moet ik het doen. Daarna gaan we naar huis. Ik heb genoeg van muren, poorten en sloten.*

Boud gesproken. Natuurlijk had ik niet gedacht dat Niamh gemakkelijk of snel tot zichzelf zou komen. Als de hoop verdwenen is, is het nauwelijks de moeite waard om aan de toekomst te denken. Het was maar goed dat ik mijn kind in mijn lichaam droeg en zijn levenswil voelde bij elke kleine beweging die hij maakte, anders zou ik me misschien hebben laten meetrekken in die put van wanhoop.

De dagen gingen voorbij en de tijd naderde dat Eamonn en Fionn zouden terugkomen naar Sídhe Dubh, en ik naar huis moest gaan. Niamh bleef zo onstoffelijk als een geestverschijning, at en dronk nauwelijks genoeg om in leven te blijven en sprak alleen wanneer de beleefdheid het strikt vereiste. Toch kon ik kleine tekenen van verandering bij haar zien. Ze kon nu slapen, zolang ik bij haar bed zat en haar hand vasthield tot ze indommelde. Ik merkte dat de tijd waarin ze zo aan de rand van het bewustzijn zweefde, het meest geschikt was om in haar geest te komen en haar gedachten zacht in de richting van het licht te duwen.

Ze wilde niet met me mee wanneer ik over de bovenkant van de muur ging wandelen, waar de wachten waren, maar ze kwam wel mee naar beneden op de binnenplaats, zorgvuldig gekleed in een verhullende jurk met lange mouwen en een matroneachtige sluier. Dan liepen we een stukje tussen de wapenkamer en de graanschuur, de smidse en de stallen. Ze zei bijna niets. Onder de mensen komen leek voor haar een beproeving te zijn. Ik las in haar gedachten hoe onrein ze zich voelde, dat ze geloofde dat iedereen

naar haar keek en haar een slet vond, en lelijk bovendien. Dat ze fluisterend tegen elkaar zeiden dat het uiteindelijk maar goed was dat heer Eamonn niet met haar getrouwd was, zoals ze vroeger verwacht hadden. Toch liep ze met me mee en keek toe terwijl ik deze en gene groette en mijn mening gaf over hun kwalen, en de lichaamsbeweging bracht wat meer kleur op haar bleke wangen.
Op regenachtige dagen verkenden we het inwendige van het fort. Soms ging Aisling met ons mee, maar vaak had zij bezigheden in keukens of voorraadkamers, of was ze in onderhandeling met de huismeester of de rechtsgeleerde van het huishouden. Ze zou een goede vrouw voor Sean zijn, een evenwichtige, ordelijke aanvulling op zijn doortastende energie.
Sídhe Dubh was wel een heel vreemde woonplaats. Ik verbaasde me zeer over het karakter van Eamonns voorvader, die ervoor had gekozen om zich hier midden in de onherbergzame moeraslanden te vestigen. Hij was beslist een man geweest die beschikte over verbeelding en schranderheid, en misschien lichtelijk excentriek was geweest, want er waren veel wonderlijke dingen te zien. Bijvoorbeeld de gebeeldhouwde pilaren in de grote zaal, met hun fantasiedieren die grijnzend op je neerkeken, de kleine draak, de zeeslang en de eenhoorn. En de constructie van het fort zelf, met de overdekte gang vanaf de toegangspoort, en de woning van de familie, die in twee lagen tegen de binnenmuur was gebouwd. Nooit had ik een huis gezien met meer vreemde, vertakte gangen, verborgen openingen en bedrieglijke uitgangen, meer valdeuren en geheime gangen en plotselinge, verraderlijke putten. Ik had dit keer de kans om plekjes te ontdekken die ik nog nooit had gezien, want de vorige keer dat ik in het huis van Eamonn op bezoek was geweest, was ik een kind en was het me verboden te ver weg te gaan.
In mijn verlangen Niamh in beweging te houden – want ik wist dat de geest alleen in een gezond lichaam kan genezen – voerde ik mijn zus mee door de lange, overdekte weg die zich vanaf de hoofdingang om de heuvel wond en zich onder de aarden wal en de stenen muren slingerde om op de binnenplaats uit te komen. Dit pad was altijd met toortsen verlicht en vol bewegende schaduwen, en aan weerskanten kwamen er vele kleinere gangen op uit. Sommige waren bekleed met houten palen, andere met steen. Niamh wilde hier liever niet op verkenning gaan, maar mijn nieuwsgierigheid

was gewekt, en ik ging later in de middag terug, terwijl zij sliep. Om dit te kunnen doen was het noodzakelijk om een paar kunstgrepen te gebruiken die ik van mijn vader had geleerd en die te maken hadden met onopgemerkt langs wachtposten komen. Ik vond het beter dat niemand iets zou merken van mijn plotselinge belangstelling voor mogelijke uitgangen om uit het fort te komen, anders zouden ze me wellicht verbieden op onderzoek uit te gaan. Ik nam een lantaarn mee en volgde de zich vertakkende gangen. Zo ontdekte ik een opslagruimte voor kaas en boter, net als de kelders die we thuis voor dat doel gebruikten. Ik vond een kleine kamer die domweg geen vloer had; in plaats daarvan ging het diep naar beneden, en toen ik er een steen in gooide, kon ik tot vijf tellen voor ik de plons hoorde. Verderop langs diezelfde gang bevonden zich onverlichte cellen die elk een houten bank bevatten en aan de muur bevestigde ketenen. Er waren nu geen gevangenen meer. Het zat vol met spinnenwebben; deze plek werd al jaren niet meer gebruikt. Misschien nam Eamonn zijn vijanden niet gevangen. Ik was blij dat Niamh niet bij me was, want de muren schreeuwden als het ware wanhoop uit; er hing hier een donkere hopeloosheid die als een koude hand om mijn ziel sloot. Ik ging snel terug en nam mezelf heilig voor mijn nieuwsgierigheid de volgende keer in te tomen. Terwijl ik over de overdekte weg omhoogliep, hoorde ik een geluidje achter me. Er schoot een kat langs me, die naar boven rende vanuit de diepte van die donkere, schimmige gang met de ongebruikte cellen, een zwarte kat, die zo snel ging dat ik maar net tijd had om te zien dat hij een erg grote en erg dode waterrat in zijn bek droeg. Er was daar dus een weg naar buiten. Een nauwe weg, misschien te nauw voor een mens om zich naar binnen of naar buiten te wringen. Ik kwam in de verleiding om weer naar beneden te gaan en te kijken hoe het zat, maar het was bijna tijd voor het avondeten en ik wilde geen ongewenste aandacht trekken. *Een andere keer, gauw, zoon*, zei ik stilzwijgend, met het gevoel dat hij me op een bepaald niveau begreep. *Een andere keer gaan we daar naar beneden, en dan kunnen we misschien een tijdje naar buiten. Krijgen we wat ruimte. Als we geluk hebben, zien we misschien een vogel of een kikker. Ik moet lucht kunnen inademen. Ik moet buiten stenen muren kunnen kijken.*

Ik had het al een keer aan Aisling gevraagd, zo beleefd mogelijk,

en had het antwoord gekregen dat ik verwachtte. 'Ga je nooit naar buiten?' had ik gevraagd. 'Word je er niet gek van, de hele tijd opgesloten te zijn?'
Aisling trok haar wenkbrauwen op. 'Er gaan wel mensen naar buiten,' zei ze verbaasd. 'Het is hier geen gevangenis. Er komen wagens met proviand, en de mannen patrouilleren buiten. Er is meer verkeer wanneer Eamonn thuis is.'
'En ik neem aan dat elke wagen die binnenkomt of weggaat van onder tot boven wordt doorzocht,' zei ik droog.
'Ja, dat wel. Doen jullie dat niet op Zeven Wateren?'
'Niet als het onze eigen mensen zijn.'
'Eamonn zegt dat het wel zo verstandig is. Je kunt tegenwoordig niet voorzichtig genoeg zijn. Hij heeft trouwens ook gezegd...' Ze zweeg.
'Wat?' zei ik, terwijl ik haar recht aankeek.
Ze bracht haar hand omhoog om haar rode krullen achter haar oor te duwen en keek een beetje verlegen. 'Nou ja, Liadan, als je het beslist wilt weten, hij zei dat hij liever had dat Niamh en jij niet naar buiten gingen zolang jullie hier zijn. Er is voor jullie geen reden om buiten de muren te komen. We hebben hier alles wat jullie nodig hebben.'
'Mm.' De gedachte dat Eamonn regels voor me opstelde, beviel me helemaal niet, vooral niet nu er geen kans bestond op een huwelijk tussen ons. Misschien dacht hij, na wat er met me gebeurd was, dat ik niet in staat was om goed op mezelf te passen.
'Begrijp me niet verkeerd, Aisling,' zei ik. 'Op je gastvrijheid is niets aan te merken. Maar ik mis Zeven Wateren. Ik mis de bossen en de openheid. Ik begrijp niet hoe Eamonn en jij hier kunnen leven.'
'Het is ons thuis,' zei ze eenvoudigweg. En ik herinnerde me dat Eamonn een keer had gezegd: *Het zal pas een thuis voor me zijn als ik jou in de deuropening zie staan, met mijn kind in je armen.* Ik huiverde. De godin geve dat er in Tara clanhoofden zouden zijn met huwbare dochters, en dat Eamonn hun zijn bedoelingen kenbaar maakte. Er waren vast meisjes genoeg die er niet tegen op zouden zien zijn bed te verwarmen en hem een erfgenaam te schenken, wanneer hij bekend liet maken dat hij een vrouw zocht.

Vele dagen waren voorbijgegaan en de maan was gekrompen tot niet meer dan een snippertje licht. Wanneer ik thuiskwam, zou ik me aan naaiwerk moeten wijden, want mijn jurken begonnen akelig strak te zitten om mijn borsten. Ik zat dag in dag uit bij Niamh, maar ze merkte niets van de veranderingen in mijn uiterlijk. Ik kon het haar niet vertellen. Hoe kon ik de woorden vinden, terwijl zij zichzelf in haar arme, verwarde geest de schuld gaf van het feit dat ze na drie maanden nog geen kind voor Fionn ontvangen had, dat ze niet eens geslaagd was in die meest elementaire vereiste voor een goede echtgenote? Ik zei tegen haar dat het nog erg vroeg was en dat niet iedere bruid meteen zwanger werd. Bovendien was het, nu ze toch niet terug zou gaan naar Tirconnell, natuurlijk beter dat ze niet in verwachting was van een zoon of dochter van Fionn.

'Ik wilde Ciarán een kind geven,' zei ze zacht. 'Meer dan wat ook. Maar de godin heeft het me niet vergund.'

'Dat is maar beter ook,' reageerde ik; het viel me zwaar mijn geduld niet te verliezen tegenover haar. 'Dat zou helemaal in verkeerde aarde zijn gevallen bij de Uí Néill.'

'Maak er geen grappen over, Liadan. Jij kunt met geen mogelijkheid begrijpen hoe het voelt om meer van een man te houden dan van wat ook op de wereld. Hoe heerlijk het zou zijn om het kind van die man in je lichaam te dragen, zelfs als je de man zelf... kwijt bent geraakt.' Ze begon te huilen, heel zacht. 'Hoe zou je zoiets ook kunnen weten?'

'Tja, hoe?' mompelde ik, terwijl ik haar een schone zakdoek aangaf.

'Liadan?' vroeg ze na een poos.

'Mm?'

'Jij zegt steeds dat ik niet terug hoef te gaan naar Fionn, dat ik niet terug hoef te gaan naar Tirconnell. Maar waar ga ik dan heen?'

'Dat weet ik nog niet. Maar ik zal iets bedenken, dat beloof ik. Vertrouw op mij.'

'Ja, Liadan.' Ze sprak met een meegaandheid, een gedweeheid die me beangstigde. Want de tijd begon te dringen. De mannen zouden niet al te lang in het zuiden blijven, omdat de winter in aantocht was en ze moesten zorgen dat hun eigen gebieden daarop waren voorbereid. Tegen de tijd dat de maan weer half vol was, zouden ze hier zijn, en eerlijk gezegd had ik niet veel dat op een plan leek. Niamh kon niet zomaar met me mee naar huis, tenminste niet zonder verklaring. Ze moest dus ergens anders heen, ergens waar ze heen gebracht kon worden voordat Fionn terugkwam. Ze moest op zijn minst een tijdlang verborgen worden gehouden. Later zou misschien de waarheid verteld kunnen worden, en dan zou ze naar Zeven Wateren terug kunnen komen. Een christelijk klooster zou het beste zijn, misschien in het zuidwesten, een eind van de kust af, veilig voor invallen van de Noormannen. Ergens waar ze de naam Zeven Wateren niet kenden. Een plaats waar ze de naam Uí Néill niet kenden, bestond niet, maar misschien kon dat gedeelte verzwegen worden. Als iemand haar maar een tijdlang een veilig onderdak kon verschaffen, als Fionn er op de een of andere manier van overtuigd kon worden dat ze voorgoed weg was, als... Ik verloor algauw mijn geduld, want ik wist dat ik zo niet veel verder kwam. Ik besefte dat als ik niet heel gauw met een werkbaar plan kwam, we geen tijd meer zouden hebben. Het begon duidelijk te worden dat ik dit niet alleen afkon.

Een belofte was een belofte en mocht niet gebroken worden. Volgens mij had Niamh ongelijk. Hoe kon het bondgenootschap voor Liam, Conor of mijn vader belangrijker zijn dan Niamhs geluk? Haar gekneusde lichaam en sombere ogen waren toch zeker een te hoge prijs voor de toekomstige steun van de Uí Néill, voor al hun rijkdom en hun grote troep krijgers? Maar ik had haar mijn woord gegeven. Bovendien ging het om meer dan het bondgenootschap. Het ging ook om het geheim dat ze ons met zijn allen onthielden. Er stak iets groters achter dat wij niet begrepen; iets wat zo verschrikkelijk was dat ik het gevoel had dat ik uiterst voorzichtig moest handelen, anders zou ik het kwaad tot leven wekken, het kwaad waarover met gedempte stemmen en angstige blikken werd gepraat.

Eén ding was me duidelijk. Ik moest Niamh naar buiten krijgen voor de mannen terugkwamen, en er was niemand in het huishouden aan wie ik hulp kon vragen. Alle mannen en vrouwen hier waren in dienst van Eamonn en Aisling, en zij zouden niets geheim houden voor hun jonge meester en meesteres. Bovendien werd immers elke wagen doorzocht? Ik dacht aan vermommingen, maar zag ervan af, want ik wist dat het nauwlettende toezicht op al het in- en uitgaande verkeer betekende dat we onmiddellijk ontdekt zouden worden. Er speelden allerlei plannen door mijn hoofd, het ene nog onwaarschijnlijker dan het andere.

Toen het nieuwe maan was, kon ik mijn speciale kaars niet aansteken, want die stond nog in mijn kamer op Zeven Wateren. Maar nadat Niamh in slaap was gevallen, stak ik een andere kaars aan, zette hem bij het raam en ging er in de donkere nacht naast zitten. En toen ik Brans beeld in mijn geest opriep, zat hij niet langer onder vreemde bomen, maar liep rusteloos heen en weer in een omgeving die me bekend voorkwam. Een lantaarn wierp schaduwen op de kunstig geconstrueerde muren, het gewelfde plafond en de oude, gewijde steen van de grote grafheuvel die ons heel lang geleden, zo leek het, onderdak had geboden. Er waren anderen bij hem, en ze waren druk in gesprek over iets, en hij was ongeduldig. Ik voelde zijn ongeduld, de bezorgdheid die een rimpel tussen zijn donkere wenkbrauwen veroorzaakte, de spanning in zijn handen. Maar ik kon hun woorden niet verstaan. Ik deed wat ik altijd deed in die donkere nachten, wanneer ik wist dat hij meer dan wat ook probeerde wakker te blijven. Ik ging in gedachten naar hem toe om zijn geest met de mijne aan te raken, om hem te laten weten dat hij nooit helemaal alleen zou zijn, nooit meer; om hem eraan te herinneren dat zelfs een bandiet zonder verleden en zonder toekomst elke dag op een goede manier kon leven. Maar in deze nacht lukte het me niet goed; ik werd in beslag genomen door mijn eigen donkere gedachten, mijn zorg om mijn zuster, mijn groeiende paniek omdat ik geen oplossing had voor mijn probleem, terwijl de tijd drong. Dit spookte allemaal door mijn hoofd, en ik had geen idee of Bran iets aan me had of niet. Ik bleef de hele nacht wakker. Dat kon ik nog wel voor hem doen. Het was niet mogelijk om zijn beeld voortdurend voor me te zien in mijn gedachten, maar af en toe kwam het tot me. Ik zag hem uit de grafheuvel lopen, zijn vrienden achterlatend; ik zag hem daar in het donker staan, neerkijkend op zijn in elkaar gestrengelde handen. Later zat hij in kleermakerszit niet ver van de plek waar we ons vuurtje hadden gemaakt van dennenappels, toen Evan stervende was en ik hem zijn laatste verhaal had verteld. Hij zat daar met zijn geschoren hoofd in zijn handen en een klein lantaarntje om het donker weg te houden. *Ik ben hier*, zei ik tegen hem. *Ik ben niet erg ver weg. Wacht nog even, dan komt de dageraad.* Maar ik moest mijn uiterste best doen om die andere stem vanbinnen tot zwijgen te brengen, de stem die schreeuwde: *Help! Ik heb je nodig!* Niemand kon me helpen, hier op Sídhe Dubh. Er scheen geen weg naar buiten te zijn. Tenzij... tenzij je een kat was, misschien.

Het was het proberen waard, hield ik mezelf voor terwijl ik de volgende morgen kort na zonsopgang stilletjes de overdekte weg afliep. De kunstgrepen die ik op Zeven Wateren had geleerd, kwamen me goed van pas. Ik had de indruk dat ik ongezien langs de wacht kwam. Ik had de lantaarn nodig, want de zijtunnel was nauw en de vloer lag bezaaid met brokken steen. Ik passeerde de lege cellen en voelde weer de kille adem van de angst die er nog in de duistere hoeken hing. Ik waagde me verder naar beneden, en het pad werd smaller en steiler; er droop water van de muren af zodat ik in een stroompje liep. En toen verdween het water plotseling gorgelend in de grond en leek de gang op te houden; voor me was een muur zonder openingen, hoewel er ergens vandaan nog een flauw straaltje licht binnenviel. Het pad liep hier dood. Maar de kat was toch binnengekomen. Ik zette de lantaarn neer, liep naar voren en betastte de muur met mijn vingertoppen. Voor me torende mijn schaduw boven me uit, enorm groot door het licht van de lantaarn. En ik hoorde ze, bekende stemmen, kalm, laag, zo laag dat ze bijna onhoorbaar waren. Woorden gesproken met een traagheid die eeuwenoud leek, alsof ze uit de stenen voortkwam. Ze waren dus toch niet gevlucht na de komst van de mens; ze waren alleen dieper onder de grond gegaan en wachtten hun tijd af. Ik bleef roerloos staan, luisterde, wachtte op hun aanwijzingen.

Naar beneden.

Ik hurkte neer op de grond, me afvragend waar ik naar moest zoeken, wat ik moest proberen te voelen. Een valdeur? Een geheime weg? Een of ander teken?

Lager.

Denk na, Liadan, zei ik rillend tegen mezelf. Ik kroop over de rotsbodem, volgde de onderkant van de muur met mijn hand, tastte naar een teken, een aanwijzing wat ik moest doen.

Goed. Goed.

Mijn hand kwam ergens tegenaan, een metalen voorwerp dat vastzat onder een overstekende steen. Mijn vingers bogen zich eromheen. Het was een sleutel, groot, zwaar en fraai gevormd. Ik stond op. Het licht van de lantaarn toonde me dezelfde massieve rotswand, dezelfde nietszeggende muren aan weerskanten. Er was niets wat op een deur leek. Ik hield de lantaarn omhoog, omlaag, bekeek elk oppervlak. Ik kon geen spoor van een opening vinden, geen barst of spleet waar deze sleutel in zou kunnen passen. De moed zonk me in de schoenen.

Ga terug, zeiden de stemmen. *Terug.*

Wat bedoelden ze nu eigenlijk, vroeg ik me somber af terwijl ik met tegenzin de ondergrondse gang uit liep en weer in het huis kwam. Dat ik op Sídhe Dubh moest blijven en de dingen op hun beloop moest laten? Dat was hun advies geweest bij de grote grafheuvel, en je zag wat ik ermee bereikt had. Voorouders of geen voorouders, ik begon me af te vragen of ze wisten wat ze deden. De Feeën hadden me gezegd dat ik niet naar deze oude stemmen moest luisteren. Dat ze gevaarlijk konden zijn. Maar de Ouden hadden me wel een sleutel gegeven. Een sleutel was tenminste een begin.

Die avond zei Aisling heel beleefd tegen me dat het beter zou zijn als ik niet meer naar beneden ging in de ondergrondse delen van het fort. 'Mijn wapenmeester maakt zich zorgen over je veiligheid,' zei ze tamelijk afgemeten. Ik zag wel dat ze zich geneerde omdat ze een vriendin regels moest stellen. Op Zeven Wateren waren we heel gemoedelijk met elkaar omgegaan. We hadden soms meer op twee zussen geleken dan Niamh en ik. Maar hier was ze de vrouw des huizes, en ik voelde wel dat het weinig zin had om er tegenin te gaan. Het was een schok voor me dat ze op de hoogte was van mijn verkenningstochten; ik was toch uiterst voorzichtig te werk gegaan.

'Ik vind het erg moeilijk om zo... zo opgesloten te zitten,' zei ik.

'Best mogelijk, maar die oude gangen en kamers zijn niet veilig,' antwoordde Aisling beslist. 'Ik weet dat Eamonn niet zou willen dat je het minste risico neemt. Ga alsjeblieft niet meer naar beneden.'

Dit was een bevel, vriendelijk verpakt, en ik wist dat ik me eraan moest houden. Mijn mogelijkheden leken snel af te nemen naarmate de tijd vorderde. De dag dat Eamonn en Fionn van Tara terug zouden komen, kwam steeds dichterbij, en ik had nog niet eens een beginnetje van een bruikbaar plan. Ik begon er zelfs sterk aan te twijfelen of ik mijn belofte aan Niamh kon houden. Maar ik was haar zus. Ik kon haar niet laten teruggaan naar Tirconnell en naar een echtgenoot die haar zo weinig waardeerde. Ik had de uitdrukking in haar ogen gezien. Ik wist dat ze het meende, toen ze zei dat ze zichzelf liever van het leven zou beroven dan door te gaan. Ik moest haar hier weg krijgen voor ze terugkwamen. Op de een of andere manier moest ik een oplossing vinden

Ik wist uiteindelijk niet of ik de oplossing zelf ontdekte of dat de Ouden me een duwtje in de goede richting gaven. Misschien dachten we hetzelfde, omdat we van dezelfde afkomst waren. Het was vroeg in de morgen, even na zonsopgang, en Niamh sliep, opgerold onder haar wollen dekens, met haar korte haar glanzend op het kussen. Mijn nachten waren steeds rustelozer geworden. Ik lag wakker en piekerde over oplossingen, die allemaal even onbruikbaar waren. Met open ogen lag ik na te denken over de risico's die ik zou nemen door de waarheid aan Sean, mijn vader of Conor te vertellen, en ik besloot dat ik dat niet kon doen. Mijn vader had me geleerd dat een belofte nooit gebroken mocht worden. Bovendien kon ik niet zeker weten wat ze zouden doen. Er bestond altijd een mogelijkheid dat ze het bondgenootschap belangrijker zouden vinden dan Niamh. Ik kon niet riskeren het te vertellen, en te merken dat de strategische waarde van Fionn zwaarder woog dan zijn minachting voor mijn zuster. Ik moest dus mijn eigen oplossing vinden. Maar er was geen weg naar buiten. Wat verwachtten de Ouden dat ik deed? Vliegen?

Bij zonsopgang stond ik op en kleedde me aan; ik zocht een van mijn ruimer vallende jurken uit en vroeg me af hoe dik mijn buik zou moeten worden voor Niamh de verandering in mijn uiterlijk opmerkte. Onze kleren waren opgeborgen in een oude, houten kist die in een alkoof van onze gezamenlijke slaapkamer stond, een nis waar een tapijt voor was gehangen tegen de tocht. Ik grabbelde in de kist naar een omslagdoek, omdat het 's ochtends koud was, en toen ik opstond om hem om te slaan, voelde ik me even flauw worden. Ik stak mijn hand uit naar de betimmerde muur van de alkoof om steun te zoeken. Mijn vingers raakten iets. Er zat een merkteken op de muur, een kleine spleet in het houten oppervlak. Het was te donker om te zien wat het was. Ik haalde een kaars en keek beter. Een tapijt tegen de tocht, dacht ik. Waar tocht is, moet een opening zijn. Mijn hand volgde de spleet rondom, een vierkant zo groot als een kleine man of vrouw, in gebukte houding. Een deur. Langs de randen was hij helemaal bedekt met ingekerfde tekentjes, Ogham-tekens, zoals op de amulet die mijn oom Finbar om zijn nek droeg. Maar Eamonns voorvader was beslist geen druïde geweest. Waren deze geheime beschermende tekens in opdracht van hem gemaakt, of waren ze gemaakt door een ouder geslacht, door degenen die op de plek van het feeënfort hadden gewoond, lang voor het mensenvolk hier was gekomen om er de hand op te leggen en de eigendom op te eisen van iets wat hun nooit rechtens kon toebehoren? De diepte behoorde toe aan de Ouden. Geen brutaal clanhoofd met een zakvol zilver en een paar karrenvrachten stenen om mee te bouwen kon daar ooit iets aan veranderen, ook al deed hij nog zo zijn best zijn stempel op het landschap te drukken.

Er was een sleutelgat. Trillend van spanning haalde ik de oude sleutel van de plaats waar ik hem had verborgen en probeerde ik of hij paste; ik wist dat hij wel moest passen. Ik had nu het gevoel dat alles onontkoombaar verliep; ik wist dat ik voorwaarts werd geleid. Ik voelde me eerder bang dan opgelucht. De kleine deur zwaaide open en onthulde een steile wenteltrap met stenen treden die in het donker verdween. Er zat niets anders op dan mijn rokken in mijn ene hand te nemen en de kaars in de andere hand en de trap te betreden, en maar te hopen dat Niamh niet wakker zou worden voor ik terug was.

De trap was steil en smal. Ik kon maar een klein eindje voor me uit zien. Het was een meesterstuk van bouwkunst, dat omlaagging tot in het binnenste van de heuvel, tot ik berekende dat ik me onder het laagste niveau van het huis bevond, onder de binnenplaats, en nog dieper dan de plaats waar de kring van scherpe stenen de heuvel omringde, onder de vestingmuren. En eindelijk zag ik licht voor me, een licht dat niet de zwakke gloed van mijn flakkerende kaars was, maar een toenemende helderheid die onmiskenbaar afkomstig was van de eerste stralen van de opkomende zon door de nevel boven de moerassen. Ik kwam de laatste bocht van de wenteltrap om en daar voor me, nog geen vijf passen van me af, aan het eind van een smalle tunnel in de rots, was een opening naar buiten. Ik had een weg naar buiten gevonden.

Het was niet veel meer dan een spleet, groot genoeg voor een meisje zoals ik om doorheen te kruipen, maar te smal voor een gewapende man. Het was maar goed dat mijn kind nog nauwelijks was begonnen mijn buik te laten uitdijen, want het zou niet lang meer duren of deze weg zou ook voor mij niet meer mogelijk zijn. Vreemd, dacht ik, dat er zo'n zwakke plek in het ondoordringbare pantser van Sídhe Dubh zat, die niet eens werd bewaakt. Toen keek ik om me heen en begon het te begrijpen. De plek waar ik naar buiten was gekomen, lag juist onder de ring van puntige stenen die rondom de heuvel was gelegd. Achter en boven me liepen de schildwachten heen en weer, heen en weer op de hoge muren; ze leken zich niet bewust te zijn van mijn aanwezigheid hier buiten. Ik keek voor me, naar het noorden, en recht vooruit zag ik in de verte die lage lijn van heuvels die ik vanaf de muur had gezien. De vlakke grond voor me was het stuk diep moeras, dat zo gevaarlijk was dat een poging het over te steken de dood betekende, behalve voor de paar mensen die er de weg wisten. We konden dus tot hier ontsnappen, maar niet verder. Ik hurkte zwijgend neer bij de stenen en hoopte uit alle macht dat de wachten me niet zagen. Ik wist niet of ze de moeite zouden nemen de identiteit van een indringer vast te stellen voordat ze hun pijlen afvuurden. Achter me was de opening waardoor ik naar buiten was gekomen onzichtbaar, niet meer dan een onregelmatigheid in de rotsige helling. Misschien werd hij door feeënkunsten verborgen. Ik had mijn passen zorgvuldig geteld, en ook goed op de richting ervan gelet, want ik had weinig zin om hier alleen te blijven steken, zonder verklaring van mijn aanwezigheid.

Ik bleef hier vrij lang zitten, in de wetenschap dat ik de halve oplossing had, maar de rest niet te pakken kon krijgen. Het was een koele ochtend; zich samenpakkende wolken voorspelden regen. Beneden bij het water zag ik beesten, langpotige moerasvogels, die met hun snavels naar vreemde, springende insecten pikten. Ik keek naar hen en voelde dat mijn zoon zijn kleine ledematen boog. *Ik wou dat je deze vogels kon zien*, zei ik tegen hem. *Je zult veel vogels zien wanneer we naar huis gaan, naar Zeven Wateren. Er is*

er een die winterkoning heet. Dat is de kleinste, een vogel met toverkracht. Je zult hem in veel verhalen vinden. Je zult een uil zien, en een raaf, en een leeuwerik, die hartverscheurend mooi zingt terwijl hij opstijgt. Je zult de grote arend boven het bos zien zweven, en de zwaan die neerstrijkt op het meer, wanneer we eindelijk naar huis gaan. Uitkijkend over dit niemandsland dacht ik eraan hoe zwak Niamh was. Zelfs als ik haar ongezien hier beneden kon brengen, zelfs als ze mee zou willen gaan, wat dan? Ik kende de weg naar de overkant niet. Een boot, misschien. Maar er was geen boot, en er waren maar een paar stukken open water, die ver uit elkaar lagen. En het was uitgesloten overdag te gaan, want dan zouden we spoedig worden gezien en teruggebracht. Zelfs nu begreep ik niet waarom de wachten me niet hadden gezien. Ze patrouilleerden nog steeds hoog boven me, heen en weer. Na een tijdje ging ik terug naar boven, het hele eind terug om buiten adem in onze kamer aan te komen, met pijnlijke benen en een geest die nog steeds geen antwoorden had gevonden. Ik sloot de deur af, verstopte de sleutel en trok het tapijt weer op zijn plaats. Niamh sliep nog steeds. Ze had niets gemerkt.
De volgende morgen ging ik weer naar beneden. Het was heel vroeg. Een kille nevel hing over het moeras en wolken versluierden de eerste zon. Kromgegroeide struikjes en verwaaide pollen gras staken met ongelijke vingers door de deken van mist, en ik hoorde vreemde, krakende geluiden in het moeras, zachte geluidjes die niet afkonmstig waren van kikkers.
Ik rilde toen ik onder de rand van puntige stenen ging zitten en trok mijn wollen omslagdoek dichter om mijn schouders. Er was een raadsel dat moest worden opgelost; ik had de meeste aanwijzingen, maar hoe ik het ook probeerde, ik kon het niet in elkaar zetten of begrijpen hoe het zat. De Ouden hadden me tot hier geleid. Er was een weg naar buiten. En ik wist op welk uur van de dag het het veiligst zou zijn. Deze morgen kon ik geen drie pas over het moeras zien, voor de wervelende nevel alles vervaagde behalve de paar planten die erboven uitstaken, planten die erin slaagden zich op deze ongunstige plek te handhaven. Op een moment als dit zou het zo goed als onmogelijk zijn ons te achtervolgen. Maar hoe kon je zoiets ondernemen zonder gids die de weg kende? Het alleen te proberen zou wel heel dom zijn. Als al-

les anders was geweest, zou ik het risico graag hebben genomen, omwille van mijn zus. Ik zou haar bij de hand hebben kunnen nemen en op weg kunnen gaan over het deinende moeras; vertrouwend op de oudste machten om ons veilig te geleiden en hopend een schuilplaats te vinden voor ons manvolk ons opspoorde. Maar nu ging dat niet. Mijn eigen leven en dat van Niamh had ik op het spel kunnen zetten. Maar niet dat van mijn zoon.

Vreemd hoe het verstrijken van de tijd schijnbaar kan veranderen. Nu vlogen de dagen voorbij, en ondanks haar blinde vertrouwen in mijn vermogen alles in orde te maken, maakte Niamh een gespannen indruk. Overdag praatte ze mompelend in zichzelf en 's nachts werd ze plotseling wakker, bevend en huilend, uit een nachtmerrie waar ze niets over wilde zeggen. En toen, met snel wassende maan, ontving Aisling een boodschap. We zaten aan het avondmaal, bestaande uit geroosterd lamsvlees in rozemarijnsaus, toen ze het bericht doorgaf.

'Goed nieuws,' zei ze vrolijk. 'Ik heb bericht van Eamonn, van iemand die vandaag is aangekomen. Ze zijn uit Tara vertrokken en zijn nu ingekwartierd in de buurt van Knowth, waar ze een bijeenkomst hebben met de clanhoofden van het district. Ze zullen nog een oponthoud hebben op Zeven Wateren en zullen als alles goed gaat over vier dagen hier zijn.'

Niamh verbleekte. Het was een slag, en ik zocht haastig naar passende woorden. 'Je zult blij zijn Eamonn terug te zien.' Dit was in elk geval de waarheid.

'Dat zal ik zeker,' gaf Aisling met een wrange glimlach toe. 'Ik kan niet zeggen dat het gemakkelijk is geweest terwijl hij weg was. We hebben hier natuurlijk betrouwbare en kundige mensen, maar mijn broer is nogal precies in bepaalde opzichten, dus moet ik nauwlettend toezicht houden. Bovendien maak ik me zorgen over Eamonn. Hij was... hij was niet zichzelf de laatste dagen voor hun vertrek. Ik hoop dat hij zich beter voelt, als ik hem terugzie.'

Hier kon ik geen antwoord op bedenken, dus zweeg ik. Maar Niamhs woorden kwamen naar buiten als zorgeloze voetstappen door een terrein vol valkuilen.

'Vier dagen! Dat kan niet. Dat is te snel. Vier dagen, dan hebben we niet genoeg tijd...'

'Maak je geen zorgen, Niamh,' zei ik, terwijl ik fronsend in de grote, expressieve blauwe ogen van mijn zus keek, die duidelijk spraken van dreigend verraad en tragedie. 'Alles komt goed.' Ik wendde me tot Aisling. 'Niamh is de laatste dagen niet helemaal in orde. We moesten ons maar vroeg terugtrekken. Ze heeft haar slaap nodig.'

Aislings kleine, sproetige gezicht stond ernstig. Haar ogen waren op Niamh gericht en taxeerden het uiterlijk en de woorden van mijn zuster.

'Zoiets moet je me wel vertellen, Liadan,' zei ze zorgvuldig. 'Je moet me echt laten weten als er een probleem is. Ik zou misschien kunnen helpen. Eamonn zou zeker willen helpen.'

Dat betwijfelde ik ten zeerste. 'Dank je, Aisling. Je hoeft je echt niet druk te maken.'

Vier dagen. De godin helpe ons, vier dagen maar. Ik was een slapeloze nacht bezig met nadenken over de diverse, alle even onmogelijke alternatieven die ik had, en die me geen van alle aanstonden. Zodra de hemel begon op te lichten in het vage grijs dat aan de dageraad vooraf ging, stond ik op, blij weer op de been te zijn. Ik trok mijn stevige laarzen aan en een warme jurk met een zware mantel erover, want ik moest en zou naar buiten, weg uit de stenen muren waartussen ik en mijn dilemma nu opgesloten leken te zitten, als een onoplosbare puzzel in een onbreekbare doos. Voor de zon opkwam, glipte ik via de geheime deur in de alkoof naar buiten. Ik liep snel de wenteltrap af en stapte naar buiten op de kale helling boven het moeras. Daar stond ik en staarde in noordelijke richting. Mijn maag krampte van de zenuwen, ik had hoofdpijn van het piekeren en ik kon wel huilen van angst bij de gedachte wat ik moest proberen te doen. Want het leek wel of dit de enige mogelijkheid was: mijn zuster bij de hand pakken en het niemandsland op stappen, als daad van krankzinnig geloof.

Een hand sloot zich doeltreffend over mijn mond en een arm drukte stevig over mijn borstkas. Een stem achter me zei heel zacht: 'Ik waarschuw je alleen, zodat je niet in de verleiding komt geluid te maken. De wachten kunnen ons niet zien, maar wel horen. Stil dus. Afgesproken?'

De druk van de arm werd weggenomen. De hand, getekend met een fraai patroon, werd teruggetrokken. Ik hoefde deze hand niet te zien om de eigenaar van de stem te herkennen. De Beschilderde Man maakte zijn reputatie waar door moeiteloos als een schaduw door de verdediging van Sídhe Dubh te dringen.

'Wat, krijg ik dit keer geen klap op mijn hoofd?' vroeg ik fluisterend zonder me om te draaien. Mijn hart hamerde in mijn borst.

'Ga zitten.' Hoewel zacht uitgesproken was dit onmiskenbaar een bevel. 'We zitten hier op een blinde plek. Maar dat heeft zijn beperkingen. Het heeft geen zin om alle mogelijke moeite te doen om de aandacht te trekken.'

Ik ging zitten en Bran kwam in mijn gezichtsveld. Hij nam op drie pas afstand van mij plaats onder dekking van de rotsen. Hij droeg een oude tuniek en hozen van een ondefinieerbare tint, en er koekte zwarte modder aan de zolen van zijn zachte laarzen. Zijn gezicht was bleek, zijn ogen stonden ernstig. Hij zag er geweldig uit. Hij bleef me zwijgend aankijken, en ik keek terug en voelde een blos naar mijn wangen stijgen. Er verscheen een rimpel op zijn voorhoofd.

'Wat doe jij hier?' vroeg ik, terwijl talloze mogelijkheden door mijn hoofd gingen.

Hij nam de tijd om te antwoorden, en toen hij iets zei, was het heel behoedzaam.

'Vreemd,' zei hij. 'Ik dacht dat ik antwoorden klaar had op alles wat je tegen me zou kunnen zeggen. Maar ze zijn allemaal verdwenen, nu je hier bij me zit.'

'Het is hier gevaarlijk voor jou, alleen en ongewapend,' zei ik en mijn stem beefde. Zijn ogen waren op me gericht met een uitdrukking die ik niet had verwacht weer te zien. 'Waarom ben je hier gekomen? Er staat een prijs op je hoofd, dat weet je.'

'Maak jij je daar druk over?' Zijn stem klonk oprecht verbaasd.

'Jij was degene die het tussen ons hebt veranderd, niet ik.' Ik hield mijn handen stijf in elkaar geknepen, voor het geval dat ik zou toegeven aan de drang om hem aan te raken. 'Als je denkt dat ik niet geef om jouw veiligheid, ken je me niet erg goed. Geef nu antwoord op mijn vraag.'

'Ik kwam hier voorbij en dacht dat je misschien in moeilijkheden was.'

'Ik denk niet dat dat de waarheid kan zijn. Hoe kon je weten dat ik hier was? Bovendien speelt het toeval geen grote rol in jouw

bestaan, lijkt me zo, of in dat van de mannen die je leidt.'
Brans gezicht stond donker. 'Ik zou je de waarheid kunnen vertellen. Maar je zou me niet geloven,' zei hij simpelweg.
'Probeer het maar. Je hebt niets te verliezen.'
'Denk je dat?'
'Brighid sta ons bij, Bran, je bevindt je midden in vijandelijk gebied! Waarom neem je zo'n krankzinnig risico?'
'Sst, niet zo luid. Ik ben niet alleen, en ook niet ongewapend. Ik ben hier gekomen om tegen je te zeggen dat je naar huis moet gaan. Ik wil niet dat je hier op Sídhe Dubh bent. Het zal op den duur tot een treffen komen tussen die man en mij. Ik wil niet dat jij daar tussen komt te zitten.'
Mijn mond ging open en sloot zich weer zonder dat er een woord uitkwam.
'Dat zei ik toch. Je gelooft me niet.'
'Maar...'
'Ik hoorde een... een kreet om hulp, daar leek het op; een kreet die in de nacht tot me kwam, toen ik hier ver vandaan was. Ik merkte dat ik niet in staat was het naast me neer te leggen en daarom ben ik teruggekomen, en ik kreeg inderdaad bericht dat je hier was, in de woonplaats van die man. We houden deze vesting goed in de gaten, Liadan. Ik heb je naar buiten zien komen bij zonsopgang, en ik zag dat je om je heen keek alsof je wilde dat je weg kon vliegen. Uiteindelijk vond ik dat ik je moest waarschuwen.'
'Niettemin,' zei ik voorzichtig, 'na... na de laatste woorden die we tegen elkaar gesproken hebben, lijkt het meer dan vreemd dat je naar me toe komt. En nog vreemder lijkt het dat je me uitgerekend vraagt terug te keren naar Zeven Wateren, terwijl je iedereen die daar woont zo grondig afwijst.'
'We hebben het nu over jouw veiligheid, niet over het karakter van je vader. Ik veracht hem. Maar dat doet niet ter zake. De vesting van je oom wordt goed bewaakt, en ik wil dat je teruggaat. Je moet doen wat ik zeg, Liadan. Ga naar huis. Ga zodra je kunt. Het is hier niet veilig voor jou.'
'Het is hier voor jou nog minder veilig. Je weet vast wel dat Eamonn heeft gezworen je te doden als je een voet op zijn grond zet of een bedreiging vormt voor wat hem toebehoort. Die wachten zullen niet aarzelen om hun pijlen op je af te schieten zodra

ze je zien. De mannen in het groen kunnen snel en wreed zijn. Ik zou niet willen dat je hetzelfde lot onderging als Hond. Geen man zou zo aan zijn einde mogen komen.'
Ik besefte nog onder het spreken dat ik te veel had gezegd. Bran kneep zijn ogen halfdicht en boog zich dichter naar me toe.
'Hoe kun jij weten wat er met Hond is gebeurd?' siste hij me toe. 'Hoe kun jij zoiets weten?'
Een koude huivering ging door me heen toen de beelden even hard in mijn geest terugkwamen. Het donker langs de wegkant, het gedempte geluid van slagen, het gerinkel van hun wapenrusting toen ze wegreden. De stem van Hond, die hijgde: *Mes...*
'Ik weet het omdat ik erbij was,' zei ik met een ragdunne stem. 'Ik weet het omdat ik het vanuit het donker heb zien gebeuren, maar ik kon hen niet tegenhouden. Ik weet het omdat... omdat...' Mijn stem begon gevaarlijk te bibberen.
'Omdat wat, Liadan?' vroeg Bran zacht.
'Omdat hij om het mes vroeg, op het eind, en er niemand anders was, alleen ik. Hij riep jou, om er een eind aan te maken, maar de hand die het mes over zijn keel haalde, was van mij.'
Ik hoorde dat hij met een zucht uitademde, en toen bleef het een hele tijd stil. Het lukte me mijn tranen in te houden. Het lukte me ook om niet mijn hand uit te steken en hem aan te raken.
'Ik dacht dat ik sterk was,' zei hij na verloop van tijd; hij keek niet naar mij maar naar een punt in de verte, over de met nevels bedekte moerassen. 'Ik dacht dat ik dit kon. Maar het is een wilsbeproeving zoals ik nog nooit heb meegemaakt.'
Ik had geen idee waar hij het over had. En de tijd begon te dringen.
'Je vraagt me om naar huis te gaan. Dat is altijd mijn bedoeling geweest. Ik ben hier alleen op bezoek, tot Eamonn terugkomt uit Tara. Dat is al snel; ze worden over vier dagen verwacht. Dan zal ik teruggaan naar Zeven Wateren. Maar ik kan niet eerder vertrekken. Ik zit met mijn zuster.'
'Wat weerhoudt jou en je zuster ervan vandaag te vertrekken? Waarom wachten tot die man terugkomt? Als er een probleem is met een geleide, zal ik daarvoor zorgen. Heel discreet. Een doeltreffend maar onzichtbaar escorte.'
'Ik weet niet goed waarom je denkt dat jij een rol moet spelen in

die beslissing.' Ik haalde diep adem. 'Bovendien is het niet zo eenvoudig. Ik heb een... probleem. Een heel serieus probleem. En er is niemand bij wie ik kan aankloppen. Niemand die ik om hulp kan vragen.'

Het bleef even stil.

'Je zou het aan mij kunnen vragen,' zei hij uiterst zacht. Toen wachtte hij.

'Het is inderdaad een opdracht voor de Beschilderde Man,' gaf ik toe. 'Maar ik betwijfel of ik de prijs kan betalen.'

'Je beledigt me,' snauwde Bran, maar nog steeds met gedempte stem, want de man verstond zijn vak.

'Ik zou niet weten waarom dat beledigend is,' zei ik. 'Je bent toch een huurling? Een man zonder geweten? Is het niet gebruikelijk om met zo iemand over de voorwaarden te praten, als je zijn diensten inhuurt?'

'Misschien zou je eerst moeten aangeven wat de opdracht inhoudt, dan kunnen we later over de voorwaarden praten.' Zijn stem klonk koel.

'Ik weet nauwelijks hoe dat zou moeten. Maar ik zal het zo eenvoudig mogelijk uitleggen, want ik heb erg weinig tijd; mijn afwezigheid zal gauw worden opgemerkt. Mijn zuster is met midzomer getrouwd. Haar echtgenoot is een invloedrijk man.'

'Een van de Uí Néill.'

'Dat weet je?'

'Ik zorg dat ik op de hoogte blijf. Ga door.'

'Ze is niet uit vrije wil getrouwd. Haar hart behoorde toe aan een andere man. Maar ze is naar Tirconnell gegaan. Het is een verbintenis die ons een bondgenootschap oplevert met de noordelijke Uí Néill, met alle strategische voordelen van dien.'

Bran knikte dat hij het begreep. Zijn gezicht stond dreigend, het ravenmasker droeg daar nog aan bij.

'Haar echtgenoot heeft... hij heeft haar pijn gedaan. Hij heeft haar wreed behandeld. Niamh is vreselijk veranderd; ze is een schim van wie ze vroeger was. Maar ze weigert het te vertellen; ik heb het zelf bij toeval ontdekt, en ze heeft me laten beloven dit niet aan iemand van de familie bekend te maken. Ik kan niet toelaten dat haar echtgenoot haar weer meeneemt naar Tirconnell. Dat zou haar einde betekenen. Ze zou liever het mes op haar polsen

zetten dan zich weer aan hem te onderwerpen. Dat weet ik. Ik... ik heb haar beloofd dat ze niet terug hoeft te gaan.'
'Ik begrijp het. En nu heb je nog vier dagen om het onmogelijke te bereiken.'
'Daar komt het op neer,' zei ik met een klein stemmetje; ik besefte ten volle hoe dom ik was geweest.
'Wat was je plan?' vroeg Bran.
'Een half plan, verder ben ik niet gekomen. Ik wilde Niamh hier beneden brengen, op een morgen vroeg, wanneer de mist dicht genoeg was. Dan de moerassen oversteken naar het noorden. Een passerende wagen vragen ons mee te nemen; haar op de een of andere manier op een veilige plaats zien te krijgen.'
Hij keek me neutraal aan.
'Dan is het maar goed dat ik hier ben,' zei hij. 'Waar moet ze heen worden gebracht? Hoe lang moet ze daar blijven? Welk verhaal zal verteld worden om haar verdwijning te verklaren?'
Mijn hart begon weer te bonzen.
'Een klooster zou het beste zijn. In het zuiden, dacht ik, misschien in Munster. Ergens waar het heel veilig is, waar ze mijn familie niet kennen. Ik denk niet dat jij connecties in die richting hebt...'
'Dat zou je nog verbazen. Wat vertel je aan Uí Néill? En aan je familie?'
'Het is het beste als Fionn denkt dat ze dood is. Dan zal hij haar niet gaan zoeken, maar naar een andere bruid uitkijken. Op die manier hoeft het bondgenootschap niet te worden verbroken. Voor mijn familie kan ik de waarheid moeilijk verborgen houden. Ik denk dat ik het hun uiteindelijk moet vertellen.'
Bran schudde zijn hoofd. 'Je wilt dat ze verdwijnt, zodat ze niet achter haar aan gaan. De meest doeltreffende manier om dat te bereiken is de waarheid verborgen te houden voor iedereen, behalve degenen die het moeten weten. Dat zijn er maar weinig. Je moet voor iedereen hetzelfde verhaal gebruiken. Je zus is om de een of andere reden – die kun je zelf verzinnen – het moeras in gelopen, en is misgestapt. Jij hebt haar zien wegzinken. Je bent erg van streek; de echtgenoot treurt, de familie rouwt. Je zuster zit veilig in haar klooster, zo lang ze dat wil. Misschien voorgoed. Hoe zit het met die andere man, de man die zoals je zei haar hart heeft veroverd? Speelt hij nog een rol in het verhaal?'

'Nee. Hij is weggegaan. Mijn familie heeft die verbintenis verboden.'

'Wat is zijn naam?'

'Ciarán. Een druïde. Waarom moet je dat weten?'

'Als je mijn diensten inhuurt, stel ik de regels vast, en stel ik de vragen. Zal je zuster vrijwillig meegaan, denk je?'

'Ik denk het wel. Ze is... gekwetst, kwetsbaar. Verward in haar denken. Maar ze wil meer dan wat ook aan haar echtgenoot ontsnappen. Het is een verschrikkelijk huwelijk, dat haar bijna heeft vernietigd.'

'En is het niet bij je opgekomen dat wanneer deze Uí Néill naar een vervangende echtgenote gaat zoeken, de keus op jouzelf zou kunnen vallen?' Zijn stem klonk heel streng.

Ik slikte een zenuwlach in. 'Je kunt ervan overtuigd zijn dat dat niet zal gebeuren,' zei ik, terwijl het kind een salto maakte in mijn buik.

'Het zou volmaakt voor de hand liggen. Als die familie van jou, waarvoor je zo'n koppige loyaliteit aan de dag legt, je zuster gedwongen heeft tot een dergelijke monsterachtige verbintenis, kun je geen reden hebben om te hopen dat ze jou niet hetzelfde zullen aandoen.'

'Ik ga nog liever bedelen langs de weg dan dat ik mezelf verbind aan zo'n man,' zei ik. 'Het zal niet gebeuren.'

Ik zag een spoor van een glimlach. 'Bovendien kun je jezelf verweren,' zei hij.

'Dat kan ik, en ik zou het doen ook.'

'Daar twijfel ik niet aan.'

'Bran.'

'Ja?'

'Mijn moeder is erg ziek. Dat heb ik je verteld. Ze is stervende. Het zou heel wreed zijn om tegen haar te zeggen dat Niamh dood is, terwijl het niet waar is. Dat zou ik liever niet doen.'

'Wat dat betreft, kan ik je alleen raad geven. Jij bent degene die het moet vertellen. Vraag je dit af: wil je echt dat je zuster veilig is? Als dat zo is, moet je erop voorbereid zijn de moeilijkste weg te nemen.'

Ik knikte, hevig slikkend. 'Welke prijs zou je vragen, voor zo'n opdracht?'

'Geloof je dat ik dit voor je kan doen?'
Deze vraag overviel me en ik antwoordde zonder erover na te denken. 'Natuurlijk geloof ik dat. Ik zou jou mijn leven toevertrouwen, Bran. Ik zou aan niemand anders vragen dit voor me te doen.'
'Dan is dat de prijs.'
'Wat is de prijs?' vroeg ik verward.
'Vertrouwen. Dat is de prijs.'
Dit was een gesprek vol valstrikken. Ik zei: 'Ik dacht dat je niet in vertrouwen geloofde. Dat heb je een keer gezegd.'
'Dat blijft ook onveranderd. Jouw vertrouwen, dat is de prijs voor deze opdracht. Je ziet dus dat je vooruit hebt betaald.'
'Wanneer ga je het doen?' vroeg ik beverig; ik voelde tranen achter mijn ogen prikken, gevaarlijk dichtbij.
'Ik heb twee dagen nodig om wat dingen te regelen. Het kan niet sneller georganiseerd worden. Weet je zeker dat je niet liever zou zien dat deze Uí Néill gewoon uit het zicht verdwijnt? Voorgoed? Dat zou gemakkelijk te realiseren zijn, en min of meer onmiddellijk. Hij zou hier gewoon nooit terugkomen.'
Ik huiverde. 'Nee, dank je. Ik ben er nog niet helemaal aan toe mijn geweten te belasten met een moord, al moet ik bekennen dat ik eraan heb gedacht. Bovendien heb je al genoeg machtige vijanden. Ik zou er liever niet nog meer aan toevoegen.'
Het bleef even stil.
'Je kunt beter weer naar binnen gaan.' Brans stem klonk zakelijk.
'Ik begrijp het niet,' zei ik met onvaste stem. 'Ik begrijp niet waarom je ons helpt, terwijl je ons zo haat. Waarom komt er zo'n donkere blik in je ogen wanneer je de naam van mijn vader hoort? Wat heeft hij gedaan om zoveel afkeer te verdienen? Hij is een goed mens.'
Brans kaak verstrakte. 'Daarover wil ik niet praten,' zei hij. Toen stond hij op, met een blik naar de schildwachten.
'Ja, ik weet het. Ik moet weer naar binnen.' Maar ik ging niet.
'Wil je me je hand geven om deze overeenkomst te bezegelen?' vroeg hij bijna verlegen.
Ik stak mijn hand uit, en hij nam hem in de zijne. Nu wilde hij me niet aankijken. Ik voor mij voelde zijn aanraking tot in alle uithoeken van mijn lichaam, en ik voerde een harde strijd met mezelf om niet ter plaatse mijn armen om hem heen te slaan, of iets

te zeggen dat hem zou onthullen hoe zwaar het me viel mijn gevoelens te beheersen. Ik herinnerde mezelf aan het feit dat hij de regel had om hem te helpen zich te beheersen. Hij hield zich er uitstekend aan; dit had een transactie tussen bondgenoten kunnen zijn. Hij liet mijn hand los.

'Breng je zuster overmorgen voor zonsopgang naar beneden. Dan zullen we klaarstaan. Neem geen onnodige risico's, Liadan. Ik wil dat jij veilig bent. Doe geen ondoordachte dingen.'

'Ik zou hetzelfde tegen jou zeggen, als ik dacht dat je ernaar zou luisteren,' zei ik, en ik draaide me om voor hij kon zien dat ik huilde. Hoe kon ik hem zeggen dat ik zijn kind droeg, de kleinzoon van de gehate Hugh van Harrowfield? Hoe kon ik hem daarmee belasten? En toch hadden de woorden me op de lippen gebrand. Pas toen ik allang weer binnen was, veilig boven in de slaapkamer, besefte ik dat ik hem niets had gevraagd over Sean en zijn reis naar het noorden, en of mijn broer hem inderdaad een voorstel had gedaan.

HOOFDSTUK TIEN

Hierna gedroeg ik me voorbeeldig. Ik maakte geen geheime tochtjes meer buiten de muren, geen schildwacht zag me op ongewone plaatsen van het fort verschijnen. Ik hielp Aisling met een grondige inspectie in de brouwerij, en ik adviseerde de vaste kruidenkenner van het huishouden over de bevoorrading van de kasten in haar distilleerkamer. Ik vertelde niet met zoveel woorden aan Niamh wat er zou gebeuren, of wanneer, want ik kon er niet van op aan dat ze erover zou zwijgen. In plaats daarvan vertelde ik haar alleen dat alles geregeld was, en daar nam ze genoegen mee. Aan de buitenkant was ik kalm en tegen alles opgewassen. Vanbinnen was ik zo gespannen als een harpsnaar.

Ik ging telkens weer na wat Bran tegen me had gezegd, en wat hij niet had gezegd. Ik moest toegeven dat ik de hele tijd al zijn hulp had gewild. Ik probeerde niet te denken aan de dingen die ik dolgraag tegen hem had willen zeggen, maar niet had durven uitspreken. Onmogelijke dingen zoals *Blijf bij me*, en *Je zult een zoon hebben, nog vóór Beltaine*. Ik zette deze gedachten zo goed en zo kwaad als het ging uit mijn hoofd en dankte alleen de Ouden uit de grond van mijn hart omdat ze hem te hulp hadden laten komen toen ik dacht dat alle hoop verloren was; omdat ze hem op de een of andere manier hadden laten terugkomen toen ik dacht dat hij mij en alles wat bij mij hoorde voorgoed achter zich had gelaten. Waardoor hij van gedachten was veranderd, was een raadsel voor me. Ik was niet zo dom dat ik geloofde dat ik hem op een dag weer in mijn armen zou kunnen houden en hem woorden van liefde zou horen spreken. Dat waren de gedachten van een dom, romantisch meisje, zei ik streng tegen mezelf. Maar ik sprak tegen onze zoon, en zei tegen hem: *Hij is je vader. Een man die altijd de beste is in wat hij doet. Een man aan wie je je leven kunt toevertrouwen.*

De avond voordat hij ons zou komen halen, vertelde ik Niamh zoveel als ze moest weten. Dat ze geruisloos op moest staan wanneer ik haar wekte, voor zonsopgang, en de warme, donkere kleren moest aantrekken die ik voor haar had neergelegd. Dat we dan snel en stil weg moesten gaan en langs geheime wegen naar beneden zouden lopen tot bij de rand van het moeras. Dat daar een man zou zijn die haar naar de overkant zou leiden, en haar vervolgens naar een plaats zou brengen waar ze veilig zou zijn. Het zou lang kunnen duren voor ze me terug zou zien.

'Een man?' Ze knipperde met haar oogleden terwijl ze daar in haar nachtpon zat, met een kleine frons van verbazing op haar voorhoofd.

'Een vriend van me,' zei ik. 'Je moet niet schrikken van zijn uiterlijk. Hij is de beste beschermer die je je kunt wensen.'

'Hoe heb je... hoe kon jij...' Haar woorden stierven weg, maar ik kon in haar verwarde gedachten lezen wat ze wilde zeggen, want ze verstond niet de kunst te verbergen wat er in haar hoofd omging. Ze vroeg zich af hoe het mogelijk was dat een kleine huismus zoals ik het soort man kende dat ons van nut zou kunnen zijn.

'Dat doet er niet toe,' zei ik. 'Wat je moet onthouden is dat je geen geluid maakt en doet wat ik zeg, wat er ook gebeurt. Er hangen levens van af, Niamh. Wanneer we daar zijn, moet je gewoon doen wat hij je zegt. Als je dat doet, zul je hier weg zijn en veilig ergens verborgen zijn voor je echtgenoot met Eamonn terugkomt.'

'Liadan?' Het leek een kinderstem.

'Wat?'

'Kun je niet met me meekomen?'

'Nee, Niamh. Je zult het alleen heel goed afkunnen, geloof me. Ik kan niet mee, want als we allebei verdwijnen, zal er zeker naar ons gezocht worden. Als er in zijn huis zoiets gebeurde, zou Eamonn alle sporen nagaan tot hij ons gevonden had. Ik moet hier blijven en een verhaal vertellen om jouw ontsnapping te maskeren. Daarna zal ik naar huis gaan.'

'Een verhaal? Wat voor verhaal?'
'Dat hoef je niet te weten. Nu moet je gaan slapen. Je zult morgenochtend al je kracht nodig hebben.'

Het begon heel goed. Na een slapeloze nacht wekte ik Niamh voor zonsopgang en we kleedden ons aan bij het licht van één kaarsje. Ze deed het tergend langzaam en ik moest haar met bijna alles helpen: haar jurk vastmaken, haar haar kammen, de grijze mantel om haar schouders hangen, en tegen haar zeggen dat ze de kap op moest houden wanneer we buiten waren, want ze had vandaag geen sluier om en haar haar vormde een lichtend baken dat aan het oog onttrokken moest worden. Ik liet haar de geheime deur zien en legde nog eens uit waar hij heen leidde. Mijn zuster knikte ernstig, met in haar ogen iets wat op begrip leek.
'Ik ben klaar,' zei ze. 'En... bedankt, Liadan.'
'Helemaal niet,' antwoordde ik met een licht bevende stem. 'Bedank mij en mijn... vrienden maar wanneer je veilig in het huis van de heilige zusters bent. Nu...'
Op dat moment hoorde ik een geluid op de binnenplaats beneden, en er flakkerden toortsen. Ik ging geluidloos op een kruk staan en keek uit het smalle raampje. Er kwamen ruiters binnen door de hoofdingang, mannen in het groen en mannen met het embleem van de Uí Néill op hun tuniek, rood en wit, de slang die zichzelf verslond. Ik hoorde hoefgetrappel, mannenstemmen, het ontgrendelen van deuren toen het huishouden ontwaakte. Ik zag Eamonn, bleek en ernstig als altijd, die zich van zijn paard zwaaide en korte bevelen begon te geven. Ik zag de rechte, gezag uitstralende gestalte van Fionn Uí Néill temidden van zijn mannen. Ze hadden kennelijk geen oponthoud op Zeven Wateren gehad. Ze waren regelrecht hierheen gereden, en ze waren twee dagen te vroeg.
Bran! was mijn eerste paniekerige gedachte terwijl ik mijn zus onder het tapijt door en via de nauwe opening naar buiten loodste. *Bran is hier, en Eamonn is terug. Als Eamonn hem doodt, zal het mijn schuld zijn.* Vreselijke gedachten schoten me door het hoofd terwijl we de steile wenteltrap afliepen, ik vlak voor Niamh om haar te leiden terwijl ze in paniek jammerde: 'Liadan! Liadan, ik geloof niet dat ik dit kan! Het is hier zo donker en nauw!'

'Stil!' siste ik en greep haar hand steviger vast. 'Doe wat je beloofd hebt en luister naar mij.' Ze scheen niet gemerkt te hebben wat er op de binnenplaats gebeurde en ik lichtte haar niet in; ze was nu al halfverlamd van angst, en haar reis was amper begonnen. Het was beter als ze niet wist hoe dicht de achtervolgers haar op de hielen zouden zitten.

We vorderden uiterst langzaam. *Kom nou, kom nou, Niamh*. Eindelijk waren we onder aan de trap en liepen we door de korte gang.

'Voorzichtig hier,' fluisterde ik. 'De grond is nat. Niet uitglijden.'

Als het een beetje meezat, zou niemand zo vroeg naar ons komen zoeken. De mannen wilden waarschijnlijk eerst eten en rusten. Er was misschien nog tijd.

Het was stil buiten. Er waren geen stemmen, behalve die van de moerasvogels die begonnen te roepen nu het dag begon te worden. Een deken van mist, ziekelijk geelgrijs van kleur, hing boven het moeras tot aan de stenige oever. Je zou denken dat zelfs de Beschilderde Man de weg niet zou kunnen vinden door zo'n dikke sluier. We bereikten de veilige plek onder de rand van puntige stenen. Hoog boven ons op de muur liepen de schildwachten regelmatig heen en weer. Toen gaf Niamh een scherp gilletje en ik legde snel mijn hand over haar mond.

'Sst,' siste ik. 'Wil je ons allemaal dood hebben? Deze mannen zijn hier om ons te helpen.'

'O... maar... maar...'

'Zorg dat ze zich koest houdt, wil je?'

De angstige ogen van mijn zus staarden eerst naar de man die dit zei, de man die plotseling voor haar was opgedoemd met zijn geschoren hoofd en getekende huid; daarna naar de man achter hem, wiens huid zo zwart was als de nacht en wiens witte tanden ontbloot waren in een woeste grijns terwijl hij mij met een hoofdknik begroette. Niamh kon kennelijk niet beslissen wie van de twee het meest angstwekkend was.

'Bran.' Ik trok hem iets terzijde en sprak binnensmonds. 'Eamonn is teruggekomen, nog niet lang geleden, met de echtgenoot van mijn zuster. Het fort is vol gewapende mannen.'

'Dat weet ik.'

'Jullie moeten nu gaan en heel voorzichtig zijn. Eamonn heeft ge-

zworen jou te vernietigen, en dat zal hij bij de minste aanleiding doen ook. Ga alsjeblieft snel weg.'
Hij keek me met gefronst voorhoofd aan. 'Maak je niet druk over mij. Dat ben ik niet waard. Bovendien heb je al genoeg om je zorgen over te maken.'
'Ik maak me wel druk over jou. Waarom kun je niet één keertje naar goede raad luisteren?'
'Kom mee,' riep Meeuw zacht. Hij had Niamh bij de hand genomen en leidde haar, heel voorzichtig, over het stuk grond waar de wachten hen konden zien naar de rand van het moeras, waar de mist hen zou verbergen.
'Je ziet me als een huurling zonder geweten, een man zonder menselijke gevoelens,' fluisterde Bran, en zijn vingers kwamen omhoog en lagen tegen mijn wang, warm en levend. 'En toch wil je dat mij niets overkomt. Dat rijmt niet met elkaar.'
'Je hebt een lage dunk van vrouwen, en je veracht mijn familie,' antwoordde ik met tranen in mijn ogen, want zijn aanraking maakte diep in mij een pijnlijk gevoel wakker, dat tegelijkertijd uit vreugde en verdriet bestond. 'En toch waag je je leven om hier te komen, alleen om tegen mij te zeggen dat ik naar huis moet gaan. En je waagt het nog een keer om mijn zuster te redden. Ook een vrouw. Dat rijmt ook niet bepaald met elkaar.'
We keken elkaar aan, en ondanks mezelf voelde ik een traan over mijn wang rollen.
'Niet doen. Niet doen,' zei Bran woest, en zijn duim streek over mijn huid, als om de stroom in te dammen.
'Bedankt dat je gekomen bent,' fluisterde ik. 'Ik weet niet hoe ik het zonder jou had moeten doen.'
Hij zei niets, maar toen ik hem aankeek, zag ik zijn echte, ongepantserde ogen. Diepe, betrouwbare grijze ogen. En daarin zag ik de woorden die hij zich niet toestond te spreken. Ik legde mijn hand op de zijne.
Er kwam een kreet van boven, een zoemend geluid, en er suisde een pijl over onze hoofden. Hij kwam neer vlak achter Meeuw, die de struikelende Niamh naar de verhullende mist leidde. Meeuw liet een vloek horen en Niamh slaakte een gilletje; en toen leek ze van angst te verstarren en wilde niet verder gaan.
'Brighid sta ons bij,' mompelde ik en nam mijn rokken op; ik wil-

de naar beneden rennen om het stomme kind verder te duwen naar waar ze veilig was. Brans stem hield me tegen.
'Nee,' zei hij. 'Blijf hier, waar ze je niet kunnen zien. Vaarwel, Liadan.'
Toen draaide hij zich om en rende over het stuk waar hun pijlen konden komen, als duidelijk doelwit om hen van mijn zuster af te leiden. Ik bleef staan en keek hem na, omdat ik dat beloofd had. Ik had zijn diensten ingehuurd, en dat betekende dat hij de regels bepaalde. Boven op de gaanderij werd geschreeuwd en ik hoorde Eamonns stem. De pijlen begonnen neer te regenen, en ze waren goed gemikt; maar de rennende man was snel en handig, hij ontweek ze en rende zigzaggend verder, en draaide zich nog even om om gauw een vulgair, uitdagend gebaar in de richting van zijn aanvallers te maken. Hij had de afstand in de helft van de tijd kunnen overbruggen; maar hij wachtte tot zowel Meeuw als de tegenspartelende, doodsbange Niamh, wier donkere kap nu was afgevallen zodat haar korte, goudblonde lokken duidelijk zichtbaar waren, helemaal in de omhullende mistdeken verdwenen waren voor hij op volle snelheid achter hen aan ging. De nevel slokte hen op, en ze waren weg.
Nu gebeurden er snel een aantal dingen achter elkaar. Boven werden bevelen gegeven. Toen kwamen er mannen met zwaarden, dolkmessen, speren en bijlen onder aan de muren naar buiten rennen; ze hielden stil bij de rand van het moeras, dicht bij de plaats waar ik onbeweeglijk vlak onder de barrière van puntige stenen stond. Eamonn was bij hen, en hij was degene die zich het eerst omdraaide en mij zag. Het was niet nodig iets met mijn gezicht te doen; ik kan me voorstellen dat er al een overtuigende uitdrukking van schrik en angst op lag.
'Liadan! De godin zij dank dat je veilig bent!' Ik kon de woede in Eamonns ogen zien, nauwelijks gemaskeerd door zijn opluchting en bezorgdheid. 'Ik dacht... wat is er gebeurd, Liadan? Vertel het snel, want we moeten onmiddellijk achter deze mannen aan.'
'Ik... ik...'
'Het is in orde, je bent nu veilig. Haal diep adem en probeer het me te vertellen.' Hij greep me hardhandig bij mijn schouders; zijn handen spraken van de drang om te achtervolgen, te straffen en te vernietigen.

'Niamh... Niamh is weg,' stamelde ik. 'Ze is weg.'
'Waarheen?'
'Ik... dat weet ik niet.' Tot nu toe had ik nog niet hoeven liegen. Liegen ging me niet zo goed af. En Eamonn kende me beter dan veel anderen. Ik moest maar hopen dat zijn woede hem blind zou maken voor onvolkomenheden in mijn verhaal. Een verhaal dat nu heel anders moest luiden, omdat niet alleen Niamh, maar ook Meeuw en Bran duidelijk te zien waren geweest voor ze ervandoor gingen.
'Over het moeras naar het noorden. Ik weet niet waarheen of waarom.'
Eamonn keek woest. 'Vertel me alles wat je weet, Liadan. Zo snel mogelijk. Elk ogenblik telt. Hoe konden Niamh en jij beneden komen zonder dat mijn wachten jullie zagen?'
'Er is een geheime gang. Wist je dat niet? Een wenteltrap, een geheime deur. In de alkoof.'
Hij vloekte binnensmonds. 'Je bedoelt... maar die weg is al afgesloten zolang ik me kan herinneren. Er is geen sleutel. Hoe konden jullie erin komen?'
Mijn hand voelde aan de sleutel die ik in mijn zak had. Het werd noodzakelijk om te liegen. 'Ik weet het niet. Ik werd vanmorgen vroeg wakker, en Niamh was weg. Ze had de geheime deur open laten staan, en ik volgde haar. Toen ik buiten kwam, werd ze... werd ze...'
'Goed, Liadan,' zei hij ernstig en vriendelijk. 'Dat hoef je niet te vertellen. Hoeveel mannen heb je gezien? Niet meer dan twee?'
Ik knikte zwijgend.
'Je weet wat voor mannen het waren, neem ik aan?'
Ik knikte weer.
'Waarom, dat vraag ik me af,' mompelde Eamonn, die rusteloos heen en weer liep. 'Waarom zou hij haar ontvoeren, behalve als een soort krankzinnig uitdagend gebaar? Wat kan hij hiermee denken te winnen? Ik kan geen reden bedenken.'
Ik slikte heftig. 'Denk je... denk je dat je hen op kunt sporen en haar terug kunt brengen?' Ik had de indruk dat de mist begon op te lossen nu de zon hoger klom; ik kon al een klein eindje van het moeras zien, waar de donkere, zuigende modder hier en daar werd gemarkeerd door lage pollen vegetatie. Ze lagen te ver uit elkaar

om van de ene pol naar de andere te springen. Een man die door dit moeras wilde, moest vroeg of laat zijn voet op dat zwartbruine, sponzige oppervlak zetten, en erop vertrouwen dat het zijn gewicht zou dragen. Een man die dat vertrouwen niet had, kon er alleen doorheen komen als hij precies de weg wist. Maar zij waren de besten. Als zij zeiden dat ze Niamh naar de overkant konden leiden, konden ze het.

'Eamonn! Om godswil, wat is er gebeurd? Ze zeiden dat Niamh...' Fionn kwam aanrennen, zijn laarzen knerpten op de stenige helling. Zijn harde trekken stonden grimmig, zijn gezicht was bleek.

'Ik betreur dit ten zeerste,' zei Eamonn vormelijk, en ik besefte dat dit natuurlijk geen goed zou doen aan zijn status bij zijn bondgenoten; dat er zo'n inbreuk op de beveiliging was gemaakt op de drempel van zijn huis, bijna onder zijn neus. Geen wonder dat de Beschilderde Man de reputatie had hondsbrutaal te zijn. 'Het schijnt dat ze ontvoerd is, en het lijdt geen twijfel wie daarvoor verantwoordelijk is. Mijn wachten hebben hen duidelijk gezien. Een man met een koolzwarte huid, en een tweede die op zijn gezicht en arm een zeer herkenbaar patroon droeg. Deze mannen behoren tot dezelfde fianna die voor mijn ogen mijn krijgers hebben afgeslacht. Gelukkig hebben mijn schutters hen verjaagd voor ze ook Liadan wisten te pakken.'

'Welke kant op?' wilde Fionn weten, en de uitdrukking op zijn gezicht herinnerde me eraan dat hij een Uí Néill was, een leider. 'Ik zal die man de ledematen van zijn lichaam klieven, wanneer ik hem vind! Welke kant?'

'Je kunt niet gaan,' zei Eamonn kortaf. 'Dit is een klus voor mij, en voor diegenen van mijn mannen die de kunst verstaan de overtocht veilig en snel te maken. Ik zal mijn best doen je vrouw terug te brengen, en ik zweer dat ik niet zal rusten eer de daders van dit schandelijke misdrijf terecht zullen staan. Nu moet ik gaan, en snel.'

'Terechtstaan?' Fionns stem klonk woest. 'Terechtstaan is te goed voor hen. Geef mij een ogenblik alleen met dat uitschot, en een bijl in mijn hand, dan maak ik nog wat mooie patronen op hun bast. Spaar mij, en Niamhs zuster hier, praatjes over rechtvaardigheid.'

'Ga naar binnen, Liadan.' Eamonn liep intussen al naar de rand van het moeras. Twee van zijn mannen stonden al te wachten; hun groene tuniek was vervangen door een kledingstuk in een modderbruine tint, hun rijlaarzen door zachter, soepeler schoeisel. Ze droegen een nauwsluitende kap op het hoofd en hadden een dolkmes en een werpmes aan hun gordel. Ze bleven wachten terwijl Eamonn zijn bovenkleding uittrok en zich snel in soortgelijke kleding hulde. Elke man had een staf, die langer was dan hijzelf.

'Goed,' zei Eamonn. 'Ik ga voorop; blijf dicht achter me, en houd je gereed om elk moment toe te slaan. Hun voorsprong is niet zo groot dat we hen niet kunnen inhalen voor ze droog terrein bereiken. Ze zullen minder snel kunnen opschieten door de vrouwe. Oran, jouw taak is haar veilig weg te krijgen. Zodra je haar hebt, keer je om en laat je de rest aan ons over. Ga voorzichtig terug, want ze zal wel bang zijn. Conn, jij neemt de zwarte man. De ander is voor mij.'

Het is geen wonder dat vrouwen de naam hebben over een geduld te beschikken dat mannen niet hebben. Veel van onze tijd gaat voorbij met wachten. Wachten tot een kind geboren wordt. Wachten tot een man thuiskomt, van het land, van zee, uit de strijd. Eindeloos wachten op nieuws. Dat kan nog het ergst zijn, wanneer de angst zich diep in het lichaam vreet en het hart met koude vingers omklemt. De geest kan vreemde en verschrikkelijke beelden schilderen terwijl je wacht.

Aisling was een vriendelijk meisje, en ik kreeg veel waardering voor haar gedurende die lange dag. Het was onmogelijk om iets nuttigs aan te pakken. Zij kwam met mede en gekruide vruchten en gaf me een rustige, gemakkelijke hoek om te zitten bij een klein vuur van essenhout; en ze sprak meelevende woorden. Ik hoefde absoluut niet te veinzen dat ik erg ongerust was.

'Ga zitten, Liadan,' drong Aisling bezorgd aan, en haar ronde blauwe ogen keken me meelevend aan. 'Kom hier bij me zitten. Ik ben ervan overtuigd dat Niamh behouden terug zal komen. Eamonn kent die paden als zijn broekzak. Hij is daar erg goed in. Als iemand haar kan vinden, is hij het wel.'

Ze had geen idee dat haar woorden mij de moed in de schoenen deden zinken. 'Ik kan er niets aan doen,' zei ik. 'Het is heel gemakkelijk om een fout te maken, dat zegt iedereen, in de mist, als je snel vooruit probeert te komen... ze zouden heel gemakkelijk mis kunnen stappen, Aisling. Hoe lang duurt het nog, tot we ein-

delijk iets zullen horen?' Mijn handen beefden en ik kneep ze stevig in elkaar.
'Dat zou wel even kunnen duren,' zei Aisling zacht. 'Fionn heeft zijn mannen over de weg om het moeras heen gestuurd, om hen aan de andere kant de pas af te snijden. Eamonn zal zich heel voorzichtig verplaatsen; op dat pad is er geen ruimte voor vergissingen. Maar de bandieten zullen hoe dan ook gepakt worden.'
Terwijl we wachtten, beende Fionn zwijgend en met een somber gezicht op en neer. Hij had ervoor gekozen om hier op Sídhe Dubh te blijven wachten op het eerste bericht, in plaats van met zijn mannen mee te rijden. Nu leek hij wel een gekooid dier; zijn ogen gloeiden van woede, zijn handen waren tot vuisten gebald. Ik vroeg me af of hij angst voelde om zijn vrouw, of zijn ziel pijnlijk naar haar verlangde zoals de mijne naar Bran, in de wetenschap dat de mannen in het groen hem op de hielen zaten, met moordlust in hun ogen. Of was Fionn gewoon boos over de brutale diefstal van een kostbare bezitting, ook al was het er een die hij met verachting had bejegend?
De tijd verstreek, en er kwam geen bericht. Ik merkte dat ik niet meer stil kon zitten en excuseerde me, omdat ik naar mijn slaapkamer wilde gaan. Toen ik langs Fionn liep, legde hij zijn hand op mijn schouder.
'Vat moed,' zei hij zacht. 'Alles kan nog goed aflopen.'
Ik keek naar hem, knikte even en liep weg. Op zijn gezicht was niets te lezen dan de verdrietige uitdrukking van een echtgenoot die ongerust afwachtte of zijn vrouw nog leefde of niet. Als die snel wegtrekkende blauwe plekken er niet geweest waren, zou er helemaal niets zijn waaruit bleek wat Niamh had doorstaan. Niets dan de getuigenis van de geest, en die mocht ik aan niemand meedelen. Dana mocht ons allen helpen; stel dat ze er niet in slaagden weg te komen? Stel dat de Beschilderde Man toch niet de beste was, en dat Eamonn hem te pakken kreeg? Het was ondenkbaar. Als dat gebeurde, zou ik geen andere keus hebben dan mijn belofte aan mijn zuster te breken, en de hele waarheid te vertellen. *Vertrouwen. Dat is de prijs.* Ik kon Brans stem in mijn hoofd horen toen ik de slaapkamer binnenging en de deur achter me sloot. Er was geen plaats voor twijfel. Ik moest vertrouwen in hem hebben. Waarom hamerde mijn hart dan nog steeds, waarom was

mijn huid koud en klam, waarom voelde ik me hol en leeg, alsof ik een deel van mezelf had verloren?
Ik ging een tijdlang op bed liggen en staarde voor me uit, en toen ik rustig werd, kon ik de kleine bewegingen van het kind in me voelen. *Je zult voor Beltaine vader zijn.* Ik had het niet aan Bran verteld. Hoe kon ik het hem vertellen? Dit te weten zou alleen een extra belasting voor hem zijn. Een man kan geen vader zijn als hij geen verleden en geen toekomst heeft. Een man kan geen zoon erkennen in wie het bloed stroomt van een familie die hij volstrekt veracht. Het was beter dat hij het niet wist. Het was beter dat niemand wist wiens zoon dit was. Zoon van de raaf. Kind van de profetie. Ik wilde daar niet aan gebonden zijn, en hij mocht daar ook niet door gebonden worden. Maar Sean was er ook nog. Je kunt geheimen niet altijd bewaren voor je tweelingbroer. Hij vermoedde al iets. Het zou niet zo lang meer duren voor hij het wist. En nu was het nog ingewikkelder geworden. Want hoe de afloop van de achtervolging door de moerassen ook zou uitvallen, de reputatie van de Beschilderde Man zou er alleen maar zwarter door worden, als hij het overleefde. Wat er ook gebeurde, de gebeurtenissen van vandaag zouden zo diep ingrijpen dat de mannen van mijn familie en hun bondgenoten er nooit meer over konden denken een overeenkomst met de Beschilderde Man te sluiten. Tenzij ik de waarheid vertelde. En ik had Niamh beloofd dat ik zou zwijgen. Die arme Niamh. Wat zou ze bang zijn. Wat zou ze zich alleen voelen. En als ze nou in haar panische angst van het pad af raakte? Of als ze weer van angst verstijfde en er niet toe kon worden gebracht een stap te verzetten? Ik concentreerde me op mijn ademhaling; ik moest langzamer ademen. Mijn geest reikte heel voorzichtig naar buiten.
Sean?
Er kwam geen antwoord. Misschien had ik het te voorzichtig gedaan.
Sean? Geef antwoord, ik heb je nodig, Sean!
Er kwam niets. Ik wachtte heel lang, met mijn geest geopend, op zijn antwoord. Zo lang dat ik bijna het ondenkbare begon te denken, want ik wist waar hij was geweest, ik wist bij wie hij was geweest. Ik voelde twijfel in mijn geest kruipen. Vertrouwen, hield ik mezelf streng voor. De prijs is vertrouwen.

Liadan? Wat is er aan de hand?
Ik ademde met een zucht uit. *Sean! Waar ben je?*
Thuis, waar zou ik anders zijn? Wat is er aan de hand?
Dat kan ik niet zeggen. Maar het is iets ergs, en ik kan het niet alleen af. Je moet hierheen komen, naar Sídhe Dubh. Kom nu, Sean. Neem een escorte mee. Ik... we zullen met jou mee naar huis komen.
Je kunt het me beter vertellen, Liadan. Is er iets met Niamh gebeurd?
Waarom vraag je dat?
Toen zijn antwoord kwam, was het behoedzaam. *Ik ben niet blind, al denk je dat misschien. Kun je me vertellen wat er gebeurd is? Zal ik vader meenemen, of Liam?*
Ik zat te rillen en kon mijn angst niet voor hem weghouden. Elke gedachte werd erdoor overschaduwd. *Nee, neem hen niet mee. Alleen jij, en een paar mannen. Ik wil niet dat Eamonns wachten met ons mee terug rijden. Kom snel, Sean.*
Ik kom eraan. Gelukkig stelde hij geen verdere vragen. En tegen de tijd dat hij hier aankwam, zou het voorbij zijn, hoe dan ook.
Het schemerde al bijna voor Eamonn terugkwam. We zaten toen weer in de grote zaal, dicht bij de enorme haard waarin het knetterende vuur goudkleurig licht op de gebeeldhouwde pilaren wierp. De ogen van de vreemde wezens leken te flikkeren en te gloeien terwijl ze dreigend op ons neerkeken. De bedienden brachten geruisloos eten en drinken, en namen het onaangeroerd weer weg. Aisling gaf met gedempte stem opdrachten. Ze zag er bleek en vermoeid uit. Fionn zat aan tafel met zijn hoofd in zijn handen. Toen we eindelijk buiten geluiden hoorden, de schildwachten die iets riepen vanaf de hoge wachttorens en daarna stemmen op de binnenplaats, was er niemand die opsprong en naar het raam rende om te kijken. In plaats daarvan zaten we alledrie verstijfd aan tafel; we konden na zo lang wachten niet geloven dat het nieuws gunstig kon zijn, en wilden het onvermijdelijke moment waarop we het ergste zouden vernemen, niet verhaasten.
Eamonn was geen man die gemakkelijk zijn zelfbeheersing verloor. Je moest hem goed kennen om te zien wanneer hij boos of van streek was. Zelfs zijn huwelijksaanzoek was een toonbeeld van terughoudendheid geweest. Maar nu, toen hij zwijgend de

zaal binnenkwam en het huispersoneel met een klein handgebaar liet verdwijnen, was het duidelijk dat hij de totale uitputting nabij was. Er was geen spoortje kleur meer in zijn gezicht en hij zag er verslagen en oud uit. Aisling sprong op om hem bij de arm te pakken en naar een zetel bij het vuur te leiden, maar hij schudde haar bezorgde greep met een heftige ruk van zijn arm van zich af. Alleen daaruit bleek al dat hij niets meer kon hebben. Zijn schoenen waren bedekt met een laag donkere modder en zijn kleren waren ermee bespat.

'Je kunt het maar beter vertellen,' zei ik somber.

Eamonn ging met zijn rug naar ons toe voor het vuur staan en staarde in het hart van de vlammen.

'Je hebt mijn vrouw niet teruggebracht.' Fionns stem was beheerst; zijn vuisten waren gebald. Aisling was weer naast me komen zitten en hield haar mond.

Eamonn bedekte zijn ogen met zijn hand, een hand die licht trilde, en hij zei bijna onhoorbaar: 'De godin sta me bij. Wie wil de boodschapper zijn van zulk nieuws?'

Ik stond op en ging dicht bij hem staan, en ik nam zijn hand in mijn beide handen. Dit gebaar schudde hij niet van zich af, en hij moest me wel aankijken.

'Nu, Eamonn,' zei ik, terwijl ik hem zo goed als het ging met een vaste blik aankeek, al vond ik de uitdrukking in zijn diepe, bruine ogen verontrustend. 'Fionn wacht op nieuws over zijn vrouw, en ik over mijn zuster. We weten dat het niet goed kan zijn wat je ons te vertellen hebt. Maar je moet het vertellen.'

'O, Liadan. O, Liadan, ik zou er wat voor geven om je niet zulk slecht nieuws te hoeven brengen.'

'Vertel het ons, Eamonn.'

Hij haalde diep, huiverend adem. 'Het is het ergste, helaas. Je zuster is dood. Verdronken, bij het oversteken van het moeras naar droog terrein.'

'Maar... maar...'

Aisling was bliksemsnel opgestaan en legde haar arm om mijn schouders.

'Ga zitten, Liadan. Kom, ga zitten.'

Ik beefde. Het was niet meer mogelijk waarheid en verbeelding te onderscheiden. Deze val had ik voor mezelf opgesteld.

'Wat!' Fionn stond heel langzaam op. 'Wat vertel je ons daar? Hoe heb je dit kunnen laten gebeuren? Op je eigen grond!'

'We hebben alles gedaan. Mannen over de weg eromheen gestuurd, jouw eigen mannen en de mijne, om hun uitweg te versperren. Hen achtervolgd door het moeras, zo snel als we maar konden. De mist was heel dicht, en dat verhinderde ons snel vooruit te komen; maar ik wist dat zij daar ook last van zouden hebben. En Niamh zou niet snel vooruit komen, dacht ik, omdat ze een lange jurk aanhad en de weg niet kende. Ze zouden haar bij elke stap moeten overhalen die te zetten.

Wat dat betreft, kreeg ik gelijk. We haalden hen in, maar ze waren al veel verder dan ik verwachtte. Deze man is een meester in zijn boosaardige werk. We waren al dichter bij de overkant dan bij deze kant toen de mist een beetje optrok, en daar was hij. De Beschilderde Man, en hij keek achterom terwijl hij van de ene veilige zode op de volgende stapte. Hij kende absoluut de weg. Ik zag hem niet omlaag kijken. Niet één keer.

Ik kon niet veel verder vooruit zien, maar ik zag door de sluier van mist een glimp van Niamhs blonde haar en het grijs van haar mantel. De man die haar meevoerde, kon ik niet zien. Ik waarschuwde mijn metgezellen, haalde het werpmes uit mijn gordel en versnelde mijn pas, zodat ik mijn prooi naderde tot de afstand tussen ons niet meer dan zeven passen was. Hij maakte geen geluid; hij bewoog geluidloos als een hert. Maar verder naar voren hoorde ik Niamhs stem, die een vraag stelde, en een mannenstem die antwoord gaf. Ik woog het mes in mijn hand en schatte de afstand naar een bepaald punt tussen de ribben van die man. Ik wist dat hij als eerste moest sterven.'

Vertel het. In hemelsnaam, vertel het me. Ik klemde mijn kiezen op elkaar.

'Ik kwam snel dichter bij hem. De Beschilderde Man had een mes aan zijn gordel, maar maakte geen aanstalten het te pakken. Het was bijna alsof hij wachtte tot ik hem zou grijpen. Ik hief mijn mes op om het te werpen, en toen draaide hij zich bliksemsnel om, maakte een kleine handbeweging en er vloog iets kleins, glimmends langs me. Ik hoorde Oran achter me een kort kreungeluid maken, en ik hoorde een plons toen hij viel, en toen ik weer voor me keek, was de Beschilderde Man verdwenen. De woede maakte me onvoorzichtig, en terwijl ik voorwaarts stapte, gleed ik bijna weg. Ik riep hem na: “Moordenaar! Schuim der aarde! Ik zal een eind maken aan jouw leven vol vernietiging en verwoesting! Mijn mes zal je treffen, bandiet!” Ik hoorde hem lachen, een leeg, harteloos geluid, en toen gaf Niamh een gil. Ze had mijn stem gehoord en worstelde om los te komen, want ze wist dat de redding nabij was.'

Zijn woorden deden me de kou om het hart slaan. Ik kon het zo duidelijk zien alsof het voor me gebeurde: Niamh, die de stem van haar achtervolger hoorde en doodsbang was dat ze nu toch de vrijheid niet zou krijgen die ik haar beloofd had. Niamh, die in paniek raakte, op dat verraderlijke pad. 'Ga door, Eamonn,' zei ik met bevende stem.

'Ik weet niet hoeveel ik je eigenlijk moet vertellen.'

'Je kunt me het beste alles vertellen. Voor je eigen gemoedsrust en de onze.'

'Zeg op, man!' Fionn was minder geduldig dan ik.

'Goed dan. Niamh schreeuwde: “Nee!” en voor me hoorde ik geluiden van een worsteling. Er hing nog steeds een dikke laag mist; alleen plaatselijk was hij dunner, en ik kon niets duidelijk zien. Ik probeerde zo snel mogelijk vooruit te komen; mijn eigen veiligheid liet me onverschillig. Conn, die achter Oran had gelopen, kwam achter me aan. Maar hoe we ons ook haastten, we waren niet snel genoeg om je zuster te redden. We hoorden een kreet van de man die voorop had gelopen, en weer Niamhs stem: “Help me, help me!” Even zag ik die man zijn hand uitsteken, koolzwart, en toen een rossige flits, Niamhs haar terwijl ze uitgleed van het veilige pad, en ik hoorde het geluid van het – nee, dat ga ik niet vertellen. Ik zag maar heel weinig, Liadan. Tegen de tijd dat ik bij de plek kwam waar het was gebeurd, was er geen spoor van haar te vinden, behalve de plek op de pol waar haar voet was uitgegleden, en een... een plek op de oppervlakte van de modder waar ze onder was gegaan. En dit.'

Hij toonde een koordje van gevlochten draden, grijs, roze en blauw, dat aan de uiteinden omwonden was met repen leer. Er hing een kleine, witte, doorboorde steen aan. Dit koord had ik zelf gemaakt, en toen ik het zag, voelde ik het bloed uit mijn gezicht wegtrekken. Want dit zou Niamh nooit vrijwillig achterlaten. Nooit, waar ze ook heen ging, wat haar ook werd opgedragen. Dit kleine aandenken stond voor alles wat haar herinnerde aan de liefde van haar familie, en aan die van Ciarán.

'W-waar was dit, Eamonn?' Ik moest de woorden eruit persen.

'Het dreef op de oppervlakte, in een stuk open water. Het koord was aan een rietstengel blijven hangen. Het spijt me, Liadan. Meer dan ik je zou kunnen zeggen.'

Fionn schraapte zijn keel. 'En toen? Waar waren de fianna? Heb je ze gevangengenomen?'

Eamonn staarde weer in het vuur. 'Niet lang daarna toonde de kerel zijn ware gezicht. We gingen verder achter hen aan naar het noorden, en ik kon hem horen lachen; hij daagde me uit terwijl hij vluchtte. "Dat was een verrassing voor je, hè,"' riep hij me toe. "Dat had je niet gedacht, hè, dat ik zo ver zou gaan?" Een spottend grinniken. "Dan moet je nog maar eens nadenken, Eamonn Dubh," zei hij. "Mijn daden worden niet gestuurd door jouw ideeën over wat juist en eerbaar is. Ik speel alleen voor de winst, en ik maak gebruik van elke strategie die dat vereist. Als je me wilt pakken, moet je beseffen dat je mij niet met dezelfde maatstaf kunt meten als andere mannen. Ik nam de vrouw alleen mee om de zwakke plek in je verdediging te demonstreren. Ik neem aan dat je daar snel iets aan zult doen. Je ziet het, ik heb je een gunst bewezen." In deze trant ging hij door, en intussen wist hij me steeds iets voor te blijven, hoe ik mijn snelheid ook opvoerde. We naderden de plaats waar we op droog terrein zouden komen en waar we Fionns mannen zouden treffen. Maar de mist was nog dicht, en plotseling zag ik hen niet meer. Toen hoorde ik een geluid links van het pad, alsof er een kikker kwaakte; en aan de rechterkant een geluid als een antwoord. Ik ging zo snel naar voren als menselijk mogelijk was. Toen ik het droge terrein bereikte, trok de mist op. Daar stonden Fionns mannen zwijgend bij de weg te wachten. Maar er was geen spoor te bekennen van de Beschilderde Man en zijn donker getinte gezel. Ze waren op de een of andere manier weggekomen uit het moeras, zonder langs de plaats te komen waar de hinderlaag was opgezet. Hoe ze het hebben klaargespeeld, weet ik niet, want er is geen andere weg.'

'Neem me niet kwalijk.' Fionn draaide zich opeens om en beende de zaal uit. Zijn gezicht was grauw. Ik had medelijden met hem

kunnen hebben, maar ik kon de blauwe plekken van mijn zus niet vergeten. Als hij haar verloren had, was het zijn verdiende loon.
'Het spijt me,' zei Eamonn weer. 'Woorden schieten tekort, Liadan. Wees ervan verzekerd dat ik het als mijn opdracht zal beschouwen deze mannen op te sporen en ervoor te zorgen dat ze de strengste straf ontvangen. Dat is voor jou een schamele troost voor een dergelijk verlies.'
Aisling zat te huilen. 'O, die arme Niamh. Wat een vreselijke manier om te sterven! Het is bijna ondraaglijk om eraan te denken. We moeten maar gauw bericht sturen naar Zeven Wateren. Ik zal zorgen voor een boodschapper...'
'Dat hoeft niet.' Mijn stem beefde. Ik haalde diep adem en dwong mezelf kalm te blijven. 'Sean is al onderweg; ik heb hem gevraagd te komen.'
Broer en zus keken naar mij, en naar elkaar, maar er werd niets gezegd. Het was algemeen bekend dat Sean en ik geen woorden nodig hadden om elkaar te bereiken, maar dat vermogen geeft zelfs vrienden een ongemakkelijk gevoel.
'Hij zal morgen hier zijn,' zei ik nog. 'Eamonn, ik moet je dit vragen. Ben je er heel zeker van dat Niamh... dat ze... weet je het zeker? Je hebt immers niet gezien dat... kan ze misschien de andere kant zijn opgegaan? Zou het kunnen dat je je vergist?'
Eamonn schudde somber zijn hoofd. 'Ik ben bang van niet. Er zijn geen zijpaden in die moerassen. Er is alleen dat ene pad. Ze kan niet aan hen ontsnapt zijn en het overleefd hebben, Liadan. Het is een verschrikkelijk bericht dat je aan je moeder zult moeten brengen.'
Ik knikte zwijgend. Het was zeker verschrikkelijk; en het was nog erger omdat ik niet wist of het waar was of niet. Het zou lang kunnen duren voor ik dat te weten kwam. Intussen moesten de feiten die ik wel wist, verborgen blijven en moest er een wreed verhaal worden verteld dat onwaar kon zijn. Want in het geval dat Eamonn het mis had, in het geval dat de Beschilderde Man weer eens het onmogelijke had gepresteerd en mijn zuster in veiligheid had gebracht, moest ik me aan mijn deel van de overeenkomst houden. *Vertrouwen*, zei ik tegen mezelf, telkens weer. *Vertrouwen dat elke logica te boven gaat. Dat is de prijs. Ik moet krankzinnig zijn.*

De volgende dag kwam Sean en we vertelden het aan hem. Hij nam het nieuws kalm op, misschien omdat hij al het ergste had verwacht. Ik gaf mijn wens te kennen onmiddellijk terug te gaan naar Zeven Wateren, en de volgende morgen stond ik vlak na zonsopgang gepakt en gezakt klaar. Sean wees Eamonns aanbod van een escorte af, want, zei hij, de vijf mannen die hij bij zich had, moesten voldoende zijn.

'Het gaat mij om Liadans veiligheid,' zei Eamonn moeilijk. 'Deze man is tot alles in staat. Ik zou geruster zijn als jullie beter beschermd waren, tenminste tot aan de grenzen van mijn eigen gebied.'

Sean keek mij met opgetrokken wenkbrauwen aan.

'Dank je, Eamonn,' zei ik, 'maar ik geloof niet dat je je zorgen hoeft te maken. De Beschilderde Man zal vast niet zo snel weer toeslaan. Hij weet natuurlijk dat je naar hem uitkijkt. Ik ben ervan overtuigd dat we veilig thuis zullen komen.'

Eamonns handen bewogen rusteloos, alsof ze jeukten om een wapen te grijpen en het te gebruiken. 'Het verbaast me dat je daar zoveel vertrouwen in hebt, Liadan, gezien wat hier gebeurd is. Ik zal je zelf te paard begeleiden, in elk geval tot aan de laatste nederzetting.'

Dat konden we moeilijk weigeren. We namen afscheid van Aisling en reden van Sídhe Dubh weg onder een laaghangende grijze lucht. Toen voor Eamonn het moment aanbrak om terug te gaan, nam hij me apart terwijl Sean met zijn mannen overlegde.

'Ik had gehoopt dat je misschien langer zou blijven,' zei Eamonn zacht. 'Of dat je het goed zou vinden als ik meekwam naar Zeven Wateren. Ik draag de schuld van wat er gebeurd is; het z-zou mijn verantwoordelijkheid moeten zijn het aan hen te vertellen, je helpen uit te leggen...'

'Nee, hoor,' zei ik. 'Wie hier ook de schuld voor draagt, jij bent dat niet, Eamonn. Neem die last niet ook nog op je schouders. Je moet nu naar huis gaan en dit achter je laten. Je moet verder gaan met je leven.' In zijn ogen blonk een intens, bijna koortsig licht dat me niet beviel.

'Je bent wel heel sterk,' merkte hij op met gefronst voorhoofd. 'Maar ja, dat ben je altijd al geweest. Ik bewonder dat al heel lang in je. Er zijn weinig vrouwen die met zoveel moed zouden kun-

nen spreken, zo kort na het verlies van een zuster.'
Het leek me veiliger niet te antwoorden.
'Dit is dus een afscheid,' zei hij. 'Zeg alsjeblieft tegen je ouders dat ik zou willen... dat ik heel graag zou willen...'
'Ik zal het zeggen,' zei ik beslist. 'Vaarwel, Eamonn.'
Ik had verwacht opgelucht te zijn toen ik eindelijk wegreed van Sídhe Dubh en zijn in nevels gehulde moerassen, in de wetenschap dat ik op weg was naar huis. Maar toen ik mijn hoofd omdraaide en nog even de eenzame figuur van Eamonn zag, die terugreed naar het middelpunt van zijn vreemde, onherbergzame domein, had ik het gevoel dat ik hem op de een of andere manier in de steek liet. Alsof ik hem had teruggestuurd naar zijn eigen, donkere plek. Dit leek een vreemd idee, en ik probeerde het van me af te zetten, maar het beeld bleef me voor ogen staan terwijl we in een gestaag tempo doorreden. Het terrein raakte steeds dichter begroeid met bomen en liep tussen puntige rotsen omhoog naar de rand van het bos.
Plotseling hield Sean zijn paard in en gebaarde dat de anderen hetzelfde moesten doen.
'Wat...' begon ik.
'Sst!' Sean hief waarschuwend zijn hand op. We bleven allemaal zwijgend zitten. Ik kon niets horen behalve vogelgeluiden en het spetteren van een paar regendruppels. Na een poos zette Sean zijn paard weer in beweging, maar langzaam; hij wachtte kennelijk tot ik bij hem was.
'Wat?' vroeg ik; ik vermoedde dat ik het al wist.
'Ik weet zeker dat ik iets hoorde,' zei hij terwijl hij me van opzij aankeek. 'Ik hoor het al een tijdje. Alsof we gevolgd worden. Maar toen we stilstonden, hoorde ik niets. Jij hebt goede oren. Hoorde jij het niet?'
'Alleen vogelgefluit. Er kan daar niemand zijn. Anders hadden we ze wel gezien.'
'O ja? Misschien had ik beter niet naar jouw redenering kunnen luisteren en Eamonns escorte moeten accepteren. We zijn maar met weinigen; een hinderlaag zou problemen geven.'
'Waarom zou er een hinderlaag zijn?' vroeg ik, maar ik vermeed het hem aan te kijken.
'Waarom hebben ze Niamh meegenomen?' vroeg Sean. 'Ik kan er

geen reden voor vinden. Waarom zou hij dat doen, terwijl hij zojuist...'

Hij zweeg.

'Terwijl hij zojuist wat? Je wilt me toch niet vertellen dat hij heeft toegezegd voor je te werken?'

'Dat niet precies,' zei Sean voorzichtig. 'Maar hij heeft wel gezegd dat hij er over na zou denken; hij neemt altijd elk aanbod in overweging. Hij zei dat hij het me zou laten weten, wanneer hij de prijs had bepaald.'

Ik was sprakeloos. Wat speelde Bran voor sluw spelletje? Mijn broer, de zoon van de gehate Hugh van Harrowfield, was toch zeker de laatste met wie hij zaken zou willen doen? Een dergelijk verbond zou voor beiden veel gevaren meebrengen. Dat er serieus over gedacht werd, verontrustte me diep.

'Het zou de doorslag hebben gegeven,' zei Sean. 'Het was precies wat we nodig hadden om een wending te geven aan het verloop van onze vete met de Britten. Hij had elke prijs kunnen noemen die hij wilde; ik was ermee akkoord gegaan. Waarom zou hij dan zijn grote kans verspelen? Is de man gek, om mijn zuster dit aan te doen – zomaar?'

'Hij doet nooit iets zomaar.' Ik zei het zonder nadenken.

Sean wachtte even voor hij antwoordde.

'Liadan.'

'Mm?'

'Er zal geen hinderlaag zijn?'

'Het lijkt me heel onwaarschijnlijk,' zei ik voorzichtig.

'Liadan, onze zuster is dood. En men heeft gezien dat zij haar meevoerden door het moeras. Er waren verscheidene getuigen. Wil je Niamhs moordenaar beschermen door je verhaal voor je te houden?'

'Nee, Sean.'

'Vertel het dan, Liadan. Vertel me de waarheid. Je speelt met dingen die gevaarlijker zijn dan je kunt weten.'

Maar ik hield mijn schild in stand en wilde het niet vertellen. Toen we over een bospad kwamen, vochtig door de laag rottende herfstbladeren, voelde ik op een bepaald moment een aanwezigheid die naast me reed, al hoorde ik ditmaal geen hoefgetrappel van feeënpaarden. Ik hoorde de stem van de Vrouwe, laag en plechtig, en zag haar diepe, ernstige ogen zonder dat ik mijn hoofd omdraaide.

Je hebt overhaast gehandeld. Je hebt je weer door hen laten leiden. Je mag geen fouten meer maken, Liadan.
Het leek me geen fout, mijn zuster te redden van een leven waarin ze mishandeld wordt. Ik was boos. Was er dan niets van belang voor het Feeënvolk behalve hun eigen langdurige plannen, die wij nauwelijks konden begrijpen? Rondom me reden mijn broer en zijn mannen zonder iets te merken. Ik keek even naar Sean, en toen weer naar de Vrouwe.
Je broer hoort ons niet. Ik heb hem hiervoor doof gemaakt. Luister nu naar me. Je hebt erg dom gedaan. Als je zou kunnen zien wat hieruit zou kunnen voortvloeien, zou je weten hoe verkeerd je bezig bent. Je brengt je kind in gevaar. Haar blauwe ogen waren koud. *Je brengt de toekomst in gevaar.*
Wat voor gevaar? Ik ben nooit in gevaar geweest. En ik ga nu terug naar Zeven Wateren. Het kind zal daar geboren worden. Dat wilde u toch?
Misschien is je zuster dood. Haar stem klonk koel, alsof dit eigenlijk niet veel voor haar betekende. *Verdronken. Misschien heb je alles op het spel gezet, voor niets.*
Ze is in veiligheid. Ik weet het. De man die haar heeft meegenomen, is te vertrouwen.
Hij? Hij is niets. Een werktuig, meer niet. Zijn rol hierin is uitgespeeld, Liadan. Er zijn nu nog maar twee dingen die voor jou moeten tellen. Je mag het bondgenootschap niet in gevaar brengen. Zonder het bondgenootschap is je oom niet sterk genoeg om de overwinning te behalen. Zonder de Uí Néill kan hij de Eilanden niet terugveroveren. Door jouw domme streek is zijn kans bijna verkeken. En je moet het kind beschermen. Op hem is onze hoop gebouwd. Geen fouten meer. Niet meer op eigen houtje weggaan. Wees niet meer ongehoorzaam. Zodra zij weet dat je zoon bestaat, zal ze trachten hem te vernietigen. De jongen moet in het woud blijven, waar hij goed beschermd kan worden.
Zij? Wie?
Maar de Vrouwe van het Woud schudde alleen haar hoofd, alsof de naam niet uitgesproken kon worden, en ze vervaagde langzaam tot ik haar niet meer kon zien. En eindelijk kwamen we op Zeven Wateren aan met ons vreselijke nieuws.

Het geheim zou nog lang niet onthuld worden. Ik zou het met me meedragen in moeilijke tijden. Tijden die mijn wilskracht tot het uiterste beproefden wanneer ik de ingevallen trekken en overschaduwde ogen van mijn moeder zag, wanneer ik het verbeten stilzwijgen van mijn vader moest verdragen. Het werd winter, en we zaten meer bij elkaar opgesloten dan we wilden, niet in staat elkaars pijn te verzachten; we voelden het weefsel van ons gezin rekken en scheuren, zonder te weten waar we moesten beginnen die schade te herstellen. Sean en Liam hadden onenigheid achter gesloten deuren. Liam sprak over wraak; Sean pleitte nu voor voorzichtigheid. Onze manschappen moesten nu achter de hand worden gehouden, zei hij, voor het moment dat de bondgenoten een gezamenlijke aanval zouden doen op de posities van Northwoods. Misschien zouden we in de volgende zomer klaar zijn; zo niet, dan in de herfst. Waarom zouden we kostbare manschappen en wapenen verspillen aan de achtervolging van de Beschilderde Man? Bovendien was hij al buiten ons bereik, zeiden ze. Hij zat al in Gallië, of nog verder weg. Niamh was verloren; bloedvergieten zou haar niet terugbrengen. Dit was een ongewoon terughoudende benadering voor mijn broer, en uiteindelijk liet Liam zich overtuigen. We hoorden weinig van Eamonn, maar ik wist dat hij het streven naar wraak niet opzij zou zetten. Ik had de uitdrukking in zijn ogen gezien; die was bloedstollend. Die uitdrukking hield de dood in, althans voor een van beiden.
Ik verlangde ernaar terug te gaan naar de geheime poel in het bos die Conor me had laten zien. In die stille wateren zou ik misschien de antwoorden vinden waaraan ik zo'n wanhopige behoefte had. Ik wilde met Finbar spreken, die zoveel leek te weten, en geen oordeel velde, haast alsof hij een instinctief wezen was, dat niet gehinderd werd door ideeën over goed en kwaad. Want mijn geheim drukte zwaar op me. Ik moest mijn zuster beschermen; ik wilde Bran niet verraden. Maar omdat ik niet kon zeggen wat volgens mij de waarheid was, werd van anderen die ik liefhad een zware tol geëist, en ik moest dagelijks met hun verdriet leven. Er scheen geen weg te zijn die ik kon begaan zonder door schuldgevoelens en spijt te worden gekweld.
Het Gezicht is zowel een gave als een vloek. In tijden als deze is de behoefte eraan het grootst. Maar het komt en gaat naar belie-

ven en kan niet door wilsinspanning worden opgeroepen. Ik probeerde Niamh te zien, waar ze was, hoe het met haar ging, in welk gezelschap ze was. Ik probeerde Bran aan te raken met mijn geest, maar hij was heel ver weg, en alleen bij nieuwe maan voelde ik zijn aanwezigheid. En die was vaag, zwak, niet meer dan een schaduw van de band die ik had met Sean, die tien manen naast me had gelegen in de schoot van onze moeder.

Ik dacht dat Sean het wist. Hij zei het niet; maar uit zijn gedrag bleek dat hij het wist. Waarom bracht hij anders zijn oom van zijn wraakgedachten af? Waarom maakte hij anders mijn eigen band met de Beschilderde Man niet aan iedereen bekend? Hij wist het, of vermoedde het, en hij begreep ook dat ik mijn geheim zelfs voor hem wilde weghouden. Maar ook hij zag het verdriet van onze ouders, en ik denk dat het hem zwaar viel mij niet te veroordelen.

Er was één reden om blij te zijn en vooruit te kijken. Iedereen betuttelde me naarmate mijn tijd naderde en het kind groter werd. Sean maakte grappen over mijn toenemende omvang, maar was er altijd wanneer ik hulp nodig had bij het beklimmen van een trap of het lopen over het oneffen pad naar het dorp. En hoe zwak ze ook was, mijn moeder hield me in de gaten met het scherpe oog van een genezeres; ze schreef me hoeveelheden van verschillende sterke aftreksels voor en stond erop dat ik elke middag rustte, terwijl het weer in de vroege lente warmer werd en de eerste tere blaadjes zich ontvouwden aan de brede beuken. Mijn vader was nog erger dan de rest; hij lette erop of ik wel elke hap opat die me werd voorgezet, ondervroeg me over de hoeveelheid slaap die ik kreeg en begeleidde me als ik ook maar even naar buiten ging, voor het geval dat ik me te veel vermoeide. Moeder lachte hem uit, op haar zachtaardige manier, en zei dat hij bij haar beide keren precies hetzelfde had gedaan. Maar toen zweeg ze, want ze dacht natuurlijk aan haar eerstgeborene met de koperkleurige haardos, het blije meisje dat in haar witte jurk door het bos had gedanst.

Hoewel ons gebied groot was, was Zeven Wateren een hechte gemeenschap, en het was moeilijk om het geroddel te vermijden. Ik vond het verontrustend wat ik hoorde. Wanneer ik naar het dorp ging om de zieken te bezoeken, wat ik bijna tot het allerlaatst bleef doen, waren er altijd een paar mensen die hun hand uitstaken om mijn buik aan te raken, met een verlegen glimlach. 'Dat brengt geluk, vrouwe,' mompelden ze dan, of iets dergelijks. Eerst had ik geen idee waarom ze zoiets deden. Maar later hoorde ik het verhaal dat werd rondverteld; een verhaal dat veel vreemder was dan de waarheid.

Dit verhaal verklaarde waarom ik op zo'n geheimzinnige wijze was verdwenen en was teruggekomen met een kind in mijn buik. Het verklaarde waarom mijn vader en mijn oom me niet met schande overladen hadden weggestuurd, maar me hier thuis hadden laten blijven om mijn vaderloze kind in de beschutting van het grote woud ter wereld te brengen. Het verhaal luidde dat het Feeënvolk mij had uitgekozen om dit speciale kind te baren, zodat eindelijk de profetie in vervulling zou gaan en de Eilanden gered zouden worden. Dan zouden het meer en het woud ook veilig zijn. Ik leek immers precies op het meisje uit het oude verhaal, de dochter die het hart van Zeven Wateren werd genoemd. Wie zou er nu beter de profetie van de wijzen kunnen vervullen dan mijn kind? En geen wonder dat ik de naam van de vader niet wilde noemen, want dit was natuurlijk een kind van de Andere Wereld, dat maar voor de helft een sterveling was. Wie wist over welke krachten zo iemand zou beschikken? Zo vertelden ze het. Ik had hun een paar feiten kunnen vertellen die dit stralende visioen in duigen hadden laten vallen, maar dat deed ik niet. Wie zou geloven dat de beschermd opgevoede dochter van Zeven Wateren, die met liefdevolle zorg hun kwalen had behandeld, die betrouwbare, huiselijke Liadan ervoor zou kiezen met een bandiet te slapen en thuis te komen met zijn kind dat in haar groeide? Wie zou geloven dat ze een web van leugens zou weven om de man te beschermen die misschien wel en misschien niet verantwoordelijk was geweest voor de dood van haar zuster? Het is beangstigend hoe één leugen het eerste draadje vormt in een steeds groter wordend weefsel van onwaarheid. En wanneer dit weefsel eenmaal geweven is, is het erg moeilijk te ontrafelen.

Het seizoen veranderde, en ik hoorde niets van Niamh. Ik hoorde helemaal niets. Moeder gaf Janis les in verloskunde. De benige, hoekige Janis leek leeftijdloos. Het was moeilijk te geloven dat ze vroeger Dikke Janis werd genoemd, maar zowel mijn moeder als Liam had me dat verteld. De barre winters in de tijd van de Tovenares hadden hun tol geëist. Maar Janis had zachte handen, en ik wist dat ik haar kon vertrouwen. Het kind leek vastbesloten om met zijn hoofd naar boven te blijven liggen; moeder zei dat ze nog konden wachten, want hij had nog ruimte om zich om te draaien, voor het zover was. Ik was nogal klein van stuk en het was altijd beter een stuitbevalling te vermijden. Ik was nu gauw moe en zat grote delen van de warmere dagen op de met mos begroeide stenen bank in de kruidentuin. Ik koesterde me in de zon en praatte stilzwijgend met mijn kind.

Deze tuin zal je goed bevallen, zei ik tegen hem. *Hij ruikt lekker, en er zijn allerlei kleine beestjes. Bijen, dat zijn die beesten met strepen en vleugels. Daar moet je voor oppassen. Wanneer het warmer wordt, zullen er sprinkhanen zijn. Kevers in vele vormen en kleuren, sommige glanzend als kostbare stenen. Rupsen die rondkruipen en je groenten opeten als je niet oppast. Daarom zetten we knoflook naast de koolplanten. Wanneer het weer Meán Fómhair wordt, zul je al hier op het gras kunnen zitten en naar alles kijken.*

Soms vertelde ik hem over zijn vader. Niet vaak, want ik stond mezelf niet toe valse hoop te koesteren. *Hij is heel sterk. Sterk van lichaam, sterk van geest, sterk van wil. Maar ergens is hij de weg kwijtgeraakt. Ik heb hem Bran genoemd, naar Bran de Reiziger, en zonder dat ik het wist, paste die naam heel goed bij hem. Want Bran Mac Feabhail, de held van het oude verhaal, kon nooit meer thuiskomen na zijn lange, vreemde reis. Toen hij op zijn terugreis de kust van Tirconnell naderde en een bemanningslid van het schip afsprong om naar het strand te zwemmen, schrompelde de man onmiddellijk weg, alsof hij al heel lang dood was geweest. Misschien had die magische reis werkelijk eeuwen in beslag genomen, al dachten Bran en zijn matrozen dat ze niet langer weg waren geweest dan van de ene zomer tot de volgende zomer. Daarom vertelde Bran zijn verhaal staande op het dek van zijn schip terwijl het langs de pier lag, en daarna voer hij weg zonder ooit voet aan wal te zetten in zijn vaderland. Voor hem geen vrouw die hem met open armen opwachtte, voor hem niet de vreugde een zoon te zien opgroeien.* Het kind gaf me een resolute schop; hij had weinig ruimte meer om te bewegen. Misschien vertelde hij me iets op de enige manier die hij kon. *Goed*, zei ik tegen hem, terwijl ik moeizaam ging verzitten op het stenen bankje. *Als er een eind aan zijn reis is, zullen we dat voor hem zoeken. Hij zal ons niet dankbaar zijn. En jij zal me moeten helpen. Ik kan het niet alleen.*

Het was nu bijna mijn tijd. Ik voelde dat ik er klaar voor was; de lentebloemen waren uitgekomen, lichtgele narcissen, feeënklokjes en sneeuwklokjes, en er hing een duidelijke warmte in de lucht, ook al bleef het motregenen. De kersenbomen droegen een tere mantel van bloesem. Het leek een goede tijd. Mijn aandacht werd naar binnen gericht; ik was afgestemd op elke kleine verandering in mijn lichaam en was me nauwelijks bewust van wat daarbuiten gebeurde. Ik wist dat Sean was weggegaan. Hij had me niet verteld waar hij heen ging.

Ze keerden het kind; het was er bijna te laat voor, en de ingreep was niet prettig, maar noodzakelijk om de bevalling gemakkelijker en veiliger te maken. Daarna zei ik dat ze me met rust moesten laten, want ik had het gevoel dat het tijd was om het verder aan de godin over te laten.

Een paar dagen later zat ik in mijn kamer op de nacht van nieuwe maan en keek in de vlam van mijn kaars. Er waren inmiddels verscheidene van deze kaarsen opgebrand tijdens al die nachten die ik had doorwaakt. Ze hadden allemaal een kleine krans van krachtige kruiden, en ik had er telkens de halsketting van wolfsklauwen omheen gelegd en de zwarte veer onder de reep leer gestoken. Misschien had dit geholpen hem te beschermen; misschien niet. In deze nacht was ik verschrikkelijk moe; mijn oogleden vielen telkens toe, en dan schrok ik weer wakker, want ik mocht hem niet alleen laten waken in het donker. Maar toch kreeg op den duur mijn lichaam de overhand over mijn geest, en ik viel zittend op mijn stoel in slaap.

Ik werd wakker van een felle pijnscheut, en toen ik opstond stroomde er een flinke hoeveelheid vloeistof langs mijn benen. Vanaf dat moment was het een en al pijn en verwarring, en moest ik harder werken dan ik ooit in mijn leven had gedaan. Het was maar goed dat Janis er was, want mijn moeder was erg zwak en kon alleen naast me zitten zodat ik in haar hand kon knijpen, terwijl ze af en toe met een vochtige doek mijn gezicht afwiste. Maar ook al was haar lichaam erg zwak geworden, haar geest was nog even scherp als altijd, en ze gaf heel beslist precieze aanwijzingen aan Janis en de andere vrouwen. Misschien beslister dan ze zich voelde, want ze vertelde me zacht dat het kind zich in de laatste paar dagen weer had omgedraaid en nu stevig was ingedaald, kennelijk vastbesloten om in stuitligging geboren te worden. Ik hoefde me daar echt geen zorgen over te maken, zei ze. Ik was jong en gezond, en het kind leek niet overmatig groot. Het zou wel lukken.

Het moet lukken, zei ik tegen mezelf. *Want als ik hem niet naar buiten kan persen, ben ik dood en is hij dat ook. Het moet lukken. Laat de navelstreng niet om zijn hals zitten.*

Het duurde lang. De kaars brandde tot het roze en oranje licht van de dageraad door het smalle raam naar binnen viel in de kamer waar ik vroeger samen met mijn zusje had geslapen. Een van de vrouwen wilde het vlammetje al uitdoven, maar ik gebood haar het te laten branden. Op die manier zou er iets van de vader van mijn zoon in de kamer aanwezig zijn om van zijn geboorte getuige te zijn. Het licht nam toe, evenals de bedrijvigheid rondom me, en ik kon buiten mannenstemmen horen. Op een bepaald moment ging mijn moeder de kamer uit, waarschijnlijk om de Grote Man gerust te stellen, want ik kon me indenken dat hij rusteloos heen en weer liep, wachtend tot het voorbij was. Hij voelde zich ongelukkig omdat hij in dit geval niets kon doen om te helpen.

'Je mag best schreeuwen, hoor meisje,' zei Janis wat later. 'Je hebt het hard te verduren; niemand verwacht dat je dat in stilte doet. Vloek en huil maar zoveel je wilt.' Maar ik had het gevoel dat zwijgen gelijkstond met beheersing; en ik dacht ook, tussen de weeën door, aan het stoïcijnse gedrag van Evan de smid, die vast veel meer pijn had geleden dan ik nu. Want hadden vrouwen dit niet eeuwenlang doorstaan, gedurende meer jaren dan er sterren aan de hemel stonden? Ik had werk te doen, en daar moest ik gewoon mee doorgaan. Op dat moment verbeeldde ik me dat ik een stemmetje in mijn oor hoorde zeggen: *Goed zo. Zo doe je dat.*

Later, toen het licht buiten weer afzwakte tot paarsig grijs en zelfs Janis er uitgeput begon uit te zien, liet mijn moeder de vrouwen weer een aftreksel maken. En toen ik dat rook, trok ik mijn wenkbrauwen op, want behalve essenkruid en hysop bespeurde ik steentijm en een andere, scherpere geur die ik niet herkende.

'Dit heb ik niet nodig,' zei ik kwaad. 'Ik kan dit zelf wel af.'
Moeder glimlachte, en als ze bezorgd was, wist ze dat goed te verbergen. Er was geen spoor van vermoeidheid op haar kleine, mooie gezicht te zien. Ze was bleek, maar ze was de laatste tijd altijd bleek.
'Het schemeruur zou voor dit kind een goed tijdstip zijn om geboren te worden,' zei ze zacht. 'Het juiste tijdstip, denk ik. Vergeet niet dat ik genezeres ben, dochter.'
Ik trok een lelijk gezicht naar haar en dronk, terwijl ik weer een wee door mijn lichaam voelde trekken, en ditmaal kon ik niet blijven zwijgen. Dit was anders, sterker, krachtiger, en ik voelde de drang om te persen, een drang waaraan ik me niet kon onttrekken.
Hierna ging het snel, bijna te snel. Ik maakte veel meer lawaai dan ik wilde; mijn moeder zei dat ik moest ophouden met persen, maar dat ging niet. Iemand ondersteunde mijn schouders en ik hoorde Janis zeggen: goed zo, goed zo, zo gaat het goed, meisje; en ik spande me nog een keer tot het uiterste in, en toen was het plotseling stil.
'Vlug,' hoorde ik Janis zeggen, en iedereen kwam in beweging. 'Houd hem ondersteboven, ja zo. Maak zijn mondje schoon. Goed zo. Nu...'
Ik lag achterover, totaal uitgeput; maar toen ik het eerste hijgende, verontwaardigde jammergeluidje van mijn zoon hoorde, ging ik meteen rechtop zitten en veegde haastig de tranen uit mijn ogen terwijl ik mijn armen naar hem uitstak. O, hij was volmaakt. Piepklein, rimpelig, met een rood gezichtje, maar al met een muts van bruine krulletjes, die met het kleverige, bloederige vocht van de geboorte op zijn schedeltje geplakt zaten. Hij was mijn zoon, en Brans zoon. O. *O, wat had ik graag gewild dat je hier was om hem te zien. Om te zien wat voor een prachtig kind we gemaakt hebben.*
'Je huilt, meisje,' zei Janis, die zelf ook tersluiks over haar wangen wreef. 'Tranen zijn nergens voor nodig. Het is een mooi jongetje dat je daar hebt. Wel een beetje klein, maar sterk. Hij brult nog hard zat, ook na zo'n lange bevalling. Dat is een vechtertje, hoor.'
Er moest veel worden schoongewassen, zoals altijd na een beval-

ling. Ze gingen om me heen aan de slag, terwijl mijn zoon lief en warm op mijn borst lag. Hij was nu stil, zijn mondje maakte al zuigbewegingen, zijn piepkleine vingertjes klemden zich stevig om een van mijn vingers. *Laat me niet alleen.*

Moeder was ongewoon stil geweest. Ik dacht dat ze wel uitgeput zou zijn na de lange nacht en dag, maar toen ik keek, zat ze nog naast het bed en keek met een nadenkende blik in haar ogen naar het kind. De vrouwen waren klaar met hun werk en gingen weg om van een verdiend avondmaal te genieten. Moeder zei tegen Janis dat ze bier en eten voor zichzelf moest gaan halen, en dat ze zich niet hoefde te haasten.

'En, Janis, wil je tegen de Grote Man zeggen dat hij boven mag komen?'

Toen iedereen weg was en het stil was in de kamer, begon ze weer te praten.

'Liadan?'

'Mm?' Ik dommelde bijna in slaap. De kleine haard verwarmde de kamer goed, en een aangename lavendelgeur verspreidde zich in de lucht; de gedroogde bloempjes werden verbrand vanwege hun genezende eigenschappen.

'Ik weet niet goed hoe ik dit moet zeggen, maar het moet gezegd worden. Liadan, ik geloof dat ik de naam van de vader van dit kind zou kunnen zeggen.'

'Wat!'

'Stil, stil. Ga weer liggen, anders schrikt hij. Misschien vergis ik me. We moeten wachten tot je vader er is. De gelijkenis is heel sterk. En Red heeft gezegd – hij heeft me verteld dat je man iets te maken heeft met Harrowfield. Als ik dat niet had geweten, had ik er misschien geen aandacht aan besteed.'

We hoorden het geluid van gelaarsde voeten die met drie treden tegelijk de trap opkwamen en haastig door de gang liepen, en de deur vloog open.

'Liadan!' Mijn vader was met twee grote stappen bij me. 'Lieverd, is alles goed met je?' En toen zag hij het kind op mijn borst liggen, en zijn mondhoeken krulden omhoog tot een grote, lieve, heerlijke glimlach. Het was lang geleden dat ik hem had zien glimlachen.

'Je mag hem vasthouden als je wilt, grootvader,' zei ik.

En zo gebeurde het dat mijn moeder haar verhaal vertelde, terwijl mijn vader voor het vuur stond met zijn kleinkind in zijn armen. Ik steunde op een elleboog en dronk de beker kruidenwijn die mijn moeder me had gegeven.
'Deze bevalling,' zei Sorcha zacht, 'deze bevalling lijkt zo veel op een andere, een bevalling waarbij ik lang geleden heb geholpen, dat ik het niet kan afdoen als toeval. Ik had dat misschien gedaan als dit kind niet het evenbeeld was van dat andere kind, het jongetje dat ik in de nacht van Meán Geimhridh heb gehaald, op Harrowfield.'
Vader wierp haar een snelle blik toe. 'Hoe zou dat nou kunnen?' vroeg hij. 'Bovendien,' en hij keek neer op het bundeltje dat het kind was, zo klein tussen zijn grote handen, 'alle baby's zien er toch hetzelfde uit?'
'Ik ben ervan overtuigd dat ik gelijk heb,' zei mijn moeder. 'En ik denk dat je het met me eens zult zijn. De bevalling en de geboorte verliepen volgens precies hetzelfde patroon: het kind dat beslist in stuitligging geboren wilde worden, de langdurige bevalling, de moeilijke baring. Liadan is jonger en sterker dan Margery toen was, en veel vastberadener, en daarom had ze minder hulp nodig. Maar het was hetzelfde.'
'Alle stuitbevallingen zijn moeilijk,' zei ik, maar mijn hart bonsde. 'Wie was dat kind?'
Maar moeder gaf mij geen antwoord. 'Kijk dan naar dat kleintje,' zei ze tegen Iubdan. 'Kijk naar zijn bruine krulletjes en zijn grijze oogjes. Kijk naar de vorm van zijn kaak en zijn voorhoofd. Je ziet een begin van Johns gezicht in dat hoofdje, al is het nog rood en gerimpeld. Je kunt niet zeggen dat je het niet ziet, Red.'
Mijn vader ging dichter bij de kaars staan om goed naar het gezicht van de baby te kijken, toen er plotseling een kreet van protest kwam.
'Hier,' zei ik en zette mijn beker weg, waarna ik mijn zoon weer in mijn armen kreeg. Ik wreef over zijn ruggetje en neuriede binnensmonds een oud wiegeliedje dat ooit, tot mijn verbazing, zijn vader had doen inslapen.
'Red?'
Mijn vader knikte. 'Ik zie het, Jenny.' Zo had hij haar genoemd toen ze elkaar hadden ontmoet, toen ze geen stem had om haar

werkelijke naam te zeggen. 'En het klopt met wat je me hebt verteld, Liadan. Dat de vader van het kind vroeger op Harrowfield heeft gewoond. Die jongen zal nog geen jaar oud zijn geweest toen Jenny daar wegging.'
'Wie... wie was hij?' vroeg ik voorzichtig, terwijl ik in mijn hoofd een snelle rekensom maakte en me afvroeg of Bran werkelijk nog geen eenentwintig kon zijn. Wat had hij ook weer gezegd? *Toen ik negen jaar oud was, besloot ik dat ik een man was.* Het kon misschien waar zijn.
'Hij heette John, naar zijn vader. Maar ze noemden hem Johnny.'
'Hij laat zich nu niet zo noemen. Maar een naam is natuurlijk gemakkelijk te veranderen.'
'Heeft jouw man grijze ogen?'
'Ja.'
'En zijn haar? Het kind had bruine krulletjes, net als die van je zoon.'
Ik voelde een langzame blos over mijn gezicht trekken en was blij dat ze mijn gedachten niet konden lezen. 'Dat kan wel kloppen,' zei ik na een poosje.
'Is hij een Brit?' vroeg mijn vader. 'In dat geval begrijp ik je aarzeling om zijn identiteit te onthullen. Maar je moet mijn eigen afkomst niet vergeten. Ik heb me hier goed kunnen handhaven.'
'Dat kan ik niet zeggen. Maar het is mogelijk. Kun je me het verhaal vertellen, alsjeblieft?'
Mijn vader fronste licht zijn voorhoofd. 'Je moeder is erg moe.'
'Vertel jij het dan. Alsjeblieft, vader.'
Hij ging aan de andere kant van het bed zitten. Het was nu donker buiten.
'Ik had twee trouwe vrienden op Harrowfield. De ene was Ben, mijn jongere pleegbroer, een man die snel was met het zwaard en nog sneller van geest. En de andere was John. John was mijn zielsverwant, mijn gids en klankbord, die me altijd vergezelde op mijn tochten. Hij was een man die je je leven zou toevertrouwen. John trouwde met een meisje uit het zuiden, Margery heette ze. Er was een innige liefde tussen hen. Ze verloren een kind, en het leek erop dat ze dit kind ook zouden verliezen. Maar je moeder was er, en dus werd hij na een heel lange nacht veilig geboren.'
'Nooit was er een kind meer geliefd en gewenst dan Johnny.' Mijn

moeder nam het verhaal over. 'Margery was geweldig trots op hem. Je kon het zien in alles wat ze deed. Ze droeg hem altijd tegen haar schouder, ze praatte tegen hem, ze zong voor hem. Ze maakte beeldschone hemdjes voor hem, helemaal geborduurd met bloemetjes en blaadjes en gevleugelde beestjes. John was een zwijgzame man, maar hij aanbad hen allebei.'

'Is... is er iets gebeurd? Ik begrijp niet hoe het gekoesterde kind over wie u spreekt, de man geworden kan zijn die de vader is van mijn kind. Hij is niet... hij is geen man die in liefde is grootgebracht. Zoveel weet ik wel.'

'John is gestorven,' zei mijn vader moeilijk. 'Hij is vermoord; verpletterd onder vallend gesteente terwijl hij over Jenny waakte. Daar had Northwoods de hand in. Het was een vreselijke gebeurtenis, en Margery had het erg moeilijk met het verlies. Maar toen ik van Harrowfield wegging, deed ze haar best om het kind alleen groot te brengen. Als leden van het huishouden van mijn broer genoten ze alle bescherming.'

'Het zag ernaar uit dat Johns zoon zou opgroeien tot een goede man,' zei Sorcha, terwijl ze me strak aankeek. 'Een goede, beste man.'

Ik knikte; ik voelde tranen prikken achter mijn ogen.

Mijn vader stond op. 'Dit is te vermoeiend voor jou,' zei hij. 'Je moet slapen; jullie moeten allebei slapen. Jullie hebben het goed gedaan, jullie beiden. Mijn sterke vrouwen.' En terwijl ze zich omdraaiden om weg te gaan zei hij zacht tegen mij: 'Als mijn kleinzoon ook de kleinzoon van John is, stemt dat mij tot tevredenheid, dochter. John zou er blij om zijn. Ik zou er veel voor geven om de vader van dit kind te leren kennen. Ik hoop dat dat nog eens zal gebeuren.'

Maar ik knikte alleen, en toen kwam Janis terug met eten voor mij, en ik ontdekte dat ik razende honger had.

'Wacht maar tot je melk toestroomt,' zei Janis droog, terwijl ze naast het vuur ging zitten met haar pul bier. 'Dan zul je eten als een paard.'

Wat later viel ik in slaap met het kind aan mijn borst; en in het raam bleef de kaars branden, tot het weer nacht was geworden.

HOOFDSTUK ELF

De ooms kwamen bijeen. Ik had zo'n gevoel dat dit niet alleen was om de jonggeborene te bekijken, maar ook voor een dieper, plechtiger doel. Want mijn moeder werd nu snel zwakker, alsof ze werkelijk alleen op de geboorte van dit kind had gewacht voor ze definitief afscheid nam van Zeven Wateren.

Ik had een sterke bezitsdrang ten opzichte van mijn kind. Er was geen min nodig: ik voedde hem zelf en zorgde zelf voor hem; ik hield hem in mijn armen, streelde hem en zong voor hem. Ik had een meisje om me te helpen, omdat vader daarop stond, maar ze had niet veel te doen. Voor mijn zoon één maand in deze wereld had doorgebracht, had hij al het hele verhaal van Bran de Reiziger gehoord. Hoeveel hij ervan begreep, kon niemand zeggen.

Moeder lag nu het grootste deel van de dag op bed, of op een veldbed dat in de beschutte tuin was neergezet, waar ze bij mooi weer kon rusten en de geur van geneeskrachtige kruiden kon ruiken. Ze vond het prettig als de kleine Johnny naast haar werd gelegd, zodat ze over zijn zachte krulletjes kon strijken, kon luisteren naar de geluidjes die hij maakte en hem verhaaltjes kon toefluisteren. Mijn vader bleef altijd in haar buurt; zijn gezicht stond somber maar hij waakte dag en nacht over haar. Liam liet Sean halen, die zonder te zeggen waarvoor naar het noorden was afgereisd.

Conor kwam als eerste, met een aantal andere druïden, zwijgende mannen in witte gewaden die zich onhoorbaar voortbewogen, als dieren uit het bos. Ze namen kalm hun plaats in het huishouden in, alsof ze van plan waren lang te blijven. Conor ging dadelijk naar mijn moeder toe en bracht enige tijd in afzondering aan haar bed door. Toen kwam hij mij opzoeken en naar het kind kijken.

'Ik heb gehoord,' zei hij, terwijl hij keek hoe ik mijn zoon baadde in een ondiepe koperen kom, 'dat de vrouwen bijna slaags zijn geraakt over de vraag wie bij zijn geboorte zou mogen helpen. Er is veel over dit kind gepraat. Ze wilden hem allemaal graag op de wereld helpen komen.'

'Werkelijk waar?' zei ik, terwijl ik het glibberige lijfje van mijn zoon opnam en hem in een doek wikkelde die ik voor het vuur had gehangen om warm te worden.

'Te veel gepraat, denk je?' De blik van mijn oom was ernstiger dan zijn stem.

'Hun verhalen moeten verklaren wat zij niet kunnen of willen begrijpen,' zei ik, terwijl ik de netjes ingebakerde Johnny tegen mijn schouder legde. 'Feiten die te moeilijk zijn om te accepteren.'

'Dat geldt voor sommige verhalen,' beaamde Conor. 'Maar toch niet voor alle, denk ik.'

'Nee, dat is waar. Het is zoals u zelf een keer hebt gezegd. De grootste verhalen maken, als ze goed verteld worden, de angsten en verlangens van de toehoorders wakker. Iedereen hoort een ander verhaal. Iedereen wordt erdoor beroerd naar gelang van zijn eigen innerlijk. De woorden gaan naar het oor, maar de werkelijke boodschap reist rechtstreeks naar de ziel.'

Mijn oom knikte ernstig. Toen zei hij terloops: 'Waarom heb je je zoon de naam van een Brit gegeven?'

Ik had genoeg van het liegen. Vader zou hem dit gedeelte vermoedelijk toch wel vertellen. Er zou vast geen reden zijn om een verder verband te leggen.

'Hij is naar zijn vader vernoemd,' zei ik, terwijl ik de vochtige krulletjes van mijn zoon streelde en hoopte dat Conor weg zou gaan voor ik het kind moest voeden.

'Ik begrijp het.' Hij was er blijkbaar niet van ondersteboven.

'Met alle respect,' antwoordde ik, 'maar zelfs een aartsdruïde begrijpt niet alles. Maar zo heet hij.'

'Wat heb je voor plannen voor de toekomst, Liadan?'

'Plannen?'

'Ben je van plan hier oud te worden en voor je vader en Liam te zorgen als ze op jaren komen? Wil je haar plaats innemen?'

Ik keek naar hem. Er lag een diepe ernst over zijn kalme trekken; het gesprek had een diepere betekenis die ik nauwelijks begreep.

'Niemand kan haar plaats innemen,' zei ik zacht. 'Dat weten we allemaal.'

'Maar jij zou er bij in de buurt kunnen komen,' antwoordde Conor. 'De mensen zouden je erom respecteren. Ze vereren het kind nu al, en jij bent altijd een begunstigde dochter van dit huis geweest.'

'Begunstigd. Ja, dat weet ik. Jullie zijn erg wreed geweest voor Niamh, toen jullie haar wegstuurden. Wreed en onbillijk.'

'Ons besluit zal zeker voor jou die indruk hebben gemaakt,' zei Conor, nog steeds kalm. 'Maar geloof me, er was geen andere mogelijkheid. Sommige geheimen kunnen nooit worden uitgesproken; sommige waarheden zijn te verschrikkelijk om te worden onthuld. Nu is ze weg, en je wilt misschien iemand de schuld geven van haar tragische lot. Maar dat is niet veroorzaakt door haar huwelijk; en het geeft je ook geen reden, denk ik, om domweg je vader, Liam of mij de schuld te geven. Er waren hier veel oudere dingen aan het werk.'

Ik was woedend, maar kon hem niet van repliek dienen, omdat ik immers gebonden was aan mijn belofte te zwijgen. Het werd erg moeilijk om het schild om mijn gedachten in stand te houden. En hij probeerde erin te kijken, daar twijfelde ik niet aan. Hoe behoedzaam hij ook probeerde erin door te dringen, ik voelde het toch.

'Neemt u me niet kwalijk,' zei ik, en draaide hem mijn rug toe. 'Ik moet het kind voeden. Misschien zie ik u later aan tafel, oom.'

'Hij kan nog wel even wachten, denk ik. Hij lijkt nu meer belangstelling te hebben voor zijn knuistje. Je bent een sterk meisje, Liadan. Je bent er zeer bedreven in je geest af te sluiten. Er zijn maar weinig mensen die mij kunnen tegenhouden.'

'Ik heb me erin geoefend.'

'Is het niet moeilijk, zoveel geheimen te bewaren? Ik heb een voorstel voor je, iets waarover je maar eens moet nadenken.'

Ik zei niets.

'Je vermogens zijn heel... aanzienlijk. Je beschikt nu al over een grote geestelijke beheersing en je hebt een uitstekend inzicht in lo-

gica en redeneerkunst. Verder heb je nog je andere gaven, die je nog nauwelijks bent begonnen uit te oefenen. Wacht tot de jongen iets ouder is, misschien gespeend van de borst, tot hij kan lopen. Een jaar misschien. Kom dan bij ons in de nemetons en neem hem mee. We zouden jouw vaardigheden kunnen gebruiken en ontwikkelen. Het is een verspilling van je vermogens, als je in een huiselijke omgeving blijft. En Johnny – wie weet wat hij misschien kan worden, met de juiste opleiding? Wat ze over hem zeggen zou zonder meer de waarheid kunnen zijn.'
Ik draaide me om en keek hem aan, recht in zijn diepe, wijze ogen. 'U hebt Niamhs keuze voor haar bepaald, en dat was verkeerd. Meer verkeerd dan u ooit zult weten. U hoopt misschien een vervanging te vinden voor Ciarán. Een goede leerling. Een groot verlies voor u, denk ik zo. Maar u zult mijn toekomst niet bepalen zoals u dat voor mijn zuster hebt gedaan. Johnny en ik maken onze eigen keuzes. Wij hebben geen behoefte aan leiding.'
Hij leek niet beledigd, ondanks mijn onomwonden toespraak, alsof dit precies was wat hij had verwacht.
'Je moet niet zo snel beslissen,' zei hij. 'Het aanbod blijft staan. Het kind moet in het woud blijven. Hoe je beslissing ook uitvalt, dat mag je niet vergeten.'

Een paar dagen later arriveerde er nog een oom, in een geheel eigen stijl. Ondanks de pratende vogel op zijn schouder, de drie matrozen die hem vergezelden en de bevallige jonge vrouw aan zijn zijde wist Padriac nog altijd helemaal tot bij de nederzetting te komen zonder dat Liams schildwachten zijn aanwezigheid opmerkten. Dit tot grote ontsteltenis van Liam, maar de vreugde van de hereniging na zo lange tijd vaagde algauw alle andere gevoelens weg. Padriacs verweerde huid en tintelende blauwe ogen, de kuiltjes in zijn wangen als hij lachte en zijn lange vlecht door de zon gebleekt bruin haar trokken de blikken van de vrouwen, ondanks zijn zesendertig jaren. Zijn gezellin zorgde voor opgetrokken wenkbrauwen en bracht de tongen in beweging. Want zij was veel jonger dan hij, en haar huid had de zachtbruine kleur van pepermuntthee, en haar haar was kroezig als schapenwol en gevlochten in keurige, strakke rijtjes. Ze droeg kleurige kettingen van witte, groene en rode glazen kralen en haar donkere voeten waren bloot onder een gestreept gewaad. Padriac stelde haar voor als Samara, maar hij maakte niet duidelijk of ze zijn echtgenote was, of zijn liefje, of alleen een lid van de bemanning. Samara praatte niet. Ze liet haar witte tanden blinken in een lach die me pijnlijk herinnerde aan die van Meeuw. Want er was nog steeds geen bericht gekomen. Mijn zuster was echt verdwenen, en haar redders met haar, alsof ze van de rand van de wereld waren afgestapt.

Er was maar één persoon van wie ik dacht dat hij me zou kunnen helpen, en dat was de oom die er niet was. Ik wist niet of hij zou komen, om voor het laatst afscheid te nemen van zijn zuster. Finbar was een wezen van de rand, hij hield moeizaam het midden tussen de ene wereld en de andere. In al die lange jaren sinds hij van Zeven Wateren de nacht was in gelopen, was hij niet één keer teruggekomen. Niet voor de begrafenisriten van zijn twee broers, Diarmid en Cormack, die beiden waren gesneuveld in de laatste grote slag om de Eilanden. Niet voor de geboorte van Niamh of voor die van Sean en mij. Niet voor de dag dat zijn vader stierf en Liam meester van Zeven Wateren werd. Hij zou nu waarschijnlijk ook niet komen, want hij kon Sorcha zien en met haar praten, zonder dat hij bij haar aanwezig hoefde te zijn. Zo sterk was zijn band met zijn zuster. Maar ik hoopte dat hij zou komen, want ik had vele vragen voor hem. Als ik maar wist of Niamh en Bran in veiligheid waren, dan kon ik met een lichter geweten afscheid van mijn moeder nemen. Want als mijn leugens geen vrijheid voor mijn zuster hadden opgeleverd, als mijn stilzwijgen geen bescherming had geboden aan de man die zijn leven had gewaagd om mij te helpen, dan had ik mijn familie evengoed meteen de waarheid kunnen vertellen, en was de zaak daarmee afgedaan.

We hadden veel mensen in huis, maar toch hing er een diepe stilte over Zeven Wateren, alsof zelfs de bosdieren hun stemmen inhielden in afwachting van het heengaan van mijn moeder. Aan tafel ging het iets levendiger toe. Het was een vreemd, ongelijksoortig gezelschap; de druïden waren kalm en waardig, spraken gedempt en aten weinig; de matrozen legden een gezonde eetlust aan den dag en deden ons goede eten en vooral ons beste bier alle eer aan; ze vermaakten zich met luchtige kout, die de vrouwen die aan tafel bedienden deed blozen en giechelen.

Aan het hoofd van de tafel zaten de ooms: Liam, ernstig als altijd, met een vermoeidheid in zijn gezicht die nieuw was; Conor aan zijn rechterhand, nadenkend in zijn witte gewaad; en aan zijn linkerkant de onstuitbare Padriac en zijn mooie, zwijgende gezellin. Padriac was het meest aan het woord; hij had talloze avonturen te vertellen, en we luisterden dankbaar, want zijn verhalen over verre landen en de vreemde mensen die daar woonden, leidden onze gedachten af van de droevige omstandigheden die ons huishouden hadden getroffen. Sean was nog niet teruggekomen. Vader zat niet meer aan tafel bij het eten. Ik denk dat hij bang was ook maar een ogenblik van moeders resterende tijd te missen. Wat Sorcha zelf betreft, zij had lang geleden al geaccepteerd dat dit voorjaar haar laatste zou zijn in dit leven. Toch zag ik dat ze niet op haar gemak was; er was iets wat haar drukte en dat ze niet van zich af kon zetten. Ik voerde een innerlijke tweestrijd, terwijl ik op een middag naast haar bed zat met haar broze hand in de mijne; mijn vader stond in de schaduw en keek naar haar.

'Red.' Haar stem was heel zacht; ze spaarde de krachten die ze nog had en maakte gebruik van haar kennis als genezeres om nog wat kostbare tijd voor zichzelf te kopen.

'Ik ben hier, Jenny.'

'Het zal nu niet zo lang meer duren.' Haar woorden waren nauwelijks meer dan een zucht. 'Zijn ze allemaal hier?'

Mijn vader was niet tot spreken in staat.

'Sean is nog niet terug, moeder.' Mijn eigen stem wiebelde gevaarlijk. 'Al uw broers zijn er, allemaal behalve...'

'Behalve Finbar? Hij komt nog wel. Sean moet morgenavond tegen de schemering terug zijn. Zeg dat tegen hem, Liadan.'

Er was een zekerheid in haar woorden die mij deed zwijgen. Het had geen zin om te zeggen dat ze misschien nog meer tijd zou hebben. Ze wist het. Mijn vader kwam naar het bed om er neer te knielen en zijn grote hand op de hare te leggen. Ik had hem nooit zien huilen, maar nu waren er sporen van tranen op zijn sterke gezicht.

'Lieve schat,' zei Sorcha, terwijl ze naar hem opkeek met reusachtige groene ogen in haar kleine, overschaduwde gezicht. 'Het is niet voor altijd. Ik zal nog hier zijn, ergens in het woud. En welke lichamelijke vorm ik ook zal hebben, ik zal je altijd blijven koesteren.'

Ik wilde opstaan om hen alleen te laten, maar moeder zei: 'Nog niet, Liadan. Ik moet iets tegen jullie samen zeggen. Het kost niet veel tijd.'
Ze was erg vermoeid; haar huid had een bleke weerschijn, en haar ademhaling ging zwoegend. Geen van ons beiden zei dat ze haar adem moest sparen en dat ze moest rusten. Niemand van de familie zei ooit tegen Sorcha wat ze moest doen.
'Er zijn geheimen geweest,' zei ze, terwijl ze even haar ogen sloot. 'De oude betovering is hier aan het werk, de oude toverkracht die al eerder zijn boosaardige hand om ons heeft gesloten. Hij probeert verdeeldheid tussen ons te zaaien, te vernietigen wat hier op Zeven Wateren zo goed bewaard is gebleven. Misschien kunnen niet alle geheimen onthuld worden. Maar ik wil tegen jou, dochter, zeggen dat we je vertrouwen, wat er ook gebeurt. Je zult altijd je eigen weg kiezen, en je keuzes zullen sommigen verkeerd toeschijnen. Maar ik weet dat je de weg van de oude waarheden zult volgen, waar je ook heen gaat. Ik zie dit in jou, en in Sean. Ik geloof in jou, Liadan.' Ze keek weer op naar vader. 'We geloven beiden in je.'
Iubdan wachtte even voor hij iets zei, en ik vroeg me af of ze hem voor het eerst in haar leven verkeerd had beoordeeld. Maar wat hij zei was: 'Je moeder heeft gelijk, lief kind. Waarom heb ik je anders altijd je eigen keuzes laten maken?'
'Ga nu, Liadan,' fluisterde moeder. 'Probeer tegen je broer te spreken. Hij moet zich naar huis haasten.'
Ik liep door de velden naar beneden naar de rand van het bos, want het huis was vol verdriet en ik had behoefte aan bomen en open lucht. Ik wilde een helder hoofd en een schone geest, niet alleen om te proberen mijn broer te bereiken, maar ook om een moeilijke beslissing te nemen. Sorcha ging sterven. Ze verdiende de waarheid te weten. Als ik haar die vertelde, moest ik haar ook aan mijn vader vertellen. Ze hadden gezegd dat ze vertrouwen hadden in mijn keuzes; maar zelfs zij zouden vol afschuw kennisnemen van wat ik dit keer gedaan had. Als vader met mijn verhaal naar Liam ging, dan zou alles wat mijn leugens aan goeds hadden bewerkstelligd, ogenblikkelijk teniet worden gedaan. Als mijn zuster nog leefde, zou ze opgespoord en thuisgebracht kunnen worden. Misschien zouden ze proberen haar aan haar geres-

pecteerde echtgenoot terug te geven. Dan zou de hele waarheid aan het licht komen en zou het bondgenootschap verbroken worden. Wat de Beschilderde Man betreft, Eamonn zou hem opsporen en hem afmaken als een wild dier in de nacht, en zonder hem zouden zijn mannen terugkeren naar het berooide, zwervende leven dat ze hadden gekend voor hij hun namen en een doel in het leven gaf, en de gave van zelfrespect. Mijn zoon zou zijn vader nooit kennen, behalve in verhalen als een soort monster. Dan zou onze familie werkelijk vernietigd zijn. Dit vooruitzicht deed me de kou om het hart slaan. En dan waren de Feeën er nog. Je mag het bondgenootschap niet in gevaar brengen, had de Vrouwe gezegd. Die waarschuwing kon je niet zomaar naast je neerleggen. Maar mijn moeder verdiende het de waarheid te weten, en ze had er op haar manier ook om gevraagd. De vraag was niet zozeer of ze mij vertrouwden, maar of ik hen vertrouwde. Bran had vertrouwen een keer afgedaan als een begrip zonder betekenis. Maar als je niemand kon vertrouwen, was je pas echt helemaal alleen, want geen vriendschap, geen huwelijk, geen familie of bondgenootschap kon zonder vertrouwen bestaan. Zonder vertrouwen waren we verstrooid over het land, overgeleverd aan de vier winden zonder iets om je aan vast te houden.

Aan de rand van het bos ging ik op het stenen muurtje zitten dat de buitenste weide omzoomde en liet mijn geest stil worden. Dit was moeilijk, want mijn gedachten waren dringend. *Ik moet een teken hebben, een aanwijzing. Waarom is Finbar er niet? Aan hem zou ik het kunnen vragen, zonder bang te hoeven zijn.*

Ik vertraagde mijn ademhaling en liet mijn geest vullen door de geluiden van het bos en de boerderij. Het ritselen van lenteblaadjes aan beuken en berken; het roepen van vogels; het kraken van het molenrad en het zachte geklater van de beek. Het klaaglijke geblaat van schapen. Een jongen die zijn troep ganzen toespreekt: schiet eens op, koppige beesten, of ik zal jullie leren; het snaterende antwoord van de ganzen. Het geluid van het water van het meer dat tegen de oever klotst; het zuchten van de wind in de grote eiken. Fluisterende stemmen hoog boven mijn hoofd, die schenen te zeggen: *Sorcha, Sorcha. O, zusje.*

Pas toen het in mijn hoofd helemaal stil was, probeerde ik mijn broer te bereiken.

Sean?

Ik hoor je, Liadan. Ik kom naar huis. Hoe is het met onze moeder?

Ben je ver weg?

Niet erg ver. Kom ik te laat?

Je moet hier zijn voor het morgen gaat schemeren. Zelfs de stem van de geest kan huilen. *Kun je dan hier zijn?*

We zullen er zijn. In zijn geest legde hij zijn armen om me heen en hield me zo omvat, en ik zond hem hetzelfde beeld terug. Dat was alles.

Liadan?

Dit was niet de stem van mijn broer.

Oom? Mijn hart begon te bonzen. Waar was hij?

Ik ben hier, kind. Draai je om.

Langzaam stond ik van het muurtje op en draaide me om zodat ik het bospad af kon kijken. Hij was moeilijk te zien; niet zozeer een man, maar meer een gedeelte van het patroon van licht en schaduw, het grijs en groen en bruin van stammen, bladeren, mos en steen. Maar hij stond er toch, blootsvoets op de zachte aarde, nog altijd gekleed in zijn gerafelde gewaden en donkere, alles omhullende mantel. Zijn zwarte krullen vormden een verwarde bos om een krijtwit gezicht. Zijn ogen waren helder, kleurloos, vol licht.

Ik ben blij dat u er bent. Ze heeft om u gevraagd.

Dat weet ik. En ik ben gekomen. Maar ik denk dat ik jouw hulp nodig heb.

Ik voelde zijn angst en wist hoeveel moed ervoor nodig was geweest om tot hier te komen.

Ik zal u naar binnen brengen. Wat hebt u nodig?

Ik heb angst om... te worden aangeraakt. Ik heb angst om... opgesloten, ingesloten te zijn. En er zijn honden. Als je me hiermee kunt helpen, kan ik blijven, lang genoeg. Tot de schemering morgenavond.

'Ik voel me vereerd met uw vertrouwen,' zei ik hardop. 'Dit moet erg moeilijk voor u zijn.'

Ik schaam me over mijn zwakheid. De tovenares heeft me wel een langdurige vloek opgelegd. Het heeft ook zijn goede kanten. Maar ik wil mijn zwakke punten liever niet aan mijn zuster of aan mijn broers laten zien. Ik wil geen medelijden. Alleen hulp, om voor haar sterk genoeg te zijn.

'U bent heel sterk,' zei ik zacht. 'Een andere man zou niet zo lang in leven zijn gebleven. Zou het niet hebben volgehouden.'

Jij bent ook sterk. Waarom vraag je me niet wat je wilt vragen?

Omdat dat... egoïstisch lijkt.

We zijn allemaal egoïstisch. Dat is onze aard. Maar jij bent gul, je geeft veel, Liadan. Je zorgt voor de veiligheid van de mensen die je liefhebt, met alle middelen die je tot je beschikking hebt. Later zal ik je tonen hoe je te zien krijgt wat je wilt zien. Nu moeten we maar naar binnen gaan, denk ik.

'Oom,' zei ik hardop, een beetje schuchter.

Wat is er?

'Waarom laat u mij uw angsten zien, terwijl u ze zelfs voor uw broers verbergt?'

Geen man wil zwak zijn. Maar mijn zwakheid is tevens mijn gave. Wat in de ene wereld heel gewoon is, kan in de andere een bron van angst zijn. Een dichte deur, het blaffen van een grote hond. Maar aan de andere kant, wat in deze wereld een mysterie is, wordt duidelijk en eenvoudig in die andere. Het is beeld en spiegelbeeld, werkelijkheid en visioen. Wereld en Andere Wereld. Ik laat jou mijn angsten zien omdat jij ze kunt begrijpen. Je begrijpt ze omdat je de gave hebt. Je bent niet met een vloek belast zoals ik, maar je ziel herkent de pijn en de kracht waar die kennis mee gepaard gaat. Jij kent de kracht van de Ouden en weet hoe die nog in ons werkzaam is.

'Deze gave – het Gezicht, de genezende geest – komt die van hen, van onze eerste voorouders? Komt het van de Fomhóire-vrouw, Eithne?' Zodra deze gedachte me inviel, wist ik dat ze waar was.

Het is heel oud. Heel diep. Zo diep als een bodemloze put; zo diep als de donkerste diepten van de oceaan. Net als zij wacht het zijn tijd af.

Ik huiverde.

'Kom,' zei Finbar, om zijn stem uit te proberen, die kennelijk zelden gebruikt werd. 'Laten we moedig zijn en ons bekend maken.' En we gingen door het veld op weg naar het huis.

Er was een pijnlijk moment toen de mensen uit keuken en stallen naar buiten kwamen om te kijken en er een hond blafte. De geest van mijn oom bracht geluidloos een toestand in mijn geest over, een hamerend hart, een doodsangst die het denken verdoofde, een verlammende, instinctieve vluchtdrang. Ik stuurde snel een stilzwijgende oproep uit.

Conor? Oom, we hebben u nodig.

We hoorden de mensen mompelen en fluisteren terwijl we naderden. Een man hield de halsband van de hond vast, maar het dier grauwde en hapte, alsof er een wild dier binnen bereik van zijn kaken was gekomen. Ik wist niet hoe ik een jachthond met mijn geest moest kalmeren. Naast me bleef Finbar stokstijf staan.

'Kijk! Dat is de man met de zwanenvleugel!' Het was een kinderstem die dit riep, helder en onschuldig. 'De man uit het verhaal!'

'Inderdaad, die is het, en het is mijn broer.' Een kalme, gezaghebbende stem sprak vanuit de keukendeur, en mijn oom Conor kwam naar buiten, met een houding alsof zoiets dagelijks gebeurde. 'Gaan jullie nu maar weer aan het werk. Er zullen voor morgenavond nog meer bezoekers komen; heer Liam zou niet tevreden zijn als hij jullie zag luieren.'

De menigte verspreidde zich; de hond werd weggevoerd, al verzette hij zich heftig tegen de greep op zijn halsband. Het ogenblik was voorbij. In mijn eigen borst kon ik voelen dat Finbars ademhaling weer rustiger werd; zijn hartslag vertraagde. De komende nacht en dag zouden voor hem echt een beproeving worden.

'Kom,' zei Conor rustig. 'Je wilt haar natuurlijk meteen zien. Ik zal je erheen brengen.'

'Ik ga met Liam praten,' zei ik. 'Er moet het een en ander geregeld worden. Daarna moet ik naar mijn zoon. Hij zal wel honger hebben.' *Ik zal iets aan de honden doen. Gaat het verder wel?*
Dank je, Liadan. Misschien wil je me later je zoon laten zien.

Liam toonde verrassend veel begrip, vooral omdat ik een vergadering met zijn hoofdmannen onderbrak om met hem te spreken. Hij gaf onmiddellijk opdracht dat alle honden de komende nacht en de volgende dag in kennels moesten worden opgesloten of op het terrein van de stallen moesten blijven, en dat de mensen zich met hun eigen zaken moesten bemoeien en de familie met rust moesten laten. Liams eigen wolfshonden werden nog terwijl hij dit zei aan de ketting gelegd en meegenomen naar een tijdelijke gevangenschap, met een verwijtende uitdrukking op hun lange, besnorde snuiten.

'Je bent een goed meisje, Liadan,' zei Liam toen hij terugging naar zijn vergadering. Voor hem was dit de hoogste lof. Hij was geen man die vaak goedkeuring uitte. Ik vroeg me af hoe goed hij me zou vinden als ik hem de waarheid vertelde.

'Dank u, oom.'

Het begon al laat te worden, bijna schemering. Er was nog maar één dag over en ik verlangde ernaar bij mijn moeder te zijn en deze laatste tijd met haar te delen. Maar terwijl het rad wentelt en het leven wegglijdt, is er ook nieuw leven dat zich luidkeels aandient, de armpjes uitstrekt, dat gekend wil worden, dat zijn levensweg wil betreden. Mijn zoon kon niet wachten. Hij was wakker en hij had honger. Ik stuurde het kindermeisje weg zodat ze kon gaan eten en ging zitten om hem te voeden. De koperen kom stond klaar, halfvol warm water, maar het meisje had hem nog niet in bad gedaan, want ze wist dat ik het heerlijk vond om dat zelf te doen. Ik opende mijn jurk en bood hem de borst. Hij hapte toe en zoog met kracht, terwijl hij met een klein vuistje zacht op mijn borst sloeg en me met zijn ernstige grijze oogjes aandachtig aankeek. Ik neuriede binnensmonds en voelde die wonderlijke rust die over je komt als de melk toeschiet, alsof een innerlijke macht je gebiedt stil te zijn terwijl het kind drinkt tot het verzadigd is. Later zou ik Johnny mee naar beneden nemen om bij mijn moeder te zijn, als ze nog wakker was. Nu was ze samen met Finbar, en zij konden beter met rust worden gelaten. Ze moest van veel mensen afscheid nemen, maar dit kon wel het zwaarste afscheid zijn, op een na.

Na een tijdje verplaatste ik Johnny naar de andere kant. Hij begon te protesteren, maar klemde toen zijn kaakjes om de tepel en begon weer te drinken. Voor een kleine baby had hij een flinke eetlust. Ik dacht aan Conors voorstel om naar de nemetons te gaan. Zijn voorstel dat ik, en later mijn zoon, me bij de wijzen zou aansluiten. Ik dacht aan de opdrachten van de Feeën. *Er niet meer alleen opuit trekken. De jongen moet in het woud blijven.* In geen van deze beide toekomstbeelden was plaats ingeruimd voor de vader van mijn kind.

Johnny was in slaap gevallen. Hij zou vanavond niet in bad gaan. Janis zei trouwens dat ik hem te veel in bad deed; het was niet natuurlijk dat een kind zo schoon was, of zoveel tijd in het water doorbracht. Was hij soms een zoon van Manannán mac Lir, de zeegod, zei ze voor de grap. Maar ik wuifde haar bezwaren lachend weg. Want Johnny vond het water heerlijk, hij vond het heerlijk om te drijven, om zich over te geven aan de warme, ondersteunende omgeving, om zijn beentjes te bewegen in de meegevende, veranderende oppervlakte ervan. Ik kon hem dit kleine genoegen niet ontzeggen, en ik beloofde hem dat we in de zomer zouden gaan zwemmen in het meer. Wanneer hij ouder was, zou ik hem leren van de rotsen af te duiken en naar de kant te zwemmen, zoals ik lang geleden had gedaan met Sean en Niamh. Ik zou hem laten zien hoe je daar kon liggen met de warme zon op je rug, in de holte van de oude steen, en hoe je je vingers door het heldere water kon laten glijden terwijl de zilverige vissen voorbij zwommen. *Dat zul je leuk vinden.*

Ik maakte mijn jurk dicht en stond op, met de bedoeling het kind in zijn wieg te leggen. Maar toen ik langs de kom met afkoelend water kwam, zag ik iets over het oppervlak flitsen, vluchtig als een regenboog en snel verdwenen. Had ik het werkelijk gezien? Ik kwam dichterbij, met Johnny warm en ontspannen in mijn armen, en staarde neer in het stille water. Ik maakte mezelf zo stil als een staande steen, stiller dan de diepste gedachte.

Het water bewoog, het veranderde, alsof het bijna ging koken, maar er was geen hitte die het verwarmde. Ik voelde dat de deur geruisloos achter me open- en dichtging, maar ik draaide me niet om.

Heel goed. Je had me dus toch niet nodig.

Ik wist dat Finbar binnen was, in de schaduwen, maar ik bleef nog steeds roerloos staan.

Het water begon te wervelen, als een zon, alsof het zichzelf cirkelend achtervolgde. Ik voelde mijn hoofd duizelig worden. Toen hield de beweging op, even plotseling als ze begonnen was. Ik staarde in de kom.

Het beeld was klein, maar helder. Kinderhanden die patronen trokken in het zand. Het beeld kantelde, werd ruimer. Het kind bevond zich in een grot waar van boven af gezeefd licht naar binnen viel, dat het tafereel kleurde in vele tinten grijs en blauw. Een grot bij de zee; een plek waar water zacht in en uit golfde en waar je de verre kreten van meeuwen hoorde. Een plaats waar veel elementen aan elkaar grensden; een geheime plaats. In de grot was een zacht strandje waar het kind rustig zat te spelen, terwijl een vrouw toekeek. Ik kon niet zien of dit kind een jongen of een meisje was. Het was misschien twee jaar oud en had een melkwitte huid en een hoofd met donkerrode krullen. De vrouw zei iets, en toen het kind opkeek, zag ik zijn ogen, die diep en donker waren als rijpe moerbeien. De vrouw was zo mager dat haar botten onder haar huid te zien waren. Ze was zo slank en breekbaar als een berk in de winter. Haar haar had een vale, rossig gouden kleur en hing los op haar rug. Ze lette goed op het kind, dat het niet te dicht bij het water zou komen. En na een poos ging ze dicht naast het kleintje op het zand zitten, en begon ook patronen in het zand te tekenen naast de patronen die er al zo zorgvuldig in waren gemaakt. Haar blauwe ogen waren overschaduwd, maar terwijl ze naar haar kleine pupil keek, straalde haar uitgeteerde gezicht zoveel vreugde en trots uit dat ik de tranen over mijn wangen voelde lopen. De vrouw was mijn zuster Niamh.

Toen was er plotseling iets anders. Een kracht; een vermogen zo sterk als ik nog nooit had ontmoet. Vrouw en kind speelden door, zich nergens van bewust. Maar iets drukte mij naar buiten, alsof een heel sterke hand tegen mijn gedachten was gezet, alsof er een barrière was opgeworpen om mijn beeld te blokkeren. *Nee*, zei een stem. *Weg hier*. En daarmee was het beeld verdwenen en stond ik daar domweg in het badwater van mijn baby te turen.

Huiverend besloot ik dat ik mijn zoon niet weg wilde leggen. Ik liep weg van de koperen kom, ging in mijn stoel zitten en wiegde Johnny warm tegen mijn schouder terwijl hij doorsliep. Hij maakte snuffelende geluidjes, als om me gerust te stellen. Vanaf de rand van de kamer stond Finbar naar me te kijken.

'Zag u het ook?' vroeg ik.

'Ik zag het niet zoals jij het zag. Maar je hebt je geest voor mij opengesteld, en ik was dus getuige van je visioen.' Hij gebruikte niet zijn innerlijke stem, maar sprak hardop op die zachte, aarzelende manier van hem, alsof hij deze zelden gebruikte vaardigheid moest oefenen nu hij zich weer onder de mensen bevond.

'Wat was dat? Het leek wel een ijzeren vuist die me wegduwde. Als een barrière die werd opgetrokken door een... door een tovenaar, om nieuwsgierige ogen weg te houden van zijn geheimen. In de oude verhalen komen zulke onzichtbare muren voor.'
'Inderdaad. Dit is misschien een visioen dat Conor beter niet te zien kan krijgen, denk ik. Ik had gedacht dat je het liefste iemand anders zou willen zien. Niet je zuster.'
'De twee zijn met elkaar verbonden. Wat ik van de een zie, vertelt me iets over de ander, voorlopig. Maar dit visioen ging niet over het heden. Dat is onmogelijk. Dat was haar kind, dat zag ik in haar ogen. Het moet een visioen zijn van wat nog zal komen.'
'Of een visioen van hoe je zou willen dat het zal zijn.'
'Dat is wreed,' zei ik, mijn tranen wegslikkend.
'Het Gezicht is wreed. Dat wist je al. Wil je nog eens kijken?'
'Ik... ik weet het niet. Ik weet niet of ik nog iets wil zien.'
'Je bent geen goede leugenares.'
Dus stopte ik Johnny in bed, dekte hem toe met de veelkleurige quilt die ik had gemaakt en ging terug om nog een keer te kijken. Finbar probeerde me niet te leiden, maar zijn zwijgende aanwezigheid gaf me kracht.
Een tijdlang dacht ik dat er niets zou komen. Het water leek wolkig te worden, en donker, maar het bewoog niet. Het lag stil alsof het lange tijd niet was aangeraakt.
Vertrouwen. Waarheid. Ik hield deze woorden in mijn geest en deed mijn best om alle andere woorden weg te houden. *Waarheid. Vertrouwen.*
Ik sloot mijn ogen, en toen ik ze weer opende, was er weer een beeld op het gladde wateroppervlak.
Kleine beeldjes die telkens veranderden. Ze waren aan het vechten, in een vreemd land onder een brandende zon. Bran vertrok zijn gezicht en bukte terwijl een rondtollende bijl langs zijn hoofd vloog. Toen zaten ze in een boot die snel door genadeloze zeeën voer. Meeuw hield het roer vast, grijnzend tegen het zoute boegwater in, en het zeil kraakte in de storm. Bran stond gebogen over een man die languit op het dek lag, een man wiens nek en schouder met een grote hoeveelheid bebloed linnen omwikkeld waren.
'Kun je niet meer snelheid maken?' riep Bran.
'Als je deze reis op de bodem van de oceaan wilt eindigen, zou

me dat misschien wel lukken,' antwoordde Meeuw. 'Heb je soms zin in een leven tussen de zeemonsters?'
Toen waren ze aan de wal en ze groeven een gat onder de bomen. Ze lieten een slappe vorm in de aarde zakken. Andere mannen stonden er zwijgend omheen. De aarde werd erin geschept, de grond netjes gladgemaakt.
'Je had Liadan bij ons moeten laten blijven,' zei iemand. 'Zij zou geweten hebben wat ze moest doen. Ze zou hem hebben gered.'
Ik hoorde het geluid van een klap en toen Brans stem, die woest klonk. 'Houd je mond!'
Het water werd weer donker en ik dacht dat dat alles was. Maar er kwam nog een beeld. Ze waren weer terug op de plek waar de Ouden hadden gewoond. Ze zaten samen buiten in een warme voorjaarsnacht en hielden de wacht terwijl de anderen in de beschutting van de grafheuvel sliepen. Misschien was dit nu. De maan was vol en ik kon duidelijk hun gezichten zien, donker en licht.
'Dat was onredelijk van je.' Meeuw sprak zonder nadruk. 'Wat Otter zei, was gewoon de waarheid. Je had haar nooit moeten laten gaan.'
'Denk maar niet dat je mij raad kunt geven,' snauwde Bran. 'Ik heb haar tenminste niet met het mes tot zwijgen gebracht. Je weet net zo goed als ik dat hier geen plaats is voor een vrouw.'
'Maar dit is anders. Dat is toch zo?'
'Hoe kan het anders zijn? Hoe zou ze kunnen leven zoals wij? Bovendien, ze is de dochter van Zeven Wateren. Haar vader heeft zijn land en zijn mensen de rug toegekeerd. Vanwege zijn eigen zelfzuchtige belangen was hij er niet om hen te beschermen. Is dat niet ironisch? Aan hem dank ik de onmogelijkheid om een passende levensgezel voor zijn dochter te zijn. Hij wist niet wat hij deed, toen hij wegliep van Harrowfield.'
'Dus je geeft niets om haar, bedoel je dat?'
'Ik heb geen behoefte aan nog een preek,' zei Bran vermoeid.
'En daarom moesten we halsoverkop terug, toen je dacht dat ze in gevaar was?'
Hierop kwam geen antwoord.
'Nou?' Meeuw was niet van plan het op te geven.
'Je denkt er te veel bij. Er was een taak die we moesten doen, en die hebben we gedaan. Dat was alles.'

'Jaja. En die opdracht die haar broer je wil laten doen? Je zou krankzinnig zijn als je daarop inging. Het zou neerkomen op zelfmoord.'

'Het zou zeker een uitdaging zijn. Maar het zou voor mij niet onhaalbaar zijn.'

Ze zwegen een poosje.

'Je houdt jezelf voor de gek als je denkt dat je dit achter je hebt gelaten,' zei Meeuw na verloop van tijd.

'Ik wil niet dat je deze dingen nog eens te berde brengt,' zei Bran streng. 'Er was niets tussen mij en... en het meisje. Ze was bemoeiziek en ze had een scherpe tong, en ik was blij dat ik van haar af was.'

Meeuw zei niets, maar ik zag zijn witte tanden blinken in het donker, en toen was het beeld weg.

Mijn knieën voelden slap aan en ik strompelde naar mijn stoel. Ik wist dat ik huilde, en het kon me niet veel schelen of mijn oom het zag.

'Zoals ik al zei. Je zult deze man niet op Zeven Wateren houden. En toch heb je hier een toekomst voor je kind voor ogen, zonder dat je het weet. Je ziet Johnny met zijn grootvader, van wie hij leert bomen te planten. Je ziet jezelf terwijl je je zoon leert zwemmen in het meer van Zeven Wateren. Je ziet het kind heimelijk de keuken ingaan om een honingkoek van Janis te krijgen, zoals we allemaal deden toen we opgroeiden en de wereld zo vol avonturen was dat er nauwelijks genoeg tijd was om ze in de dag te passen. Je ziet Conor, die de jongen Ogham-tekens laat zien die in een steen gegrift staan. Het kind is de sleutel. In je gedachten erken je het. Er is voor deze man geen plaats in de toekomst.'

'Hoe kunt u dat zeggen? Dit is zijn vader.'

'De man heeft zijn doel gediend. Ik ben ervan overtuigd dat Conor dat zou zeggen.'

Ik was niet in staat te reageren. Hoewel ik barstte van verontwaardiging over de onrechtvaardigheid ervan, was ik niettemin gedwongen de verschrikkelijke wijsheid van zijn woorden te erkennen.

'Dat zeiden de Feeën ook. Maar wat zegt u?'

Ah. Alleen dat er een moment zal komen waarop je een keus moet maken. En die keus is aan jou alleen. Denk niet dat ik harteloos ben, Liadan. Ik zie meer dan je denkt. Ik zie de band tussen jou en deze man. Ik zie dat hij je levensgezel is. Hoe kun je kiezen, zonder een verlies te lijden dat je hart uit je lichaam scheurt?

Moeder verspilde geen moment van haar laatste nacht aan slapen. In plaats daarvan liet ze Liam de mannen en vrouwen van het huishouden bij haar brengen, zodat ze hen kon bedanken en afscheid van hen kon nemen. Er werd menige traan geplengd; menig boeketje sleutelbloemen of een enkele dappere narcis in wit en goudgeel werd aan haar voeten of naast haar kussen gelegd. Ze had gevraagd te worden overgebracht naar een kamer beneden, en rondom langs de muren brandden vele kaarsen, zodat de ruimte gevuld was met warm licht. Ze lag klein en stil op haar veldbed en wist voor elke ernstige bezoeker een vriendelijk woord te vinden.

Ze moet veel pijn hebben gehad. Zowel Janis als ik wist hoeveel Sorcha het laatste seizoen had moeten innemen om niet te schreeuwen van de pijn, terwijl de kanker zich steeds dieper in haar organen invrat. Nu wilde ze wakker zijn om te kunnen luisteren en dus had ze niets ingenomen. Ze was een sterke vrouw en ze maskeerde de krampen zo goed dat weinig mensen beseften hoe ze leed. Mijn vader wist het. Zijn gezicht was een uitdrukkingsloos masker geworden, behalve wanneer hij haar rechtstreeks aankeek; en hij sprak niet, tenzij het moest, niet tegen mij, niet tegen Liam, niet tegen wie ook, behalve tegen haar. Ik wist dat hij het liefste had dat we allemaal weggingen en hen beiden alleen lieten, maar hij volgde haar wensen.

Eindelijk had iedereen afscheid genomen, en het huishouden sliep. Ik zat bij de kleine haard met Johnny rustig in mijn armen; mijn vader zat op een kruk bij het bed, met zijn lange benen onhandig opzij gebogen. Hij wiste haar gezicht af met een vochtige doek. Moeders ogen waren gesloten; het leek of ze sliep, behalve dat ze af en toe even met haar hand trok wanneer de pijn fel toesloeg.

Je zou het hun nu kunnen vertellen. Als je eraan toe bent.

Ik keek even naar Finbar, die bewegingloos met zijn rug naar me toe bij het raam stond. Hij had zijn rechterhand vlak tegen de muur gelegd en keek naar buiten, naar de maanverlichte tuin. Het was duidelijk wat hij bedoelde.

Ik ben eraan toe. Een beter moment dan dit was niet denkbaar.
'Is Sean al thuis?' fluisterde mijn moeder.
'Ik zal gaan kijken of er soms bericht van hem is,' zei Liam zacht. 'Kom, broers, we moeten deze mensen een tijdlang alleen laten.'
Ze stonden als een groep bij de deur waar de mensen zonder veel omhaal naar binnen en naar buiten konden worden geleid. Liam ging de kamer uit en hij nam Conor en Padriac mee, maar Finbar bleef achter. Voor hem geen veilige, afgesloten kamer met een opgemaakt bed. De tijdelijke vergetelheid van sterk bier was voor hem niet weggelegd. Ik had hem geen hap eten, geen druppel drinken zien aanraken sinds hij was thuisgekomen.
'Moeder. Vader. Ik heb jullie iets te vertellen.'
Sorcha opende haar open en glimlachte zwakjes. 'Dat is goed, dochter. Laat mij... laat mij...'
Ze had geen adem meer, maar ik wist wat ze wilde. Ik maakte onder de deken ruimte voor Johnny en stopte hem naast haar in. Mijn vader hielp haar een hand om het warme lijfje van de baby te leggen. Johnny's ogen waren open; de grijze ogen van zijn vader. Hij groeide snel, en ik kon zien dat hij keek en probeerde de schaduwen en patronen in de door kaarsen verlichte kamer te begrijpen. Finbar stond nog steeds roerloos bij het raam. Ik dacht niet dat ik kon gaan zitten. Ik bleef bij het bed staan met mijn handen stevig in elkaar verstrengeld.
'Ik zal jullie niet beledigen door jullie vertrouwen te vragen,' begon ik. 'Daar is te weinig tijd voor. Jullie hebben gezegd dat jullie vertrouwen in mij hebben, en dat moet ik geloven. Ik moet jullie vertellen dat ik tegen jullie heb gelogen, en ik hoop dat jullie zullen luisteren terwijl ik uitleg waarom. Het is een zaak die erg diep gaat, een groot geheim is; het gaat over iets onnoemelijk treurigs, met misschien een betere afloop dan we hadden durven hopen. Jullie vertrouwen zal misschien tot het uiterste op de proef worden gesteld, net als het mijne.'
Nu keek mijn vader naar mij met een scherpe en koele uitdrukking in zijn blauwe ogen. Moeder lag er heel rustig bij en keek naar de baby.
'Ga door, Liadan.' De stem van mijn vader klonk bewust neutraal.
'Niamh,' zei ik. 'Niamh...'
Moed, Liadan.

'We wisten allemaal dat er iets niet in orde was toen ze thuiskwam. U hebt me zelfs gevraagd uit te zoeken wat dat was. Maar we wisten niet hoe erg het was. Toen we op Sídhe Dubh waren, ontdekte ik de waarheid. Haar... haar echtgenoot sloeg haar en misbruikte haar op een gruwelijke manier. Ze was toch al erg van streek door wat er hier was gebeurd; ze dacht dat alle mensen die ze liefhad haar hadden verworpen. Ze had gehoopt met dit huwelijk een nieuw begin te kunnen maken. De wreedheid van haar echtgenoot sloeg die hoop de bodem in. Maar ze liet me beloven dat ik niets zou zeggen. Ze liet me beloven het voor de hele familie geheim te houden. Niamhs hart was gebroken omdat Ciarán niet achter haar was blijven staan. Ze was er kapot van dat jullie haar wegstuurden. Het feit dat ze zo behandeld was, moest volgens haar betekenen dat ze waardeloos was. Ze wilde niet dat ik zou vertellen dat Fionn haar mishandelde, want daardoor zou het bondgenootschap verbroken worden en dan zou ze nog een keer gefaald hebben.'
Er volgde een verbijsterde stilte. Toen zei mijn vader: 'Als dit waar is, en ik weet dat het waar moet zijn, want je zou over zoiets niet liegen, dan had je het ons moeten vertellen. Dit was nu eens een belofte die gebroken had moeten worden.'
'Ik vrees dat ik... dat ik niet zeker wist of u haar zou helpen. U hebt er immers op gestaan dat ze met Fionn trouwde. U hebt haar weggestuurd naar Tirconnell. U hebt harde woorden tegen haar gesproken. Sean heeft haar geslagen. En dan was Liam er nog, en het bondgenootschap. Ik heb nooit begrepen waarom ze niet met Ciarán mocht trouwen; waarom u weigerde om die verbintenis ook maar in overweging te nemen. Het is niets voor u om zo te handelen, zonder de mogelijkheden af te wegen, zonder de voors en tegens te taxeren. Het is niets voor u om de waarheid achter te houden. Ik begreep niet welke redenen u daarvoor had, en daarom kon ik het niet riskeren het u te vertellen.'
Mijn vader staarde me aan met een gewonde blik in zijn ogen. 'Hoe kon je geloven dat ik zoiets zou gedogen? Toelaten dat mijn eigen dochter mishandeld werd?'
'Stil,' fluisterde mijn moeder. 'Laat Liadan haar verhaal vertellen.'
'Ik... toen heb ik...'
Woord voor woord. Een leerverhaal. Vertel het langzaam.

'Ik wist niet wat ik moest doen, waar ik hulp moest zoeken. Er was weinig tijd. Maar ik wist dat ik haar niet terug kon laten gaan naar Tirconnell. Ik was bang dat ze zichzelf iets zou aandoen. Daarom heb ik aan... aan een vriend... gevraagd haar daar weg te halen. Haar naar een veilig toevluchtsoord te brengen.'
Weer een geladen stilte.
'Ik geloof niet dat ik het begrijp,' zei Iubdan behoedzaam. 'Je zuster is toch ontvoerd door de fianna, en verdronken? Ze is toch slachtoffer geworden van een arrogant vertoon van zinloze barbarij?'
'Nee, vader.' Mijn eigen stem was een dun draadje van geluid. 'De mannen die haar hebben meegevoerd door het moeras, deden dat op mijn verzoek. Ze zijn in opdracht van mij naar Sídhe Dubh gekomen. Ze zouden Niamh veilig naar de wal leiden en haar vervolgens naar een christelijk klooster brengen, waar ze zich kon verschuilen. Waar ze gevrijwaard kon blijven van de wreedheid van mannen.'
Toen mijn vader weer tot spreken in staat was, zei hij met een strakke mond: 'Je hebt blijkbaar geen gelukkige keus van vrienden. Het is duidelijk dat ze in deze onderneming jammerlijk hebben gefaald, want ze waren haar al kwijt nog voor ze op droog terrein waren. Ik hoop maar dat je er niet te veel voor betaald hebt.'
Het was alsof hij me een klap had gegeven; en ditmaal sprak Finbar hardop.
'Het verhaal is nog niet uit; het is een ingewikkeld weefsel met veel draden. Je woorden bezeren je dochter. Ze heeft al haar moed nodig gehad om je zo toe te spreken. En zij is niet de enige die de waarheid heeft achtergehouden. Je zou haar in alle rust moeten laten uitspreken.'
'Vertel het ons, Liadan.' De stem van mijn moeder klonk kalm.
'Ik heb... connecties... over wie ik niet heb gesproken. Of liever gezegd, vrienden. Een van deze vrienden is de man die Niamh van Sídhe Dubh heeft weggehaald en haar in veiligheid heeft gebracht, op een plaats waar niemand haar pijn zal doen, waar ze met respect behandeld zal worden, waar ze niet zal worden beschouwd als het speelgoed van de Uí Néill. Een plaats waar haar familie haar niet zal dwingen een liefdeloos huwelijk te sluiten omwille

van een strategisch bondgenootschap. Ik kan jullie geen bewijs geven dat ze veilig is. Ik kan jullie niet vertellen waar ze is, en ik zou het niet vertellen als ik het wist. Maar ik heb haar gezien, in een visioen van het Gezicht, en ik geloof dat mijn vriend heeft gedaan wat ik hem heb opgedragen. Dat ze verdronken is, dat ze verdwenen is in de mist – dat was schijn, het hoorde bij de voorstelling, bedoeld om Eamonn, en later ook anderen, ervan te overtuigen dat ze dood was, een bedrog om de jagers van het spoor van hun prooi af te brengen. Onder dekking van die leugen brachten ze mijn zuster in veiligheid.'

De kaarsvlammetjes flakkerden in een zuchtje tocht. Na een tijd zei mijn moeder heel kalm: 'Je wist dat Niamh nog leefde en je hebt het ons niet verteld?'

'Het spijt me,' zei ik ongelukkig. 'Wanneer je deze man vraagt een opdracht uit te voeren, houd je je aan zijn regels. Hij zei dat ze veiliger zou zijn als zo weinig mogelijk mensen de waarheid wisten. Het leek me zo het beste. En... en ik weet het ook niet echt. Ik geloof dat ze niet verloren is. Ik vertrouw de man die ons hielp toen niemand anders dat wilde doen.'

'Zoals ik al zei,' de uitdrukking op vaders gezicht was verstard in afschuw, 'lijkt je keuze van vrienden buitengewoon gebrekkig. Hoe kun je nu weten of deze man de waarheid vertelt of niet? Zijn leven bestaat uit bedrog. Uit alles wat we over hem hebben gehoord, rijst een beeld op van iemand die met alle winden meewaait, iemand van wie je alleen maar zeker weet dat hij onbetrouwbaar is en naar believen van partij wisselt. En hij is buitengewoon gewelddadig. Een grappenmaker, die elke gril volgt die hem invalt. Ik kan niet geloven dat je het leven van je zuster aan zo'n man hebt toevertrouwd. Je moet door waanzin bevangen zijn geweest. En nu heb je de brutaliteit om je moeder valse hoop te geven, juist vanavond, nu ze...' Hij zweeg, misschien omdat hij voelde dat de donker omschaduwde ogen van mijn moeder op hem gericht waren.

'Nee, Red,' zei ze. 'Niet boos zijn. Daar hebben we geen tijd voor. Je moet luisteren naar wat Liadan nog te vertellen heeft.'

Ik haalde diep adem; ik voelde Finbars kracht nu hij zijn geest op de mijne richtte; hij dacht niet voor me, maar leende me zijn eigen moed.

'Zoals ik zei, ik heb haar gezien. Ik heb haar levend gezien, en gelukkig, en met een kind dat zeker haar eigen kind was. Een toekomstvisioen, een zeker en vreugdevol visioen. Maar ook zonder dat visioen geloof ik dat ze veilig is. Ik weet het in mijn hart omdat ik weet dat ik de man kan vertrouwen die de vader van mijn zoon is. Het is dezelfde man. U keek in het gezicht van mijn kind en zei dat hij Johns ogen heeft. Betrouwbare ogen. De vader van mijn zoon heeft dezelfde betrouwbare ogen, in een gezicht dat getekend is met kenmerken van de raaf, moedig, woest en angstwekkend. Hij is de leider van de fianna, degene die ze de Beschilderde Man noemen. Hij heeft in zijn leven slechte daden gepleegd, dat valt niet te ontkennen. Maar hij is ook in staat tot grote moed, en kracht, en trouw. Hij doet weinig beloften, maar als hij iets belooft, houdt hij zich eraan. Zoals uit het verhaal van Conor bleek, kan zelfs een bandiet, als hij de kans krijgt, een goed en betrouwbaar mens zijn. Deze man heeft uw dochter gered. Deze man is de vader van uw kleinkind. Hij heeft mijn hart veroverd en het zal voor altijd van hem zijn; ik zou mezelf aan niemand anders willen geven. Nu heb ik u de waarheid verteld, voor zover ik kan, en ik heb u mijn vertrouwen gegeven; want deze kennis zou, als ze in verkeerde handen valt, veel levens in gevaar kunnen brengen.'

Goed gedaan, Liadan. Finbar gaf me een goedkeurend knikje.

Mijn ouders staarden me aan.

'Ik weet niets te zeggen,' zei Iubdan.

Moeder hief haar hand op om over Johnny's bruine krulletjes te strijken. 'Dus Niamh is veilig. Dit nieuws is een heerlijk geschenk, Liadan. Ik heb nooit helemaal geloofd dat ze weg was... ik denk dat ik dat op de een of andere manier zou hebben geweten.'

'Het spijt me,' zei vader opeens. 'Je hebt heel oprecht gesproken, en dat respecteer ik. Ik was misschien te bars. Maar dit heeft ons veel verdriet gedaan. Dat had ik niet van je verwacht, Liadan.'

'Het spijt mij ook, vader.' Ik wilde hem omhelzen en zeggen: alles komt goed, maar iets in zijn ogen zei nee. Nog niet. 'Ik moest twee levens beschermen, en beide lopen nog gevaar.'

'Ik kan nauwelijks geloven dat je zo'n man kiest.'

'Vindt u het moeilijk te geloven dat ik de zoon van uw vriend John heb gekozen?'

'John was geen bandiet. John was geen huurmoordenaar.'

'U kunt de gebreken van de Beschilderde Man vlot opsommen, vader. Maar op zijn beurt zegt hij dat u, doordat u zich hebt onttrokken aan uw verantwoordelijkheden op Harrowfield, er de oorzaak van bent dat hij geen geschikte levensgezel voor uw dochter kan zijn.'
Hier had vader geen antwoord op.
'Red.'
'Wat is er, Jenny?'
'Dat is wat je hierna moet doen. Je moet teruggaan. Terug naar huis.'
Vader keek haar alleen maar aan.
'U bedoelt, terug naar Harrowfield?' Ik stelde de vraag die hij niet wilde stellen.
Moeder knikte. Ze keek nog steeds naar mijn vader; ze hield hem vast met haar blik.
'Dat is een opdracht,' zei moeder. 'Ga terug en zoek uit wat er gebeurd is. Wat er van Margery en haar zoontje geworden is. Hoe het gekomen is dat Johns zoon is opgegroeid tot deze... deze... ongelukkige jongeman.'
Vader stond op en keerde ons allen de rug toe. 'Dus je vindt dat mijn tijd hier afgelopen is, is dat het? Dat ik straks... straks wanneer... dat er hierna op Zeven Wateren geen plaats meer is voor een Brit? Dat kan ik wel begrijpen. Ik denk tenminste dat ik het zal begrijpen.'
Finbar, die de hele tijd niet had bewogen en had gezwegen, behalve met de stem van de geest, reageerde nu heel snel. In een oogwenk, leek het, stond hij naast het bed van mijn moeder en sprak hij hardop.
'Wil je je woorden gebruiken om Sorcha te kwetsen, juist in deze nacht?' vroeg hij. 'Spreek niet onbesuisd vanuit je eigen verdriet. Ze geeft je deze opdracht om ervoor te zorgen dat je jezelf niet verliest wanneer zij er niet meer is.' Mijn oom was kennelijk niet bang om zich duidelijk uit te drukken. 'Ze draagt je op te gaan omwille van je dochter en je kleinkind. Ga op zoek naar de waarheid en breng die voor hen mee naar huis. Er moeten hier wonden genezen; en sommige daarvan zijn de jouwe.'
'En...' Sorcha sprak uiterst zacht, waardoor mijn vader gedwongen werd terug te lopen om haar te horen. Ik had hem nooit eer-

der zo radeloos gezien, en ik had moeite mijn tranen in te houden, want mijn verhaal had een man die al veel verdriet had, een slag toegediend. 'En... je moet naar je broer toegaan. Je zult Simon moeten zeggen dat ik er niet meer ben. Dat moet hij weten. Red...'

Hij knielde weer bij haar neer en zij bracht een hand omhoog om zijn wang te strelen. Hij legde zijn vingers over de hare en hield ze daar vast.

'Beloof het,' fluisterde ze. 'Beloof me dat je het zult doen, en hier behouden terug zult komen.'

Hij gaf een stijf knikje.

'Zeg het.'

'Ik beloof het.'

Ze zuchtte. 'Het is laat. Liadan, jij moet allang slapen. Is Sean er al?'

'Ik weet het niet, moeder. Zal ik gaan kijken?'

'Hier,' zei ze. 'Je kunt je zoon beter meenemen. Anders gaat hij je misschien missen.' Haar vingers gingen zacht over het oortje van de baby en zijn zachte haartjes. Ik nam Johnny op in mijn armen en zag in Sorcha's ogen dat ze wist dat het de laatste keer was dat ze hem had aangeraakt.

'Liadan. Heb je dit aan Sean verteld?'

'Nee, moeder. Maar hij heeft het geraden. Althans een deel ervan. Hij heeft zich loyaal gedragen; hij heeft niets tegen Liam, Fionn of Eamonn gezegd. Hij heeft het zelfs niet aan Aisling verteld.'

'Ik houd niet van geheimen. Ik verfoei leugens,' zei mijn vader moeilijk. 'We hadden alles van meet af aan openlijk moeten zeggen. Maar het is duidelijk dat dit weer een waarheid is die nog een tijd verborgen moet blijven. Hoe zit het met Conor? Weet hij hier iets van?'

'De enige manier om een antwoord op die vraag te krijgen is het hem te vragen,' zei Finbar. 'En zelfs dan kom je er misschien niet achter.'

'Dan zal hij waarschijnlijk onbeantwoord blijven tot ik terugkom van Harrowfield,' zei mijn vader. 'Zo leidt de ene leugen tot de volgende, en is het afgelopen met ons vertrouwen.'

'Het was al afgelopen met ons vertrouwen toen Niamh werd uitgehuwelijkt aan de Uí Néill en werd weggestuurd,' antwoord-

de ik scherp. 'Dit verhaal is al lang geleden begonnen.'
'Langer geleden,' zei Finbar zacht. 'Veel langer geleden.'

Ik dacht niet dat ik zou kunnen slapen. Waarschijnlijk zou niemand van ons slapen, behalve Johnny, want over zijn babydroompjes hing niet de schaduw van het naderende afscheid. Ik droeg mijn kind mee naar de grote zaal, maar in mijn geest praatte ik tegen zijn vader. *Ik heb je nodig. Ik wil je hier hebben. Je armen om me heen, je lichaam warm tegen het mijne, om de treurigheid weg te houden. Zou het iets uitmaken als je hun woorden kon horen? Als je hen kon horen zeggen: hij heeft zijn doel gediend, zou je dan vechten om ons te behouden? Of zou je bang zijn voor wat die strijd zou kunnen blootleggen? Misschien zou je je alleen maar omkeren en weglopen.*
Maar toen ik de zaal binnenkwam, toomde ik mijn gedachten dadelijk in. Sean was er, blijkbaar pas aangekomen na een lange, nachtelijke rit, want hij was nog stoffig van de reis, en ik voelde dat hij doodmoe was.
'Liadan! Ik kwam juist binnen. Hoe is het met onze moeder?'
Ik vroeg me een ogenblik af waarom hij hardop sprak en zich zo formeel uitdrukte, en toen zag ik dat Aisling bij hem was. Ze maakte haar mantel los en wreef over haar rug; haar gezicht was bleek van uitputting. Ik ging naar hen toe zonder mijn verbazing te laten blijken.
'Aisling, je bent natuurlijk erg moe. Hier, ga zitten, laat me wijn voor je halen...'
Plotseling stokten mijn woorden en ik bleef als aan de grond genageld staan.
'Ik neem aan dat je ons niet verwachtte, Liadan,' zei Eamonn terwijl hij uit de schaduwen bij het raam naar voren kwam. 'Ik betreur het ongerief.'
'O.' Ik stond hem dom aan te gapen, volkomen onvoorbereid. 'Nee... ik...'
'Ik ben in het noorden geweest,' zei Sean vlot. Ook al was hij moe, hij begreep wat er in me omging en reageerde snel. 'Ik ben teruggekomen via Sídhe Dubh. Aisling en Eamonn wilden graag hun opwachting maken, gezien de ernst van moeders ziekte. En nu moet ik naar haar toe.'

'Ze vraagt steeds naar je. Ze zal erg blij zijn dat je op tijd bent thuisgekomen. Ik zal met je meegaan...'
'Nee, doe geen moeite. Jij moet gaan zitten en uitrusten, je ziet er doodmoe uit. Leg de jongen even neer en neem zelf een beker wijn.'
'Ik...' Ik kon het verstandige voorstel van mijn broer niet afwijzen zonder onbeleefd te zijn. Maar ik had niet verwacht dat Sean Aisling bij de hand zou nemen en haar mee zou voeren, zodat ik alleen met Eamonn achterbleef. De mannen die hen op hun rit hadden vergezeld, hadden zich vermoedelijk al teruggetrokken in de keukens en zich vervolgens te rusten gelegd. We waren alleen, afgezien van het slapende kind. Ik kon allerlei dingen bedenken die ik op dat moment liever zou doen dan met Eamonn praten. Maar hij was een gast; ik had geen keus.
'Je ziet er erg moe uit, Liadan,' zei hij ernstig. 'Kom, ga hier zitten.'
Ik legde Johnny neer op een paar kussens voor de haard en ging zitten. Eamonn was degene die twee bekers volschonk uit de wijnkan en me er een aangaf. Hij kwam naast mijn stoel staan en keek neer op de bewegingloze vorm van mijn zoon.
'Dus dit is je kind. Hij ziet er... gezond uit. Een zoon kan tenslotte zijn vader niet uitkiezen.'
Een ijzig druipend angstgevoel kroop over mijn ruggengraat omlaag. Wat bedoelde hij?
'Dank je,' mompelde ik. 'Hij is klein, maar sterk.'
'Ik hoop je moeder nog te spreken, voordat... Ik hoop haar morgenochtend te spreken. En je vader ook. Als er nog tijd is.'
Ik knikte; mijn keel zat dichtgeschroefd.
'Ik wil graag persoonlijk mijn excuses aanbieden, mijn spijt uitdrukken over... wat er met je zuster is gebeurd. Ik kan dat op geen enkele manier goedmaken, dat erken ik. Maar ik hoop hen tenminste te laten weten dat ik de zaak zal blijven behartigen, tot ik hem tot een passend einde heb gebracht.'
'Eamonn...'
'Wat is er, Liadan?'
'Het zou misschien beter zijn als je alleen je medeleven betuigde met hun verlies, en het daarbij liet. Mijn vader is nogal van streek en mijn moeder is erg zwak. Ze hebben Niamhs... ongeluk geac-

cepteerd. Dit is niet het goede moment om wraak te zweren. Het is niet een moment voor boosheid.'

'Elk moment is het goede moment, tot ik dat uitvaagsel van de aardbodem heb verwijderd.'

Ik wilde niet naar hem luisteren. Er doemden donkere visioenen op. Was het mogelijk dat hij wist dat dit Brans kind was? Hoe kon hij dat weten? Ik wilde me niet laten meevoeren in een gesprek over gevaarlijke dingen. Bovendien was het midden in de nacht, en ik was te moe om er zeker van te zijn dat ik mijn gedachten of mijn woorden voldoende kon beheersen. Maar ik wilde niet slapen, want moeder zou me nodig kunnen hebben. Ik stond uit mijn stoel op om op de kussens te gaan zitten die voor de haard op de vloer lagen. Hier kon ik mijn hand op het lijfje van mijn zoon leggen en zijn warmte voelen. Hier kon ik in de vlammen staren en dromen, want soms zijn dromen veiliger dan de werkelijke wereld.

Eamonn sloeg me gespannen gade. Ik voelde het, ook al waren mijn ogen afgewend.

'Ik had eerder willen komen,' zei hij zacht. 'Om met je ouders te spreken, om met jou te spreken. Ik was... weg. Het bleek een vruchteloze zoektocht te zijn. De man is moeilijk te volgen, ongrijpbaar en slim. Niettemin zou het dom van hem zijn me te onderschatten. Mijn netwerk van informanten is groot. Het nieuws dat ze me brengen, kan soms verbazingwekkend zijn; verbazingwekkend en... onverteerbaar.' Hij wierp met gefronst voorhoofd een blik op het slapende kind. 'Op den duur zal ik deze bandiet vinden. Iedere man heeft zijn zwakke plek. Het is alleen een kwestie van die te ontdekken, en te gebruiken om hem in de val te lokken. Ik zal hem vinden, en hij zal met gelijke munt betalen voor zijn gruweldaden. Hij zal een volledige, bloedige rekening betalen voor datgene wat hij gestolen en verlaagd heeft. Dat staat vast.'

Ik zei niets, streelde alleen het ruggetje van mijn zoon en nam nog een slok wijn. De laatste keer dat ik moe was geweest en samen met een man sterkedrank had gedronken, had het verstrekkende gevolgen gehad. Ik mocht niet laten merken dat ik Eamonns nauwelijks bedekte toespelingen begreep.

'Het spijt me, Liadan,' zei hij. 'Ik ben hier niet gekomen om daarover te praten.'

'Dat weet ik, Eamonn. Je bent hier gekomen om mijn moeder een laatste groet te brengen.'
Het bleef even stil.
'Dat ook niet precies. Ik zou je omstreeks deze tijd komen bezoeken. Over een paar dagen is het Beltaine.'
De kou sloeg me om het hart. Ik zei niets.
'Je hebt het toch niet vergeten?'
'Ik... nee, Eamonn, zo gemakkelijk vergeet ik niet. Ik had gedacht dat die zaak afgesloten was, de laatste keer dat we erover hebben gesproken, voor je op weg ging naar Tara. Er valt tussen ons toch niets meer over dat onderwerp te zeggen?'
Eamonn liep nu op en neer, wat hij blijkbaar altijd deed wanneer hij de juiste woorden probeerde te vinden.
'Dacht je dat? Je dacht dat ik het allemaal achter me zou laten, dat ik misschien uit het zuiden zou terugkomen, met een verloofde uit de familie van de Hoge Koning? Denk je dat ik het zo gemakkelijk opgeef, dat ik zo'n zwakkeling ben?'
Ik keek omhoog naar hem. 'Ik weet niet wat je bedoelt,' zei ik langzaam. Het klonk alsof hij bedoelde... maar nee, dat kon niet. Johnny slaakte een zucht, en sliep weer verder.
Eamonn hield op met heen en weer lopen en knielde nogal onhandig naast me neer. Er was weer een haarlok over zijn ogen gevallen en ik weerstond de aanvechting om die weg te vegen.
'Ik wil geen andere vrouw als echtgenote, Liadan. Ik wil alleen jou. Met of zonder kind. Ik wil geen ander.'
'Niet...' begon ik.
'Nee,' zei Eamonn beslist. 'Laat me uitspreken. Je bent hier gebleven om je moeder te verplegen, en dat is bewonderenswaardig. Je hebt ervoor gekozen je kind alleen ter wereld te brengen. Dat gaf blijk van moed. Je zult de beste moeder zijn die er is, daar ben ik van overtuigd. Waarom je door je stilzwijgen de man beschermt die hem verwekt heeft, kan ik niet begrijpen. Misschien is het schaamte die je het zwijgen oplegt. Dat doet er nu niet veel meer toe. Hij zal verantwoording moeten afleggen. Maar, vergeef me, ik hoor dat je moeder snel achteruitgaat en niet lang meer op deze wereld zal zijn. Niamh is weg. Sean en Aisling zullen spoedig trouwen, en er zal in dit huis een nieuw gezin komen. Je zult eenzaam en kwetsbaar zijn, Liadan. Je mag niet de ongetrouwde zuster wor-

den, de huissloof die leeft bij de gratie van anderen. Je put jezelf nu al uit door te proberen alles te doen. Je hebt een goede man nodig die voor je zorgt, die je beschermt en over je waakt. Je hebt een eigen huis nodig, een plaats waar je je eigen kinderen kunt zien opgroeien. Trouw met me, en je zult dat allemaal hebben.'

Het duurde even voordat ik kon spreken. 'Hoe kun je... hoe kun je me zo'n aanbod doen, terwijl ik een kind van een andere man heb? Hoe zou jij de verantwoordelijkheid op je kunnen nemen voor een... een...'

'Het is jammer dat het kind een jongen is. Als je een dochter had gekregen, had ik haar als mijn eigen dochter kunnen opvoeden. Je zoon kan natuurlijk geen erfgenaam zijn. Maar er zou in mijn huishouden een plaats voor hem zijn. Zoals ik al zei, een jongen kan zijn vader niet kiezen. Ik zou iets van hem kunnen maken.' Hij keek met gefronst voorhoofd naar de slapende Johnny. 'Het zou een... interessante uitdaging zijn.' De uitdrukking in zijn ogen was angstaanjagend.

'De mensen zouden zeggen dat je gek was om zo'n keuze te maken,' bracht ik uit; ik had moeite om een antwoord te formuleren. 'Je zou kunnen kiezen uit een keur van passende jonge vrouwen. Je moet me vergeten en verder gaan. Dat had je meteen moeten doen toen ik het je verteld had.'

Hij zat nu heel dicht bij me, op de vloer voor het vuur. Eamonn had altijd de formaliteiten in acht genomen. Hij gaf er de voorkeur aan de dingen op de juiste manier te doen. Maar dit, dit was alle regels ver te buiten gegaan. Daarom was hij op de grond gaan zitten bij mij en Johnny, en de blik in zijn bruine ogen had bijna iets wanhopigs.

'Wanneer ik je zo zie,' zei hij met een stem die niet veel meer was dan een fluistering, 'met het licht van het vuur op je haar en je hand zo zacht op de kleine, weet ik dat er voor mij maar één keus mogelijk is. Ik zal zo openhartig spreken als ik kan, en ik hoop daarbij dat mijn woorden je niet beledigen. Ik wil je in mijn huis hebben, ik wil dat je me opwacht en je armen om me heen slaat wanneer ik vermoeid thuiskom uit de strijd. Ik wil je in mijn bed. Ik wil je als mijn echtgenote, mijn minnares en mijn kameraad. Ik wil dat je mijn k-kinderen op de wereld brengt. Met jou naast me zou ik niet bang zijn voor de ouderdom. Er is geen andere vrouw op de wereld die ik wil hebben. Wat je gedaan hebt, je vergissing, die kunnen we... kunnen we achter ons laten. Ik bied je bescherming, zekerheid, rijkdom en mijn naam aan. Ik bied je een wettige status voor je zoon aan. Wijs me niet af, Liadan.'

Ik probeerde passende woorden te vormen in mijn hoofd, maar er wilde niets komen.

'Je aarzelt. Ik zal natuurlijk weer de goedkeuring van je vader vragen. Maar ik denk niet dat hij bezwaar zal maken, in de gegeven omstandigheden.'

'Ik... ik kan niet...'

Eamonn keek neer op zijn verstrengelde handen. 'Ik heb gehoord dat je... geen rust had op Sídhe Dubh. Dat je het moeilijk vond om in een afgesloten ruimte te leven, na de vrijheid die je op Zeven Wateren geniet. Te veel vrijheid, misschien. Maar ik zou je niet in een kooi opsluiten, als een zangvogel die tegen zijn wil wordt vastgehouden. Ik heb grote gebieden in het noorden. Als je je niet op Sídhe Dubh zou willen vestigen, kan ik een nieuw huis voor je bouwen, dat meer bij je in de smaak zou vallen. Bomen, een tuin, wat je maar wilt. Natuurlijk wel goed beveiligd.'

'Weet je wel zeker,' zei ik voorzichtig, 'dat dit geen groots gebaar is, een poging om mijn familie tevreden te stellen nadat je in jouw ogen gefaald hebt doordat je mijn zuster niet hebt kunnen beschermen? Ik kan niet geloven dat een man in jouw positie zo'n stap zou willen doen.'

Dit had ik beter niet kunnen zeggen. Zijn wenkbrauwen trokken naar elkaar toe en hij keek me woest aan.

'Moet ik het soms laten zien?'

En voor ik iets kon doen, had hij zijn hand op mijn achterhoofd gelegd, woelden zijn vingers in mijn haar en was zijn mond op de mijne, en het was niet de beleefde kus van een man die de dingen graag volgens de regels doet. Tegen de tijd dat hij klaar was, bloedde mijn lip.

'Het spijt me,' zei hij kortaf. 'Ik heb lang op je gewacht. Je hebt beloofd me met Beltaine antwoord te geven. Ik wil je antwoord, Liadan.'

Brighid sta me bij. Waarom kwam Sean nou niet terug? Ik haalde diep adem en keek hem recht in de ogen. Hij wist het, denk ik, een ogenblik voordat ik het zei.

'Ik kan het niet doen, Eamonn. Het is een buitengewoon edelmoedig aanbod. Maar ik zal het je eerlijk zeggen. Ik voel gewoon niet op die manier voor jou.'
'Wat bedoel je? Op welke manier eigenlijk?'
Dit was moeilijker dan ik ooit had kunnen denken. 'We kennen elkaar al heel lang. Ik respecteer je, ik wens je alle goeds toe, als een vriend. Ik wil dat je tevreden bent met je leven. Maar ik kan niet aan je denken als...' Het woord minnaar kon ik niet over mijn lippen krijgen. 'Als echtgenoot.'
'Vind je het dan zo onaangenaam als ik je aanraak? Zo weerzinwekkend?'
'Nee, Eamonn. Je bent een prima man, en een andere vrouw zal graag je echtgenote zijn, op een dag. Daar twijfel ik niet aan. Maar dit zou verkeerd zijn. Verkeerd voor jou, verkeerd voor mij. En heel erg verkeerd voor mijn zoon en voor zijn vader.'
'Hoe kun je dat zeggen?' Hij was opgestaan en begon weer op en neer te lopen, alsof hij zijn gevoelens de ruimte moest geven door iets te doen, omdat ze hem anders zouden verscheuren. 'Hoe kun je loyaal blijven aan deze... aan deze wilde, die niets anders gedaan heeft dan jouw buik te vullen met zijn kind, om er dan vandoor te gaan en zich aan een ander onschuldig meisje te vergrijpen? Hij zal nooit bij je terugkomen; zo'n man heeft geen besef van plicht of verantwoordelijkheid. Je mag blij zijn dat je van hem af bent.'
'Houd op, Eamonn. Maak dit niet erger dan het al is.'
'Je moet naar me luisteren, Liadan. Dit is een dwaze beslissing, en ik vraag me zelfs af of je geestelijk wel gezond genoeg bent om haar te nemen. Want je hebt gelijk, dit zal waarschijnlijk het enige aanzoek zijn dat je zult krijgen, ongehuwd en met een vaderloos kind. Men zal mij misschien honen om mijn keuze, omdat ik geen dochter van een clanhoofd in het zuiden neem, met een onberispelijke stamboom en gegarandeerde maagdelijkheid. Daar geef ik niet om. Als het om jou gaat, heb ik geen trots meer over. Voor mij ben jij de enig mogelijke keuze. Liadan, denk aan je familie. Liam zou je graag goed getrouwd zien, en je vader ook. En denk eens aan je moeder? Zou zij niet blij zijn dit nieuws te horen, voor ze...'
'Houd op! Dat is genoeg!'

'Neem nog wat meer tijd, als je wilt. Je bent nu moe en je rouwt om je aanstaande verlies. Ik zal hier een paar dagen blijven; in die tijd kun jij dit met je familie bespreken. Misschien zie je alles duidelijker wanneer...'

'Ik zie alles nu heel duidelijk,' zei ik kalm, en ik nam mijn zoon in mijn armen en stond op van de kussens. 'Het doet me verdriet dat ik zo'n goede vriend pijn moet doen, maar ik zie geen andere oplossing. Ik moet je aanzoek afwijzen. Mijn zoon en ik, wij... wij behoren toe aan een andere man, Eamonn. Jouw mening over hem verandert daar niets aan. Nu niet. Nooit. Iets te doen waardoor ik die band zou loochenen, zou zowel dom als gevaarlijk zijn. Zo'n keuze zou tot boosheid, verdriet en langdurige verbittering leiden. Ik zou liever mijn verdere leven alleen zijn dan die weg te gaan. Het spijt me erg. Je aanzoek is buitengewoon edelmoedig, en ik houd je erom in ere.'

'Je kunt me niet afwijzen,' zei hij, en aan zijn stem was duidelijk te horen dat hij moeite had zich te beheersen. 'Het is altijd de bedoeling geweest dat jij en ik... het is in alle opzichten goed als jij en ik huwen, Liadan. Ik weet dat Liam dit zal steunen...'

'De zaak is afgedaan, Eamonn.' Mijn stem beefde. 'Het gaat niemand anders iets aan, alleen jou en mij. Ik heb nee gezegd. Je moet zonder mij verder gaan. Geef me nu je woord dat je hier niet meer over zult beginnen.'

Hij was verder van me af gaan staan, buiten het licht van het vuur, half in de schaduw.

'Dat kan ik niet beloven,' zei hij met een strakke stem.

'Dan zal ik je niet meer kunnen ontmoeten, behalve in het bijzijn van anderen,' zei ik; ik had nog de kracht om mijn tranen tegen te houden.

Hij kwam een stap naar me toe en zijn gezicht was krijtwit. 'Doe dit niet, Liadan.' Het was zowel een waarschuwing als een smeekbede.

'Goedenacht, Eamonn.' Ik draaide me om en liep naar de trap. Johnny werd wakker en begon te huilen, en zonder nog om te kijken vluchtte ik naar mijn slaapkamer. Daar stak ik mijn kaars aan en verschoonde de natte doeken van mijn zoon. Terwijl ik op mijn bed lag met het kind aan mijn borst, liet ik de tranen die ik had ingehouden de vrije loop. En terwijl de kaars met zijn kringen en spiralen lager brandde tegen de nachtelijke hemel, zag ik weer dat beeld van hen beiden, verstrengeld in een laatste gevecht. Eamonns handen om Brans hals, hem de laatste adem afknijpend met zijn greep; en Brans mes tussen Eamonns ribben, steeds dieper draaiend, terwijl het bloed helderrood over de groene tuniek stroomde. Hoe had ik ooit kunnen denken dat Bran en ik, ondanks alles, ooit samen zouden kunnen zijn? Dat hij ooit meer kon zijn dan... een werktuig, hadden de Feeën het genoemd; een langskomende huurling die toevallig een kind verwekte en vervolgens uit het verhaal werd geschrapt omdat zijn rol erin was uitgespeeld en hij van geen belang meer was? Hij kon niet terugkomen. Bij mij in de buurt komen zou zijn dood betekenen. Had hij me maar nooit ontmoet, want ik bracht hem alleen gevaar en verdriet. En nu strekte de schaduw zich niet alleen uit over hem, maar ook over mijn zoon. Ik had het in Eamonns ogen gezien. Ik moest doen wat de Feeën zeiden en in het woud blijven. Ik moest Bran uit mijn hoofd zetten. Dat moest ik doen, omwille van ons allemaal. Ik huilde en huilde tot mijn hoofd pijn deed; mijn tranen en mijn loopneus maakten mijn kussen doornat. Maar Johnny zoog door; zijn handje streek over mijn borst, zijn lijfje lag warm en ontspannen tegen me aan, als een toonbeeld van vertrouwen. En toen ik zo naar hem keek, wist ik dat er in elke donkere nacht ergens een lichtje brandde dat nooit gedoofd kon worden.

HOOFDSTUK TWAALF

Tegen de ochtend raakte mijn moeder telkens buiten kennis en kwam dan weer even bij. De familie zat om haar bed; de mensen van het huishouden en het dorp dromden bijeen in de grote zaal en de keukens, en praatten gedempt met elkaar. Er werd niet gewerkt, behalve om voorbereidingen te treffen voor haar afscheid, en dat gebeurde geruisloos buitenshuis. Van tijd tot tijd verdween er iemand, Liam, Conor of Padriac, om later even ongemerkt weer terug te komen. In haar kamer heerste een kalme sfeer. Door het raam kwam een koele westenwind naar binnen, die de geur van seringen meebracht. Ik had een kom op tafel gezet met verse takjes basilicum en marjolein, want deze kruiden hebben beide de eigenschap dat ze moed geven in tijden van verdriet.

'Het is maar goed dat ze zo dadelijk voorgoed zal inslapen,' zei Janis zacht toen we door de deur kwamen. 'De pijn grijpt haar hard aan, te hard om in stilte te dragen. En hij,' ze knikte naar de roerloze gestalte van mijn vader die naast het bed zat, 'hij voelt alles wat zij voelt, elke kramp. Hij zal het nog moeilijk krijgen.'

'Ze heeft hem gevraagd terug te gaan naar Harrowfield. Om zijn familie op te zoeken. Ze heeft het hem laten beloven.'

'Ja. Ze is altijd een verstandig meisje geweest, mijn Sorcha. Ze weet dat hij behoefte zal hebben aan een doel, wanneer zij er niet meer is. Zij is het doel in zijn leven geweest sinds hij hier jaren geleden voor het eerst binnenstapte. Niemand zal ooit in haar schoenen kunnen staan.' Ze keek me aandachtig aan, met scherpe blik. 'Heb je je lip bezeerd, meisje? Je kunt daar beter een likje zalf op doen, tijm is geschikt om de zwelling te laten afnemen. Maar dat hoef ik jou niet te vertellen.'

'Het is niets,' zei ik, en ging langs haar de kamer binnen.

Ik weid liever niet uit over die laatste keer. Van veel dingen die er gebeurden, was mijn moeder zich niet bewust, want ze stond al met één been op haar nieuwe weg. Ze zag dus niet de verstarde uitdrukking op het gezicht van mijn vader, alsof hij zelfs nu nog niet kon geloven dat hij haar ging verliezen. Ze hoorde niet dat Conor zacht spreuken prevelde aan haar voeteneinde, ze zag niet dat Finbar zwijgend uit het raam staarde, met een gezicht even bleek als de vleugel die hij op de plaats van zijn linkerarm droeg. Janis liep in en uit, evenals de lenige, donkergetinte vrouw, Samara. Zij was zo stil en sierlijk als een hert, en haar handen waren zacht terwijl ze hielp met kussens, kommen en doeken, kaarsen aanstak en kruiden verstrooide.

Sean zat tegenover mijn vader, met moeders hand in de zijne. En Aisling was er ook, met haar wilde krullen netjes naar achteren getrokken onder een lint en een plechtige uitdrukking op haar sproetige gezichtje. Van tijd tot tijd legde ze een geruststellende hand op Seans schouder, en dan keek hij met een kleine glimlach naar haar op.

Maar Eamonn was er niet. Eamonn was niet meer op Zeven Wateren. Een laatste groet brengen, een verontschuldigend gebaar naar mijn ouders maken voor wat er met Niamh was gebeurd, dat was blijkbaar niet meer nodig. Hij was alleen lang genoeg gebleven om even te rusten en een vers paard te halen, zeiden ze, en toen was hij weer weggereden, terug naar Sídhe Dubh, met achterlating van zijn mannen. Niets voor hem, zeiden de mensen. Bijna onbeleefd. Hij had zeker slecht nieuws ontvangen. Ik zei maar niets. Mijn lip deed pijn en de zwelling was duidelijk zichtbaar. Maar het gevoel dat overheerste, was intense opluchting dat ik hem niet meer hoefde te zien.

Toen de zon hoog aan de hemel stond, kwam mijn moeder weer bij bewustzijn. Er volgde een korte, ellendige periode met hoesten, benauwd zijn en vechten om lucht, en ze deed haar uiterste best het steunen van pijn te onderdrukken. Finbar was degene die haar dan suste, niet door haar aan te raken, maar door zijn gedachten in de hare te laten vloeien en haar lijden te overdekken met herinneringen aan goede dingen, de onschuldige, stralende dingen van de kindertijd, en met mooie visioenen van wat zou komen. Het was niet per ongeluk dat hij zijn geest voor mij openhield, zodat ik er getuige van kon zijn hoe hij zijn vermogen tot verzachten en helen gebruikte. Hij kon de pijn van haar lichaam niet verzachten, maar hij kon haar de middelen geven om er weerstand aan te bieden. Het was hetzelfde vermogen dat ik had gebruikt om Niamh te helpen, maar Finbar was er een meester in. Ik keek vol ontzag toe hoe hij een schitterend wandtapijt van beelden voor haar weefde en van zijn liefde een patroon maakte om het leven van zijn zuster te eren en haar heengaan te verkondigen. Uiteindelijk lag ze kalm achterover in de kussens en ging haar ademhaling gemakkelijker.

'Is alles klaar?' fluisterde ze. 'Hebben jullie alles gedaan zoals we het hadden afgesproken?'

'Alles is gereed,' zei Conor ernstig.

'Mooi. Het is belangrijk. Mensen moeten afscheid kunnen nemen. Dat is iets wat de Britten niet altijd begrijpen.' Ze keek op naar mijn vader. 'Red?'

Hij schraapte zijn keel, maar had geen stem.

'Vertel me een verhaal,' zei ze met een stem zo zacht als een lentebriesje.

Mijn vader keek een keer benauwd de kamer rond; hij keek naar de zwijgende ooms, naar Janis en Samara, die geruisloos bezig waren het vuur te verzorgen, naar Sean, Aisling en mij. 'Ik... ik denk niet...'

'Kom,' zei Sorcha, alsof alleen zij beiden in de stille, naar kruiden geurende kamer waren. 'Kom hier op het bed zitten. Sla je armen om me heen. Zo is het goed, lieve schat. Herinner je je die dag dat we samen waren, alleen op een woeste kust, met niets anders dan de meeuwen en de zeehonden, de golven en de westenwind? Toen heb je me een mooi verhaal verteld. Dat is mijn lievelingsverhaal.'

Op dat moment besefte ik meer dan ooit hoe sterk mijn vader was. Hij zat daar met Sorcha in zijn armen en vertelde zijn verhaal terwijl de tranen over zijn gezicht stroomden. Hij wist dat ze bij elk woord dat hij uitsprak iets verder weggleed. Dat ze tegen de tijd dat zijn verhaal uit was, weg zou zijn. Hij wist dat hij dit allerintiemste afscheid met ons allen moest delen. Maar de kalme stem waarmee hij het verhaal vertelde, was zo sterk en vast als de grote eiken in het bos, en zijn hand, die het haar van mijn moeder van haar voorhoofd wegstreek, bewoog even gestaag als de zon langs de hemel beweegt.

Het was inderdaad een mooi verhaal. Het was het verhaal van een eenzame man die een zeemeermin tot vrouw neemt; hij betovert haar met de muziek van zijn fluit, zodat ze weggaat van de oceaan om hem te volgen. Hij houdt haar drie jaar bij zich en ze schenkt hem twee dochtertjes. Maar haar verlangen naar de wereld onder de golven is te sterk, en uiteindelijk laat hij haar gaan, omdat hij van haar houdt.

Er kwam een punt in het verhaal waar de stem van mijn vader haperde. Sorcha had even gezucht en haar ogen waren dichtgevallen; haar vingers, die een plooi van de tuniek van mijn vader hadden vastgehouden terwijl hij haar tegen zijn borst hield, lieten los en haar hand gleed op zijn knie. Het was volkomen stil. Het was alsof de hele kamer, het hele huishouden en alle wilde dieren van het meer en het woud op dat ogenblik de adem inhielden. Toen ging mijn vader weer verder met het verhaal.

'Toby's dochtertjes groeiden op tot flinke vrouwen, en later namen ze zelf een man. Tegenwoordig leven er in die streken veel mensen die donkere, verwarde haren als zeewier hebben, en ogen die in de verte kunnen zien, en die aanleg hebben voor zwemmen. Maar dat is een ander verhaal.'

Hij aarzelde weer; zijn ogen staarden recht vooruit, zonder iets te zien, en ik zag dat zijn hand zich strak om de schouder van mijn moeder klemde.

'Wat Toby zelf betreft,' zei ik, want ik wist dat anderen het verhaal voor hem moesten afmaken, 'hij had gedacht dat zijn leven voorbij zou zijn wanneer hij haar verloor. Hij had gedacht dat dat een einde zou zijn. En dat was het in zekere zin ook. Maar omdat het rad wentelt en terugwentelt, is elk einde tevens een begin. En bij hem was dat ook zo.'

'Elke dag ging hij naar de zee om op de rotsen te gaan zitten en over het water uit te kijken naar het westen,' zei Conor, die de vertelling overnam met zijn zachte, expressieve stem, 'en soms, heel soms, haalde hij zijn fluitje te voorschijn en speelde enkele noten, een fragment van volksdansmuziek of het refrein van een oude ballade die hij nog kende.'

Padriac stond naast zijn broer; hij had zijn arm om Samara heen geslagen. 'Hij bleef naar haar uitkijken,' zei Padriac, 'maar de zeemensen laten zich zelden aan het mensenras zien. Maar toch dacht hij soms, in de schemering, dat hij daar in het water sierlijke gestalten zag zwemmen in het flauwe licht, met witte armen, lange drijvende haren en spattende staarten met glinsterende juweelachtige schubben. Hij verbeeldde zich dat ze naar hem keken met droevige, vochtige ogen zoals de ogen van zijn dochters, ogen met de uitdrukking van de wilde oceaan.'

'Dan ging hij weer naar huis,' zei Liam, die aan de andere kant was komen staan, naast Sean, 'en wanneer hij naar binnen ging, stak hij niet zijn lantaarn aan, maar liet in plaats daarvan zijn deur open zodat het maanlicht binnenstroomde in het hutje waarin hij woonde op de rotsige kaap. En soms ging hij op het trapje onder de deur zitten en vroeg zich af hoe het zou zijn om daar in de diepten van de grote oceaan te wonen, als kind van Manannán mac Lir.'

'Niemand wist eigenlijk wat er uiteindelijk met hem gebeurd was.' Ik hoorde aan Seans stem dat hij gehuild had; maar net als de anderen probeerde hij met vaste stem te spreken. Ik had de indruk dat hij in het afgelopen seizoen snel volwassen was geworden. 'De mensen zeiden dat ze hem midden in de nacht in het donker langs het strand hadden zien dwalen. Anderen zeiden dat ze hem de zee in hadden zien zwemmen, ver, veel verder dan je veilig kon zwemmen, en dat hij nog steeds verder naar het westen zwom. Zijn dochters waren bij hun grootmoeder. Het huisje was netjes opgeruimd, alles was in orde. Maar op een dag was hij er gewoon niet meer.'

'En ze zeggen, als je die streek bezoekt,' zei Finbar vanaf de plaats waar hij nog stond, bij het raam, met zijn rug naar ons toe, 'dat je hem dan zult zien, tegen middernacht, bij vollemaan. Als je stil naar het strand gaat en heel rustig gaat zitten op een van de grote stenen die daar liggen, begint het in het water te spetteren en te bruisen, en dan zie je de vormen van de zeemensen die dicht bij de grens van oceaan en land zwemmen en spelen. De mensen zeggen dat Toby erbij zal zijn, zijn witte lichaam zilverkleurig getint door het maanlicht, en je zult zien dat het water even gemakkelijk van hem af glijdt als langs de fijne schubben van een vis. Maar of hij een man is of een wezen uit het diepe, dat weet niemand.'

Ze was niet meer. We wisten het allemaal. Maar niemand bewoog. Niemand sprak. Mijn vader hield haar nog steeds stevig in zijn armen, alsof hij dat laatste moment van leven zou kunnen vasthouden zolang hij zich maar niet verroerde. Zijn lippen drukten op haar haar en zijn ogen waren gesloten.

Buiten stak de wind op en bracht een vlaag koele lucht naar binnen door het raam, die Finbars donkere krullen van zijn voorhoofd oplichtte en de sneeuwwitte massa witte veren aan zijn zij deed bewegen. En toen begonnen buiten in de bomen de vogels weer te zingen; hun stemmen klonken op en vermengden zich, als groet en vaarwel, viering en rouw. Het was de stem van het woud zelf waarmee het het moment van Sorcha's heengaan groette.

Ze had het niet tot de avondschemering volgehouden. Misschien was dat welbewust, want toen we ons konden bewegen, toen we ons in beweging konden zetten, ging ieder van ons om beurten naar haar toe om haar wang te kussen en haar haar te strelen. Daarna gingen we zwijgend de kamer uit, afzonderlijk of met zijn tweeën, en lieten mijn vader alleen bij haar achter. Daar was nog tijd voor, eer de zon onder de horizon weggleed. Ik had ook tijd om Johnny op te halen bij het kindermeisje en hem nog een keer te voeden; ik vroeg me af hoeveel tranen ik kon vergieten voor er geen meer over zouden zijn. Sean en Aisling hadden tijd om samen stilletjes weg te gaan en misschien troost te zoeken in elkaars armen. De ooms hadden tijd om zich terug te trekken in de privékamer van de familie, om samen een paar pullen sterk bier te drinken en elkaar verhalen te vertellen over de jeugd die ze samen in het bos van Zeven Wateren hadden doorgebracht, de zes broers en hun kleine zusje. Nu waren er nog maar vier van hen over.

Het ging zoals ze had gevraagd. Bij avondschemer kwamen we bijeen aan de oever van het meer, op een plek waar een mooie berk stond. Rondom werden vlammende toortsen op palen geplaatst, die de gezichten van mijn ooms verlichtten terwijl ze in een kring om de boom stonden. Liam knikte naar Sean, en mijn broer ging er ook bij staan.

Kom, Liadan. Twee stilzwijgende stemmen vroegen me te komen, die van Conor en die van Finbar. Ik ging tussen hen in staan. De cirkel was bijna compleet.

Beneden bij het water, waar het meer de oever met zachte vingers aanraakte, lag een kleine boot afgemeerd. Mijn oom Padriac, die deskundig was op dat gebied, had dit vaartuig met grote zorg gebouwd. Het was precies lang genoeg voor het doel waarvoor het bestemd was. Op de voorsteven stond een toorts, die aangestoken zou worden, en langs de boorden van de boot hingen slingers van bloemen, bladeren en veren, en er lagen vele kleine gaven uit het bos, om haar op haar weg te begeleiden. Mijn moeder lag al in de boot, bleek en roerloos in haar witte gewaad, op een bed van zachte kussens. Samara had een kleine krans gevlochten van heide, meidoorn, klaver en goudsbloemen, en deze krans droeg Sorcha op haar donkere krullen. Ze zag er niet ouder uit dan zestien jaar.

Mijn vader stond alleen op de oever, en tuurde in de verte over het water van het meer, dat steeds donkerder werd.

'Iubdan.' Liam sprak zacht.

Er kwam geen reactie.

'Iubdan, het is tijd.' Padriacs stem was luider. 'Je bent hier nodig.'

Maar mijn vader deed of hij hen niet hoorde, en de houding van zijn schouders was onverzettelijk. Maar Liam was niet voor niets heer van Zeven Wateren. Hij trad uit de plechtige cirkel, liep naar de Grote Man toe en legde een hand op zijn schouder. Vader maakte een kleine beweging en de hand viel neer.

'Kom, Iubdan. Het is tijd om haar te laten gaan. De zon zinkt al weg achter de bomen.'

Toen draaide vader zich om en zijn ogen waren vol verdriet. Weg was de zelfbeheersing die hij had getoond toen hij haar dat laatste verhaal vertelde. 'Doe het maar zonder mij,' zei hij met een bitterheid die ik nog nooit in zijn stem had gehoord. 'Er is hier geen plaats voor mij. Het is afgelopen. Ik ben niet een van jullie, en dat zal ik nooit zijn.'

Toen stak Liam zijn hand weer uit, heel beslist, en greep mijn vader bij zijn schouder, en ditmaal liet hij zich niet afschudden.

'Je bent onze broeder,' zei hij kalm. 'We hebben je hulp nodig. Kom.'

Nu was de cirkel compleet, en we namen afscheid volgens de oude traditie. De druïden en de mannen en vrouwen van het huishouden stonden in een kring om de binnenste cirkel heen, en van tijd tot tijd herhaalden ze de plechtige woorden die Conor uitsprak. Soms waren er andere stemmen te horen, vreemde stemmen die vanuit de bomen fluisterden in de wind, die murmelden in de golfjes van het meer, die diep vanuit de rotsen en holten van het land zelf zongen. En een keer, toen ik naar de plaats keek waar het groene grasveld eindigde en de grote, geheimzinnige vormen van eiken, essen en beuken begonnen, complex en schaduwrijk in het fluwelige schemerlicht, zag ik daar gestalten staan, halfverborgen onder de brede takken. Een lange vrouw met een wit gezicht, in een blauwe mantel en met een gordijn van donker haar. Een man met een stralende krans van vlammen om het hoofd, langer dan een sterfelijk mens. En anderen, versierd met juwelen, gevleugeld, nauwelijks zichtbaar tussen het donkere netwerk van bladeren en twijgen.

Toen het ritueel volvoerd was, ging Conor ons voor naar de waterkant. Daar maakte hij een kom van zijn handen, blies er heel zacht in, en plotseling gloeide er een gouden vlammetje tussen zijn gebogen vingers. Hij liep het water in zonder op zijn lange gewaad te letten en bracht zijn handen naar de toorts die in de voorsteven van Sorcha's bootje was vastgezet. De toorts vlamde op en er verscheen een lichtend pad voor het kleine vaartuig, blinkend op het inktzwarte oppervlak van het meer. Een eind verder op het grasveld stond een eenzame doedelzakspeler. Er liep een rilling over mijn ruggengraat toen het geluid van de doedelzak zich verhief over de zwijgende bomen en het roerloze water, omhoog de nacht in.

'Het is tijd,' zei Conor zacht. Toen stak ieder van ons een hand uit naar de achtersteven van de kleine curragh; mijn vader stond tussen Liam en Conor in. We gaven het vaartuig een heel zacht duwtje, maar dat was nauwelijks nodig, want reeds kabbelde het water langs de voorsteven, alsof het bootje graag wilde vertrekken op zijn reis. Toen het van de oever afzwenkte en door de stroom werd gegrepen, kon ik lange bleke handen van onder omhoog zien reiken om het vaartuig van mijn moeder mee te voeren. En vloeibare stemmen zongen haar naam: *Sorcha, Sorcha.*

'Behouden vaart, kleine uil,' zei Conor met een stem die ik bijna niet herkende. En Finbar duwde zijn donkere mantel naar achteren en spreidde zijn vleugel, zodat de glorieuze massa glanzende veren roze, oranje en goudkleurig gloeide in het licht van de toorts, als een dappere banier bij het afscheid. Maar mijn vader bleef bewegingloos en zwijgend staan, verstard door zijn verlies, terwijl de weeklacht van de doedelzakspeler over het woud klonk.

Ik tuurde in de verte om haar zo lang mogelijk te blijven zien, want ook ik treurde, hoewel ik begreep dat mijn moeder niet weg was, maar overgegaan naar een ander leven, een andere wenteling van het rad. Ze had het zo gewild. Waarom wil je geen rustplaats in het hart van het woud, waar je thuishoort? had Conor gevraagd. Waarom blijf je niet hier op Zeven Wateren, had Liam gezegd, want je bent toch de dochter van het woud? Maar Padriac had gezegd: laat Sorcha zelf kiezen. En wat ze het liefst van al wilde, was de weg van die rivier volgen, meegedragen worden met de stroom. Weg van het meer, zoals ze lang geleden al een keer had gedaan. Want, had ze met een glimlach gezegd, diezelfde waterweg had haar volkomen toevallig in handen gegeven van een roodharige Brit, en die was immers haar grote liefde en hartsvreugde geworden? Daarom wilde ze die weg weer kiezen, om te zien waar hij haar zou brengen. Ik stond daar en staarde in het donker terwijl de muziek weende en een uil kraste in de nacht.

De mensen begonnen zich te verspreiden; ze gingen weer op weg naar het huis. Mijn vader, met gebogen hoofd, geleid door de ooms. Sean hand in hand met Aisling. Janis en haar helpers al op weg om de laatste voorbereidingen te treffen voor het gastmaal, want een goed gastmaal, met muziek, vormt een onontbeerlijk onderdeel van zo'n afscheid. Ik ging naar de doedelzakspeler toe om hem te bedanken. Hij was beslist een man met bijna magische vermogens, want die weeklacht had mijn diepste gedachten weerspiegeld; de zangerige melodie had een beeld gegeven van Sorcha's moed, haar geestkracht en haar diepe liefde voor het woud en de mensen erin.

De doedelzakspeler was bezig zijn instrument netjes op te bergen in een geitenleren tas. Het was een magere man met een donkere baard en een gouden ringetje in zijn oor. Zijn helper, een langere man met een kap over zijn hoofd, hield de tas open. De doedelzakspeler gaf me een beleefd knikje.

'Ik wilde u graag bedanken. Ik weet niet wie u heeft gevraagd om hier te komen spelen, maar het was een goede keus. Uw muziek komt uit het hart.'
'Dank u, vrouwe. Een groot verhalenvertelster zoals uw moeder verdient een passend afscheid.'
Hij had de doedelzak weggestopt en tilde de tas nu op zijn schouder.
'U bent van harte welkom in het huis; er is eten en bier,' zei ik tegen hem. 'Moet u ver reizen om thuis te komen?'
De man gaf een scheve grijns. 'Een aardig eind tippelen,' zei hij. 'Dat bier zou er wel in gaan. Maar...' Hij wierp een blik op zijn zwijgende metgezel. Pas toen zag ik, in het bijna-duister, de grote zwarte vogel die bij deze man op de schouder zat, zich stevig vastgrijpend met zijn klauwen. Zijn scherpe oog was op mij gericht en leek me te taxeren. Een raaf. 'Ik dacht zo,' zei de doedelzakspeler, en hij liep al in de richting van het huis alsof er zonder woorden iets beslist was tussen het tweetal, 'dat een paar biertjes geen kwaad kunnen. En ik moet even bij tantetje langs. Ik kan moeilijk hier komen zonder dat te doen. Dat zou ze me nooit vergeven.'
'Tantetje?' vroeg ik; ik moest stevig doorstappen om hem bij te houden, want hij zette er behoorlijk de pas in. De man met de kap liep zwijgend achter ons aan. Terwijl we terugliepen door het bos, kwam ik te weten dat de doedelzakspeler behoorde tot de menigte verre kennissen van Janis. Hij leidde een zwervend leven en werd Danny Walker genoemd. Het was wel een beetje vreemd. Ze had toch een keer gezegd dat Dan uit Kerry kwam? Dan had hij wel erg ver gereisd, zelfs voor deze gelegenheid.
We bereikten het pad dat naar de hoofdingang van het fort leidde. Binnen klonken stemmen en buiten brandden lantaarns om de weg te verlichten.
'Uw vriend is ook welkom,' zei ik tegen de doedelzakspeler, en ik keek achterom. De man met de kap over zijn hoofd en de donkere vogel op zijn schouder was op een paar pas afstand blijven staan. Hij was kennelijk niet van plan om mee naar binnen te gaan. 'Komt u binnen?' vroeg ik hem beleefd.
'Ik denk het niet.'
Ik verstijfde van schrik. Ik had deze stem beslist eerder gehoord.

Maar als dat zo was, was hij wel erg veranderd. Toen was hij jong, hartstochtelijk en gekwetst geweest. Nu leek het de stem van een veel oudere man, en hij klonk koel en terughoudend.
Hij zei weer iets. 'Ga naar binnen, Dan. Gebruik deze nacht om je familie te bezoeken en uit te rusten. Ik zal morgenochtend met de vrouwe spreken.'
En met die woorden draaide hij zich om, liep het pad af en verdween achter de haag.
'Hij komt niet binnen,' zei Dan neutraal.
Ik knipperde met mijn ogen. Misschien had ik me het hele geval verbeeld. 'Bedoelt hij mij?' vroeg ik aarzelend. 'De vrouwe, zei hij. Ben ik dat?'
'Dat zult u hem zelf moeten vragen,' zei Dan. 'Ik zou morgenochtend vroeg naar hem toe gaan, als ik u was. Hij zal hier niet lang blijven. Hij wil haar liever niet alleen laten, begrijpt u?'
Er was geen gelegenheid om hem meer te vragen. Ik had verplichtingen als vrouw des huizes; ik moest steun geven aan alle mensen die treurden, en meedoen met de liederen en verhalen waarmee we mijn moeder eerden en onze liefde betuigden op haar weg. Er was bier, er was mede, er waren gekruide koeken; muziek, gesprekken en kameraadschap. Een lach en een traan. Uiteindelijk ging ik naar bed, met de gedachte dat de vreemdeling met de kap over zijn hoofd de volgende ochtend weg zou zijn; dan zou het hele geval toegeschreven kunnen worden aan het Gezicht, dat me van de wijs had gebracht.
Toch stond ik vroeg op en ging naar de kruidentuin, want ik wist dat deze eerste dag zonder mijn moeder moeilijk zou zijn. Ik besefte dat ik hier, tussen haar geliefde planten, midden in haar stille domein moest zijn als ik mezelf wilde leren dat het leven zou doorgaan, ook zonder haar liefdevolle aanwezigheid, haar zachte hand om me te leiden. Ik had Johnny bij het kindermeisje achtergelaten; het was voor hem te koud om buiten te zijn. Ik liep over het pad en trok hier en daar wat onkruid uit. Ik wist dat ik wachtte. Het was vlak na zonsopgang.
Ik voelde dat hij er was, nog voordat ik hem zag. Een koud gevoel trok langs mijn ruggengraat omhoog en ik wendde me naar de poort. Hij stond onbeweeglijk in de schaduw; een lange figuur, nog steeds gehuld in een zwarte mantel en met een zwarte kap

over zijn hoofd. De vogel zat op zijn schouder als een uit donkere steen gehouwen dier.
'Wilt u binnenkomen?' vroeg ik. Ik wist nog steeds niet of mijn geheugen me niet bedroog. Toen deed hij een stap naar voren en schoof de kap naar achteren. Ik zag een bleek, fel gezicht, donkere ogen en een haardos in de diepe kleur van de kern van een zonsondergang in de winter.
'Ciarán,' zuchtte ik. 'Je bent het toch. Waarom heb je jezelf niet laten zien? Conor is hier, hij zal je vast willen zien; wil je niet binnenkomen en met hem praten?'
'Nee.' De ijskoude, definitieve klank van zijn stem legde me het zwijgen op. De grote vogel reikte omlaag met zijn snavel als een slagersmes om zijn verenkleed te verschikken. Hij had een oog als een wild dier. 'Daarvoor ben ik niet gekomen. Geen vertoon van familiezin. Ik ben niet zo dwaas om te denken dat die kloof te overbruggen is. Ik ben hier om een boodschap te brengen.'
'Wat voor boodschap?' vroeg ik zacht.
'Voor haar moeder,' zei hij. 'Niamh wilde zeggen: ik houd van u, vergeef me. Maar ik ben te laat gekomen.'
Ik kon niet spreken.
'Het zal haar verdriet doen dat ik hier niet op tijd was,' zei Ciarán zacht.
'Moeder zou het weten. Het maakt niet uit dat het nu... na haar... ze zou het toch weten. Is Niamh... gaat het goed met haar? Is ze beter, en veilig... hoe heb jij...'
'Het gaat redelijk goed met haar. Ze is wel erg veranderd.' Zijn stem klonk kalm, maar ik voelde dat daaronder een diep verdriet school, een last die geen jongeman zou mogen dragen. Ik kon niet interpreteren wat ik in zijn ogen zag. 'Het lachende meisje dat met Imbolc zoveel indruk op ons maakte, is weg. Ze heeft haar weg nog niet gevonden. Maar ze is in veiligheid.'
'Waar? Waar in veiligheid? Hoe heb jij...'
'In veiligheid. Wáár doet er niet toe.'
Hij antwoordde als een echte druïde. 'Bij jou?' vroeg ik.
Ciarán gaf een soort knikje. 'Ze heeft bescherming nodig. Ik heb haar niet geholpen. Maar daar kan ik tenminste in voorzien.'
We zwegen een tijdlang. Kleine vogels begonnen te roepen, boodschappers van een nieuwe dag, van een nieuw seizoen.

'Ik ben Niamhs zus,' zei ik ten slotte. 'Ik zou op zijn minst graag willen weten waar ze is en of ze terug zou willen komen als de waarheid bekend is. Ik heb het aan mijn vader verteld. Hij begrijpt nu hoe verkeerd ze eraan gedaan hebben een echtgenoot voor haar te kiezen. Het zou mogelijk kunnen zijn... kun je haar niet hierheen brengen, en...'
Ik schrok van zijn lach. Het was een geluid dat donker van verbittering was.
'Haar terugbrengen? Hoe zou dat kunnen?'
Ik zei niets; ik begreep zijn antwoord niet. Was er geen hoop dat alles uiteindelijk goed zou komen? Ik wilde niet geloven dat al mijn moeite, en die van Bran, voor niets was geweest.
'Hebben ze het je dan nooit verteld?' vroeg Ciarán somber.
'Me wat nooit verteld?' Opeens was dat gevoel er weer, een kilte diep in mijn lichaam alsof ik werd aangeraakt door iets donkers uit het verleden of door een kwaad dat nog moest komen.
'De waarheid. Waarom ze mij verboden met Niamh te trouwen, en ons allebei wegstuurden. Waarom we nooit terug kunnen komen, en dat ook nooit zullen willen. Hoe wij vervloekt zijn, dubbel vervloekt, door het bewaren van geheimen. Ze hebben het jou niet verteld. Ik denk dat je ons daarom hebt geholpen, toen niemand anders dat wilde doen. Als je de waarheid had geweten, zou je ons veracht hebben.'
Ik deinsde terug voor de cynische klank van zijn stem, zo anders dan de vurige, gloeiende hoop waarmee hij eens over zijn liefde had gesproken.
'Je kunt me beter alles vertellen,' zei ik. 'Mijn vrienden hebben zich aan groot gevaar blootgesteld om haar te helpen. Vertel me de waarheid, Ciarán. Ik hoor zeggen dat er een oud kwaad ontwaakt is, dat er dingen gaande zijn die ons allemaal kunnen schaden. Wat is dat? Vertel het me.'
Ik ging op de oude stenen bank zitten die tussen geveerde pollen boerenwormkruid en kamille stond, en hij kwam dichterbij. De vogel kraste en vloog op naar de sering, waar hij tamelijk wankel op een dunne tak ging zitten.
'Het was wreed,' zei Ciarán zacht. In het vroege morgenlicht was zijn gezicht spookachtig bleek. 'Wreed dat ze de waarheid voor haar verborgen hielden. Geen wonder dat ze dacht dat ik haar

had verlaten, want ze wist niet waarom ik was weggegaan; wat me wegjoeg. Ze begreep niet dat er op onze verbintenis een... vloek rustte.'

'Een vloek?' herhaalde ik dom, niet wetend wat hij kon bedoelen.

'Ze was verboden. Verboden door het bloed. Pas in die nacht, toen ik met kloppend hart naar Zeven Wateren kwam, bereid om zo nodig voor mijn vrouwe te vechten, verwaardigde Conor zich mij eindelijk te vertellen wie ik was. Al die jaren had hij het voor me verborgen gehouden; een geheim dat nooit verteld mocht worden. Ik dacht dat ik een vondeling was, een kind dat het geluk had door de wijzen te worden opgenomen en grootgebracht in de veilige schoot van het woud. Ik droomde er zelfs van in Conors voetsporen te treden, me te wijden aan de gebruiken van de broederschap. Toen ontmoette ik Niamh. En toen was het tijd dat het geheim me verteld werd.'

Achter in mijn geest begon zich een soort verband af te tekenen. Een verschrikkelijk, verwrongen, onvermijdelijk verband.

'Conor vertelde je wie je was?'

'Inderdaad. Dat ik nooit met Niamh kon trouwen. Dat het schandelijk en verkeerd was wat we hadden gedaan, een inbreuk op de wetten van de natuur, een gruwel, al hadden we het in onschuld gedaan. Onze vereniging kon nooit gewettigd worden. Want ik ben de zoon van Colum van Zeven Wateren bij zijn tweede echtgenote, de vrouwe Oonagh. Ik ben een halfbroer van Conor en Liam. Een halfbroer van Niamhs moeder, van jouw moeder. De vrouw die mij baarde, was de tovenares die deze familie en alles wat haar dierbaar was bijna te gronde richtte. En zo nam Conor me in één klap alles af: mijn liefde, mijn toekomst, mijn hoop op vreugde en mijn levensdoel. Niet alleen Niamh werd me ontnomen, ik werd ook uit de broederschap gestoten, weggezonden zonder ster om me te leiden. Alles werd tenietgedaan, alles.'

'Maar Conor zei...'

'Huh! De zoon van een tovenares kan nooit een druïde zijn. Ik draag het bloed van een vervloekte afstamming. Iemand als ik kan nooit hopen de hoogste kunsten van de wijzen te beoefenen, het rijk van licht te bereiken, de inspiratie van de zuivere geest. Dat ligt buiten mijn bereik, en zou altijd buiten mijn bereik gelegen hebben. Dat weet ik nu. Als ik haar zoon ben, ben ik de zoon der

schaduwen, veroordeeld om in duisternis te lopen. Hoe hij me al die jaren kon opvoeden zonder me dit te onthullen, zal ik nooit begrijpen. Die leugen zal ik hem nooit vergeven.'
'Het kind van vrouwe Oonagh,' zuchtte ik. 'Over hem werd verder niets gezegd in het verhaal. Hij verdween gewoon tegelijk met haar van Zeven Wateren. Toen de betovering verbroken was.'
'Dat kwam wel goed uit.' Ciaráns stem klonk bitter. 'Mijn vader vond me en haalde me terug. Ik heb achttien jaar in de nemetons geleefd, Liadan. Ik beschouwde mezelf in alle opzichten als een druïde. Je kunt je dus voorstellen wat een klap het was toen ik de onthullingen van die nacht vernam. En ik maakte mijn eigen schande nog groter. Ik liep weg. Ik liet Niamh achter, ten prooi aan wanhoop en mishandeling. De last daarvan draag ik elke dag. Hoe zorgvuldig ik haar ook bewaak, hoe sterk het schild ook is dat ik om haar heen optrek, ik kan niet buitensluiten wat er die nacht gebeurd is, want de nasleep ervan is onuitwisbaar in ons beiden verankerd.'
Een schild. Bewaking. Ik zei behoedzaam: 'Waar ben je heen gegaan, toen je die nacht van Zeven Wateren wegging? Conor zei dat je je verleden ging zoeken. Was het... was het je moeder naar wie je op zoek ging? Is zij...' Ik hield me in. Sommige dingen, dacht ik, waren te gevaarlijk om hardop uit te spreken.
'Ik heb het tegen hem gezegd.' Er was een donkere klank in Ciaráns stem. 'Ik heb het tegen Conor gezegd. Ik zei: een man kan niet ontsnappen aan het bloed dat in zijn aderen stroomt. Ongeacht of hij dit als kind ontdekt of veel later, wanneer hij denkt dat hij een heel ander soort wezen is, misschien een dat mag hopen op geestelijke adeldom, op grote goedheid. Het doet er niet toe, want vroeg of laat zal het zaad dat in ons is rijpen, en de erfenis die we dragen zal ons gaan regeren. Als ze het me niet hadden verteld, had ik misschien oud kunnen worden voordat het kwade bloed dat ik in me draag zich openbaarde en me dwong het licht de rug toe te keren. Nu weet ik het, zei ik tegen hem, en zal ik uitzoeken welke krachten deze erfenis met zich meebrengt en hoe ik ze kan gebruiken. Dan zult u misschien niet meer zo bereid zijn mij broeder te noemen. Toen ben ik weggegaan en heb ik in mijn geest een verre reis gemaakt, verder dan met mijn lichaam. Een gevaarvolle reis. Mijn moeder verstaat de kunst zich te verbergen.

Ze wilde niet gevonden worden, nog niet. Maar ik vond haar toch. Ik heb geleerd de grens over te gaan naar het rijk waar ze zich nu verbergt; waar ze wacht.'

'Hoe? Hoe kon je zoiets doen?'

'Het behoort tot de opleiding tot druïde; je leert over te steken en terug te komen. Een proef door water en vuur, door aarde en lucht. Ik had hem eerder doorstaan, maar dit was anders.' Zijn stem trilde. Op dat moment besefte ik weer dat hij in feite geen oude, verbitterde man was, maar een jongeman, niet heel veel ouder dan ikzelf.

'Je zegt dat ze wacht. Ze wacht... waarop?'

Ciarán sloeg zijn armen over elkaar en staarde omhoog in de koude ochtendhemel.

'Je vraagt wel veel,' zei hij.

'Ik heb heel lang geen nieuws gehad,' zei ik zacht. 'Maar ik heb ook een boodschap. Of liever, ik heb iets terug te geven aan mijn zuster. Ik heb het hier. Ze zal dit nodig hebben, denk ik.' Ik stak mijn hand in de buidel aan mijn gordel en haalde er de halsketting uit die ik voor Niamh had gemaakt, het koord waarin de liefde van de familie vervlochten was. Een talisman van onverbrekelijke kracht. Ciarán nam hem in zijn hand, en zijn lange, benige vingers raakten de kleine witte steen aan die er nog steeds aan geregen was. Heel even glimlachte hij; en ik zag weer die jongeman, wiens felle gezicht had gestraald van vreugde en trots toen hij met Imbolc de lentevuren ontstak.

'Ze dacht dat dit verloren was gegaan,' zei hij. 'Je hebt het goed bewaard. Ik dank je.'

'Wij houden van haar.' Ik moest bijna huilen. 'Dat schijn je niet te begrijpen. Moet je haar beslist weghalen? Haar opsluiten, als een prinses in een sprookje, te bijzonder om door gewone mensen te worden gezien? Mogen wij haar nooit meer zien? Mogen we haar kind nooit zien, behalve in visioenen?'

Het was alsof de tijd stilstond; alsof het ademen gedurende een onbeweeglijk moment ophield, en toen weer doorging.

'Kind?'

Er was iets in dat woord dat mijn hart aangreep zoals tot nu toe nog niet was gebeurd.

'Het is mij vergund deze dingen te zien, af en toe,' zei ik, omdat ik dacht dat ik nu geen andere keus meer had dan het hem te vertellen. 'Dingen die zullen zijn, of misschien zullen zijn. Ik zag Niamh met een klein kind, een peuter met donkerrode krullen zoals de jouwe, en ogen als rijpe bessen. Op het zand, in een grot. Het lijkt mij dat er een weg naar de toekomst is voor jullie beiden. Niet de weg die mijn oom of mijn vader voor jullie gekozen zou hebben; niet de weg die Conor jou zou willen laten volgen, want hij wilde dat je terugkwam in de nemetons, ook al denk jij er misschien anders over. Ik wil niet geloven dat ik mijn zuster nooit terug zal zien, of...'

'Er zijn gevaren waarvan je geen flauw vermoeden hebt.' Zijn stem klonk nu gedempt, onzeker. 'Een weg die... mij werd aangegeven. Een weg die zij – mijn moeder – me wil laten volgen. Ze wacht op mijn antwoord. Ze heeft me veel aangeboden. Een macht die voor een mens bijna niet te bevatten is. Vermogens die verder gaan dan de meest gevorderde kunst van de aartsdruïde, kunstgrepen die verder gaan dan de laatste bladzijde van de dikste grimoire van de oudste tovenaar. Ik kan veel van haar leren, en ik zal van haar leren. Ik zal mijn broer laten zien wat ik kan doen, en wat ik kan zijn.'

'Is dit een... een dreigement? Uit te voeren wat vrouwe Oonagh niet heeft kunnen bereiken?' Ik rilde, en het rillen leek niet te willen ophouden. Ik had een klein beeld van mijn zuster voor ogen, dat verbleekte en zich steeds verder leek te verwijderen.

'Wat dat betreft, het zal gaan zoals het moet gaan. Niamh en ik... je moet begrijpen dat het verleden niet hersteld kan worden, wat onze dromen ons ook toefluisteren. Sommige kwaden zijn niet ongedaan te maken. Maar toen ik haar hierover de waarheid vertelde, opende ze haar armen voor me alsof er niets te vergeven was. Ik spuw op de wetten van mensen, die bepalen wat we wel of niet voor elkaar mogen voelen. In dit hele web van verdriet en duisternis vormt de band tussen ons één enkele lichtende draad die te sterk is om te worden doorgesneden. Ik zal haar behoeden; ik heb er alles voor over om haar te beschermen. Dat komt op de allereerste plaats. Meer dan dat kan ik niet zeggen, want afgezien daarvan is mijn weg onbekend, nog niet gevormd. Wat haar en mijn familie aangaat, die kan me gestolen worden; ze hebben ons verachtelijk behandeld. Ze hebben hun recht op haar verloren toen ze haar van Zeven Wateren verjoegen. Toch zijn we jou iets verschuldigd. Jou, en de man die haar van die plek heeft weggehaald en ervoor heeft gezorgd dat het bericht daarover mij bereikte. En dat is de reden dat ik je een geschenk kom brengen.'

'Wat voor geschenk...' begon ik, maar terwijl ik dat zei, keek Ciarán even omhoog naar de grote vogel die boven ons in de boom zat. De raaf sloeg zijn vleugels uit en met een korte, heftige beweging van de lucht vloog hij keurig omlaag en kwam op mijn schouder zitten, een niet gering gewicht. Zijn snavel bevond zich angstwekkend dicht bij mijn oog en ik voelde zijn klauwen door mantel, omslagdoek en jurk heen.

'O,' zei ik, en wist verder niets te zeggen.

'Een boodschapper,' zei Ciarán. 'Eerder een lening dan een geschenk. Je zult hem misschien nodig hebben. Maar denk hierom: je mag alleen in uiterste nood een beroep doen op zo'n dier. Alleen wanneer al het andere heeft gefaald en je geen hulp hebt, en de krachten van lichaam en geest zijn uitgeput, mag je hem zenden. Zo'n boodschapper mag niet zomaar worden gebruikt.'

'Ik begrijp het,' zei ik, maar ik begreep er niets van. Wat was dit grote beest, een soort hulpje van de tovenaar? Ik had talloze vragen, veel te veel vragen.

'Het is tijd om te gaan.' Ciarán maakte plotseling een rusteloze indruk, alsof zijn geest al voor hem uit was gereisd naar een ver oord. 'Ik kan niet te lang wegblijven.'

'Toch is het een hele reis naar Kerry,' zei ik voorzichtig. 'Van volle maan tot volle maan, en langer nog, zou ik denken?'

'Zo zou Dan liever reizen, te paard, of lopend,' zei Ciarán. 'Maar er zijn andere manieren.'

'Ik begrijp het,' zei ik weer, en ik dacht aan oude verhalen over druïden en tovenaars. Ik vroeg me af hoeveel hij in die achttien jaren had geleerd en hoeveel hij had bijgeleerd sinds ik hem voor het laatst had gezien.

'Vaarwel dus,' zei hij ernstig.

'Ik zou het toch hebben gedaan, moet je weten,' zei ik opeens; hij moest weten, mijn zuster moest weten dat ik niet zo'n koude inborst had als zij dachten. 'Zelfs als ze me verteld hadden wie jij was en waarom jullie liefde verboden was, zou ik haar toch geholpen hebben. Ik houd van haar. Als ze bij jou is, ondanks alles, dan is dat misschien op de een of andere manier goed. Misschien is dit toch zoals het moet zijn. Wet of geen wet.'

Ciarán knikte. 'Op de een of andere wijze zal het zich ontvouwen,' zei hij, weer als een echte druïde. En alsof hij geroepen was, hoewel dat voor zover ik had kunnen merken niet was gebeurd, verscheen Dan Walker in de tuinpoort, zacht fluitend, met de geitenleren tas netjes op zijn schouder.

'Gaan we?' vroeg hij op nuchtere toon. En voor ik nog een woord kon spreken, kwam Ciarán als een schaduw in beweging en was het tweetal verdwenen. Ik volgde hen en voelde het gewicht van het onverwachte geschenk op mijn schouder en de greep van zijn klauwen in mijn vel. Ik kwam op het pad en keek langs de hagen naar de bosrand. Maar er was niemand te zien.

De mensen raakten na een tijdje aan de raaf gewend.

'Je moet wel uitkijken met die vogel bij de kleine,' waarschuwde Janis; ze voelde zich misschien verantwoordelijk omdat haar eigen neef iets met de komst ervan te maken had gehad. 'Een beest met zo'n snavel is niet te vertrouwen. En je weet wat ze over raven zeggen.'

Maar het bleek dat ze het helemaal mis had. Wat het kind betrof, gedroeg de vogel zich voorbeeldig. Als Johnny sliep, zat hij in de buurt, lette op hem en hield zich stil. Wanneer hij wakker was en om zijn eten brulde, was de raaf geneigd mee te gaan doen en Johnny's stem met zijn krachtige geluid aan te vullen, zodat hij gegarandeerd snel de aandacht kreeg. Wanneer ik langs het meer wandelde om de jonge zwaantjes te bewonderen, of in het bos onder de brede beuken liep, vergezelde de raaf me. Hij vloog als een donkere schaduw van de ene lage tak naar de andere, nooit ver van mij en mijn kind verwijderd. Ik begon aan zijn voortdurende aanwezigheid te wennen. Hij had iets van een goed afgerichte waakhond, die me met een schorre kreet waarschuwde als er een wild zwijn aankwam, of als ik een groep houthakkers naderde. Ik noemde hem Fiacha, een naam die 'raafje' betekent.

Hoe ik van zijn diensten gebruik zou kunnen maken, daarvan had ik eigenlijk geen idee. Ik probeerde een paar keer via mijn geest met het beest te spreken, maar het was vergeefse moeite. Misschien zou ik, wanneer het zover was, weten wat ik moest doen.

Als het ooit zover kwam. Er deden zoveel geruchten en voortekens en half uitgesproken theorieën de ronde, dat het niet meeviel om daaruit de waarheid te distilleren of om te proberen te raden wat de toekomst zou brengen. Degenen die mijn zwangere buik hadden aangeraakt omdat dat geluk bracht, en dachten dat Johnny het kind van een wezen uit de Andere Wereld was, wierpen nu tersluikse blikken op Fiacha, keken mij verlegen aan en mompelden iets over de profetie. Het was een teken, zeiden ze. Mijn familie deed geen pogingen om deze fantasieën te weerspreken. Als de mensen dachten dat ik een verhouding had gehad met een van de Túatha Dé, hoefde er minder te worden uitgelegd.

Ik heb in mijn leven naar veel verhalen geluisterd, en er zelf ook een aantal verteld. Als ik daarvan iets heb geleerd, is het wel dat er gebeurtenissen zijn die de loop van de dingen veranderen, die een verandering veroorzaken die hun eigen schijnbare belang ver overtreft. Het is net zoiets als wanneer je een steentje in een vijver gooit, waardoor een cirkel van golfjes ontstaat die zich steeds verder uitbreidt en het hele wateroppervlak bestrijkt. Het kleine steentje hier was een leugen, of liever een achtergehouden waarheid. De leugen van Conor en van Liam. Zelfs mijn ouders hadden van deze geheime broer af geweten. De leugen die door de familie aan een lid van de familie was verteld. En niemand had het verteld, omdat het zo verschrikkelijk was, zo gevaarlijk, op een manier die ik maar half begreep, dat zelfs Niamh, wier leven door de uitwerking ervan was verwoest, de waarheid niet had mogen weten. Ik dacht dat ik hierna nooit meer een van hen zou kunnen vertrouwen. Alles was een gevolg van die leugen: liefde, hoop die de bodem was ingeslagen, wreedheid, mishandeling en vlucht, en voor Ciarán zelf een afdaling in een soort duisternis die ons hele bestaan leek te bedreigen. Voor mij en mijn familieleden bracht hij het verlies van openheid, van vertrouwen. Er kon geen afscheid meer worden genomen. Mensen waren voorgoed gescheiden. De leugen had het oude kwaad wakker gemaakt, en nu leek het alsof het een na het ander van zijn juiste weg begon af te wijken.

Finbar was niet lang gebleven nadat we Sorcha aan het meer hadden toevertrouwd. De volgende morgen heel vroeg was hij al weg; hij sloop stilletjes weg naar het bos, en alleen ik was er om afscheid van hem te nemen.

'Je weet waar ik ben,' zei hij. 'Er komt misschien een moment dat je mijn hulp nodig hebt. Dan kun je me roepen.'
'Dank u.' Fiacha ging verzitten op mijn schouder; hij hield zijn kop een beetje schuin en keek naar mijn oom, die het pad onder de bomen afliep. 'Oom?'
'Wat is er, Liadan?'
'Ik moet u iets vertellen. Ik moet u vertellen dat ik de waarheid over Ciarán te weten ben gekomen; dat ik weet wie hij is en waarom hij is weggegaan. En ik wil u iets vragen. Als ik iets zou willen weten over het oude kwaad, en wat dat betekent... zou u het me dan vertellen? Zou iemand het me vertellen? Ik heb zoveel waarschuwingen gehoord, en ik hoor stemmen die me nu eens deze kant en dan die kant op trekken, en niemand wil me iets uitleggen. Als het waar is dat we ergens door bedreigd worden, hoe kunnen we er dan tegen vechten als we het niet begrijpen?'
Finbar staarde me aan. 'Je had mijn dochter moeten zijn, vind ik, want ik hoor mijn eigen woorden uit jouw mond komen. Ik had je dit zelf willen vertellen, lang geleden; maar Conor liet ons beloven dat we zouden zwijgen. Je kunt het het beste rechtstreeks aan hem vragen. Ik denk dat hij wel over deze dingen zal willen spreken, nu onze zuster is heengegaan. Met ons zwijgen wilden we haar beschermen tegen meer verdriet; we wilden niet dat ze getuige zou zijn van de wedergeboorte van een kwaad dat de levens van onze zonen en dochters net zo zou bederven als het ons eigen leven heeft bedorven. Toen Sorcha het werk van de tovenares ongedaan maakte, dacht ze dat het kwaad voorgoed weg was; maar we hadden het niet verslagen, we hadden onszelf alleen maar een aantal jaren respijt gegeven. Spreek met Conor. Vertel hem van je bange voorgevoelens en vraag hem om de waarheid.'
'Dat zal ik doen. Dank u, oom. U spreekt altijd klare taal, en daarom bewonder ik u.'
'Vaarwel, Liadan. Houd je licht brandende.'
En weg was hij. Later die ochtend lieten ze de honden weer los.

Mijn vader vertrok nog dezelfde dag, tot ieders verrassing. Ik had wel geweten dat hij zijn belofte zou houden, want hij was een man van zijn woord. Maar niemand had verwacht dat hij zo snel zou vertrekken, vooral gezien de gevaren van zo'n reis. Hij mocht dan een Brit zijn, maar hij had achttien jaar en langer onder de mensen van Erin geleefd, en het was niet zeker dat zijn eigen mensen hem goed zouden ontvangen. Bovendien moest hij er eerst nog komen, via een kust waar het wemelde van Noormannen en over een grote zee vol rovers en piraten en verraderlijke winden en wateren. Dat de Grote Man in zijn eentje vertrok op zo'n reis, gaf aan dat hij meer veranderd was dan alleen door verdriet en verlies verklaard kon worden. Maar Sean dacht dat het toch wel zin had.

'Zo is de kans groter dat hij er onopgemerkt doorheen glipt, en intussen informatie verkrijgt,' zei mijn broer. 'Lang geleden was er een tijd dat dit soort dingen voor hem heel gewoon was. Nu doet hij het alleen omdat hij zijn woord heeft gegeven. Maar hij verstaat de kunst nog altijd.' Er klonk iets van trots in zijn stem. Ik voor mij twijfelde er niet aan dat mijn vader tegen deze taak opgewassen was. En ik wist dat Janis gelijk had gehad. Ik had de leegte in zijn ogen gezien, en ik begreep dat hij zonder deze opdracht misschien helemaal door zijn verdriet zou worden opgeslokt.

Vader nam afscheid van Sean en mij in de kleine kruidentuin. De jonge eik die hij voor mijn moeder had geplant in de herfst waarin Niamh was geboren, was nu zo groot dat hij schaduw bood aan nieuwe generaties jonge zaailingen. Hij was onopvallend gekleed en had een heel klein zakje bij zich, waarin alleen de meest elementaire benodigdheden pasten.

'Ik ga te voet,' zei hij. 'Ik heb onderweg nog een kleinigheid af te handelen; dat moet in stilte gebeuren. Het is beter als ik grotendeels ongezien reis. Wat Harrowfield betreft, hebben we niet veel gehoord. Ik weet niet wat ik daar zal aantreffen.'

'Vader?' Ik had met vaste stem willen spreken; sterk willen zijn voor hem. Maar ons verlies was te vers en mijn stem beefde.

'Ja, lieverd?'

'U... u komt toch wel terug, hè?'

'Dat is een stomme opmerking,' snauwde Sean. Ik zag wel dat hij ook bijna in tranen was.

'Je broer heeft gelijk, Liadan,' zei vader. Hij legde zijn arm om me heen en probeerde te glimlachen. 'Zo'n vraag hoef je me toch niet te stellen. Natuurlijk kom ik terug. Er ligt hier werk voor mij; familie en mensen. Dat zegt Liam immers. Ik ga nu omdat het me gevraagd is, omdat ik het beloofd heb.'

'Maak u niet ongerust, vader. Ik zal voor alles zorgen.' Seans poging zelfvertrouwen uit te stralen was best overtuigend.

'Dank je, zoon. Nu moet ik voorlopig afscheid nemen van jullie beiden. Ik weet dat jullie sterk en moedig zullen zijn. Ik weet dat jullie kinderen van je moeder zullen zijn.'

Hij omhelsde me en ik huilde; hij pakte Seans schouder en drukte hem even, en toen ging hij van ons weg.

Niet lang daarna verzamelde Padriac zijn gezelschap en ging op weg naar het westen om een bezoek te brengen aan Seamus Roodbaard. Wat hij daarna ging doen, wie zou het zeggen? Er waren altijd nieuwe horizonten te verkennen, nieuwe avonturen te beleven. Zo zou je je hele leven kunnen besteden, zei hij, en er zou nog steeds meer dan genoeg zijn waar je zonen en je kleinzonen hun tanden in konden zetten.

'En je dochters,' zei ik droog.

Mijn oom lachte, zodat de kuiltjes in zijn wangen te zien waren. 'En je dochters,' beaamde hij. 'Ik heb gehoord dat je de boog goed kunt spannen, dat je snel bent met een werpmes en dat je voetenwerk bij een stokgevecht goed verzorgd is. De volgende keer dat ik op bezoek kom, kan ik je misschien de zeilkunst leren. Je weet maar nooit wanneer je die nodig zou kunnen hebben.'

Ik wachtte enige tijd, want ik wilde het tijdstip zorgvuldig kiezen. Het huishouden was gedempt, het verlies van mijn moeder werd sterk gevoeld en het vertrek van mijn vader werkte ontregelend. Zonder zijn voortdurende geruststellende aanwezigheid leken de mensen zich een beetje verloren te voelen, alsof het werk op de boerderij, in het bos en in het dorp niet energiek en geestdriftig kon worden aangepakt als zijn lange gestalte niet in hun midden was om te helpen met het herstellen van de dakbedekking, met hooien of met het verzorgen van het fokvee. Conor en zijn groep druïden maakten geen aanstalten om weg te gaan. Ik vond dat Liam ongewoon stil leek en meende dat Sorcha's dood haar ernstige oudste broer zwaarder had getroffen dan iemand verwacht zou hebben. Ik had de indruk dat Conor hier bleef omwille van zijn broer. Maar ik vermoedde dat er nog een reden voor was. De aartsdruïde was vaak aanwezig wanneer ik in mijn tuin werkte of op het gras met Johnny speelde. Hij liep vaak met me mee naar het dorp en gaf de mensen goede raad en zijn zegen terwijl ik hun verwondingen en kwalen behandelde. Ik dacht dat hij niet op mij lette, maar op Johnny. Ik had deze oom altijd vertrouwd; hij was wijs, evenwichtig, kalm en zeker. Nu kon ik niet naar hem kijken zonder Ciaráns donker beschaduwde ogen en de blauwe plekken van mijn zus te zien. Ik dacht na over vertrouwen, hoe gevaarlijk het was om een keus te maken op grond van vertrouwen, op grond van wat anderen je voorhielden als juist. Het was voor mij heel duidelijk wat Conor voor mij en mijn zoon wilde. Het was hetzelfde als wat de Feeën wilden. En het leek ook heel verstandig. Misschien was het woud de enige plaats waar mijn zoon veilig kon zijn. Maar ik had geen zekerheid. De enige keuzes waar ik zeker van kon zijn, waren de keuzes die ik zelf maakte.

We zaten samen in de tuin en Johnny lag op zijn dekentje onder de bomen. Er was verder niemand. Ik zat te naaien, want Johnny groeide hard en had voortdurend nieuwe hemdjes en tuniekjes nodig. Conor zat naast me en keek naar het meer beneden.

'Oom,' zei ik behoedzaam, 'ik weet niet goed hoe ik dit moet vragen. Ik heb vaak toespelingen horen maken op een oud kwaad. Iets waarvan jullie dachten dat het weg was en dat op de een of andere manier weer is ontwaakt. Ik heb hier veel aan gedacht, vooral na het heengaan van mijn moeder. Ik herinner me uw verhaal, dat verhaal over Fergus en Eithne. In dat verhaal zeggen de Feeën dat het verkeerd zal gaan met Zeven Wateren tot de Eilanden terugveroverd zijn en het evenwicht is hersteld. Ik heb het gevoel dat de dingen nu verkeerd gaan. Wat er met Niamh gebeurd is, was verschrikkelijk verkeerd. Ik moet u vertellen dat ik de reden heb ontdekt waarom u hun huwelijk hebt verboden. Ik weet wie Ciarán is. Maar ik kan niet begrijpen waarom u hun de waarheid niet hebt verteld. U hebt die twee keer verzwegen. Eerst voor Ciarán zelf, door hem te laten opgroeien in onwetendheid van wie hij was; en toen liet u Niamh geloven dat hij haar had verlaten; u zei alleen tegen haar dat een verbintenis tussen hen verboden was, zonder te zeggen waarom – dat was erg wreed. Ik kan niet begrijpen waarom u de waarheid op die manier verborgen wilde houden. Zo doen we het hier op Zeven Wateren toch niet.'

'Heeft Finbar je dit verteld?' Conors stem was kalm als altijd, maar zijn handen waren rusteloos, zijn vingers draaiden met een hazelaartakje.

'Ik heb hierover met hem gesproken, ja.' Ik mocht hem niet zeggen dat Ciarán terug was geweest. Hij mocht niet weten dat Niamh nog leefde, al leek het gemeen om dit nieuws te verzwijgen. Door zich als haar beschermer op te werpen had Ciarán mijn zuster werkelijk helemaal van haar familie vervreemd. 'Maar Finbar heeft zijn beloften niet gebroken, hoor oom. Hij zei dat u hem over deze kwestie had geboden te zwijgen. Ik heb de waarheid zelf afgeleid, uit visioenen en... en uit andere dingen.'

'Juist.'

'Ik zou nu graag van u een verklaring horen, als u die wilt geven. Want u hebt gezegd dat ik mijn zoon hier in het woud moet houden, alsof hij werkelijk het kind uit de profetie is, degene die alles weer in orde zal maken. En het lijkt er zeker op dat de kwade dingen ons beginnen te belagen; er is al veel verloren gegaan, en niet in de laatste plaats het vertrouwen. Ik begrijp wat de Feeën hebben gezegd, dat Johnny misschien de sleutel is. Maar hij is nog zo klein.' Ik keek neer op Johnny, die kreunde van inspanning omdat hij probeerde met zijn vingers bij zijn tenen te komen. 'Als het klopt wat zij zeggen, dan heeft mijn zoon hierin misschien een... een belangrijke rol te vervullen. Ik ben zijn moeder. Hoe kan ik beslissingen nemen als mij niet de hele waarheid wordt verteld?'

Conor keek me aan. 'Heb *jíj* de hele waarheid verteld?' vroeg hij op ernstige toon.

Ik voelde een blos op mijn wangen komen. 'Nee, oom. Maar ik probeer geen kwaad te verbergen, alleen mensen die ik liefheb te beschermen. En ik heb mijn moeder de waarheid verteld, voor het einde.'

Hij knikte; hij vond dit kennelijk voldoende. 'Ook ik probeerde degenen om wie ik gaf te beschermen, Liadan. Maar ik heb een vreselijke fout gemaakt. Ik dacht dat ik sterk genoeg was om haar boosaardige werk ongedaan te maken; om er mijn eigen strategie tegenover te stellen. Maar ik ben uiteindelijk maar een mens; een klein stukje in dit spel. Zij is meer dan dat; een wezen met meer

macht dan iedereen besefte, listig en vindingrijk. We dachten dat ze voorgoed weg was, maar we vergisten ons.'
'Zij? U bedoelt toch vrouwe Oonagh? De tovenares die u en uw broers in zwanen veranderde, en die zich Zeven Wateren zou hebben toegeëigend als mijn moeder de betovering niet ongedaan had gemaakt?'
Conor zuchtte. 'Jij zegt dat ze zich Zeven Wateren zou hebben toegeëigend. Maar zo eenvoudig was het niet. Ze wilde het voor haar zoon; via hem wilde ze macht en invloed krijgen. Haar zoon had haar eigen besmette bloed in zich, het bloed van een reeks tovenaars; maar hij was ook de zoon van Colum van Zeven Wateren, en kon met recht aanspraak maken op de túath. Toen wij veilig uit de weg waren, was hij de erfgenaam. Met hem als haar pion en gebruik makend van haar toverkunsten had ze het lot van koningen kunnen beïnvloeden, Liadan.'
'Ik weet dat u hem in de nemetons hebt grootgebracht,' zei ik. 'Uw vader vond hem en haalde hem weg bij zijn moeder, en u bracht hem groot als druïde. Dat kan ik begrijpen; maar waarom vertelde u hem de waarheid niet? Waarom wachtte u tot het zo laat was dat het hem bijna kapot heeft gemaakt?'
'Mijn vader zag het als zijn taak om Ciarán te vinden en hem mee naar huis te nemen,' zei Conor zacht. 'Zo iemand als vrouwe Oonagh heeft niet veel op met een jong kind; ze wilde waarschijnlijk wachten tot hij oud genoeg was om onderricht te worden, om daarna een tovenaar van hem te maken. Daarom bracht ze de jongen onder bij mensen die haar onschadelijk leken: een kinderloos echtpaar in het zuiden, dat maar al te blij was met een zak zilver in ruil voor de verzorging van een klein jongetje. Hun huisje lag op een afgelegen plaats, verborgen in de diepe plooien van een beboste vallei. De tovenares dacht dat ze haar zoon daar veilig een tijdlang kon achterlaten. Ze had echter geen rekening gehouden met de vastberadenheid van mijn vader. Ciarán werd dus gevonden en mee naar huis genomen, naar het woud. De jongen is opgevoed in de leer; in de rust en discipline van het heilige bos. Ook heer Colum sleet daar de dagen van zijn ouderdom in contemplatie en studie, en hij is een goede dood gestorven. Ciarán was als een zoon voor mij, Liadan; een fijne jongeman, diepzinnig, verstandig, opmerkzaam; hij leerde snel en had een grote zelfdisci-

pline. Hij bezat alle eigenschappen die men zou verlangen in een toekomstige leider van onze broederschap. Ik was heel zeker van mijn zaak. Heel zeker dat ik haar werk ongedaan kon maken, en van dit kind een man kon maken die de weg van het licht zou volgen, standvastig, zeker in zijn geloof, altijd toegewijd aan de mysteriën. We vertelden aan niemand wie hij was. Behalve ik en mijn vader wisten alleen mijn broers en zuster van zijn bestaan. Ik koos ervoor zijn afstamming niet aan hem bekend te maken. Het is niet goed een opgroeiende jongen te belasten met een dergelijke donkere waarheid. In plaats daarvan was hij gewoon een van de onzen. Hij behoorde in elk opzicht tot de wijzen.'

'Maar toch was dat niet zo,' zei ik. Ik zag Conors verdriet in zijn ogen, hoewel zijn stem zoals altijd diep en vast was. 'Want de zoon van een tovenares kan natuurlijk nooit een druïde worden.'

Conor was krijtwit. 'Ik had me vreselijk vergist. De jongen heeft het bloed van zijn moeder in zijn aderen, en na verloop van tijd kwam dat tot uiting. Ik had gedacht dat ik het kon uitbannen. Ik bracht hem op Zeven Wateren. Hij verlangde ernaar eens buiten de nemetons te kunnen kijken, en hij had zich waardig betoond om bij de Imbolc-ceremonie te assisteren. Het leek me zo veilig dat ik nooit had gedacht dat hij in de verleiding zou komen... nooit gedacht... maar ik heb daarmee het kwaad weer over ons afgeroepen. Hij hoefde Niamh maar te aanschouwen, of de hand van vrouwe Oonagh begon zich weer in ons leven te mengen. Via haar zoon begon ze opnieuw haar vernietigende wil uit te oefenen op onze familie en op de mensen die wij behoeden en beschermen. Er was geen andere keus, Liadan. Die avond hebben wij de zaak besproken; Liam, ik en je vader. Ik heb een beslissing genomen. Ik liet hen beloven te zwijgen. We zagen hoe dit Sorcha aangreep; hoe ze vreesde voor haar kinderen, dat zij op hun beurt met de kwaadaardige invloed van de tovenares geconfronteerd zouden worden. We hielden jullie erbuiten. We vonden het beter als Niamh niet de volledige waarheid wist over de zonde die ze had begaan. Als ze niet onder die schuld gebukt ging, zo redeneerden we, zou ze wellicht beter in staat zijn dit achter zich te laten en opnieuw te beginnen. Ze deed een goed huwelijk; ze was ver weg, ergens waar haar niets kon overkomen. Wat Sean betreft, niemand wilde dat hij met het zwaard in de hand wegstormde

om op de een of andere manier genoegdoening te verkrijgen van Ciarán. Sean was bestemd om een leider te worden, net zo evenwichtig en verstandig als zijn oom en zijn vader. Het was beter dat hij het niet wist. En als hij het niet mocht weten, konden we het moeilijk aan jou vertellen.'
'En Ciarán dan?' vroeg ik boos. 'Want naar mijn gevoel is hij nog het allerslechtst behandeld. Zijn hele leven is een leugen geweest.'
'We hebben hem die avond de waarheid verteld.' Conors stem leek die van een oude man, vermoeid en bedroefd. 'Ik kon hem niet minder aanbieden. Wat Niamh en hij hadden gedaan was een schanddaad, tegen de wetten van de natuur.'
'Ze deden het in hun onschuld.' Mijn stem beefde heftig.
'Dat geef ik toe,' zei hij ernstig. 'Niettemin was het verboden, en het kon beslist niet door een huwelijk bevestigd worden. Het was voor Niamh het beste om te trouwen en opnieuw te beginnen. Wat Ciarán betreft, hij koos zijn eigen weg. Daarin zag ik de invloed van zijn moeder, die zich weer over ons uitstrekte.'
Ik keek omhoog naar Fiacha, die boven op een meidoornhaag zat en zijn veren poetste. Eindelijk had mijn oom me de waarheid verteld. Maar het was overduidelijk dat ik niet hetzelfde kon doen. Nu niet, en misschien wel nooit.
'Weet u waar Ciarán heen ging, nadat hij van Zeven Wateren wegvluchtte?' vroeg ik voorzichtig. 'Denkt u dat vrouwe Oonagh nog leeft en dat hij naar haar op zoek is gegaan?'
'Sommige dingen lijken te verschrikkelijk om hardop te worden uitgesproken. Het is mogelijk, ja. Wat betreft de wijze waarop hij haar zou hopen te bereiken, daar bestaan methoden voor. Ciarán is daar bedreven in; hij zou zo'n reis kunnen proberen zonder toezicht, al is dat niet verstandig. Ik heb niets meer van hem gehoord sinds hij hier weg is gegaan, Liadan.'
'U hebt hem weggestuurd terwijl u wist dat hij zoiets zou kunnen proberen?'
'Ik heb hem niet weggestuurd. Hij had bij ons kunnen blijven. Hij was... hij was een uitstekende leerling, tot grote dingen in staat; zeer bedreven in de kunsten van de geest en in de magische kunst. Hij hoefde niet bij ons weg te gaan. De bedreiging die zijn afstamming vormde, had zelfs veel beter bestreden kunnen worden binnen de omsluiting van de heilige cirkel en van onze gemeen-

schap. Hij verkoos te gaan. Hij verkoos dat achter zich te laten. Ik heb gefaald, Liadan. Ik heb gefaald jegens hem, en uiteindelijk ook jegens mijn familie.'

'U hebt een keer tegen me gezegd,' zei ik, 'dat ik me niet schuldig moest voelen, omdat de dingen zich nu eenmaal zo ontplooien als ze moeten. Dat is lang geleden; toen dit allemaal pas begonnen was. Nu hoor ik u zeggen dat het eigenlijk uw schuld is. Misschien vergist u zich daarin. Misschien maakt het allemaal deel uit van een of ander patroon, een patroon dat zo groot is dat wij er niet meer van kunnen zien dan het kleine stukje waar we zelf in zitten. Dat zeiden de Feeën tegen mij. Dat wij het niet konden begrijpen en dat onze keuzes dus gebrekkig waren. Het lijkt soms alsof we niet meer dan marionetten zijn die zij manipuleren zoals het hun uitkomt. Maar ik denk dat wij meer macht hebben dan zij willen erkennen; waarom zouden ze zich er anders zo druk over maken of ik de ene weg kies of de andere? Waarom vinden ze het anders zo belangrijk dat Johnny veilig is? Misschien kan de profetie toch alleen door kleine mensen zoals wij in vervulling gaan, ongeacht wat ze ons vertellen.'

'Het is uiteindelijk toch ook door menselijke kracht en volharding geweest,' zei Conor zacht, 'dat de betovering van vrouwe Oonagh de vorige keer is verbroken, en niet door een machtige ingreep van de Túatha Dé. Zeg je soms dat ik me misschien vergis in Ciarán?'

'Uit wat u zegt, maak ik op dat hij noch zwak, noch onwetend is. Ondanks zijn boosheid is hij ongetwijfeld een jongeman die zijn keuzes zorgvuldig zal afwegen, en die dat ook goed kan. Ik kan niet geloven dat hij, omdat hij haar zoon is, in zijn leven onvermijdelijk kwaad moet doen. Als dat zo zou zijn, zou dat betekenen dat we helemaal geen keus hebben in wat we doen, in hoe we leven. Dat geloof ik niet, oom. Misschien is er voor ons maar een korte tijd weggelegd in deze wereld, zoals de Feeën zeggen; misschien is ons gezichtsveld enigszins beperkt. Maar binnen die beperkingen hebben we wel degelijk de macht om dingen te veranderen; de macht om keuzes te maken en te gaan waarheen we moeten gaan. Als ik iets over mezelf heb geleerd, is het wel dat ik geen werktuig wens te zijn van de een of andere heer of vrouwe, dat ik niet naar hun pijpen wens te dansen. Niet als mijn hart me een andere weg wil laten volgen. U hebt Ciarán opgevoed om evenwichtig en verstandig te zijn. Dat draagt hij evengoed in zich als het bloed van de tovenares. Wat u hem in die lange jaren van zijn opleiding met zoveel liefde hebt bijgebracht, heeft hem sterk gemaakt. Misschien is hij sterker dan u denkt.'

We spraken hierna niet meer over deze dingen, en na verloop van tijd, toen de zomer was overgegaan in de herfst, toen Johnny zelfstandig kon zitten en zich kon voortbewegen door middel van een vreemde, halfkruipende, halfzwemmende beweging, vertrok Conor, gevolgd door zijn zwijgende, in witte gewaden gehulde broeders. Hij zei tegen mij niets anders dan: 'Zorg dat hij veilig is, Liadan. Omwille van ons allemaal, zorg dat hij veilig is.'

HOOFDSTUK DERTIEN

Er was geen bericht gekomen van Eamonn, alleen een escorte om zijn zuster naar huis te begeleiden. Ik was daar diep dankbaar voor, want ons laatste gesprek stond diep in mijn geest gegrift, evenals de herinnering aan zijn kus. Tegen de herfst was ik in staat mezelf met enige overtuiging voor te houden dat hij blijkbaar eindelijk had geaccepteerd dat mijn antwoord nee was en dat hij had besloten door te gaan met zijn leven. Het speet me als mijn beslissing de situatie voor Sean of voor Liam moeilijk had gemaakt, omdat hun banden met Eamonn van levensbelang waren, niet alleen voor hun gezamenlijke verdediging, maar ook voor het welslagen van een eventuele aanval op Northwoods. Beiden hadden opmerkingen gemaakt over het uitblijven van bericht van Eamonn. Maar het was nog vroeg. Na verloop van tijd zou het bondgenootschap weer even sterk zijn als altijd, want Aisling zou immers komende lente met mijn broer trouwen? Dat zou veel wonden helen.

Op een warme middag kort voor Méan Fómhair, toen de oogst bijna binnen was en de appels rijp blozend in de boomgaard hingen, nam ik mijn zoon mee naar een afgezonderd gedeelte van de oever van het meer. Hier hing de franje van wilgenloof bijna tot op het water, en de bocht van de oever gaf zowel beschutting als intimiteit. Het was een prachtige dag; het oppervlak van het meer glinsterde van het licht, en het bos begon zich al te hullen in herfsttinten, een baan van oranje, rood en geel rond het sombere groen van de dennen die de heuveltoppen bekroonden. Als kind hadden we hier gelukkige dagen doorgebracht met zwemmen en duiken, in bomen klimmen en het bedenken van talloze nieuwe avontuurlijke spelletjes. Nu liet ik mijn zoontje naakt zijn gang gaan op het zand, waarop hij vreemde patronen maakte met zijn pasgeleerde halfkruipende gang. En later kleedde ik mezelf uit tot op mijn hemd en nam hem mee in het water; ik vertrouwde erop dat de oogstwerkzaamheden ervoor zouden zorgen dat we niet gestoord werden. Johnny lachte van pret en liet zijn twee nieuwe tandjes zien toen hij het koele water op zijn huidje voelde. Ik liet hem voorzichtig op en neer gaan in het water, zodat het een beetje spetterde.

'Volgend jaar om deze tijd zal ik je echt zwemmen leren,' zei ik tegen hem. 'Dan zul je op een mooie zalm lijken, of misschien op een zeehond. Dan gaan ze natuurlijk tegen me zeggen dat je vader een meerman was, of een selkie.'

We speelden net zolang tot hij moe werd, waarna ik hem op zijn bonte dekentje te rusten legde in de schaduw van de wilgen. Hij sliep niet echt, maar leek tevreden daar een tijdje te liggen en omhoog te kijken naar het ingewikkelde patroon van licht en schaduw dat de langwerpige blaadjes vormden. Hij brabbelde zacht tegen zichzelf in een babytaaltje dat ik niet goed kon verstaan. Fiacha zat vlakbij in de takken te kijken. Hij had zich zorgen gemaakt toen we in het water waren; hij fladderde bezorgd krassend boven ons of stapte langs de rand van het water, waar zijn kleine, keurige pootafdrukken nog in het zand stonden. Nu was hij stil. Ik ging het water weer in en zwom, waarbij ik van tijd tot tijd opkeek om te zien of Johnny nog op zijn dekentje lag. Ik dook onder water om de koelte over mijn gezicht te laten spoelen en dook vervolgens weer op om mijn haar uit te schudden met een wolk druppeltjes. Het was een goed gevoel, alsof ik in de krachtige omhelzing van het water gedurende korte tijd de complicaties van mijn leven en de beslissingen die voor me lagen, kon vergeten; alsof ik geheimen, dubbelhartigheden en gevaren kon vergeten en weer kon genieten van de onschuldige vrijheid van het kind-zijn.

Na enige tijd kreeg ik het koud en begon terug te waden naar het strand. Op het dekentje lag Johnny te slapen. Straks zou hij honger hebben. Ik stond tot aan mijn knieën in het water en wrong mijn haren uit. Er was geen geluid, geen beweging. Maar er was iets waardoor ik opkeek. Ik voelde dat de haartjes in mijn nek overeind gingen staan en ik wist dat er iemand naar me keek. Onder de wilgen, zo roerloos alsof hij zelf deel uitmaakte van het bos, stond een man. Als je hem niet kende, zou je gedacht hebben dat het ingewikkelde patroon dat zijn gezicht tekende gezichtsbedrog was, veroorzaakt door het licht, door de zon die tussen wilgentakjes door speelde. Hij was heel eenvoudig gekleed, in onopvallend grijs en bruin, geschikte kledij voor een man die zich ongezien door bebost terrein wil voortbewegen. Als hij een wapen droeg, zag ik het niet. Het leek erop dat de Beschilderde Man het mystieke woud van Zeven Wateren al evenmin een uitdaging vond als de moerassen van Sídhe Dubh. Of misschien had men hem toegestaan er binnen te komen.

Hij bewoog niet. Het was duidelijk dat ik uit het water zou moeten komen met alleen mijn druipnatte hemd aan, en dat ik iets zou moeten bedenken om te zeggen. Ik waadde naar het strand en probeerde een waardige houding aan te nemen, maar dat valt niet mee als je moet bukken om je rok uit te wringen, als je armen en schouders bloot zijn en je borst ook half ontbloot is, en je voeten onder het zand zitten en er nergens een kam of een spiegel te bekennen is. Ik bereikte de plek op het grasveld boven het strandje waar mijn jurk en omslagdoek lagen, maar hij was er eerder. Achter ons, aan de andere kant onder de wilgen, lag het kind nog steeds te slapen.

Bran had mijn omslagdoek gepakt en hij stak zijn armen uit om hem om mijn schouders te hangen. Nog steeds had ik niets bedacht om te zeggen. Ik kon amper ademhalen, laat staan iets zinnigs uitbrengen. De omslagdoek viel op de grond en zijn armen kwamen om me heen, en ik sloeg de mijne om hem heen. Ik voelde zijn lippen op de mijne; ze raakten me zacht aan in een kus zo teder dat ik bijna moest huilen. Hij legde zijn handen aan weerskanten van mijn gezicht en zijn duimen gingen langzaam over mijn slapen en wangen, alsof hij niet goed kon geloven dat hij me echt in zijn armen hield. De hongerige uitdrukking in zijn ogen was in tegenspraak met de ingehouden aanraking.

'O, Liadan,' zei hij binnensmonds. 'O, Liadan.'

'Je bent ongedeerd,' bracht ik uit, terwijl mijn vingers zacht over

zijn nek streken en mijn hart snel bonsde. 'Ik durfde niet te hopen... maar je zou hier niet moeten zijn, Bran. Liams mannen bewaken me. En hij denkt nog steeds... ik heb hem niet de waarheid verteld over mijn zuster en hoe je haar hebt geholpen. Ik ben je veel verschuldigd voor wat je gedaan hebt.'
'Nee hoor,' zei hij zacht. 'Je hebt immers betaald, weet je nog? Kom nu, laten we ons nog even volgens de regel gedragen, voor we onszelf helemaal niet meer kunnen beheersen. Kom hier bij me zitten.' Toen bukte hij zich om de omslagdoek op te rapen en hem om mijn schouders te hangen.
'En nu,' zei hij, terwijl hij diep inademde, 'moeten we gaan zitten, met drie passen tussenruimte, dan zal ik je op de hoogte brengen.'
'Ik weet dat mijn zus in veiligheid is,' zei ik, en ik ging zitten zoals hij had gezegd. Hij ging zelf op het gras zitten, een klein eindje van me af. 'Er is... een boodschapper gekomen, op de dag dat mijn moeder stierf.'
'Ah zo. Je moeder... dat zal je verdriet hebben gedaan.'
Ik knikte, want ik vond het nog steeds moeilijk om te spreken, te ademen, om normaal na te denken.
'Er is nog meer nieuws dat je zal interesseren,' vervolgde Bran. 'Nieuws dat ik op weg hierheen heb vernomen en dat je oom of je broer misschien nog niet ter ore is gekomen. Uí Néill is dood. In zijn slaap gewurgd toen hij kampeerde bij de pas naar het noorden. Dit is al een tijd geleden gebeurd, voor midzomer, hoorde ik. Ze hebben het stil gehouden; er zijn strategische redenen om het niet bekend te maken. De dader is niet gevonden. Die is in de nacht gevlucht, en het lichaam werd pas gevonden toen het dag werd. Het moet een man met sterke handen zijn geweest, een man die zich onhoorbaar door het bos kon verplaatsen.'
In mijn hoofd doemden onmiddellijk mogelijkheden op waar ik van schrok. 'Dat moet wel, ja,' fluisterde ik.
'Is het mogelijk dat iemand van je familieleden de waarheid wist? Iemand die er niet voor terugschrok hem te straffen voor wat hij je zuster heeft aangedaan?'
'Ik denk dat Sean misschien de waarheid heeft geraden,' zei ik langzaam. 'Maar hij is na de dood van mijn moeder hier op Zeven Wateren gebleven.'
'Heb je het dan aan niemand verteld?'

'Het lijkt of dat je verbaast. Maar dat heb je me zelf opgedragen. Is het een slag voor je, dat een vrouw zoveel wilskracht kan tonen?'
'Zeker niet. Ik begin te beseffen dat ik jou niet domweg in de categorie vrouw kan indelen. Jij bent in alle opzichten jezelf.'
'Toch heb ik hun later wel de waarheid verteld. Mijn vader en Sorcha. Ik kon haar niet laten sterven in de overtuiging dat Niamh dood was. Ik heb hun verteld wat je voor me hebt gedaan.'
We bleven zwijgend zitten, en ik dacht na over de verbijsterende mogelijkheid dat de Grote Man, die alles wat groeide met zoveel zorg vertroetelde, de scheidsrechter bij elk geschil, zijn grote handen om de nek van Fionn Uí Néill kon hebben gelegd en het leven uit hem kon hebben geperst.
'Ik zou me er maar niet druk over maken,' zei Bran zonder nadruk. 'Zoals veel andere heimelijke moorden zal deze waarschijnlijk worden toegeschreven aan de bende van de Beschilderde Man. We hebben al zoveel wandaden op ons conto, dat eentje meer niets uitmaakt. Je vader heeft nu tenminste een stap gezet om zijn zwakheid in het verleden te compenseren.'
Ik keek hem meesmuilend aan. 'Moet een man dan moorden en verminken om jouw respect te verdienen?'
Hij keek me neutraal aan. 'Een man, of een vrouw, moet op zijn minst in staat zijn verstandige beslissingen te nemen, en zich daaraan te houden. Als een man verantwoordelijkheden heeft, mag hij ze niet zomaar, op grond van een gril, van zich af zetten. Als hij kiest voor een bepaald grondgebied, een bepaalde familie en een bepaalde gemeenschap, moet hij die last levenslang op zich nemen en hem niet afwerpen om een vrouw te volgen die op zijn pad is gekomen en hem verblind heeft.'
Ik zuchtte. 'Ik wou dat je mijn moeder had kunnen ontmoeten. Je zou maar één keer met haar gesproken hoeven te hebben om je mening totaal te herzien. En wat mijn vader betreft, hij heeft een moeilijke keus gemaakt toen hij hierheen kwam om bij haar te zijn. Hij heeft zich niet aan de verantwoordelijkheid onttrokken; hij heeft alleen die last, zoals je het noemt, verruild voor een andere. Ze had hem nodig, Bran. Ze had hem net zo nodig als...'
Mijn stem brak en ik sprak de woorden niet uit. *Als ik jou nodig heb.* Ik wilde het niet zeggen.
We bleven een tijdje zwijgend zitten, en toen zei hij: 'Ik kan niet

lang blijven. Ik moet met je broer spreken, want mijn opdracht is nog maar voor de helft vervuld. Zijn er nog meer vrouwen in de buurt, of ben je hier helemaal alleen?'
'We zullen waarschijnlijk niet gestoord worden. Waarom vraag je dat?'
'Ik... ik had me voorgenomen me in te houden wanneer ik je eindelijk terug zou zien, maar ik...'
De rest van zijn woorden ging verloren, want plotseling hadden we onze armen om elkaar heen. Onze lichamen drukten zich tegen elkaar aan en een vloedgolf van opgekropt verlangen stroomde door ons heen, want hij was niet langer tegen te houden. En o, het was heerlijk, de hardheid van zijn lichaam tegen me aan te voelen, de dringende aanraking van zijn handen door de vochtige stof van mijn hemd heen. Alles vervaagde op dat gevoel na. Het was alsof er geen man, geen vrouw was, hier op het strandje onder de wilgen, geen Bran, geen Liadan, alleen twee helften van iets wat gebroken was en dat nu eindelijk, vanzelfsprekend weer aaneen moest worden gevoegd. Ik zuchtte en trok hem dichter tegen me aan. Hij fluisterde iets en bewoog zacht, en ik hijgde. Toen hoorde ik gehuil van de andere kant van de kleine baai en gekras vanaf de tak boven ons, en we bewogen niet meer. Het gehuil werd luider en we gingen uiteen. We stonden op, en ik liep naar mijn zoon om hem in mijn armen te nemen, terwijl Bran bewegingloos op het gras stond. Hij was erg bleek geworden.
'Het spijt me,' zei ik dwaas. 'Op deze leeftijd kunnen ze niet wachten met eten.' Want mijn zoon had honger en hij maakte zich boos. Er zat niets anders op dan daar voor Brans ogen te gaan zitten, mijn hemd naar beneden te trekken en hem de borst te geven. Het gehuil hield onmiddellijk op toen hij begon te drinken, en ook de raaf hield zijn snavel, boven ons op zijn tak. Fiacha had me niet gewaarschuwd voor Brans komst. Dat was een vreemde nalatigheid voor zo'n goede waakhond.
Bran stond nog steeds op dezelfde plaats. Hij gaapte ons aan; zijn ogen leken geschokt, de uitdrukking op zijn gezicht was weer afstandelijk, als een masker.
'Je hebt er kennelijk geen gras over laten groeien,' merkte hij op. 'Waarom heb je hier daarnet niets over gezegd? Wat was dat voor spelletje?'

De herinnering aan een soortgelijk gesprek kwam pijnlijk terugvloeien en tranen van gekwetstheid en verontwaardiging prikten in mijn ogen.
'Hoe bedoel je, dat ik er geen gras over heb laten groeien?' fluisterde ik boos.
'Mijn verspieders doen het meestal beter. Niemand heeft de moeite genomen me te zeggen dat je gehuwd was en een kind had. Ik ben een idioot geweest om hier terug te komen.'
Ik wist niet of ik in waanzinnig lachen of in beledigde tranen moest uitbarsten. Hoe kon een man die de naam had de moeilijkste opdrachten te kunnen uitvoeren, zo ongelooflijk dom zijn?
'Ik dacht dat je gekomen was om mijn broer te spreken,' zei ik beverig.
'Dat is ook waar. Ik heb niet tegen je gelogen. Maar ik dacht ook... ik hoopte ook... ik heb je kennelijk verkeerd beoordeeld. Dat je ooit... ik kan niet geloven dat ik mezelf voor de tweede keer zo heb laten beetnemen.'
'Inderdaad,' zei ik, 'je beoordelingsvermogen is bedroevend slecht geworden als je gelooft dat ik tot zoiets in staat ben. Dan zou ik niet beter zijn dan een vrouw van de straat, die zich geeft aan iedere man die erom vraagt.'
Ondanks zichzelf was hij weer dichterbij gekomen en hurkte nu vlakbij neer. Hij leek zijn ogen niet te kunnen afhouden van de baby aan mijn borst.
'Ik neem aan dat ze een passende echtgenoot voor je hebben gevonden, net als voor je zuster,' zei hij op sombere toon. 'Je bent tenminste niet met die kerel, die Eamonn Dubh getrouwd. Ik heb hem goed in de gaten gehouden; dat zou ik toch zeker geweten hebben. Van welk clanhoofd heeft je familie een zoon voor je uitgezocht, Liadan? Ontdekte je, nadat je met mij had geslapen, dat je het lekker vond en niet langer kon wachten op het huwelijksbed?'
'Als ik hier niet met het kind zat, zou de afdruk van mijn hand op je gezicht staan voor die opmerking,' zei ik, terwijl ik mijn zoon naar de andere borst verplaatste. 'Je hebt kennelijk nog niet geleerd te vertrouwen.'
'Hoe zou ik ook kunnen, hierna?' mompelde hij.
'Je vooroordelen maken je blind voor de waarheid,' zei ik zo kalm

mogelijk. Heb je je niet afgevraagd waarom ik nog hier op Zeven Wateren ben, in plaats van bij mijn echtgenoot?'
'Ik zou er geen gooi naar durven doen,' zei hij dof. 'Die familie van jou schijnt er geheel eigen regels op na te houden.'
'Dat moet jij vooral zeggen.' De pokken mocht hij krijgen, die man; hij verdiende het nauwelijks dat ik hem de waarheid vertelde. Hoe kon hij me zo verkeerd inschatten?
'Je kunt het me beter vertellen, Liadan. Wie is hij? Wie is je echtgenoot?'
Ik haalde diep adem. 'Ik ben hier gebleven omdat ik geen echtgenoot heb. Niet dat het ontbrak aan aanzoeken. Ja, ik heb de kans gekregen om te huwen, maar ik heb hem afgewezen. Ik wilde niet dat jouw zoon de naam van een andere man zou dragen.'
Het werd volkomen stil, afgezien van de geluidjes die het kind maakte met zuigen en slikken. Hij kon intussen goed drinken, en niet veel later had hij zijn buikje vol gedronken en wurmde zich uit mijn armen om weer op onderzoek uit te gaan. Hij kroop zo'n beetje naar Bran toe en legde zijn handje op de lange, getekende vingers, die hij kennelijk geboeid bekeek.
'Wat zei je daar?' Bran zat doodstil, alsof hij niet durfde te bewegen, omdat anders de wereld om hem heen zou instorten.
'Ik denk dat je me wel hebt verstaan. Het is jouw kind, Bran. Ik heb je een keer gezegd dat ik geen andere man wilde dan jou, en ik heb nooit tegen je gelogen, en dat zal ik ook nooit doen.'
'Hoe weet je dat zo zeker?'
'Aangezien ik maar met één man heb geslapen, en dat ook nog alleen die ene nacht, lijkt het me dat er geen twijfel mogelijk is. Of ben je soms vergeten wat er tussen ons is gebeurd?'
'Nee, Liadan.' Hij bewoog zijn vingers een klein eindje over het gras en Johnny ging plotseling zitten, met een verbaasd geluidje. Hij keek op naar zijn vader, en zijn grijze oogjes weerspiegelden de angstige fascinatie die in Brans ogen te zien was. 'Ik ben het niet vergeten. Zo'n nacht en zo'n ochtend blijven me bij, ongeacht wat erna komt. Maar dit... dit kan ik niet geloven. Ik denk dat ik droom. Het is natuurlijk een hersenschim van mijn verbeelding.'
'Het voelde niet bepaald als een hersenschim, toen ik van hem beviel,' zei ik droog. Hij keek me aan, met een erg grimmige trek

om zijn mond. 'Waarom heb je het me niet verteld? Hoe kon je het voor me verzwijgen?'
'Ik had het bijna gezegd, toen ik je zag op Sídhe Dubh. Maar dat was geen geschikt moment, en bovendien vind ik dat je al meer dan je deel aan lasten draagt. Ik wilde er niet nog een aan toevoegen. En toch had ik zo graag gewild dat je erbij was. Ik wilde zo vreselijk graag dat je hier was, om dat moment van vreugde mee te beleven, toen onze zoon ter wereld kwam.'
Er viel weer een stilte. Johnny had genoeg van de hand en kroop weg naar het zandstrandje. Bran keek naar hem, en in zijn ogen lag een uitdrukking die mijn hart deed omdraaien. Maar toen hij eindelijk iets zei, had hij zijn stem onder controle.
'Je weet wat ik ben. Je weet wat voor leven ik leid. Ik ben niet de geschikte man om vader of echtgenoot te zijn. Zoals je zelf hebt gezegd, heb ik geen vak behalve moorden. Ik zou niet graag zien dat mijn zoon net zo iemand wordt als ik. Hij is beter af zonder mij, en jij bent dat ook. Je familie zal ik wel nooit begrijpen, maar ook al heeft je vader fouten gemaakt, ik weet dat je broer een goede man is, die goed in staat is je te beschermen en je te onderhouden. Dit moet dan maar ons afscheid zijn, Liadan. Ik kan niet de man worden die jij nodig hebt. Ik ben... besmet, gebrekkig. Het is beter als dit kind nooit te weten komt wie zijn vader is.'
Ik kon nauwelijks spreken. 'Je wilt dus het verhaal van Cú Chulainn en Conlai naspelen?'
'Een zeer droevig verhaal,' zei hij zacht. 'Volgens mij is dit precies zo'n verhaal.'
We zaten stil naar de baby te kijken, die zich over het zand voortbewoog met een vastberadenheid waar de beheersing over zijn ledematen soms bij achterbleef. Dan begon hij te wankelen op zijn handjes en knietjes, en kapseisde, en krabbelde weer overeind.
'Ik had het mis, dat zie ik nu wel in,' merkte Bran na een poos op. 'Toen ik dit een last noemde. Het is geen last, maar een geschenk van onschatbare waarde. Zo'n geschenk mag niet verspild worden aan een man zoals ik.'
'Ah,' zei ik zacht. 'Maar geschenken krijg je aangereikt. We hebben beiden een geschenk gekregen, de nacht dat we met elkaar hebben geslapen. Je zoon veroordeelt je niet, en ik ook niet. Voor hem ben jij een onbeschreven bladzijde, waar vanaf vandaag al-

les op geschreven zou kunnen worden. En ik, ik heb je nooit gevraagd te veranderen. Je bent wat je bent. Ik heb sterke handen, Bran. Ik heb in de donkerste nachten voor je gewaakt. Bij nieuwe maan brandde mijn kaars om jouw weg te verlichten. Jij wilt dit geschenk misschien liever weigeren, maar ik zal er niet zo gemakkelijk afstand van doen. Ik draag je in mijn hart, of je het wilt of niet.'

Hij knikte. 'Dat wist ik, zonder het te begrijpen. Het gebeurde soms dat ik dacht dat ik je zag, daar in het donker. Maar ik deed het af als een zwakheid van de geest. Liadan, je moet je niet zo binden. Je verdient beter, veel beter. Een eervol, zinvol leven, een man voor wie je je niet hoeft te schamen als je naast hem loopt. Mijn wereld bestaat uit gevaar en vlucht, uit schaduwen en je verbergen. Dat zal niet veranderen. Ik zou jou of het... of mijn zoon zo'n bestaan niet willen aandoen.'

'Als je geen toekomst kunt zien waarin wij samen zijn, waarom ben je dan naar me toe gekomen?' vroeg ik hem op de man af. 'Waarom voer je niet domweg je bespreking met Sean, en vertrek je even ongemerkt als je gekomen bent? Je hebt me een keer gevraagd met je mee te gaan. Dat heb je misschien vergeten. Je veranderde van gedachten toen je mijn naam hoorde. En toch laat je je door mijn broer betalen. Wat is de prijs, voor deze opdracht? Waarom werk je voor de zoon van Zeven Wateren, terwijl je de dochter hebt afgewezen? Het klopt niet.'

'Ik neem aan,' zei hij op vermoeide toon, 'dat het zoiets is als het net waarin je moeder Hugh van Harrowfield ving, dat hem zwak van verlangen maakte, zodat hij zijn plicht verzaakte om haar te volgen. Ik merk dat alleen al de gedachte aan jou mij dingen laat doen en zeggen die me zelf verbazen. Mijn behoefte aan jou tast mijn beoordelingsvermogen aan. Ik heb een keer tegen je gezegd dat het vertellen van verhalen gevaarlijk was, omdat mannen daardoor naar dingen gaan verlangen die ze niet kunnen krijgen. Sinds ik jou heb leren kennen, word ik gekweld door visioenen van een ander bestaan, een leven waarin ik niet alleen zou zijn. Maar een man als ik moet alleen blijven. Vriendschap sluiten met zo'n man, je... je verbinden aan zo'n man, is vroeg of laat een doodvonnis. Je moet verder gaan zonder mij, Liadan.'

Ik voelde een vreselijke pijn in mijn hart, maar ik probeerde mijn

stem luchtig te laten klinken. 'Vind je dus dat ik met Eamonn had moeten trouwen, toen hij het me vroeg?' zei ik met opgetrokken wenkbrauwen. 'Hij heeft het me gevraagd, meermalen. Zelfs toen het kind al geboren was, wilde hij dat ik zijn vrouw zou worden, en hij wilde eigenlijk geen genoegen nemen met mijn weigering.'
'Wat?' Hij sprong verontwaardigd overeind. 'Die man had mijn vrouw en mijn kind willen inpikken? Een man wiens vader een verrader was van het ergste soort? Bij alle machten in de hel, ik had hem moeten kelen toen ik de kans had.' Opeens veranderde zijn stem: 'Is het de bedoeling dat hij dat opeet?' vroeg hij met zijn blik gericht op het kind.
De baby had een dik, wriemelend insect op het zand ontdekt, en had het in zijn knuistje te pakken gekregen. Nu bracht hij het kronkelende hapje naar zijn mond.
'Nee, Johnny!' riep ik, en liep erheen om het beest uit zijn handje te bevrijden en hem vlug af te leiden door van zand puddinkjes te maken, terwijl het insect ervandoor ging.
Achter ons was Bran plotseling stil geworden. En toen zei hij: 'Wát zei je daar?' en het werd me duidelijk dat de intuïtie van mijn moeder het weer precies goed had gehad.
'Ik noemde mijn zoon bij zijn naam.'
'Waarom heb je die naam gekozen voor het kind?'
'Hij is genoemd naar zijn vader, en naar de vader van zijn vader, een zeldzaam integere man,' zei ik kalm, terwijl mijn handen nog bezig waren van vochtig zand een klein kasteel te vormen. Zodra ik het af had, stak Johnny zijn handje uit en sloopte mijn bouwwerk.
'Maar... hoe kon je dat weten? Deze naam... deze naam is in zoveel jaren niet uitgesproken dat ik hem zelf bijna vergeten was.'
Ik hoorde een donker verdriet in zijn stem waar ik koud van werd.
'In het huis Zeven Wateren is de naam John niet onuitgesproken gebleven,' zei ik ernstig. 'Jouw vader was de beste vriend van mijn vader. Ze zijn samen opgegroeid. Mijn vader heeft gezegd dat het een bron van vreugde voor hem is dat zijn kleinzoon ook Johns kleinzoon is.'
'Hoe kan hij dat weten? Ik draag mijn vaders naam niet. Nu niet meer. Hij is dood. Hij was al dood voor ik hem kon kennen, omgekomen bij het verdedigen van je moeder, toen ze zich met de

zaken van Harrowfield kwam bemoeien en heer Hugh kwam weglokken van zijn verantwoordelijkheden. Misschien was mijn vader een goede man, zoals je zegt. Ik heb nooit de kans gekregen om dat uit te zoeken.'

Ik zuchtte. 'Het is duidelijk dat degene die je dit verhaal vertelde, er een bepaalde visie op had. Misschien was je te jong om te zien dat het misschien niet de hele waarheid was. Wie heeft je dit verhaal verteld?'

Zijn gezicht had opeens een nietszeggende uitdrukking. 'Daar zeg ik niets over.'

'Het zou misschien beter voor je zijn als je er wel iets over zei,' zei ik voorzichtig. 'Je zou het aan mij kunnen vertellen.'

'Sommige dingen kunnen beter begraven blijven. Deze last is te zwaar om hem met anderen te delen.'

'Misschien kan het gewicht alleen van je schouders worden genomen als je het met anderen deelt.'

'Ik kan het niet, Liadan.'

Na een tijdje zei ik: 'Ik heb geen antwoord gegeven op jouw vraag. Ik zal je nog iets meer van jouw verhaal vertellen, het enige stuk dat ik ervan ken. Zie je dat dekentje daar onder de bomen, waar Johnny op lag te slapen? Breng het hier.'

Brans vingers gingen over het oppervlak van het dekentje dat ik had gemaakt, betastten een lapje, nog een lapje.

'Dit is...'

Ik knikte. 'Ik heb de vrijheid genomen hier en daar iets aan je jas te veranderen, zodat ik hem aan kon. Dit dekentje bevat de harten van mijn familie en verwarmt Johnny's slaap met hun liefde. De rozenkleurige jurk van mijn zuster Niamh; de jurk waarin ik paardreed; het oude hemd van mijn vader, met vlekken van het boerenwerk. Jouw jas die over me heen lag toen ik onder de sterren sliep. En...'

Zijn vingers waren gestopt bij een lapje verbleekte blauwe stof waar nog een fijn, oud borduursel op zat, een rank, een blaadje, een klein, gevleugeld insect. Toen draaide hij zijn arm om en daar zat datzelfde beestje, aan de binnenkant van de pols gegraveerd met een naald en verschillende kleuren inkt. De allereerste tekening die hij had laten aanbrengen toen hij negen jaar was en besloten had dat hij een man was.

'Deze stof is afkomstig van een jurk die mijn moeder droeg en die ze als een kostbare schat bewaarde,' zei ik. 'Ze had een vriendin op Harrowfield, Johns vrouw Margery. Margery heeft deze jurk zelf gemaakt; ze was heel vaardig met naald en draad. Het was een geschenk aan mijn moeder, een geschenk uit liefde. Want toen Margery's zoontje werd geboren, zou hij gestorven zijn als mijn moeder zijn leven niet had gered door als vroedvrouw op te treden. Toen mijn eigen Johnny geboren werd, zei mijn moeder dat het weer net zo'n bevalling was, en de baby leek zo op die van toen dat het geen toeval kon zijn. Ze zei dat ze dacht te weten hoe zijn vader heette. Iubdan – heer Hugh – dacht dat ook. Ik wilde jou je naam teruggeven. Je ouders zouden niet willen dat je haat koesterde, Bran. Ze waren mijn moeder veel dank verschuldigd, en zij omgekeerd ook aan hen. Ze boden haar bescherming en liefde.'

'Dat kun je niet weten.' Zijn stem klonk somber.

'Ik wil dat je me iets vertelt. Je zei dat mijn broer een goede man is. Ik geloof dat je mij geen kwaad hart toedraagt, ook al praat je steeds over een web van betovering, en mijn zuster ook niet, want je hebt haar geholpen terwijl dat erg gevaarlijk was. Misschien zou je eens moeten denken aan de mogelijkheid dat Hugh van Harrowfield uit liefde en plichtsbesef handelde toen hij naar Zeven Wateren kwam. Hij is niet zomaar weggelopen, zonder ervoor te zorgen dat zijn mensen het goed hadden.'

'Je kunt het niet begrijpen. Het is beter dat je het niet begrijpt, dat je het nooit te weten komt.'

'Wat is er met je moeder gebeurd? Wat is er met Margery gebeurd?'

Stilte. De verwonding, of wat het ook was, zat te diep om zo te worden blootgelegd. Het was ver weggestopt.

'Ik wil je nog één ding vragen, en dan houd ik ermee op. Stel dat ik ergens op een gevaarlijke plek was met het kind, en dat je ons door iemand liet bewaken, bijvoorbeeld Meeuw of Slang? Stel dat we werden aangevallen en dat die bewaker daarbij omkwam? Zou je dan vinden dat je onredelijk was geweest door hem te vragen die taak te vervullen?'

'Hij zou niet omkomen. Mijn mannen zijn beter dan wie ook. Bovendien zou het niet zo gaan. Als jij en... en Johnny gevaar liepen, zou ik jullie zelf bewaken. Ik zou dat niet aan een ander overlaten. De vraag is niet toepasselijk. Ik zou ervoor zorgen dat die situatie zich niet voordeed. Als ik... verantwoordelijk voor jou was, zou je nooit in een gevaarlijke positie worden gebracht.'

'Maar als het toch gebeurde?'

'Mijn mannen nemen dagelijks zulke risico's,' zei hij wat onwillig. 'Er gaan levens verloren, en ons werk gaat door. Dat is de reden waarom we geen vrouw, geen zonen hebben.'

'Mm,' zei ik. 'Maar jij hebt de regel intussen ten minste twee keer overtreden. Ga je dat tegen hen zeggen, als je teruggaat?'

Het bleef een tijd stil.

'Ik ga niet terug voor deze opdracht is volbracht,' zei hij. 'En ik heb de waarheid gesproken toen ik zei dat ik hier was om je broer te spreken. Het wordt al laat; ik moet dat doen en dan weer gaan.' Hij stond op, met het dekentje nog in zijn handen. Johnny was verdiept in zijn bezigheden, met zijn beide knuistjes vol zand. Ik stond ook op.

'Het heeft zeker weinig zin om je te vragen behouden bij mij terug te komen,' zei ik; ik deed mijn uiterste best om mijn stem vast te laten klinken. 'Misschien heeft het zelfs helemaal geen zin om je te vragen terug te komen. Maar ik zal mijn kaars blijven aansteken terwijl je weg bent. Wees alsjeblieft voorzichtig.'

'Ik moet gaan, Liadan. Maak je over mij niet ongerust. Je broer en ik zijn ons ten volle bewust van de gevaren. Ik... ik moet je nu vaarwel zeggen. Bij alle machten,' zei hij plotseling, en hij nam me weer in zijn armen. 'Ik denk dat ik elke prijs zou betalen om deze nacht in jouw bed door te brengen. Je ziet hoe mijn gezond verstand me in de steek laat, wanneer...' En hij kuste me weer, dieper en harder dit keer. Ik had het gevoel dat dit een laatste kus was, de kus van een krijger die ten strijde trekt en weet dat hij niet zal terugkomen. Het had heel eenvoudig moeten zijn om een stap terug te doen en hem te laten gaan. Maar mijn armen schenen een eigen wil te hebben en bleven hem vasthouden; en de zijne waren warm en stevig om mijn lichaam.

'Geloof je nog steeds dat dit een soort toverkunst is, een vrouwelijk vangnet waarin ik je tegen je wil gevangen heb?' fluisterde ik.

'Hoe kan ik iets anders denken? Alleen de aanraking van je hand is al genoeg om mij te laten vergeten wie ik ben, wat ik ben en wat ik niet ben.'

'Het is een bekend verschijnsel,' zei ik, en probeerde te glimlachen. 'Wanneer een man en een vrouw samen zijn, en hun lichamen tegen elkaar spreken... dat is misschien alles.'
'Nee. Dit is anders.'
Ik sprak hem niet tegen, want ik geloofde dat zijn woorden waar waren. Vleselijke verlangens bestonden, en ze waren heel sterk, dat had ik zelf ervaren. Maar wat er tussen ons was, was oneindig veel sterker: oeroud, bindend en geheim. Ik had die stemmen niet vergeten die me bij de grote grafheuvel hadden toegeroepen: *Spring*.
'Liadan,' zei hij met zijn lippen tegen mijn haar.
'Wat is er?'
'Zeg me wat je van me wilt.'
Ik haalde haperend adem, en maakte me juist ver genoeg van hem los om zijn gezicht te kunnen zien. Onder de raventekening zag hij er diep ernstig en voor het eerst ook heel jong uit; niet ouder dan eenentwintig, wat ik eerst niet had kunnen geloven.
'Dat je ziel genezen zou kunnen worden van zijn littekens,' zei ik zacht. 'Dat je je weg zou kunnen zien. Dat wil ik van je.'
Heel even leek hij geen woorden te kunnen vinden, en op zijn voorhoofd verscheen een kleine, verbaasde rimpel. 'Je antwoord is niet wat ik verwachtte. Je hebt altijd een antwoord dat mij het zwijgen oplegt.'
Mijn vingers kwamen omhoog om het patroon te betasten dat zijn gezicht tekende, dat zich om zijn grijze oog boog, dat het vlak van de wang en de sterke lijn van de kaak afbakende. 'Dat is me weleens eerder gezegd,' zei ik. 'Door mijn oom Conor. Hij had me uitgenodigd om in de nemetons te komen en een druïde te worden, samen met mijn zoon.'
'Ga niet weg.' Zijn antwoord kwam onmiddellijk, een echo van dat kind dat ik in mijn geest had horen schreeuwen in het donker. Zijn armen sloten zich zo strak om me heen dat ik nauwelijks kon ademen. *'Neem hem niet weg.'*
Mijn hart bonsde heftig. Hij had me laten schrikken. 'Het is goed,' zei ik zacht. 'Ik zal mijn licht voor jou laten branden. Dat heb ik je gezegd, en ik zal nooit tegen je liegen.' Ik liet mijn voorhoofd tegen zijn borst rusten, maar ik vroeg me af hoe ik het moment zou kunnen verdragen wanneer hij die armen, die me nu zo stevig vasthielden, weg zou nemen en weer zou verdwijnen in het bos.

'Nu heb je me gezegd,' zei hij heel kalm, 'wat je voor mij wilt. Maar wat wil je voor jezelf?'
Ik keek op in zijn ogen, want ik dacht dat hij het antwoord op mijn gezicht moest kunnen lezen. Ik wilde het nog niet onder woorden brengen. 'Dat zal ik je zeggen wanneer je terugkomt,' zei ik, maar mijn stem wiebelde gevaarlijk. 'Je bent er nog niet aan toe dat antwoord te horen. Nu moest je maar liever gaan, voor ik je weer een bewijs lever voor je uitspraak dat vrouwen hun tranen naar believen kunnen laten vloeien, alleen om hun doel te bereiken.'
Het was erg moeilijk om los te laten. Maar we lieten elkaar los, en Bran knielde naast zijn zoon neer op het vochtige zand van het strandje. Johnny keek op en zei iets in zijn onbegrijpelijke babytaal.
'Zeg dat wel,' antwoordde Bran ernstig. 'Het was trouwens maar goed dat je op dat moment wakker werd, vanmiddag. Anders hadden we misschien nog een zoontje of een dochtertje gemaakt, dat geboren zou worden in een wereld vol schaduwen en onzekerheid.' Zijn lange vingers raakten zacht de bruine krullen van zijn zoon aan, en toen stond hij op.
'Ik heb geen antwoorden voor je,' zei hij, en zijn uitdrukking was somber. Nu hield hij de drie pas afstand weer aan, alsof het te gevaarlijk was om weer dichtbij te komen.
Het werd steeds moeilijker mijn tranen in te houden. 'Ik heb geen verwachtingen,' zei ik. 'Wensen en hoop, voor ons drieën, dat is alles.'
'Het ga je goed, Liadan.' Hij pakte zijn zakje op en liep van me weg, over het grasveld in de schaduw van de wilgen. Daar bleef hij staan en draaide zich om; hij keek eerst naar Johnny en toen naar mij. Ik had de indruk dat de schaduw in zijn ogen was, en aan alle kanten om hem heen.
'Vaarwel, lief hart,' fluisterde ik, en bukte me om het natte, zanderige kind op te tillen, want het was allang tijd om naar huis terug te gaan. Bran stond nog steeds naar ons te kijken, en de uitdrukking op zijn gezicht benam me de adem, zo'n wonderlijke mengeling van liefde en verdriet was het. Toen draaide hij ons zijn rug toe en was weg.

Hierna kwam het Gezicht me ongevraagd bezoeken, vaker dan me lief was. Ik dacht dat ik sterk was, maar zo'n beproeving had ik nog nooit meegemaakt. Ik wist dat deze gave grillig en bedrieglijk van aard was, dat ze niet altijd de letterlijke waarheid toonde, dat verleden en toekomst, *vroeger* en *later* en *misschien* dooreen waren gehusseld in de schijnbaar willekeurige visioenen die ze bood. Dat was ook maar beter, want zonder die wetenschap zou ik echt gek zijn geworden, net als sommigen die met dezelfde gave waren belast. Zonder waarschuwing werd ik erdoor overvallen, en alle beelden waren nu donker. En zelfs wanneer de visioenen wegbleven, kon ik niet ontkomen aan het gevoel dat ik werd gadegeslagen; dat alles wat ik deed op de een of andere manier werd bekeken, en beoordeeld.

Soms was het maar een korte blik. Dan liep ik terug van de huisjes met mijn mand aan mijn arm en voelde me een beetje flauw worden, en dan zag ik opeens de gebeeldhouwde dieren op de pilaren voor me, en Eamonns gezicht, wit van een wanhopige woede, en zijn handen die Brans hals dichtknepen. En ditmaal viel Brans mes ongebruikt op de vloer, want zijn getekende vingers werden slap en zijn gezicht werd paars en verwrongen. Dan voelde ik het radeloze gevecht om lucht ook in mijn eigen borst en werd het zwart voor mijn ogen. Of ik zat thuis bij de haard, terwijl Johnny op de vloer speelde met een paar houten beesten die mijn vader vroeger voor Niamh had gemaakt. Ik kon zelf ook nog met het mes overweg, en behalve het dikke schaap, de gehoornde koe en de kip met kuikentjes waren er een paar die ik zelf had gemaakt. Een wolfshond, woest en sterk. Een opgerolde slang. Een slanke otter. Een raaf hoefde niet: we hadden Fiacha, die voortdurend waakzaam aanwezig was. Ik keek naar mijn zoontje, dat aan mijn voeten zat, en plotseling leefden die beesten. Een ervan was een paard waarop een ruiter zat met het embleem van Zeven Wateren op zijn tuniek: twee verstrengelde torques. Het was mijn oom Liam, ergens buiten het bos; hij reed over een smalle weg tussen rotsige hellingen. Ik hoorde een zoemend geluid en een bons, en met een licht verbaasde uitdrukking op zijn gezicht viel mijn oom zonder geluid te maken van zijn ros en bleef bewegingloos op de aarde liggen, terwijl er een roodgeveerde pijl uit zijn borst stak. Het visioen vervaagde voor ik kon

zien wat er daarna gebeurde, en ik was weer in de stille kamer.
'Woeh,' zei Johnny, om te oefenen.
'Heel goed, dat is een hond,' antwoordde ik beverig. Liam was thuis, en goed gezond. Dat was een van de problemen met het Gezicht. Je kon vertellen wat je zag en iemand waarschuwen. Maar het was niet zeker dat je daarmee de loop der gebeurtenissen kon veranderen. Je kon besluiten om niets te zeggen, om mensen niet ongerust te maken. Maar als zoiets dan wel zou gebeuren, zou je je vreselijk schuldig voelen. *Had ik het maar gezegd, had ik hen maar gewaarschuwd...*
Ik hield dit visioen voorlopig maar voor me. En ik vroeg niet aan Sean welke opdracht de Beschilderde Man voor hem vervulde, of wat de prijs voor zijn diensten was. Ik wist dat hij het me toch niet zou vertellen. Maar we gingen erg behoedzaam met elkaar om, en dat was niet prettig. Het was alsof de dingen die we elk voor zich van Bran wisten ons voorzichtig maakten, alsof die kennis, bij elkaar gevoegd, op de een of andere manier gevaarlijk zou zijn. Van mijn vader werd niets vernomen, terwijl de herfst vorderde en de oogst voorbij was. De slachttijd voor het vee was afgelopen, de knolgewassen moesten worden ingekuild, en boter en kaas opgeslagen voor de koude tijd. Er hing een prikkelbare stemming in huis, en beneden in het dorp begonnen mensen last te krijgen van een akelige hoest.
'Waar is Iubdan nu ik hem nodig heb?' hoorde ik Liam mopperen terwijl hij rondliep over de boerderij met een drom werkers om hem heen die allemaal tegelijk vragen stelden.
De maan doorliep haar cyclus een, twee keer en de nachten werden kouder. Ik stak mijn kaars aan, keek naar mijn kind dat groeide en voelde een kilte in de lucht die niet alleen veroorzaakt werd door de komst van de winter. Ik dacht aan de Beschilderde Man, die ergens ver buiten het woud, misschien zelfs buiten de grenzen van Erin bezig was met een wanhopige, gevaarlijke opdracht. Een zelfmoordmissie. Mijn broer was ongewoon zwijgzaam, en ik kon zijn bezorgdheid op zijn gezicht zien. Liam en hij hielden samen lange besprekingen, en een keer was Seamus Roodbaard erbij; hij kwam en ging in twee dagen tijd. Er was iets op handen, maar ze praatten er niet over. Niemand zei iets over Fionns dood. Ik hield mijn mond. Maar ik had angst om Bran, en ik zei tegen mezelf

dat als ik ooit de kans kreeg, ik dat de volgende keer ronduit tegen hem moest zeggen. Dit was geen leven, altijd maar te wachten; om de korte ogenblikken die je samen had te besteden aan afscheid nemen. Ik zou hem voor een keus moeten stellen. Een andere weg in te slaan en zijn talenten voor een ander doel in te zetten, of mij voorgoed de rug toe te keren. Maar ik dacht dat ik wist wat zijn antwoord zou zijn, en ik vreesde het hem te horen zeggen.

Toen kwam er een nacht waarin ik zoveel visioenen kreeg, die zo donker waren, dat ik er wel over moest spreken. Misschien sliep ik eerst, maar het waren niet alleen nachtmerries. Het was versnipperd, alsof mijn geest veel tijdstippen en plaatsen samenvoegde, ze rond liet tollen en ze naar me terug zwiepte als giftige weerhaken. Ik zag een stokoude man die alleen door de lege zalen van Zeven Wateren dwaalde, met zijn kromme vingers om een staf van taxushout als steun. Hij mompelde in zichzelf: *Ze zijn allemaal weg... geen zonen, geen dochters... hoe kan het woud gered worden als er geen kinderen zijn op Zeven Wateren?* En ik zag dat deze invalide bejaarde mijn broer Sean was. Opeens veranderde het beeld, en even was alles donker. Ik bevond me in een kleine, afgesloten ruimte; mijn armen en benen waren verkrampt en gebogen, en ik kon niet ademen; het was warm, erg warm, en iemand schreeuwde, maar ik kon geen adem krijgen, en de schreeuw was eerder een fluistering: *Waar ben je?*

Mijn ogen gingen open, en ik lag te hijgen en te beven, gewoon op mijn bed op Zeven Wateren, en toen mijn angst bedaarde, zag ik dat het niet helemaal donker was, want het kaarsvlammetje brandde nog. Mijn hart bonkte en ik voelde koud zweet op mijn huid. En het was nog niet voorbij, want daar in de stille kamer zag ik weer een visioen: twee mensen maakten ruzie, Aisling en haar broer. Achter hen keken de gebeeldhouwde dieren in de zaal van Sídhe Dubh onheilspellend toe. *Dit kun je niet doen!* schreeuwde Aisling, en haar ogen waren gezwollen van het huilen. *Je hebt er al in toegestemd! Je hebt je woord gegeven!* Eamonns gezicht was koel, als dat van een brithem die tegelijkertijd het oordeel en het vonnis uitspreekt. *Het bondgenootschap is niet langer geschikt*, zei hij. *De beslissing is genomen.* Aisling maakte een woordeloos geluidje en haar gezicht werd doodsbleek, en het visioen veranderde. Nu stond ze op de wachttoren en de mannen stonden met hun rug naar haar toe. Ze stond in haar witte jurk op de borstwering, en iemand schreeuwde *Nee!* Ze deed een stap in de ruimte, en viel als een steen, zonder geluid, op de puntige stenen ver beneden. Het Gezicht bespaarde me geen enkel detail. Ik gaf een gil van afgrijzen. Johnny werd wakker en begon met me mee te huilen, en ook Fiacha voegde zijn eigenaardige stemgeluid aan de algehele consternatie toe.

Er kwam snel hulp. Eerst kwam het jonge kindermeisje, dat geeuwend het kind opnam en troostte met lieve woordjes. Toen kwam Janis, ze had een lantaarn bij zich en haar gezicht stond bezorgd; en Sean, die de situatie snel doorgrondde, omdat hij de angst in mijn geest kon voelen, want op dergelijke momenten kwamen die gevoelens onhoudbaar naar buiten. Hij stuurde de anderen terug naar bed, terwijl ik mijn zoon in mijn armen wiegde tot we beiden getroost waren. Ik dronk van de beker wijn die mijn broer naast me neerzette. In het raam brandde nog steeds mijn kaars, want ik zette hem nu elke nacht neer, of er nu maar een sikkeltje maan was, een volle stralende schijf of een donkere hemel vol schaduwen.

'Beter?' vroeg Sean na een tijdje.

Ik haalde huiverend adem. 'Ik... o, Sean... ik zag...'

'Neem rustig de tijd,' raadde mijn broer me kalm aan; zo had hij wel iets van onze vader. 'Wil je het me vertellen?'

'Ik... ik weet het niet. Het was... het was verschrikkelijk, niet alleen dit, maar... Sean, ik geloof niet dat ik je dit kan vertellen.' Het beeld stond me nog voor de geest, verbrijzelde botten, starende ogen, felrood haar en felrood bloed en... nog meer. Ik hield er een scherm omheen, zodat hij niet in mijn gedachten kon kijken.

'Ik maak me zorgen over je, Liadan.' Sean hield zijn eigen wijnbeker tussen zijn handpalmen en staarde in de kaarsvlam. Er was een nieuwe, ernstige trek op zijn gezicht; vaders afwezigheid had het evenwicht in ons huishouden meer veranderd dan iedereen had verwacht. 'Deze visioenen maken je al een tijdlang van streek, dat weet ik. Misschien moet je eens met Conor praten. Hij zou zeker komen, als we hem lieten halen.'

'Nee,' zei ik meteen, met de gedachte: Johnny is nu ouder. Conor zou me weer vragen met hem mee te gaan in het woud, en ik zou een reden moeten zoeken om nee te zeggen. 'Sean, je moet me zeggen wat er gaande is. Ik weet dat het geheim is; maar het Gezicht schijnt me te waarschuwen voor rampspoed, en ik heb angst om... om alle mensen die me na staan, en ik weet niet waarvoor ik moet waarschuwen. Waaruit bestaat de opdracht die de Beschilderde Man voor je uitvoert? Wie weet er nog meer van? En hoe zit het met Eamonn?' Ik wilde Aislings naam niet noemen, want zodra hij me over haar hoorde spreken, zou hij weten dat mijn visioen over haar ging en zou hij de waarheid uit me krijgen; een waarheid die al of niet werkelijkheid zou worden. Dan zou hij zeker iets ondernemen en de ramp misschien nog verhaasten.

Seans mond verstrakte. 'Dat hoef jij niet te weten.'

'Toch wel, Sean. Er staan levens op het spel, en meer dan levens. Geloof me.'

'Liadan?' vroeg mijn broer.

'Wat?' Ik wist wat er zou komen.

'Dit is zijn kind, nietwaar?'

Het had geen zin eromheen te draaien nu hij zijn vermoedens eindelijk had uitgesproken. Maar toch kon ik hem niet de hele waarheid vertellen. Hij mocht het andere gedeelte van het verhaal niet weten, over Niamh en haar druïde, en de vreemde vlucht naar Kerry. Ik knikte alleen maar. 'Is de gelijkenis zo opvallend?' vroeg ik met een moeizame glimlach.

'Hij zal op den duur steeds opvallender worden.' Als Sean zijn voorhoofd fronste, leek hij precies op Liam. 'Het is te laat om erop te wijzen hoe dom je bent geweest, en hij ook; te laat om je uit te leggen dat je onnadenkend en puur uit eigenbelang hebt gehandeld. En Eamonn? Weet hij het?'

'Ik heb het hem niet verteld,' zei ik; ik had gewild dat zijn kritiek me niet zo zou kwetsen. 'Maar hij weet het, ja. Hij... hij zinspeelde op spionnen, op heimelijke verspieders.'

'Hij heeft zich de laatste tijd inderdaad vreemd gedragen,' zei hij na enig aarzelen en nadat hij gekeken had of de deur goed dicht was. 'Er waren vergaderingen gepland waarbij hij aanwezig had moeten zijn, maar hij was er niet. Ik heb boodschappen gestuurd, maar geen antwoord gekregen. Ik vind het verontrustend. Zelfs Seamus had moeite gehoor te krijgen bij zijn kleinzoon.'

'Waren je bondgenoten het ermee eens dat je de Beschilderde Man deze opdracht verstrekte?' Johnny was weer in slaap gevallen en lag zwaar in mijn armen, maar zijn warmte was welkom en ik hield hem bij me.
'Wat denk je?'
'Ik vermoed dat dit een afspraak tussen jullie beiden is. Persoonlijk, en geheim.'
'Je vermoeden is juist. Het is voor hem een kans om zich te bewijzen. Voor mij is het een heel nuttige zaak, waarbij ik niets te verliezen heb.'
'Wat bedoel je?' vroeg ik, en ik voelde me plotseling koud worden.
'De afspraak was dat als hij gepakt werd, mijn verantwoordelijkheid ophield. Hij draagt zelf het volledige risico. De man schijnt zich er niet om te bekommeren of hij er het leven bij inschiet, of hij heeft een opmerkelijk zelfvertrouwen. Misschien allebei.'
'Hij is de beste in zijn stiel. Maar je hebt gelijk, de drang tot zelfbehoud lijkt bij hem niet sterk te zijn. Dat maakt hem voor jou waarschijnlijk tot een bruikbaar werktuig.'
'Ik bespeur daar een kritische noot, Liadan. Je moet niet vergeten dat wij mannen zijn en dat dit oorlog is, en dat er dagelijks zulke overeenkomsten worden gesloten. Het zou erg dom zijn geweest om deze gelegenheid voorbij te laten gaan. Als hij slaagt, zal ik hem betalen, en zal er meer werk voor hem zijn.'
'En als hij sterft, hoe zul je jezelf dan rechtvaardigen tegenover mij en mijn zoon?' vroeg ik met bevende stem.
'Als hij sterft, komt dat doordat hij dacht dat er geen opdracht bestond die hij niet aankon,' antwoordde mijn broer kalm. 'Hij heeft deze opdracht uit eigen vrije wil aangenomen, onder zijn eigen voorwaarden.'
'Sean, alsjeblieft. Vertel me waar het over gaat. Vertel me waar Liam en Seamus en jij mee bezig zijn. Ik heb genoeg van al die geheimen. Ik moet dit weten.'
Ik geloof dat hij eindelijk inzag hoe wanhopig ik was. De schaduwen van mijn verschrikkelijke visioenen tekenden zich waarschijnlijk nog af in mijn ogen.
'Goed dan. De opdracht verbindt twee elementen met elkaar, die beide van grote waarde zijn voor het bondgenootschap op dit mo-

ment. Een jaar geleden hadden we een zeer sterke positie, vanwaaruit we een aanval over zee om Northwoods van de Eilanden te verdrijven eindelijk weer konden overwegen. Dat werd mogelijk gemaakt door de toevoeging van Fionns leger. Maar Fionn is dood.'

'Dat weet ik.'

'Je weet het? Hoe?'

'Bran – de Beschilderde Man – heeft het me verteld. Ik wist het al enige tijd. Het leek me het beste er niets over te zeggen tot het bericht Liam bereikte en officieel werd.'

'Waarom heeft hij het aan jou verteld?'

'Er zijn geen geheimen tussen ons, Sean.'

Mijn broer keek me verbaasd aan.

'Deze man is me in het verleden te hulp gekomen. Onze ontmoeting was niet toevallig. Zijn toekomst is aan de mijne verbonden, en dus ook aan de jouwe. Misschien zag je dat niet in, toen je zijn diensten inhuurde voor een opdracht die niemand anders op zich wilde nemen. Wat betaal je hem?'

'Zal ik verder gaan? Fionn stierf, en hoe minder daarover gezegd wordt, hoe beter. Het wordt toegeschreven aan jouw vriend, en niemand doet moeite om een alternatieve theorie naar voren te brengen. Maar dit plaatste ons meteen voor een probleem. Fionns steun was onontbeerlijk voor het welslagen van onze strijd. Daarbij komt dat de Uí Néill van Tirconnell nog steeds onenigheid hebben met hun familieleden in het zuiden. Het botert niet tussen de Hoge Koning en Fionns vader. En Zeven Wateren en zijn bondgenoten bevinden zich op een strategische positie tussen die twee partijen. Fionns familie heeft het overlijden lange tijd stilgehouden. Het is voor midzomer gebeurd, nog geen maand nadat vader zo plotseling vertrokken was.'

Ik knikte zonder iets te zeggen.

'Het is dus enerzijds van groot belang het bondgenootschap met de noordelijke Uí Néill te hernieuwen, maar dat moet zonder ophef gebeuren, zonder de Hoge Koning te ontrieven. Dergelijke banden kunnen het beste worden verstevigd door een huwelijk; maar Niamh is er niet meer, je biedt een clanhoofd van hoge geboorte geen meisje aan met een vaderloos kind, ook al komt ze uit een goede familie. Maar we hebben nog een onderhandelingsmiddel: we kunnen gewapende steun bieden, een bolwerk tegen een aanval uit het zuiden. En in de toekomst zullen we misschien ook... specialistische diensten kunnen leveren. Het soort diensten waarin de Beschilderde Man uitblinkt. Inlichtingen; geheime trucs; geheime toegangswegen en vluchtwegen. Zeemanskunst; het meesterlijk hanteren van wapens. Op die manier zouden je vriend en ik elkaar alleen maar kunnen helpen. Maar die dingen zijn toekomstmuziek; op dit moment hebben Liam, Seamus en ik een bijeenkomst belegd met de Uí Néill, op een geheime plek. We hebben goede hoop op hun medewerking. Eamonns afwezigheid is een bron van zorg geweest, zoals ik al zei, maar Seamus zal hem intussen dat deel van het plan wel hebben verteld, en hij zal het zeker willen steunen. Het zou erg dom zijn als hij dat niet deed, want zijn gebied ligt direct bij de pas naar het noorden, waar al het verkeer vanuit Tirconnell langskomt.'

'Je hebt me nog maar de helft verteld.' Ik stond op om Johnny in zijn bedje te leggen en hem toe te dekken met het veelkleurige dekentje.

'Ah. De opdracht. Ik vroeg me aanvankelijk af hoe het mogelijk was dat die mannen, met hun zeer opvallende uiterlijk, erin slaagden heimelijk te opereren, te spioneren en te infiltreren. Ik wilde een verspieder laten binnendringen in het kamp van Northwoods op het Grote Eiland. Hij moest de precieze ligging van hun versterkingen in kaart brengen, uitzoeken wat hun zwakke punten zijn, bijzonderheden over de aantallen mannen en hun bewegingen noteren en informatie over hun zeevloot verzamelen. Ik dacht dat dit niet uitvoerbaar was, want de Brit heeft een zeer goed netwerk van verspieders. En ik was er al helemaal van overtuigd dat zo'n opvallend getekend persoon geen kans van slagen had. Toch stelde ik het hem voor, omdat ik zijn reputatie kende. En zoals je al hebt geraden, heb ik dit eigenmachtig gedaan. Geen van de bondgenoten is op de hoogte van deze opdracht, al wist Seamus dat ik aan zoiets dacht. Als het plan slaagt, zal ik het hun vertellen.'

'Je zei dat het plan twee elementen met elkaar verbond,' zei ik, met een strakke mond. 'Wat is het andere?'

'Ik wilde die inlichtingen, maar ik wilde ook een afleidingsmanoeuvre creëren. Iets wat Northwoods aandacht zou afleiden van waar we mee bezig waren. Onze man moest, schijnbaar toevallig, het nieuws van Fionns dood laten vallen, zodat de vijand zou geloven dat ons bondgenootschap met de Uí Néill verbroken was. Hij moest ervan doordrongen worden dat onze aanvalskracht sterk verzwakt was. Dan zouden we in de volgende herfst de Brit een verrassing bezorgen waarvan hij zich niet zou kunnen herstellen en zouden we eindelijk de Eilanden terug kunnen veroveren.'

'En Bran stemde daarmee in?'

'Eerst niet. Hij liet me uitspreken en zei dat hij erover na zou denken. Toen hij bij me terugkwam, was het plan veranderd. Zoals je natuurlijk weet, is zijn reputatie alombekend, en daarom kan hij bijna nergens komen zonder herkend te worden. Hij zei dat hij Northwoods een aanbod zou doen dat hij niet kon weigeren. Hij zou aanbieden hem inlichtingen te geven over Zeven Wateren en het bondgenootschap, genoeg informatie om de greep van de Brit op de Eilanden te verstevigen en hem te laten zien hoe en waar hij ons kon aanvallen. Die inlichtingen zouden natuurlijk vals zijn. Maar ze zouden goed genoeg zijn om Northwoods erin te laten lopen, lang genoeg om de Beschilderde Man de gelegenheid te geven de informatie te verzamelen die ik nodig heb en die aan mij te bezorgen voordat de Brit de waarheid ontdekte. Van een man zoals je vriend is het bekend dat hij even gemakkelijk van bondgenoot wisselt als van schoenen. Het zou hem nog kunnen lukken ook. Als hij de Britten zou beloven voor hen hetzelfde te doen, zouden ze een goede reden hebben om hem te laten gaan. Toen hij zich de laatste keer bij mij meldde, had hij al contact gelegd, en er was ook al een bootje geregeld voor de overtocht, in het geheim. En terwijl Northwoods zich heeft laten afleiden door zijn bezoeker en de grote hoeveelheid interessante inlichtingen die hij meebracht, zijn wij begonnen ons nieuwe bondgenootschap te vormen en plannen te maken voor de definitieve aanval.'

'Welke reden zouden de Britten hebben om hem te vertrouwen?' fluisterde ik; ik zag de kaars flakkeren in de tocht.

'Hij heeft voldoende echte informatie gekregen om hen over de streep te trekken,' zei Sean, maar hij had zijn voorhoofd gefronst. 'Daarna zou hij de valse inlichtingen verstrekken. Maar ik zal niet tegen je liegen, ik begin me zorgen te maken. Hij heeft zich niet weer gemeld. Ik heb nog niets gehoord.'

'Sean. Ik heb ook reden om me zorgen te maken. Nu we toch eerlijk tegen elkaar zijn, denk ik dat het goed is als je Aisling uitnodigt om een tijdje hier te komen. Of misschien kun je haar gaan opzoeken.' Ik probeerde het op luchtige toon te zeggen, maar het is niet gemakkelijk om zulke bange voorgevoelens voor je tweelingbroer verborgen te houden.

'Wat? Wat heb je dan gezien?' Hij was opeens bleek geworden.

'Dat zal ik je niet zeggen, Sean. Maar het is ernstig. Als je kunt, zou je haar moeten gaan halen.'

'Dat kan ik niet,' zei hij somber. 'Niet nu. Liam is eerder vanavond vertrokken om de voorwaarden vertrouwelijk te bespreken met de Uí Néill. De afspraak is dat ze elkaar overmorgen zullen treffen op een geheime lokatie ten noorden van het woud. Seamus zal daar ook zijn, maar ik moet tijdens de afwezigheid van onze oom op Zeven Wateren blijven. Liadan? Liadan, wat is er?'

'Je moet hem tegenhouden, als je kunt.' Mijn woorden kwamen eruit als een gesmoord gefluister. 'Je moet Liam tegenhouden. Stuur iemand achter hem aan en haal hem terug.'

Maar in de woorden van mijn broer had ik de weerklank van de dood gehoord, en diep vanbinnen wist ik dat we onmachtig waren om het tegen te houden, want daarvoor was het al te laat.

Deze periode was een uiterst donkere tijd. Met een somber gezicht stuurde Sean Liams wapenmeester, Felan, die nacht spoorslags op weg. Ik kon de verbitterde boodschap in de geest van mijn broer lezen, al sprak hij hem niet hardop uit. *Je had me moeten waarschuwen.*

Toen Felan terugkwam, was er geen tijd om te rouwen. Hij bracht zijn bericht onder vier ogen aan Sean, en toen die kort daarna het huishouden bijeenriep, was zijn gezicht kalm en bleek, een toonbeeld van beheersing. Mijn broer, nog geen achttien jaar oud, moest nu de verantwoordelijkheid op zich nemen voor de grootste túath ten noorden van Tara, voor de kuddes schapen en rundvee die erbij hoorden, voor de legermacht, de verdediging en de bondgenootschappen, en voor alle mensen die er woonden. En als heer van Zeven Wateren had hij nu het woud onder zijn hoede. Liam had voorzien dat dit eenmaal zo zou zijn, maar later, na zorgvuldige voorbereiding. Maar daar was geen tijd meer voor.

'Ik heb buitengewoon ernstig nieuws voor jullie,' zei Sean, en er heerste een volkomen stilte in de zaal, waar de verzamelde krijgers, dienstvrouwen, staljongens en dorpelingen stonden om naar hem te luisteren. De deuren waren vergrendeld. 'Heer Liam is dood. Hij is gedood door de pijl van een Brit, nog geen twee dagen geleden, terwijl hij onderweg was naar een geheim beraad. Mijn oom is verraden en ik zal niet rusten eer de dader is gevonden en bestraft.'

Een huivering van afschuw ging door de zaal. Zo kort na het heengaan van mijn moeder en het plotselinge vertrek van mijn vader leek dit een dodelijke slag; een slag waarvan het huishouden van Zeven Wateren zich misschien niet zou kunnen herstellen.

'Ik weet dat ik jullie steun heb, en die van onze bondgenoten heb,' vervolgde Sean; zijn stem was nog steeds krachtig en vol zelfvertrouwen. 'We zullen allen treuren om dit verlies, en zullen het misschien moeilijk vinden om weer aan onze arbeid te gaan, of dat nu de oogst, het werk in huis of het hanteren van de wapenen is. Maar mijn oom zou willen dat we doorgaan, dat we onze verdediging op peil houden en het woud en zijn bewoners beschermen, een plicht die onze familie sinds lange tijd op zich heeft genomen. Hij zou willen dat we ons streven voortzetten, terug te winnen wat de Britten ons hebben afgenomen. De campagne zal hier een terugslag van ondervinden, maar niet voorgoed. We zullen ons vermannen en ons herstellen. We kunnen niet om heer Liam rouwen zoals we dat zouden willen doen; we kunnen hem niet op zijn weg sturen met de ceremonie die een leider verdient, want het zijn moeilijke tijden, en het nieuws van deze verraderlijke daad kan voorlopig beter binnen onze eigen gemeenschap blijven. Om deze reden zullen we zijn lichaam in stilte naar huis brengen, waar het een dag en een nacht opgebaard zal liggen; daarna zullen we hem begraven onder de eiken. Op een later tijdstip zal het geëigende ritueel worden gehouden om zijn naam te gedenken en hem een passend afscheid te geven. Maar houd voorlopig zijn beeld in jullie harten en hoofden, en houd je mond erover. Is dit duidelijk?'

'Ja, heer.' Vele stemmen spraken als één, en nadat ze de tijd hadden genomen om mijn broer en mij hun medeleven te betuigen, gingen ze allemaal onmiddellijk weer aan het werk. De oogst werd hervat; vrouwen gingen verder met fruit drogen en inmaken, of linnengoed luchten, en Felan reed terug naar waar hij vandaan was gekomen, met drie mannen in donkere kleding, en een extra paard.

Mijn broer was goed begonnen. Voor de mensen van het huishouden sprak hij met vaste stem en was zijn manier van doen een geloofwaardige imitatie van die van Liam; een houding die zekerheid en gezag uitstraalde. Maar later, nadat ze het lichaam van onze oom hadden teruggebracht en wij hem voor de begrafenis hadden gereedgemaakt en hem in de zaal hadden opgebaard, omringd door kaarsen, was het heel anders. Beneden kwamen mensen binnen om langs de roerloze gestalte van hun gevallen heer te lopen en te kijken naar zijn strenge gelaat, dat nauwelijks verzacht was door de slaap des doods. Zijn lichaam was nauwelijks getekend. Degene die zijn pijl had afgeschoten, was een kundig schutter. Liams wolfshonden wilden niet bij hun meester weggaan; de ene lag aan zijn hoofdeinde, de andere aan zijn voeten. Ze maakten geen enkel geluid terwijl een rij mannen en vrouwen met grauwbleke gezichten langzaam langs het opgebaarde lichaam trok, om te mompelen: 'Ga in vrede, heer,' of: 'Behouden reis, heer Liam.'
'Wie had dat nou kunnen denken?' zei Janis somber terwijl ze bier schonk voor het huishouden en tersluiks met haar handrug over haar wangen wreef. 'Eerst Sorcha, en nu hij, nog nauwelijks een seizoen later. Het is niet goed. Er is iets niet goed. Wanneer komt de Grote Man thuis?'
Johnny was bij het kindermeisje, en Sean en ik zaten samen in de familiekamer boven, waar Niamh had geprobeerd verzet te bieden tegen de mannen van de familie, en verslagen was. Sean was erg stil, en toen ik naar hem keek, zag ik dat hij, na zich de hele lange dag beheerst te hebben, nu toch eindelijk huilde.
'Ik vind het heel erg voor je,' zei ik, al wist ik dat het niet veel zou helpen. 'Hij was als een vader voor jou, dat weet ik. Je hebt het vandaag goed gedaan, Sean. Hij zou trots op je zijn.'
'Je had het me eerder moeten zeggen. Je had mij moeten waarschuwen, of hem. Jij had dit kunnen voorkomen, Liadan.' Zijn stem was schor van verdriet, en zijn woorden deden me pijn.

'Waarom heb je ervoor gekozen het te laten gebeuren? Is er misschien een of andere samenzwering in het spel waar ik niets van weet? Want iemand heeft hem aan de Britten verraden. Iemand heeft tegen hen gezegd waar hij zou zijn, en wanneer, en dat hij alleen zou zijn.'
'Niet doen, Sean.' Mijn eigen stem was ook allerminst vast. 'Dit is onzin, dat weet je ook wel.'
'O, is het onzin? Zeg me dan eens wie wist van de bijeenkomst waarheen Liam op weg was, behalve onze eigen bondgenoten en de Beschilderde Man? Hij was hiervan op de hoogte gesteld met precies het tegenovergestelde doel – om ervoor te zorgen dat de aandacht van Northwoods werd afgeleid van de werkelijke plaats en het doel van dit beraad. Maar hij was in de ideale positie om de informatie direct aan de Britten door te geven. Hoe kan ik nu anders dan geloven dat mijn vertrouwen in jouw vriend volkomen misplaatst was? Uit deze moord blijkt zonneklaar dat hij niet meer is dan een bedrieger, zoals zijn reputatie zegt, een man die zijn trouw naar believen van de ene partij naar de andere verplaatst. Mijn eigen onbezonnen vertrouwen in deze man heeft mijn oom het leven gekost.'
'Waarom zou Bran zoiets doen?'
Sean meesmuilde. 'Misschien betaalt Edwin van Northwoods meer dan ik. De kans om mijn oom van het toneel te verwijderen en tevens onze onderhandelingen met de Uí Néill te verstoren, zal ongetwijfeld een goede prijs waard zijn geweest.'
'Bran zou zoiets niet doen, Sean. Hij had zijn opdracht van jou ontvangen. Hij sprak nooit anders dan met respect over jou. Dit is niet zijn werk geweest, daarvan ben ik overtuigd.'
'Zo'n man is niet te vertrouwen.' Sean zei het op minachtende toon. 'Het was stom van me om te doen wat ik gedaan heb; en van jou was het nog stommer je door zijn mooie woorden te laten inpakken. Nu is onze oom dood en is het bondgenootschap in gevaar. Besef je niet dat dit onze onderneming jaren zou kunnen vertragen? Jij draagt hiervan een deel van de schuld, Liadan. Ik kan niet geloven dat je het beter vond niets tegen me te zeggen.'
Ik zat en zweeg terwijl zijn woorden over me heen kwamen als een boze regenbui. Wat Janis had gezegd, was maar al te waar geweest. Het was niet goed. Niets ervan was goed.

'Ik wil Aisling zien,' zei Sean opeens, en zijn stem brak nu hij zich niet langer kon beheersen. 'Ik moet Aisling hier hebben. Maar ze antwoordt niet op mijn boodschappen, en ik kan er niet heen rijden om haar te halen; ik kan niet weg van Zeven Wateren tot onze mensen zich van deze slag hebben hersteld. Wat zag je in je visioen, Liadan? Welk gevaar bedreigde Aisling?'
Maar ik wilde geen antwoord geven, want hij had me te diep gekwetst.
'Liadan. Zeg het.'
'Ik zeg het niet. En ik ga me niet verdedigen; ik zeg alleen dat je spreekt vanuit je verdriet en dat je woorden me pijn doen, want ook ik voel het verlies van Liam. Ook ik hield van hem en bouwde op zijn kracht. Het zou niet nodig moeten zijn tegen jou te zeggen dat het Gezicht niet altijd ware beelden van toekomstige gebeurtenissen toont. Als ik elke keer zou waarschuwen, zou ik zo'n onrust zaaien dat we nauwelijks ons dagelijks leven konden leiden, want we zouden voortdurend op onze hoede zijn. En je vergist je wat Bran betreft. Hij is een betrouwbaar man, en dit kan hij gewoon niet gedaan hebben. Hij hecht veel waarde aan zijn vriendschap met mij, en hij zou zijn zoon niet willen schaden door onze familie aan de vijand te verraden. Wie dit geheim ook heeft laten uitlekken, het was niet de Beschilderde Man.'
'Je vertrouwen in hem is strijdig met de logica. Het is misschien meer gebaseerd op lichamelijke begeerte dan op zoiets als gezond verstand. Je had er beter aan gedaan met Eamonn te trouwen, die je enige mate van vastigheid had kunnen verschaffen, dan je te verbinden aan een bandiet die kennelijk geen respect heeft voor jou of voor zijn kind.'
'Ik zou nooit met Eamonn zijn getrouwd. Ik denk dat ik helemaal nooit zal trouwen. Wat je argumenten betreft, je kunt beter ophouden iemand de schuld te geven zonder dat je het kunt bewijzen. Schenk liever aandacht aan je beveiliging, want het lijkt erop dat er ergens een zwakke schakel is. Ik ontken niet dat iemand een geheim heeft verraden en dat dit de oorzaak is geweest van de dood van onze oom. Maar dat was niet Bran; dat weet ik, Sean, en je moet me geloven. Je moet die verrader ergens anders zoeken.'
'Liadan.' Zijn stem was zacht geworden, zoals de stem van onze vader soms ook zacht werd.

'Wat?' vroeg ik vermoeid.
'Zou je iets voor me willen doen?'
Brighid bewaar ons. Wat verwachtte die jongen van me, nadat hij zijn verbitterde gemoed op mij had gelucht en mijn hart had verkild met zijn slecht gekozen verwijtende woorden?
'Wat dan?'
'Ik kan niet naar Aisling toe gaan. En wanneer ik boodschappers naar haar broer stuur, wordt hun de toegang geweigerd. Eamonn wil hen niet te woord staan. Maar jou zou hij niet weigeren. Jij zou ervoor kunnen zorgen dat hij luistert. Wil jij naar Sídhe Dubh gaan en met hem praten? Wil je voor mij naar Aisling toe gaan en proberen haar hierheen te halen?'
De moed zonk me in de schoenen. 'Ik denk niet...'
'Op die manier zou je het goed kunnen maken,' zei mijn broer.
'Er valt niets goed te maken,' snauwde ik. 'En Eamonn is wel de laatste die ik op dit moment zou willen opzoeken. Ik heb niet het verlangen om ooit weer naar Sídhe Dubh te gaan, Sean. Er is... Eamonn koestert een wrok tegen mij. Dit zou erg moeilijk voor me zijn. Bovendien ben ik hier ook nodig. Er zijn mensen die op mij rekenen. En hoe zou het met Johnny moeten?'
'Alsjeblieft, Liadan.' Heel even leek het wel of ik Niamh hoorde, die ook altijd op die manier een gunst bij me aftroggelde.
'Ik weet het niet. Je schijnt geen vertrouwen meer te hebben in mijn beoordelingsvermogen, of dat van jezelf. Misschien kun je beter iemand anders sturen. Als je gelooft dat Bran zich zonder meer tegen je zou keren, waarom zou ik dat dan niet ook doen?'
'Je hebt dus toch nog vertrouwen in hem.' Zijn stem klonk effen.
'Hij zou je nooit op die manier verraden, Sean. Door dat te doen zou hij zijn opdracht verzaken. Als hij niet is teruggekomen, komt dat waarschijnlijk doordat... doordat...'
In een flits kwam het Gezicht over me. Het was donker, het was zo donker dat ik aanvankelijk niet wist wat onder en wat boven was, en of de muren een eind van me af stonden of vlakbij waren. Het leek alsof ik in een krappe ruimte zat, met mijn knieën onder mijn kin en mijn armen over mijn hoofd gebogen. Ik probeerde te bewegen en inderdaad, daar waren de muren, heel dichtbij, heel klein, en het was benauwd en ik kon niet ademen. Ik mocht geen geluid maken, geen kik geven, anders zouden ze het

me betaald zetten wanneer ze me eruit lieten. Daarom schreeuwde de stem in stilte in mijn hoofd en vielen mijn tranen heet en heftig neer langs mijn wangen. Het snot liep uit mijn neus, en ik kon zelfs mijn neus niet ophalen uit angst dat ze me zouden horen. *Waar ben je? Waarom heb je me losgelaten?*
'Liadan,' zei Sean zacht. 'Liadan!' en ik kwam huiverend weer terug in mezelf. 'Je huilt,' zei hij.
'Ik heb niet om de gave van het Gezicht gevraagd,' zei ik beverig. 'Geloof me, ik zou alles geven om geweten te hebben dat ik Liams dood had kunnen voorkomen. Maar zo werkt het niet. Ik had hem kunnen waarschuwen, en hij had een andere weg kunnen nemen, en toch gestorven zijn. Je kunt het nooit weten.'
Sean knikte ernstig. 'Het spijt me. Het is moeilijk om je niet de schuld te geven. Ik vraag me soms ook wel af of je verbintenis met de Beschilderde Man je beoordelingsvermogen heeft aangetast.'
Ik zuchtte. 'Je maakt je zorgen over Aisling, en met reden. Ik heb hetzelfde met Bran. Je lijkt niet goed te kunnen begrijpen dat ik net zo goed kan liefhebben als jij.'
'Je had misschien een verstandiger keus kunnen maken. Die man kan nooit deel uitmaken van Zeven Wateren. Hij is... een wild dier.'
'Dat weet ik. Maar mijn keus is gemaakt. Nu heb jij hem weggestuurd op een erg gevaarlijke missie, om redenen die jou aangaan. Je hebt hem van verraad en mij van zwakheid beschuldigd. En nu vraag je mij een gunst.'
Er viel een stilte.
'Je weet wat je hebt gezien. Was je visioen over Aisling zodanig dat je denkt dat ze direct gevaar loopt?'
Ik knikte met tegenzin.
Sean was erg bleek. 'Ik kan er niet heen gaan, Liadan. Mijn mensen hebben me nodig. Doe dit alsjeblieft, voor mij en voor haar. Eamonn zal je niet weigeren; hij zou jou niets kunnen weigeren. Ik zal voor een sterk escorte zorgen om je te begeleiden; je zou morgenochtend kunnen vertrekken. Neem als je dat wilt Johnny en je kindermeisje mee.'
'Ik zal erover nadenken,' zei ik, maar de kou sloeg me om het hart bij het vooruitzicht dat de fortmuren van Sídhe Dubh zich weer om me zouden sluiten, en helemaal bij de gedachte dat ik Eamonn om iets zou moeten vragen, wat dan ook. 'Morgen zal het niet

zijn. Ik kan Johnny niet op tijd klaar krijgen voor de reis.'
'Het moet wel snel.'
'Dat weet ik.'
Toen ik opstond om naar mijn slaapvertrek te gaan, gebruikte hij de stem van de geest. *Het spijt me, Liadan. Liam had gelijk. Ik ben hier nog niet klaar voor. Maar ik moet het toch doen. Ik moet dit in me wegsluiten en sterk zijn voor iedereen. Jij bent mijn zuster, en ik zal er altijd voor je zijn, welke keuzes je ook maakt.*
Dat weet ik. Ik draaide me om, maar hij keek niet naar mij. Hij zat voorovergebogen, met zijn hoofd in zijn handen. *Je zult een krachtig en wijs leider zijn, Sean. Jouw en Aislings kinderen zullen deze zalen weer met hun gelach vullen.*
Met die woorden had ik me verbonden te doen wat hij vroeg. Maar ik had angst om deze reis te maken. Ik had gedacht dat er weinig was dat me angst inboezemde; maar ik besefte dat ik bang was voor Eamonn, voor zijn vreemde huis in de moerassen en voor de half geziene visioenen van slechte dingen die daar binnen de stenen muren plaatsvonden. Ik zou veel liever met Johnny thuis zijn gebleven, om de vrouwen te helpen in de keukens en hoestsiroop te brengen aan de zieke dorpelingen, veilig in het hart van het woud. De Feeën hadden me gewaarschuwd. Conor had me gewaarschuwd. Het was gevaarlijk om hier weg te gaan.
Het was niet de bezorgdheid van Sean die me uiteindelijk overhaalde om het te doen, maar iets veel angstaanjagenders. De maan begon af te nemen, en deze nacht ging haar licht schuil achter zware wolken. Een krachtige zuidoostenwind bracht het geluid van doorbuigende takken en ruisende bladeren in mijn stille kamer terwijl ik me gereedmaakte om naar bed te gaan. Het kindermeisje was gaan slapen en had Johnny bij mij achtergelaten; hij lag vast te slapen, ingestopt onder zijn veelkleurige dekentje. Wanneer hij wakker werd voor zijn voeding zou ik hem bij me in bed nemen, want zijn kleine, warme aanwezigheid was een welkome barrière tegen de kwade gedachten die me nu dreigden te overspoelen. Fiacha zat op de rugleuning van een stoel; ik kon niet zien of hij sliep of wakker was. Ik moest sterk zijn, hield ik mezelf voor terwijl ik een dunne kaars in de sintels van het vuur stak en daarmee mijn speciale kaars aanstak. Heel sterk, want de veiligheid van anderen hing van die sterkte af.

De kaars flakkerde en ging uit. Ik hield mijn hand achter de pit om hem tegen de tocht te beschutten en hield de dunne kaars er weer bij. De pit vlamde even op, en doofde. Het was alsof ik een koude hand over mijn nek voelde strijken. Heel doelbewust nam ik de kaars in zijn kandelaar op en ging van het raam weg om hem op de eiken kist naast het bed te plaatsen. Vreemde schaduwen van de brandende dunne kaars dansten over de muren.
Hier tochtte het niet. Maar de versierde kaars wilde niet branden. Ik keek of de pit lang genoeg was en probeerde het weer. En nog een keer, terwijl een vreselijke angst me aangreep. De pit was vrij; de dunne kaars ernaast brandde met een vaste vlam. Maar zodra ik mijn hand wegnam, begon de kaarsvlam te sputteren en ging uit. Ik hield mezelf voor dat ik me aanstelde, dat ik het zelf liet gebeuren, in mijn paniek. Ik haalde diep adem en probeerde het weer. Ik bleef zo heel lang zitten, telkens weer probeerde ik de kaars te laten branden, tot mijn handen beefden en ik wazig begon te zien door al mijn pogingen. Het was donker buiten; de maan werd nog steeds afgedekt door dikke wolken. En wat ik ook deed, ik kon de kaars niet aan het branden krijgen. Deze nacht zou dit licht niet schijnen in het donker.
Ik zat rillend op mijn bed met een deken om mijn schouders, maar ik sliep niet, die hele nacht niet. Johnny werd twee keer wakker; ik nam hem in mijn armen en voedde hem, en was blij met zijn gezelschap. Maar deze nacht, nu, had ik behoefte aan het Gezicht en wilde het niet komen. Ik kon zelfs dat kind niet horen, dat in het donker schreeuwde. In plaats daarvan was ik het zelf die in mijn geest riep: *Waar ben je? Laat het me zien. Laat het me zien.* Maar er kwam niets, en ik wachtte maar, koud van de angstige voorgevoelens, tot het eerste vale licht van de dageraad in de hemel verscheen.

Ik zei tegen het slaperig kijkende kindermeisje dat ik een dag wegging en Johnny meenam. Ik zei speciaal tegen haar dat ze, als iemand het vroeg, moest uitleggen dat ik een escorte had meegenomen om een kort bezoek af te leggen en dat ik ruim op tijd terug zou zijn om getuige te zijn van de graflegging van mijn oom Liam. Ik wilde die dag niet thuis zijn. Ik had iets belangrijks te doen.

Ik had een uitstekende methode gevonden om Johnny op mijn tochten door het bos te vervoeren. Ik hees hem op mijn rug, gebonden in een sterke lap jute waarvan de uiteinden over mijn schouder en om mijn middel waren vastgeknoopt. Hij vond het heerlijk zo op mijn rug te rijden, dicht bij de warmte van mijn lichaam, maar met de mogelijkheid de rotsen, de lucht en de vele kleuren en patronen van eiken, essen, berken en hazelaars te zien. Wanneer hij een man was, dacht ik terwijl we geruisloos over een met strooisel bedekt pad liepen dat mijn oom Conor me een keer had gewezen, zou hij de herinnering aan deze vormen en tinten diep in zich meedragen, en zou hij het evenals alle kinderen van Zeven Wateren moeilijk vinden om lang van het bos weg te zijn. Ik liep snel. Als het Gezicht me ontzegd bleef, juist nu ik er zoveel behoefte aan had, moest ik aan zoveel mogelijk informatie zien te komen, met alle middelen die ik kon vinden. En nu mijn moeder er niet meer was, kon ik maar één persoon bedenken die me zou helpen zonder een oordeel te vellen, zonder te proberen me te zeggen wat ik moest doen en wat ik niet moest doen.
Het begon een beetje te regenen, maar de grote eiken beschutten ons. Tegen de tijd dat ik tegen de oevers van de zevende beek begon op te klauteren, waar die langs de rotsige helling omlaag golfde in het kalme water van het meer, waren de wolken zo dun geworden dat er een waterig zonnetje doorheen kwam. Fiacha vloog nu eens voor ons uit, dan weer achter ons aan; zo bleef hij bij ons en hield hij de wacht. Ik had niet de kans het koud te krijgen, want daarvoor had ik deze afstand veel te snel afgelegd, met Johnny op mijn rug; ik had zelfs gemerkt dat ik steeds vaker even moest stilstaan om op adem te komen. Misschien had het veelvuldig komen van het Gezicht me verzwakt, of misschien was mijn lichaam nog niet zo volledig hersteld na de geboorte van mijn zoon als ik had gedacht. *Wees sterk, Liadan. Je moet sterk zijn.* Eindelijk kwam ik bij de groepen lijsterbessen, weer felrood van de herfstvruchtjes, en liep onder de wilgen door. Daar voor me lag de geheime bron, de kleine, ronde poel omringd door gladde stenen, een plek waar diepe rust heerste. Ik maakte de lap los die mijn zoon tegen mijn rug hield. Johnny was in slaap gevallen en ik legde hem voorzichtig in de varens onder de bomen. Hij werd niet wakker. Fiacha streek neer op een naburige tak.

Oom? Mijn geest zocht hem al terwijl ik op de stenen bij het water ging zitten. *Ik heb uw hulp nodig.*
Ik ben hier, Liadan. En hij was er; hij stond aan de andere kant, met zijn bleke gezicht en verwarde donkere haar, in vormeloze kleren die de witte massa vleugelveren niet helemaal onzichtbaar maakten. De uitdrukking op zijn gezicht was kalm en zijn ogen waren helder.
Mijn oom Liam is dood. Getroffen door een Britse pijl.
Dat weet ik. Conor is reeds onderweg naar Zeven Wateren. Maar ik ga er niet heen. Ditmaal niet.
Oom. Ik heb een aantal verschrikkelijke visioenen gehad. Ik heb Liams dood gezien, en ik heb hem niet gewaarschuwd tot het te laat was. Mijn broer zei... hij zei...
Ik weet het. Het is erg moeilijk. Het is niet mogelijk om aan dit schuldgevoel te ontkomen, dochter. Ik heb er jarenlang mee geleefd. Je broer zal, net als mijn eigen broers op den duur, erachter komen dat het Gezicht niet beheerst kan worden. Dat zulke waarschuwingen, als ze gegeven worden, een nog veel bitterder oogst kunnen opleveren dan wanneer men de gebeurtenissen hun ware loop laat nemen. Je broer is nog jong. Eens zal hij even sterk zijn als Liam was. Misschien nog sterker.
Ik knikte. *Ook ik zie dat, en ik heb het hem ook gezegd. Maar mij werd een andere toekomst getoond, een toekomst waarin Sean oud en helemaal alleen was. Een toekomst waarin Zeven Wateren leeg was. Verlaten. Om dat patroon te veranderen, zou ik veel willen wagen. Ik zou degenen die onze levensloop vormgeven, willen uitdagen, ook al zijn ze nog zo sterk.*
Finbar begon tot mijn schrik binnensmonds te grinniken. 'O, Liadan. Als mijn weg anders was geweest en ik gezegend zou zijn met een dochter, zou ik er net zo een gehad willen hebben als jij. Jij zet immers telkens weer de vaste patronen van ons leven op de tocht? Kom nu, je wenst een richtlijn, een visioen dat de waarheid toont; ik zie het in je ogen, en ik zie ook dat je er haast mee hebt. Je hebt lang geweend, en ik geloof dat ik kan raden waarom.'
'Mijn kaars, mijn vlammetje in het donker... ik kon hem niet aansteken, hoewel ik het telkens weer heb geprobeerd. En er is geen bericht gekomen. Alleen een vreselijke stilte. En nu zijn de vi-

sioenen opgehouden, en ik kan hem niet zien, ik kan zijn stem niet horen. En ik zag Aisling, ik zag...'

'Ik zal je helpen. Als de waarheid je getoond zal worden, zal het hier tussen deze oeroude stenen zijn. Je kind slaapt vast. Er is tijd. Kom, stel je geest open voor de mijne, en laten we samen in het water kijken.'

Dus gingen we op de stenen zitten, en we voelden dat we hier veilig omvat werden, als in de sterke, steunende warmte van moederhanden. Finbar zat aan de ene kant van de poel en ik aan de andere. Ik liet de schilden voor mijn geest verdwijnen, en hij deed hetzelfde. Onze gedachten mengden zich en werden tezamen kalm. Er verstreek tijd, misschien lange tijd, misschien helemaal niet lang, en de enige geluiden waren het kleine geritsel van insecten in het gras, het hoge roepen van vogels boven ons en de wind die zuchtte in de wilgen.

Het wateroppervlak rimpelde en veranderde. Er glansde iets lichts, zilver dat glinsterde in het donker. Ik hield mijn adem in. Een drinkflacon, knap gemaakt; het oppervlak was fraai versierd met een ingewikkeld, wervelend patroon en de stop was van barnsteen in de vorm van een kleine kat. Hier had ik met de Beschilderde Man uit gedronken op de dag van dood en wedergeboorte. Ik zag een hand die werd uitgestoken om de flacon te pakken, de stop eruit te trekken. De man bracht de flacon naar zijn lippen, en het was Eamonn. De poel werd weer donker.

Adem langzaam in en uit, Liadan. Blijf kalm. Mijn oom zond me een beeld van stil water, van beukenblad in lentezon, van een slapend kind. Ik legde mijn hamerende hart mijn wil op zodat het weer langzamer ging kloppen en ik dwong mijn geest de angst opzij te zetten. Ik keek weer in het water.

Ditmaal vloeiden de beelden in elkaar over, en ik had de indruk dat ze gelijktijdig gebeurden. Aisling, die met haar gezicht omlaag op haar bed lag en huilde tot ze geen tranen meer had. Een dienares die de kamer binnenkwam met een blad vol eten en drinken; die een soortgelijk blad wegnam, onaangeroerd. Die de deur afsloot; mijn vriendin opsloot. Toen waren we plotseling beneden in de grote zaal van Sídhe Dubh. Het was avond, want rondom langs de muren brandden toortsen, en de stenen beesten leken woest nu het flakkerende licht over hun kleine, boosaardige koppen speelde. Starende ogen, grijpende klauwen, puntige tanden, vurige tongen. Nu zag ik daar ook twee mannen: Eamonn, gezeten in een gebeeldhouwde eikenhouten zetel, met zijn glanzende bruine haar keurig op zijn schouders en een kalme uitdrukking op zijn gezicht. Alleen zijn ogen verraadden zijn opwinding. En Bran, de lichte kant van zijn gezicht bont en blauw opgezwollen; boven zijn oog liep een diepe snee waaruit bloed vloeide, en om zijn hals en nek zag ik een paarsig witte streep, alsof hij bijna door wurging was gedood. In Eamonns bruine ogen lag een uitdrukking van kwaadaardige triomf.

'Je voorkeur voor het afhakken van lichaamsdelen kennende,' merkte hij poeslief op, 'heb ik besloten om met de kleinste vinger te beginnen en geleidelijk naar binnen toe te werken. Het lijkt me interessant te zien hoeveel pijn een man kan verdragen. Maar misschien voelt een zwarte man pijn niet zoals wij.'

Brans stem was rustig en vlak. 'Ik ga niet onderhandelen over zijn veiligheid, en hij zal dat ook niet over de mijne doen.'

Eamonn liet een verachtelijke lach horen. 'Het was niet mijn bedoeling om ruimte te geven voor onderhandelingen. Jij gaf mij die ook niet toen je voor mijn ogen mijn mannen afslachtte. Ik wilde je alleen op de hoogte houden van de stand van zaken bij je vriend. Op de plek waar jij heen gaat, zul je iets nodig hebben om je geest bezig te houden. Ja zeker, ik heb plannen voor jou. Jullie beiden zullen me uitstekend vermaak leveren, voor het einde. Ik hoor dat je een zekere afkeer hebt van afgesloten ruimtes, dat je niet graag het licht dooft. Wie had dat nou kunnen denken? De Beschilderde Man die bang is in het donker?'

Het bleef even stil.

'Ik walg van je,' zei Bran. 'Je bent een verrader, net als je vader. Ook hij keerde zich immers tegen zijn bondgenoten, net als jij hebt gedaan. Ze zeggen dat hij aan beide kanten van het water verfoeid en gehaat werd. Geen wonder dat Liam ervoor heeft gezorgd dat hij aan zijn eind kwam voordat hij nog meer kwaad kon doen. Heb je dat verhaal weleens gehoord? Het is een erg publiek geheim. Je eigen grootvader was erbij betrokken, evenals de twijfelachtige Hugh van Harrowfield. Ze hoopten jou te zien opgroeien tot een beter mens dan je vader. IJdele hoop, zo is gebleken. Welke prijs heb je voor ons beiden betaald, Eamonn Dubh?'

'Gebruik die naam niet.' Eamonn stond op en liep naar zijn gevangene toe. Hij bewoog voorzichtig, alsof hij werd gehinderd door een kwetsuur. Misschien zat er een verband om zijn ribben, verborgen onder zijn hemd. Zijn hand ging omhoog en deelde een felle klap uit, hard in Brans gezicht. Ik zag dat Brans handen strak vastgebonden waren, en dat zijn enkels aan elkaar gebonden waren. Hij leek onaangedaan, maar stond door deze klap op zijn benen te zwaaien. 'Liam is dood,' vervolgde Eamonn. 'Er is een nieuwe meester op Zeven Wateren, eentje die jong en onervaren is. Hun positie is sterk verzwakt.'

'Dood. Hoe?' Bran kneep zijn ogen half toe. Dit had hij kennelijk niet geweten.

'Dat hoef jij niet te weten, want je zult hier nooit weg komen, bandiet. Ik zal mijn pleziertje hebben van jou en de zwarte wilde die jij je vriend noemt, en dan zul je... worden afgevoerd. Je zult gewoon spoorloos verdwijnen. De mensen zeggen al dat je Zeven Wateren aan de Britten hebt verraden. Later zullen ze zeggen dat Liams mensen snel hebben gehandeld om zijn dood te wreken en voorgoed van jou af te zijn. Je hebt mijn doen en laten niet te kritiseren. Wat zou een man zoals jij kunnen weten van bondgenootschappen en trouw. Je kunt de betekenis van die begrippen waarschijnlijk nauwelijks begrijpen.'

'Als ik niemand trouw heb beloofd,' zei Bran zonder zijn ogen van het gezicht van Eamonn af te wenden, 'kan ik tenminste ook niemand verraden.' Het leek of hij diep nadacht, alsof hij probeerde een raadsel op te lossen.

Eamonn kuchte even. 'Wat er gebeurd is, komt... ongelukkig uit. Maar het kan in mijn voordeel uitpakken. Stel eens dat mijn grootvader en de Uí Néill hoorden dat de jonge Sean een overeenkomst had gesloten met de Beschilderde Man? En dat ze hoorden dat zijn zuster met een bandiet had geslapen, onder de struiken haar benen voor hem heeft gespreid toen ze langs de weg kampeerden? De reputatie van Zeven Wateren zou daar misschien onherstelbaar door worden geschaad.'

Bran hield zijn stem effen. 'Eens zul je spijt hebben van die woorden. Ja, nu houd je me gevangen en denk je dat ik machteloos ben. Maar elk smerig woord dat je over haar zegt, brengt je dood een stapje dichterbij.'

'Je bent een idioot, als je niet begrijpt waarom ik zo'n hoge prijs heb betaald om jou in handen te krijgen. Vanaf het moment dat je mijn mannen doodde, was ik uit op je dood. Maar toen ik eenmaal wist dat jij degene was die Liadan van me af heeft genomen, toen ik wist dat het jouw smerige handen waren die haar hebben aangeraakt, had ik er een fortuin voor over. Ik vraag me af wat haar moeder dacht toen ze op haar sterfbed hoorde dat haar dochter zich had vergooid aan tuig van de richel? Toen ik de waarheid eenmaal wist, was het nog slechts een kwestie van tijd. Ik zou alles over hebben gehad voor de voldoening jou te zien lijden en sterven. Je voelt je niet helemaal lekker, hè? Je maat zal vannacht pijn lijden. Gloeiend ijzer op een verse wond, dat prikt behoorlijk. Hij heeft niet geschreeuwd. Niet één keer. Verbluffende geestkracht.'
Er kwam geen antwoord. Brans ogen waren afstandelijk, alsof hij op de een of andere manier afstand had genomen van de plaats waar hij was en van wat hij hoorde. Eamonn liep nu heen en weer.
'Je vindt het niet prettig mij over Liadan of over het kind te horen spreken, hè? Dat is vreemd, gezien de manier waarop je haar hebt behandeld.'
'Wees voorzichtig met je woordkeus.'
'Huh! En dat terwijl je opgebonden bent als een braadkuiken en geen stap kunt doen zonder om te vallen. Een man die geen maanloze nacht door kan komen zonder een lantaarn naast zich; een man die bang is voor zijn eigen dromen. Ik lach om je tartende houding, straathond.'
'Ik heb je gewaarschuwd. Je begeeft je op glad ijs wanneer je in mijn bijzijn over haar spreekt.'
'Ik zal zoveel spreken als ik maar wil, schoelje. Dit is mijn huis, mijn zaal, en jij bent mijn gevangene. Ik zal je zeggen wat ik je allang heb willen zeggen. Jij denkt dat je aanspraak kunt maken op de dochter van Zeven Wateren omdat je haar hebt bezoedeld; omdat je misbruik hebt gemaakt van haar onschuld en haar tegen mij hebt opgezet. Maar ze is niet van jou, en dat is ze nooit geweest. Als ze dat tegen je heeft gezegd, heeft ze tegen je gelogen. Een vrouw zegt alleen de waarheid wanneer het haar uitkomt. Liadan is mij al lang geleden toegezegd, toen we nog kinderen waren. En ze is een gulle geefster. Ik heb haar lichaam gekend, elk

zoet stukje ervan, lang voor jij haar met je lelijke handen aanraakte.' Hij zweeg even om zijn woorden te laten inwerken. 'Grappig, nietwaar? Eigenlijk kan niemand zeggen of het kind van jou is of van mij.'

Het werd volkomen stil, en nu kon Bran de woede niet langer weghouden uit zijn ogen of zijn hortende ademhaling beheersen.

'Nee. O, nee,' fluisterde ik, en ik ving Finbars stilzwijgende waarschuwing op. *Wees stil, Liadan, als je dit beeld niet wilt kwijtraken.*

'Je liegt,' zei Bran. Zijn stem was niet meer vast.

'O ja? Ik denk dat je moeilijk kunt bewijzen of dit wel of niet waar is. Waar is je bewijs?'

Bran ademde diep in en deed een poging zijn schouders breed te maken. Ik had de indruk dat er nog meer blauwe plekken waren die niet te zien waren. Hij keek Eamonn recht in de ogen.

'Ik heb geen bewijs nodig,' zei hij zacht, en hij had zijn stem nu weer met moeite in bedwang. 'Liadan zou niet tegen mij liegen. Ik zou haar mijn leven toevertrouwen. Wat er tussen ons is, kun jij met je vuile woorden niet vergiftigen. Zij is mijn licht in de duisternis, en Johnny is mijn weg naar de toekomst.'

De tranen stroomden over mijn gezicht toen ik zag dat Eamonn zijn wachten riep en dat Bran de zaal uit werd gesleept. 'Uit mijn ogen met dat hondsvot.' Eamonns stem klonk koel. 'Stop hem in het donker waar hij thuishoort. Laat hem daar maar wegteren.'

Toen was Eamonn alleen, en zijn gezicht was allesbehalve kalm. Hij schonk zich een kroes bier in, dronk die leeg en smeet de lege beker door de kamer met zo'n kracht dat het metaal spleet tegen de stenen van de haard. 'Die woorden zul je terugnemen voor ik met je klaar ben,' fluisterde hij. Het oppervlak van de poel werd weer donker.

Haal diep adem, Liadan. Ik voelde de troostende kalmte van Finbars gedachten terwijl hij mijn sidderende geest in de zijne wikkelde. Hij liet me licht op water zien, het vlammende geel van eiken in herfsttooi, de toorts op de kleine curragh waarin mijn moeder lag, een brandende kaars, de stralen van de middagzon die mijn zoontje beschenen, die stil onder de wilgen lag te slapen.

Nu. Beter? Dat was erg zwaar. Wat ga je doen?

'Ik heb geen keus,' zei ik hardop, en wreef met mijn mouw over mijn natte wangen. 'Sean heeft me gevraagd erheen te gaan, om Aisling te halen. Ik moet meteen vertrekken, en wanneer ik er aankom, moet ik...' Mijn geest schrok terug voor het vooruitzicht. Ik kon Sean niet vertellen wat ik gezien had. Ik kon zijn stem nu horen: *Zo'n man is niet te vertrouwen... hij was in een ideale positie om deze informatie direct aan de Britten door te geven.* Wie zou het woord van de Beschilderde Man geloven tegenover dat van Eamonn van de Moerassen? Wie zou de schimmige visioenen van het Gezicht als bewijs accepteren? Sean had gezegd: Jij draagt hiervoor een deel van de schuld, Liadan. Ik kon niets tegen Sean zeggen. Ik wilde maar dat vader thuis was. Hij zou weten wat ik moest doen. Maar vader was nog niet terug van Harrowfield en er was geen bericht gekomen. Nu was er geen tijd meer. Ik zou geen hulp gaan vragen bij Conor. Ik wist wat hij zou zeggen. *Die man heeft zijn doel gediend. Verspil je energie niet aan hem. Het gaat om het kind.*

'Wat ga je doen?' Uit Finbars klare blik sprak medeleven. Hij gaf me geen advies.

'Allereerst,' zei ik, 'het kind voeden en verschonen; dan teruglopen naar Zeven Wateren. Morgenochtend op weg gaan naar Sídhe Dubh. En hopen dat wanneer ik daar aankom, ik zal weten wat er moet gebeuren.'

Finbar knikte. 'Ik vroeg me wel af,' zei hij, 'ik vroeg me wel af... het is lang geleden dat ik in een wereld van bondgenootschappen, strategieën en verraad leefde. Maar ik had de indruk dat er iets onuitgesproken bleef.'

'Iets wat ik zou kunnen gebruiken, als het waar was.'

'Inderdaad. We dachten dus hetzelfde.'

'Ik kan haast niet geloven dat Eamonn tot een dergelijk verraad in staat is,' zei ik, maar achter in mijn geest zag ik de uitdrukking in Eamonns ogen toen ik het huwelijk afwees dat hij me aanbood; de uitdrukking van een man die alleen ziet wat hij wil zien; een man die niet kan verdragen dat hij een nederlaag lijdt.

'Ga vooral heel voorzichtig te werk,' zei Finbar. 'Ik zou je meer hulp geven als ik kon. Maar je hebt natuurlijk al een boodschapper uit de Andere Wereld.' Hij keek naar Fiacha, die op de onderste tak van een lijsterbes zat, vlak bij de plek waar Johnny nu begon wakker te worden in de varens.

'Ik heb een boodschapper, ja.' Ik boog me over Johnny heen om zijn vochtige kleertjes te verwisselen. Hij was wakker, maar stil; deze keer kon hij wachten op zijn voeding. Het was alsof de heimelijkheid en rust van deze plek zelfs indruk maakte op zijn zuigelingenbewustzijn.

'Een krachtige boodschapper. Ik hoef natuurlijk niet te vragen wie je die heeft gestuurd.'

'Hij is op Zeven Wateren geweest,' zei ik; ik wist dat Finbar de enige was met wie ik veilig hierover kon spreken. 'Ciarán. In de nacht van de wake voor moeder. Hij liet deze vogel achter, en hij vertelde me de waarheid over wie hij was. Oom...'

'Wat zit je dwars, Liadan?'

'Het is vreselijk wat ze gedaan hebben, dat ze ons niet de waarheid hebben verteld zodra bekend was dat mijn zuster en Ciarán van elkaar hielden. Als ze dat hadden gedaan, zou Niamh tenminste begrepen hebben dat Ciarán haar niet zomaar in de steek liet. Daar had ze zich aan vast kunnen houden in die moeilijke tijd. En ik had eerder begrepen wat mijn kind bedreigde.'

'Ben je bang voor Ciarán, ook al heeft hij je dit gegeven?'

'Ik weet het niet. Ik weet niet of hij een vriend of een vijand is. Ciarán zei... hij zei dat zijn moeder hem macht had aangeboden. Dat ze wachtte tot hij een beslissing zou nemen. Hij was erg boos.' Ik huiverde. 'Boos en verbitterd.'

Finbar knikte langzaam. 'Hij is nog jong. En van zijn leerjaren moet hij toch iets opgestoken hebben. Conor zou zeggen dat het zich zo zal ontvouwen als het moet.'

'Dat is precies wat Conor zei.'

'Zo vader, zo zoon. Dat is nu juist zo jammer. Er was een goede reden voor ons stilzwijgen, Liadan, zowel toen als eerder, toen het kind werd teruggehaald naar het woud. Niemand van ons wilde dat ons halfbroertje zou worden grootgebracht door vrouwe Oonagh, zodat hij zich zou ontwikkelen tot een wapen om ons te vernietigen. Conor streefde ernaar de jongen te wapenen tegen deze invloeden. Maar het oude kwaad is heel sterk. Oonagh is maar een van de werktuigen waarvan het zich bedient; misschien is er een donkere kant in Ciaráns ziel die ondanks hemzelf altijd tot uiting zal moeten komen, om verwoesting te zaaien onder de vijanden van zijn moeder. Wat er gebeurd is, was geen toeval. Elk van ons zag dat datgene waarvan we dachten dat het verslagen was, weer tot leven was gekomen en in ons midden was. En we twijfelden aan ons vermogen om tegen de macht ervan te strijden. We voelden allen dezelfde angst, het ontwaken van een vrees zoals we in ons leven nog maar één keer eerder hadden gekend. Voor veel mensen was het kwaad dat Oonagh de kinderen van Zeven Wateren aandeed, een soort legende geworden, een zonderlinge gebeurtenis uit een of ander magisch sprookje van lang geleden. Maar ik hoef mijn ogen maar te sluiten om te zien hoe ze voor me stond en me in mijn gezicht uitlachte, met haar haar als een donkere vlam en haar ogen als giftige bessen. En dan voel ik dat ik begin te veranderen, dat ik tril van angst terwijl mijn menselijk bewustzijn me verlaat. Ik zal nooit meer dezelfde zijn; de weg die ik eens voor me zag, is voorgoed vernietigd. In wat er met Niamh en Ciarán gebeurde, zag ik wederom de wreedheid van vrouwe Oonagh en de pijn van mijn zuster. Wat de tovenares die dag verrichtte, blijft levenslang bestaan; de angst, de schuld, de pijn ervan blijven al onze levensdagen bij ons. Hoe kun je deze last ook maar enigszins delen met een zoon of dochter? Hoe kun je leven met het verdriet als je ziet dat het ook onze sterke jonge levens begint aan te tasten? Misschien hebben we de waarheid ontkend, zelfs tegenover onszelf.'

'U hebt mijn visioen gezien; als ik er niet heen ga om hem te helpen, zal Bran sterven, en anderen ook, en dat zal een ware overwinning zijn voor de machten van het kwaad. Maar ik ben bang. Niet voor mezelf, maar voor Johnny. De Feeën hebben me gewaarschuwd hem niet weg te halen. En dan is er nog de profetie. Moeder zou niet gewild hebben dat ik daar tegenin ga.'

'Je bent sterk. Maar wat je gaat proberen, is zeker gevaarlijk.'

'Ik voel me nu niet sterk.' Ik legde mijn zoon aan de borst en dwong mezelf langzamer te ademen. 'Ik voel me machteloos en bang. Ik ben bang dat ik te laat zal komen.'

Het bleef even stil, toen kwam de stem van Finbars geest, ongewoon aarzelend. *Ik geloof dat ik je een tijdlang niet zal zien, Liadan. Vergeet mij niet. Want mijn toekomst is verbonden aan die van het kind. Dat heb ik gezien. Het is belangrijk, lief kind. Vergeet het niet. Er zal veel zijn dat je kan afleiden.*

Ik zal het niet vergeten. En ik dank u voor uw hulp. U bent er

bijzonder knap in, deze visioenen binnen de perken te houden, de angsten van de geest te bezweren.
Jij bent ook al behoorlijk knap. En je begint te leren het in te tomen. Je bent beslist een opmerkelijke jonge vrouw. Je man sprak een waar woord toen hij je een licht in de duisternis noemde. Ach. Nu zie ik je weer huilen. Het is beter deze tranen nu te vergieten, want na vandaag zul je geen tijd meer hebben om te huilen.

HOOFDSTUK VEERTIEN

Het zou een lange rit worden. Sean had de afstand een keer in minder dan een dag afgelegd; hij had zich toen door het donker gespoed in antwoord op mijn dringende roep om hulp. Maar met een baby zou het nodig zijn onderweg stil te houden, om hem te voeden en te laten rusten, en zelf zou ik ook eerder vermoeid zijn als ik met hem op mijn rug te paard zat. Een wagen was uitgesloten, te traag, en te lastig om op smalle wegen te manoeuvreren en te verdedigen. We hadden Liam in de schemering ten grave gedragen, onder de grote eiken van Zeven Wateren. Er waren onopvallend berichten uitgestuurd; Conor zou komen, maar hij was weg geweest en kon ons niet op tijd bereiken. Padriac was al vertrokken van het huis van Seamus Roodbaard in Glencarnagh; misschien was hij al scheep gegaan om een nieuwe reis naar verre landen te maken. Hij bezocht ons maar zelden; hij had nooit deel willen hebben aan het leiderschap over landerijen en gemeenschap. Maar het was droevig dat er geen broers, geen zus in het vervagende licht onder de oude bomen stonden om afscheid te nemen van dit strenge clanhoofd.

We maakten een vuur en verbrandden monnikskap en dennennaalden. Sean sprak over de kracht en moed van onze oom, ik van zijn toewijding aan familie en túath. De mensen van huishouden en nederzetting stonden er zwijgend bij. Het was een somber heengaan voor zo'n groot man; misschien zouden we later de gelegenheid hebben om zijn leven en zijn heengaan te eren met een grote bijeenkomst van mensen, met de gastmalen en muziek

die hij verdiende. Maar nu niet. Het was een gevaarlijke tijd, en het nieuws van zijn plotselinge dood mocht niet zonder meer worden verspreid.
Na afloop dronken we in stilte een beker bier in de keukens, om het vuur. Buiten, in de nachtlucht, klonk een vreselijk geluid, een gehuil van verdriet en verlatenheid dat de leegte in ons eigen hart reflecteerde. Deze jammerklacht ging maar door, tot het galmde in mijn hoofd en ik mijn tranen niet meer kon inhouden. Toen stond Sean op, liep naar de deur, en riep, naar buiten kijkend in het donker: 'Neassa! Broc! Genoeg nu. Naar binnen, jullie!'
Na korte tijd hield het gehuil op en kwamen de twee wolfshonden van mijn oom binnen vanuit het donker, met hun besnorde koppen gebogen en hun staart tussen de poten. Sean ging weer zitten, en de honden gingen naar hem toe de ene ging aan zijn linkerkant zitten en de andere aan zijn rechterkant. Ik geloof dat het op dat moment was dat mijn broer meester van Zeven Wateren werd.
Johnny en ik waren klaar bij zonsopgang, en Sean stond op de trap om ons goede reis te wensen. Ik bereed het vreemde paardje dat ooit van de Beschilderde Man was geweest, en ik had de indruk dat het popelde om te vertrekken, een gretigheid die meer was dan het vooruitzicht van lichaamsbeweging en frisse lucht. Fiacha zat vlakbij op een paal te wachten, met zijn kop schuin. Toen ze hem zagen, werden de paarden onrustig.
'Ik ben je erg dankbaar, Liadan,' zei mijn broer op barse toon. 'Breng haar mee terug, als je kunt. En zeg tegen Eamonn dat ik met hem moet praten. Je zult hem het bericht van Liams dood moeten brengen. Daarna zal hij wel inzien dat het dringend nodig is dat er een nieuw overleg wordt gehouden. Het bondgenootschap moet zich hergroeperen, en snel ook. Ik moet mijn eigen plek verwerven; duidelijk maken dat ik mijn eigen koers vaar. Vraag aan hem of hij naar me toe wil komen. Maar zorg er allereerst voor dat Aisling veilig is.'
'Ik zal doen wat ik kan. Nu moeten we gaan. Het is een heel eind. Vaarwel, Sean. Moge de godin je weg verlichten.'
'Behouden reis, Liadan.'

Een dag, een nacht en een deel van de volgende morgen, zo lang deden we erover, en bij elke stap wilde ik dat het sneller ging. Ik knarsetandde elke keer dat mijn zoon wakker werd en begon te huilen, en we weer stil moesten houden om aan zijn behoeften te voldoen. Ik slikte woorden van teleurstelling in toen mijn gewapende escorte me meedeelde dat heer Sean erop had gestaan dat we stilhielden om te slapen, in elk geval een tijdlang, en dat ze een behoorlijke maaltijd voor me maakten. Van een dame kon niet verwacht worden dat ze zich op reis alles ontzegde, zoals een krijger zou kunnen doen. Dus sloegen ze een kleine schuiltent voor me op, en stonden op wacht terwijl ik daar lag, met open ogen in de nacht, en naar de wolkjes keek die voor de afnemende maan langstrokken. En op de ochtend van de tweede dag reden we over de verhoogde weg naar Sídhe Dubh, terwijl Fiacha met zijn donkere vleugels boven ons vloog.

We waren de buitenste wachtposten zonder veel problemen gepasseerd. De mannen daar kenden mij en herkenden de mannen van mijn escorte, die gekleed waren in de witte tuniek van Zeven Wateren met het embleem van verstrengelde torques. Ze lieten ons passeren en trokken alleen een wenkbrauw op toen ze Fiacha krassend zagen rondcirkelen. Ook bij de toegang tot de verhoogde weg werden we niet tegengehouden. Maar een van de wachten schudde bedenkelijk zijn hoofd en zei: 'U zult niet worden toegelaten. Hij laat niemand naar binnen, en hij zal geen uitzondering maken, zelfs niet voor een dame.' Iets in zijn stem wekte de indruk dat de situatie hem niet helemaal beviel. Maar ze hadden kennelijk hun orders.

We staken dus over naar de toegangspoort, de ingang van de lange, slingerende ondergrondse weg die naar de binnenplaats met de hoge muren eromheen leidde. Evenals de vorige keer waren er twee reusachtige wachten met bijlen in hun handen en twee forse zwarte honden, die naar ons grauwden.

'Maak u bekend!'

De wachten deden een stap naar voren en de honden trokken hun lijn strak.

'Vrouwe Liadan van Zeven Wateren, die de dochter des huizes komt bezoeken,' zei de aanvoerder van mijn escorte. 'Wij behoren allen tot dat huishouden, en het verbaast me dat je ons niet herkent, Garbhan, aangezien het nog geen seizoen geleden is dat we hier in de grote zaal een kroes bier met jullie hebben gedron-

ken. Open je poorten voor ons. De vrouwe heeft ver gereisd en is vermoeid.'
'Niemand wordt toegelaten. En er worden geen uitzonderingen gemaakt.'
'Ik denk dat je het niet goed begrijpt.' De stem van mijn geleide straalde zelfvertrouwen uit. 'De vrouwe is gekomen om haar vriendin te bezoeken. Ze heeft een klein kind bij zich, zoals je ziet. Dit is de zuster van Sean van Zeven Wateren. Als je eraan twijfelt, laat het dan alsjeblieft aan vrouwe Aisling berichten. Ik weet zeker dat ze ons gezelschap welkom zal heten.'
'Er worden geen uitzonderingen gemaakt. Orders van heer Eamonn. Maak nu dat jullie wegkomen, voor ik de honden loslaat.'
De honden leken niets liever te willen dan te worden losgelaten, want Fiacha begon duikvluchten uit te voeren, waarbij hij net buiten bereik bleef van hun happende kaken. Hij vloog weer omhoog om de manoeuvre te herhalen, begeleid door spottend en uitdagend gekras. Johnny werd wakker en begon te huilen.
Ik liet mijn paard voorwaarts gaan. 'Laat dit aan mij over,' zei ik tegen mijn mannen. Ik probeerde net zo spreken als ik Liam wel had horen doen. 'Haal heer Eamonn,' zei ik. 'Hij zal mij zeker te woord willen staan. Zeg hem dat Liadan hier is en met hem moet spreken. Zeg hem dat ik hem iets heb mee te delen, en dat het belangrijk is, en dat ik geen nee accepteer.'
'Ik weet het eigenlijk niet, vrouwe. Heer Eamonn mag niet gestoord worden, en hij heeft duidelijk gezegd: geen uitzonderingen.'
Fiacha vloog rakelings langs zijn gezicht, zo dichtbij dat de dodelijke snavel bijna een oog had kunnen uitpikken.
'Ga het tegen hem zeggen.'
'Ja, vrouwe.'
We wachtten. Eamonn kwam niet naar beneden, maar na een tijdje kwam de wacht terug en werd de ketting losgemaakt en de poort ontsloten. We reden langs de kwijlende honden en over de lange slingerende weg omhoog naar de binnenplaats. Er waren veel wachten, langs de hele weg omhoog. Genoeg wachten, dacht ik somber, om ook de lastigste gevangene vast te houden. Diep vanbinnen wist ik dat Bran hier ergens moest zijn. Hij moest nog leven en in staat zijn een ontsnappingspoging te doen, want waarom zouden er an-

ders zoveel gewapende mannen staan? Toen we naar buiten kwamen in het licht, wemelde het ook op de binnenplaats van de krijgers, en voor de ingang van het huis stond Eamonn, met een strenge en afstandelijke uitdrukking op zijn gezicht. Hij kwam naar me toe om me te helpen afstijgen. Johnny huilde en de vogel voegde zijn eigen aparte geluid aan het rumoer toe.

'Liadan,' zei Eamonn met gefronst voorhoofd. 'Wat doe jij hier?'

'Wat is dat voor manier om een vriendin te verwelkomen?' vroeg ik. 'We zijn moe en ik moet het kind verzorgen.'

'Waarom ben je hier gekomen?'

Mijn gewapende escorte was afgestegen, en stond te luisteren.

'Ik heb nieuws voor je, Eamonn. Heel belangrijk nieuws, dat ik je onder vier ogen moet meedelen. En ik moet Aisling spreken. Misschien zou je mijn mannen wat bier kunnen geven, en mij een rustige plek waar ik mijn zoon kan verzorgen. Daarna zou ik je alleen willen spreken, wanneer het je schikt.'

Toen hij zich omdraaide om orders te geven en de groep mensen die te hoop waren gelopen te verspreiden, zag ik dat hij werkelijk een tikje voorzichtig bewoog, als iemand die nog niet geheel hersteld is van een ernstige verwonding, zoals een messteek. Er kwam een dienares om me voor te gaan naar binnen en een rustige plaats voor me te zoeken waar ik mijn zoon kon verschonen en voeden. Er werd een dienblad met eten en drinken gebracht. Aisling was nergens te bekennen, en ik vroeg niet waar ze was.

Er ging wat tijd voorbij. Johnny kreeg zijn eten en was stil, en de zon bewoog boven ons buiten de smalle raampjes. De dienares kwam terug met twee andere; ze maakten kirrende geluiden en bewonderden het kind, en boden aan een tijdje op hem te letten, zodat ik kon rusten.

'Ik zou Aisling graag willen bezoeken,' zei ik. 'Is zij hier?'

'De vrouwe voelt zich niet goed. Ik denk niet dat ze iemand wil ontvangen,' zei de oudste van de vrouwen, die Johnny in haar armen hield.

'Ik zou misschien iets voor haar kunnen doen,' probeerde ik. 'Ik heb kennis van de geneeskunst. Wat is er met haar aan de hand?'

'U kunt dat beter aan heer Eamonn vragen.'

'Maar...'

'Vraagt u het liever aan hem.'

Schoorvoetend liet ik toe dat ze Johnny meenamen naar de keukens, want hij leek heel tevreden in hun gezelschap. Ik was inderdaad moe, maar ik wist niet goed wat ik nu moest doen. Fiacha vloog achter hen aan, tot grote schrik van de vrouwen. Met zo'n bewaker dacht ik dat mijn zoon voorlopig wel veilig zou zijn. Ik keek uit het raam, naar de binnenplaats beneden, in de hoop iets ongewoons te zien, iets waaruit zou blijken dat er in dit fort werkelijk een paar heel bijzondere gevangenen waren. Maar afgezien van de aanwezigheid van al die gewapende mannen leek alles heel gewoon.

Eindelijk liet Eamonn me ontbieden. Hij bevond zich in de grote zaal, waar hij op zijn eikenhouten zetel zat. Toen de dienaar was weggestuurd, waren we alleen.

'Zo, Liadan. Neem alsjeblieft plaats. Een beker wijn, misschien? Deze wijn komt helemaal uit Armorica. Hij smaakt uitstekend, moet ik zeggen. Ik verwachtte geen bezoek van jou. Dit is geen geschikt moment.'

'Voor dit nieuws is er geen goed moment. Mijn oom Liam is dood. Gedood door de Britten, toen hij op weg was naar een bijeenkomst met de Uí Néill. Iemand heeft ons verraden, en het bondgenootschap is ernstig verzwakt. Sean heeft mij gevraagd je dit bericht zelf te brengen en je te vragen of ik Aisling mee terug kan nemen, want hij heeft behoefte aan haar steun. En hij wil jou dringend spreken.'

'Ach, zo.' De uitdrukking van geschokt medeleven op zijn gezicht leek volkomen gemeend. 'Dit is zeker een ernstig bericht. Wanneer is dat gebeurd?'

'Een paar dagen geleden. Sean wil dat er geen bekendheid aan wordt gegeven, om voor de hand liggende redenen. We hebben bericht gestuurd aan je grootvader, en ik ben hierheen gekomen om het jou te vertellen. Buiten dat weet niemand het, maar zodra Northwoods besluit zijn aanslag bekend te maken, zullen de vijanden van het bondgenootschap wellicht proberen iets tegen ons te ondernemen.'

Hij trok zijn wenkbrauwen op. 'Ik had geen idee dat je zo goed op de hoogte was van strategische zaken, Liadan.'

'Ik leer snel bij,' zei ik.

'Aisling kan niet mee naar Zeven Wateren. Ze is... ongesteld.'

'Mag ik naar haar toe? Als ze ziek is, kan ik helpen.'
'Dit keer niet. Ik vrees dat je niet naar haar toe zult kunnen gaan, en ze kan zeker niet reizen.'
'Dan is ze waarschijnlijk ernstig ziek. Ik ben genezeres, Eamonn. Je zou mij de gelegenheid moeten geven haar te behandelen. Aisling is mijn vriendin, en de verloofde van mijn broer. Je zou me de kans moeten gunnen haar te helpen, als ik dat kan.'
'Je zult hier niet lang genoeg blijven om haar te helpen. Ik kan geen gasten in huis hebben. Aisling zal zonder jouw hulp ook wel herstellen. Ze is alleen... koppig geweest, en heeft zich daardoor ziek gemaakt. Je kunt niet naar haar toe.'
Ik antwoordde niet. Het gesprek had iets van een spel. Hier een klein risico nemen, daar een kleine winst behalen. Het was moeilijk strategische zetten te doen als je de regels niet kende.
'Zeg tegen Sean dat Aisling niet in staat is de reis te maken,' zei hij. 'Breng hem mijn deelneming over met zijn verlies.' Hij stond op alsof hij wilde weggaan, en er viel weer een pijnlijke stilte. 'Je zult vermoedelijk een nacht rust nodig hebben voor je weer naar huis kunt rijden. Het verbaast me dat je je kind helemaal hierheen hebt meegenomen, Liadan. Maar hij lijkt het goed te hebben doorstaan.'
'Je zult wel merken dat tuig van de richel over een opmerkelijke innerlijke kracht beschikt,' zei ik zacht. 'Een meer dan gewoon uithoudingsvermogen.'
Het duurde even voor zijn reactie kwam. 'Wat zei je daar?'
'Ik ben hier om met je te onderhandelen, Eamonn. Ik ben gekomen om je gevangenen vrij te kopen.'
Ik vond eerst al dat hij bleek zag, maar nu werd zijn gezicht zo wit als een doodsmasker.
'Ah... zo,' zei hij voorzichtig. 'Weet je broer van deze zotte onderneming?'
'Sean is niet op de hoogte van mijn plannen,' zei ik, en mijn hart begon te bonzen. 'Maar hij weet dat ik hier ben en verwacht me snel terug, met of zonder Aisling.'
'En aan wat voor gevangenen had je eigenlijk gedacht?'
'Je hoeft geen spelletjes met me te spelen, Eamonn. Ik bedoel de Beschilderde Man en een lid van zijn bende, die je beiden hier gevangen houdt. Ik ben hier om met je te onderhandelen over hun uitlevering aan mij en over een vrijgeleide uit Sídhe Dubh.'

‘Onderhandelen? Hoezo, onderhandelen?’
‘Een ruilovereenkomst. Ik weet zeker dat je er al vele hebt afgesloten.’
Hij stond op en begon heen en weer te benen.
‘Je verbaast me, Liadan. Zelfs na wat er gebeurd is, zelfs na alles wat er tussen ons is voorgevallen, dacht ik nog altijd dat je in staat was tot een verstandig oordeel. Die man is slecht, een plaag. Hij zou nooit meer vrijgelaten mogen worden. En dat wordt hij ook niet. Maar vertel me nu,’ en hij bleef vlak voor me staan en legde zijn handen op mijn schouders, ‘hoe kon je weten dat hij hier was? Hoe heb je dat kunnen ontdekken? Niemand wist ervan.’
‘Je doet tenminste niet alsof hij niet je gevangene is. Ik neem aan dat je trots dat verhindert. De bron van mijn informatie is vertrouwelijk. Maar ten minste één ander lid van de familie van Zeven Wateren weet wat ik weet, en zal het bekendmaken als mij iets overkomt.’
‘Iets overkomt? Waarom zou jou iets overkomen? Jij vormt geen bedreiging voor mij, en bovendien... nee, laat ik niet sentimenteel worden. Ik zal je zeggen waar het op staat, Liadan. Het interesseert geen mens of deze man leeft of sterft. Je zou van de daken kunnen schreeuwen dat ik hem gevangenhield, hem gemarteld en geslagen had, van plan was hem terecht te stellen. Er is geen levend wezen dat een vinger uit zou steken om hem te helpen. Hij is een uitgestotene, een hopeloos geval.’
‘Je vergist je,’ zei ik zacht. ‘Je vergist je heel erg. Zo’n man kan mensen inspireren tot innige trouw, zoals je tot je nadeel zult ontdekken.’
‘Huh! De trouw van andere sloebers zoals hij, en misleide meisjes die een perverse opwinding vinden in de armen van een ontaard monster. Ik kan niet geloven dat je je aan hem hebt gegeven, terwijl je...’
‘Terwijl ik jou had kunnen krijgen? Ik vind het erg jammer dat je dat niet kunt geloven, Eamonn, want het heeft je hele geest vervuld met verbittering, zozeer dat je niet goed meer ziet wat je doet, of waarom. Deze haat verteert je zo erg dat je je familie en vrienden kwetst en een donkere vloek over je eigen toekomst afroept. Het is nog niet te laat om je terug te trekken. Nog net niet.’
‘Als je mij had geaccepteerd, zou ik een andere weg zijn gegaan,’

zei hij op sombere toon. 'Als je nu ontdekt dat het je niet aanstaat hoe ik geworden ben, is dat je eigen schuld.'

'Je handelingen zijn je eigen werk,' zei ik, mijn boosheid onderdrukkend. 'Je maakt je eigen keuzes. Ieder van ons draagt een schuld, voor genomen of niet genomen beslissingen.' Ik zag een klein beeld van mijn oom Liam, die op de weg lag met een pijl in zijn borst. 'Je kunt hierdoor je hele leven laten regeren, of je kunt het achter je laten en verder gaan. Alleen een krankzinnige laat zijn levensloop door jaloezie bepalen. Alleen een zwakkeling geeft anderen de schuld van zijn eigen fouten. Wil je nu met me onderhandelen of niet?'

'Ik zou niet weten wat je denkt me aan te kunnen bieden,' zei hij stijfjes. 'Maar ik neem aan dat een vrouw altijd één dienst heeft die ze een man kan leveren. En er is een tijd geweest, niet lang geleden, dat ik misschien veel zou hebben betaald om jouw lichaam te bezitten. Ik zou betaald hebben met mijn trots, met mijn reputatie, met alles wat ik bezit. Maar nu niet meer. Niet nu ik hem in mijn greep heb. Hem te zien lijden is me oneindig veel meer waard dan een nacht in jouw bed. Hoewel het interessant zou zijn om dat te doen, alleen om hem te kwellen. Jammer genoeg is hij dat punt al voorbij.'

'Wat bedoel je?' Ik kon niet verhinderen dat mijn stem beefde, en ik dacht dat hij merkte hoe ik schrok.

'Wist je dat je bandietenheld bang is in het donker? Wist je dat hij het in zijn broek doet als hij te lang wordt opgesloten? Dat heb ik ontdekt. Het kostte veel spitwerk om daarachter te komen. Hij kan zijn geheimen goed bewaren. Je zult hem niet helemaal in dezelfde staat aantreffen als je hem hebt achtergelaten, vrees ik. Wat die ander betreft, die ziet er behoorlijk slordig uit.'

Ademen, Liadan. 'Ik geloof dat je niet goed hebt begrepen wat ik bedoel wanneer ik het over onderhandelen heb,' zei ik, terwijl ik een slokje wijn nam, alleen om mijn handen iets te doen te geven en het beven te doen ophouden. 'Het is niet zozeer een kwestie van wat ik kan aanbieden in ruil voor hun vrijheid. Het is meer een geval van wat jij bereid bent te geven om mijn zwijgen te kopen.'

'Zwijgen? Waarover zwijgen? Wat bedoel je?'

'Ik heb informatie die bijzonder schadelijk voor jou zou kunnen zijn, Eamonn. Informatie die, als ze mijn broer of Seamus ter ore zou komen, jou zou uitsluiten van het bondgenootschap en ervoor zou zorgen dat je de rest van je leven op je hoede zou moeten zijn voor een man met een mes. Informatie die, als de Uí Néill ervan op de hoogte zouden raken, ervoor zou zorgen dat je nooit meer met hen aan een overleg deel zou nemen. En je gebied ligt niet handig. Precies op de weg van verkeer vanuit Tirconnell. Daarom kun je beter naar me luisteren.'

'Ik geloof mijn oren niet.' Hij ging weer zitten en staarde me aan. 'Hoe zou jij nu over informatie kunnen beschikken die je broer niet al bekend is? Een meisje, thuis met een kind, opgesloten midden in het bos. Dit is enkel bluf.'

'Bluf. Goed, laten we er dan even op doorgaan. En vergeet niet dat de bende van de Beschilderde Man weet heeft van vele geheimen, en in vele kampen een oor te luisteren kan leggen. Mijn nieuwsbronnen zijn misschien niet dezelfde als die van Sean, maar ze zijn precies even doeltreffend.'

'Ga door,' zei hij met een ijzige stem. Op dat moment kwam er een man binnen met een dienblad waarop nog een karaf wijn stond en een schotel met brood, kaas en verschillende soorten in plakken gesneden vlees. Hij zette het blad op een tafel en Eamonn zond hem met een rukbeweging van zijn hoofd heen. Toen de man weg was, liep hij naar de deur en schoof de grendels erop.

'Ziezo,' zei hij. 'Wat voor informatie?'

De zon scheen schuin door de ramen naar binnen. Het was na het middaguur; twee hele dagen waren verstreken sinds ik dat visioen had gezien waarin Bran werd weggesleept uit deze zaal, sinds ik Eamonn had horen zeggen: *Stop dat hondsvot in het donker*. Nu was het ogenblik aangebroken dat ik alles moest inzetten op een vermoeden; dat ik moest hopen dat Finbar en ik toevallig op de waarheid waren gestuit.

'Ik weet welke prijs je aan Northwoods hebt betaald,' zei ik met een moeizaam verkregen vaste klank in mijn stem. 'Ik weet dat de dood van mijn oom veroorzaakt is door de informatie die jij onze vijand hebt gegeven. Je hebt het bondgenootschap verraden, Eamonn. Je hebt Liam opgeofferd omwille van je eigen perverse wraakzucht. Vanwege je razende jaloezie. En dat zal ik aan Sean en aan Seamus vertellen, tenzij je me geeft wat ik vraag.'

'Dit is ongehoord!' Zijn stem beefde van geschokte woede. 'Je kunt dit niet met bewijs staven. Ik heb geen idee hoe je een dergelijk verhaal hebt kunnen verzinnen, en ik weet ook niet wie je zou geloven als je het vertelde.'

'Ik heb er bewijs voor. Een zeer geloofwaardige getuige, die ook precies weet met welk doel ik hier ben gekomen. Als je weigert, zal je geheim spoedig bekend worden, of ik nu veilig thuis terugkeer of niet. Dat zal je einde betekenen, Eamonn.'

Hij bleef een tijdlang zwijgen. 'Hoe kun je me garanderen dat deze informatie niet bekend zal worden, ook al zou ik instemmen met je belachelijke verzoek?' zei hij, en er begon een klein vlammetje van hoop in me te branden. 'Je zou kunnen krijgen wat je wilt, en het toch vertellen. Hoe kun je me beloven dat anderen hun mond zullen houden?'

'Je weet best dat ik dat niet zal doen,' zei ik. 'Eens, nog niet zo lang geleden, heb je gezegd dat ik de enige vrouw was die je ooit tot echtgenote zou nemen, of woorden van gelijke strekking. Ik geloof dat je dat toen meende. Nu merk ik dat je elk respect dat je ooit voor me had, hebt verloren. Maar we zijn ooit vrienden geweest. Als ik je mijn woord geef, zal ik het houden. Ik zal ook zorgen dat anderen zwijgen. Maar ik zal nooit mijn broer in gevaar brengen. Ik zal alleen blijven zwijgen zolang jij je aan onze overeenkomst houdt.'

'Ik kan dit niet geloven. Het lijkt wel alsof je in een... in een soort monster veranderd bent, net als de man die je in bescherming neemt.'

Nee, nee, dacht ik. *Jij bent degene die een monster is geworden; een man die verraad pleegt, en martelt, en moordt, uitsluitend vanwege je obsessieve jaloezie. Jij, de man met wie ik eens had kunnen trouwen*. 'Heel goed,' zei ik. 'Je zult het bondgenootschap respecteren. Je zult je verplichtingen aan mijn broer in de toekomst nakomen, en eerlijk tegen hem zijn, en je verdediging met hem delen, net als met Liam.'

'En verder?'

'Dat is de overeenkomst op lange termijn. Zodra je je er niet aan houdt, vertel ik het hun.'

'En op de korte termijn?'

'Allereerst laat je Aisling hierheen halen. Mijn gewapende escorte zal haar meenemen naar Zeven Wateren, nu, vanmiddag al. Ze

blijft daar tot het voorjaar, tot Sean en zij getrouwd zijn. Ze zal hier niet terugkomen. Jij zult bij het huwelijk aanwezig zijn, met een glimlach op je gezicht, en hun je zegen geven.'
'Aisling is niet gezond. Ze kan niet reizen.'
'Dat zal ik zelf beoordelen. Ik denk dat ze wel mee zal gaan. Mijn mannen weten hoe een dame moet worden vervoerd en verzorgd.'
'Je spreekt alsof je niet van plan bent haar te vergezellen. Wat houdt de rest van deze duivelse overeenkomst in, Liadan?'
'Ik zal hier blijven tot Aisling veilig van Sídhe Dubh is vertrokken. Dat hoeft niet lang te duren. Vervolgens zul je deze twee gevangenen vrijlaten. Je zult ons drieën, en mijn zoon, een vrijgeleide geven tot aan je grenzen.'
Hij liet een holle lach horen. 'Het is duidelijk dat je me inderdaad voor een zwakkeling houdt.'
'Ik denk dat je nog genoeg gezond verstand over hebt om te weten wanneer je geen kant meer op kunt,' zei ik voorzichtig. 'Zul je doen wat ik vraag?'
'Je geeft me erg weinig keus. Maar ik ben niet geheel gespeend van trots, ook al probeer je me te vernederen waar je kunt. Ik zal Aisling laten gaan. Het zou dom van me zijn om daar niet mee in te stemmen, of om het eerste deel van de overeenkomst te weigeren. Ik vraag me af of je er ooit genoeg van zult krijgen me, jaar in jaar uit, in de gaten te houden om te zien of ik soms in de fout ga? Dat zou erg vervelend kunnen worden.'
'Ik ben de dochter van Zeven Wateren. Mijn broer verdient mijn trouw en mijn steun, en hij zal ze krijgen. Onze familie begrijpt het belang hiervan, ook al begrijpt de jouwe het niet.'
'Je zou er misschien beter aan doen je tong in bedwang te houden. Ik heb nog niet ingestemd met het tweede deel van de overeenkomst.'
'Het is alles of niets. Als je de gevangenen niet vrijlaat, gaat de overeenkomst niet door.'
'Ik heb tijd nodig.'
'Je krijgt geen tijd. Als ik zou willen, zou ik mijn broer dit nieuws op ditzelfde moment kunnen geven, hier in jouw aanwezigheid. Ik zou mijn geest voor de zijne kunnen openen, en het hem vertellen. Als je zou proberen me kwaad te doen, zou hij het onmiddellijk weten. Ik zou niet aarzelen.'

'Krijg de pokken jij, Liadan! Vervloekt jij met je toverkunsten!'
'Zul je deze mannen vrijlaten?' Het begon steeds moeilijker te worden om me te beheersen.
'Heel goed,' zei hij plotseling. 'Neem je ellendige minnaar en zijn bizarre metgezel dan maar mee. Kijk maar wat je nog aan ze hebt na hun korte maar veelbewogen verblijf onder mijn hoede. Maar van een vrijgeleide kan geen sprake zijn. Er is niet één man in mijn garnizoen, of waar dan ook in mijn gebied, die de Beschilderde Man naar de grens zou willen brengen zonder hem een mes in de rug te steken. Zodra je buiten deze muren bent, zul je het alleen moeten doen.'
'Je zegt dat je ons zult laten gaan, zodat je boogschutters ons neer kunnen schieten voor we een voet op de weg zetten? Daar heb ik niets aan. Ik moet iets beters hebben. Wil je soms dat ik met mijn broer praat? Zal ik hem aanroepen?'
'Nee. We gaan een spelletje spelen, denk ik. Wanneer Aisling weg is, als ze tenminste in staat is om te gaan, laat ik je een soort verstoppertje spelen. Eerst moet je je bandiet zoeken. Daarna neem je hem mee naar buiten. Daar zullen we je bij helpen, anders ben je de hele nacht bezig. Er wordt geen "voet op de weg" gezet. Laat hem weggaan zoals hij ooit binnen is gekomen, door de moerassen. Ze zeggen toch dat er niets is wat hij niet kan? Dat zou dus gemakkelijk moeten gaan. Over de verborgen weg, met een vrouw en een klein kind, en een man die zijn handen niet goed kan gebruiken. Heel eenvoudig, lijkt me. Dan zul je wel zien wat voor soort held hij is. Misschien moeten we je een bepaalde tijd geven om dit voor elkaar te krijgen. Je zult weg moeten zijn als het gaat schemeren, denk ik. Daarna komen we naar beneden met toortsen, en dan gaan we weer schieten. Mijn mannen hebben de laatste tijd weinig spannende dingen om handen.'
'Dat is... boosaardig,' fluisterde ik, terwijl ik hem ongelovig aanstaarde. Was dit de man met wie ik ooit had gedanst op Imbolc, een man die ik ooit had beschouwd als een geschikte toekomstige echtgenoot, als het me was gelukt hem te leren glimlachen? Was het echt mijn schuld dat hij zo volkomen was veranderd, alleen doordat ik nee had gezegd? Mijn hart was koud. 'Ik stelde toch de voorwaarden voor deze ruil?'
'Niet helemaal. Je zou kunnen besluiten je geheim nu te vertellen,

te proberen je broer te overtuigen van wat je weet, op afstand. Dat zou je kunnen doen, en zodoende mijn leven te gronde richten. Maar zodra je dat doet, sterft de Beschilderde Man. En je kwam hier om hem te redden. Bedenk dat je broer niets om die bandiet geeft. Hij is niets dan een stuk op het bord dat veroverd of verloren kan worden.'

Ik likte langs mijn plotseling uitgedroogde lippen. 'Heel goed. We zijn het eens. Laat nu Aisling halen.'

'Je zult hierover niets tegen mijn zuster zeggen. Dat moet wel duidelijk zijn.'

'Het is duidelijk, Eamonn. Laat haar nu halen en laat ook mijn gewapende geleide komen.'

Aisling zag er ziek en akelig uit. Haar sproetige gezichtje was asgrauw en ik zag de beenderen onder de huid. Haar ogen waren paars en gezwollen, en haar krullende rode haar was onverzorgd.

'Liadan,' fluisterde ze, zonder te letten op de grimmige uitdrukking op het gezicht van haar broer en de zes gewapende mannen die in de zaal stonden te wachten. 'O, Liadan, je bent gekomen! Waar is Sean?'

'Hij wacht op je op Zeven Wateren,' zei ik kalm, hoewel ik had kunnen huilen om de toestand van mijn vriendin. 'Je broer heeft je toestemming gegeven om te gaan. Deze mannen zullen je er veilig heen brengen. Ik heb de vrouwen gevraagd om een paar dingen voor je in te pakken, en je paard staat klaar. Je zult dadelijk vertrekken.'

'O, Liadan, dank je wel. O, dank je, Eamonn!'

Het was maar goed, dacht ik, dat ze zo ongelukkig en uitgeput was dat ze niet op het idee kwam om vragen te stellen. Ze zouden ongetwijfeld later bij haar opkomen, wanneer ze al onderweg was.

'Vrouwe...' De aanvoerder van mijn escorte had bezorgd zijn voorhoofd gefronst.

'Dit zijn je orders,' zei ik beslist tegen hem. 'Vertrek nu dadelijk. Reis zo snel mogelijk terug naar Zeven Wateren, maar denk eraan dat vrouwe Aisling ziek is geweest en zal moeten rusten, net als ik. Zeg tegen mijn broer dat ik later zal komen.'

'We hadden orders u te bewaken.' Er klonk twijfel in zijn stem. 'Als wij weggaan, hebt u geen escorte.'

'Heer Eamonn kan mij de nodige bescherming geven,' zei ik. 'Ik zal hier nog korte tijd blijven. Zeg tegen mijn broer dat heer Eamonn contact met hem zal opnemen. Ga nu, dan zijn jullie er morgen voor de avond.'
'Heel goed, vrouwe.'
Ik beklom de trap naar de plaats waar de schildwachten heen en weer liepen. Ik keek uit over de dijk en de lange, rechte weg die de enige veilige uitweg vanuit Sídhe Dubh vormde. Ik bleef daar staan kijken tot Aislings roodbruine haar en de leren helmen van het gewapende escorte in de verte waren verdwenen. Toen ging ik naar de keukens, eiste mijn zoon weer op en voedde hem. Ik bond hem weer op mijn rug, zodat we reisvaardig waren. Buiten op de binnenplaats stond Eamonn te wachten. 'Ik was van plan om naar dit spel te kijken,' zei hij. 'Maar bij nader inzien heb ik er geen zin in. Maak je niet ongerust, mijn wachten hebben opdracht om je vrij rond te laten lopen. Als je sleutels nodig hebt of een sterke man om hier en daar een grendel los te maken, hoef je het maar te vragen, dan zullen ze je helpen. Maar je vindt dit soort dingen toch leuk, Liadan. Ik heb gehoord dat je hier rondsloop als een krolse kat, de laatste keer dat je hier was. Vooruit dus maar. Het duurt tenslotte niet meer zo lang voor het avond wordt. O, en doe alsjeblieft iets aan die vogel van je. Als hij nog één keer een duikvlucht uitvoert op een van mijn wachten, zal hij zijn volgende entree maken op de dinertafel, netjes ingepakt in pasteideeg.'
We liepen over de binnenplaats terwijl hij dit zei, en Fiacha vloog over ons hoofd om neer te strijken op de disselbomen van een lege wagen die daar stond.
'Vooruit maar, jij,' herhaalde Eamonn alsof hij een lastig kind wegstuurde.
Ik wist vrij zeker waar ik zou moeten zoeken, en ik vreesde voor wat ik zou vinden. Ik nam een snel besluit en keek Fiacha recht in zijn glinsterende, wijze oog. Ga, zei ik tegen hem. *Haal hulp. Ga nu. Ik heb hulp nodig voor de avondschemering.*
Weg was hij, snel als een pijl uit de boog, een donkere streep die omhoog schoot in de lucht op weg naar het zuiden, steeds naar het zuiden. Toen nam ik mijn rokken op en liep de ondergrondse weg in, het donker in.

Het was moeilijk voor de wachten, geloof ik. Ze hadden hun orders en die zouden ze gehoorzamen. Maar toch wisselden ze blikken van verstandhouding en mompelden onderling terwijl ik hun ondergronds domein doorzocht, de ene donkere cel na de andere. Ik beet mijn kiezen op elkaar om de tranen in te houden en probeerde mijn bonkend hart tot rust te laten komen en rustig te ademen terwijl ik telkens weer vergeefs een lege cel bekeek.

'Waar zijn ze?' vroeg ik. 'Zeg het!' Maar de wachten schuifelden met hun voeten en hielden hun mond dicht. De Beschilderde Man had van Eamonns mensen niets te verwachten dan angst en afkeer.

Achter de kleine cellen waarvan ik het bestaan al wist, bevond zich een deur met ijzeren grendels. Ik vroeg om hulp, en een grote, grijsharige man met spieren als knoestige koorden kwam naar voren om hem voor me open te maken. Achter de deur leidden ruwe treden naar beneden.

'Ik heb een lantaarn nodig.' Johnny zat te kronkelen op mijn rug, want hij had er genoeg van niet te kunnen bewegen. Nu hij net geleerd had zichzelf voort te bewegen, had hij zin in nieuwe onderzoekingstochten en avonturen. Ik wilde niet aan Johnny denken of aan het pad door het moeras. Ik wilde alleen denken aan wat er op dit moment voor me lag.

'Heer Eamonn heeft niets over lantaarns gezegd.'

'Ik heb licht nodig. Het is daar beneden aardedonker. Ik zou kunnen vallen en het kind zou zijn nek kunnen breken. Wil je dat soms vanavond aan je vrouw vertellen?'

Niemand bewoog. Verbeten nam ik mijn rokken bijeen en begon de treden af te gaan. Een. Twee. Het was zo donker dat ik geen hand voor ogen kon zien.

'Hier, vrouwe.'

Er flakkerde licht op de stenen muren. De grijsharige wacht stond op de trede achter me met een lantaarntje in zijn hand. Ik stak mijn hand uit om het aan te pakken.

'Ik zal het voor u dragen. Let u maar goed op voor het kind. Deze treden zijn oud en ongelijkmatig.'

Er waren tien treden, en een nauwe gang diep onder de grond. Het was heel stil hier. Als er ratten of torren in deze onderaardse plek huisden, was er geen spoor van te zien. Het flauwe licht

onthulde ijzeren ringen die met bouten aan de met spinrag overdekte muren waren bevestigd. Aan het eind van het gangetje weer een deur, of eerder een traliehek, vastgemaakt met een zware ketting. Het was hier bedompt, benauwd.
'Vrouwe.' De wacht sprak met gedempte stem, verlegen. 'Dit zijn bandieten, nauwelijks waard om op de mesthoop te gooien. U kunt hier beter mee ophouden, en uzelf en het kind redden. U zult nooit weg kunnen komen door het moeras. Als u dat probeert, bent u zo goed als dood, en uw kindje ook. Geef het op. Wij zorgen ervoor dat u veilig thuiskomt. Niemand van ons wil dit op zijn geweten hebben.'
'Geef me de sleutel,' zei ik. Hij gaf me de sleutel aan en zei niets meer.
Achter de traliedeur was weer een kleine ruimte, en daar vond ik Meeuw. Ik hoorde zijn ademhaling net voor het licht zijn donkere gezicht onthulde, dat nu een ziekelijke grijze kleur had. Zijn starende ogen schitterden van de koorts en zijn kleren waren gescheurd en bevlekt. Zijn polsen waren boven zijn hoofd in ijzeren kluisters geslagen, zodat hij niet van de plaats kon komen waar hij scheefgezakt in zijn boeien hing. Smerige, bebloede lappen waren ruw om zijn handen gewonden.
Ik deed een stap naar voren en klemde mijn kiezen op elkaar.
'Maak de handen van deze man los, en vlug wat!'
'Liadan,' kraste Meeuw, terwijl de wacht omhoog reikte naar de kluisters. Toen zoog hij zijn adem naar binnen, want zijn polsen waren plotseling los, en zijn armen vielen langs zijn zijden omlaag alsof er geen leven meer in zat.
'Het zal veel pijn doen wanneer het gevoel erin terugkomt,' zei ik terwijl hij op de vloer ineenzakte met een gierend geluid van pijn. 'Maar we hebben geen tijd. We moeten hier weg. Waar is Bran? Waar is de Baas?'
Meeuw bewoog zijn hoofd heen en weer, zwakjes, om aan te geven dat hij het niet wist.
'Je moet het weten! Iemand moet het weten! We moeten hier voor de avondschemering weg zijn, meer tijd is er niet!'
'Kan... lopen. Kan... mee.' Meeuw hees zich moeizaam op tot hij op handen en knieën zat, toen alleen op zijn knieën, en toen stond hij op, zwaaiend op zijn benen. 'Klaar... om te gaan.'

'Goed zo, Meeuw. Heel goed. Probeer je arm om mijn schouders te leggen – kijk uit voor de jongen – ja, zo. Ik zal je helpen.' Ik wendde me tot de wacht. 'Zeg me waar hij is. Zeg het alsjeblieft. Wilt u dan dat we allemaal dood zijn voor de zon ondergaat?'
Maar de man bleef zwijgen en zijn ogen waren ijskoud toen hij keek naar de strompelende, bevende pogingen van Meeuw om te lopen. De lucht was zwaar en dicht om ons heen, en elke ademhaling kostte moeite. Johnny jammerde zacht. Als we nu weggingen, zou er nog enige tijd daglicht zijn. Als we nu weggingen, zou er een kans zijn om voor de schemering uit het gezicht te zijn. Het was mogelijk dat ik zou zoeken en zoeken tot het helemaal te laat was, en hem toch niet zou vinden. *Stop die straathond terug in het donker, waar hij thuishoort.*
'We kunnen beter weer naar boven gaan,' mompelde de wacht.
'Nog niet,' zei ik. 'Sta stil. Maak geen geluid.' Want er was iets: een klein kreetje in het donker, een gevoel van angst, het oproepen van wilskracht om te verdragen wat onverdraaglijk was. *Waar ben je?* Ik wist niet of het mijn eigen verbeelding was die dit opriep of dat ik werkelijk de kreet van dat eenzame kind hoorde, dat mijn gedachten had gekweld sinds ik was begonnen achter de waarheid over de Beschilderde Man te komen.
De stem van mijn geest fluisterde in het donker. *Ik ben hier. Reik me je hand.*
Stilte. Machteloze, huiverende stilte.
Strek je hand naar me uit, Johnny. Ik zal je helpen. Laat me zien waar je bent. Het was niet mijn zoon tegen wie ik sprak, mijn zoon die nu gelukkig weer stil was, die warm en veilig tegen mijn rug lag. Meeuw leunde op mijn schouder en ik voelde hem beven in zijn pogingen zijn beschadigde lichaam te beheersen, staande te blijven en onhoorbaar te ademen zodat ik kon luisteren. *Waar ben je? Geef me je hand. Strek hem nog iets verder uit.*
Er kwam geen geluid, ik kon niets horen. Niet in de buitenwereld, en ook niet in het schimmige domein van de geest. Maar ik wist het. Plotseling wist ik het. Ik liep door de traliedeur naar buiten, met Meeuw strompelend naast me, terwijl de wacht ons volgde met de lantaarn en een meesmuilend gezicht. Halverwege de schemerige onderaardse gang hield ik stil.
Je kon het bijna niet zien. Hij was keurig afgewerkt, op gelijke

hoogte met de vloer; de enige tekenen van het bestaan ervan waren de vaag zichtbare lijn rondom de randen en een kleine indeuking in de steen, waar de valdeur geopend kon worden. Eamonns voorvader had inderdaad een ongewone en vindingrijke geest bezeten.

'Open deze valdeur.'

'Dat kan een man niet alleen.'

'Open hem, vervloekt jij! Haal er een ander bij, als dat nodig is. En schiet op!'

Het duurde lang, akelig lang terwijl ik rillend wachtte. *Houd vol*, zei ik tegen hem. *Ik ben hier. Het duurt niet lang meer.*

De valdeur was zwaar, een massieve plaat steen, een handbreedte dik. Het mechaniek leek fijngeregeld en uitstekend onderhouden. Toch hadden de twee wachten al hun kracht nodig om hem omhoog te trekken. Eindelijk stond hij open.

'Geef me de lantaarn,' zei ik en ze gaven hem me aan. Ik zette hem op de rand van de rechthoekige opening in de vloer, en keek in het gat.

Het was maar een kleine ruimte. Net groot genoeg om een man te bevatten die niet al te groot was, als zijn knieën opgetrokken waren tot aan zijn kin en zijn armen over zijn hoofd waren gebogen. Er kon lucht binnenkomen, maar niet veel. Licht was er natuurlijk niet. Geen ruimte om te bewegen. Een graf, waarin een man een tijdlang in leven zou kunnen blijven. Hoelang, dat zou afhangen van de kracht die hij misschien diep in zichzelf zou kunnen vinden. Als je hem er van tijd tot tijd uithaalde en te eten gaf, en hem liet ademen voor je hem er weer in stopte, zou hij best een tijd in leven kunnen blijven om je te amuseren.

'Bran?' Het was natuurlijk dom van me om een antwoord te verwachten. Hij leek wel dood, zijn gezicht afgrijselijk bleek, zijn opgekrulde vorm bewegingloos. 'Haal deze man eruit. Vlug!'

Ze deden het, want ze hadden orders om me te helpen, tot op zekere hoogte. Maar niemand had hen opgedragen voorzichtig te zijn, en tegen de tijd dat de slappe figuur uit het kleine gat was gesleurd waar ze hem in hadden geduwd en aan mijn voeten was neergelegd, nog steeds opgekruld, had hij er nog een paar blauwe plekken bij. Ik knielde naast hem neer, en Meeuw hurkte met een gesmoorde vloek naast me.

‘Hij leeft nog,’ zei ik; mijn vingers voelden aan de plek onder aan de hals, waar het bloed zwak stroomde; mijn oor ving zijn zwakke ademhaling op, traag, heel traag. De lantaarn gaf weinig licht, maar ik kon zien dat hij erg was toegetakeld. Er zaten bloederige korsten op zijn hoofd, waar nieuwe, zachte haartjes de opvallende tekening van de huid bedekten.
‘Klap op zijn kop,’ mompelde Meeuw. ‘Diep. Hard. Hij was... er bijna geweest. Wat nu?’
‘We gaan hier weg,’ zei ik beslist, terwijl ik voelde hoe de tranen achter mijn ogen zich ophoopten en mijn innerlijke stem voortdurend herhaalde: *Ademen, Liadan. Wees sterk. Wees sterk*. ‘En dan zien we wel verder.’ Ik wendde me tot de wachten. ‘Til deze man op en draag hem. En doe hem geen pijn. Jullie hebben genoeg schade aangericht. Breng ons naar buiten.’
‘Schade? Nooit genoeg schade voor dat slag,’ gromde de tweede wacht, en ze waren allesbehalve voorzichtig toen ze Brans hulpeloze lichaam van de grond tilden en hem de trap opdroegen. Meeuw en ik volgden hen zo goed en zo kwaad als het ging. Ik ondersteunde Meeuw en droeg de lantaarn, en uiteindelijk kwamen we weer uit in de ondergrondse weg, waar de toortsen fel brandden, zo fel dat het pijn deed aan mijn ogen en Meeuw zijn gezicht afschermde met zijn ene kapotte hand. De zwijgende mannen sloegen onze hortende voortgang gade.
‘Onze orders zijn, jullie naar beneden te brengen tot bij de rand van het moeras en jullie daar te laten.’
‘Doe dat dan maar,’ zei ik.
Brans lichaam was zo slap als een zak met graan; hij hing tussen de wacht die zijn schouders vasthield en de ander die zijn knieën ondersteunde. Zijn hoofd hing slap opzij. Er waren kneuzingen over kneuzingen; er scheen geen enkel stuk ongedeerd te zijn. Wat er van zijn kleding over was, stond stijf van het bloed en het vuil. Johnny, die het leuker vond nu er weer lichtjes en stemmen waren, zat vrolijk te brabbelen.
‘Kom mee,’ zei ik tegen Meeuw. ‘Hier naar beneden. Je kent de plek. Dan zijn we verder alleen.’
‘Alleen,’ herhaalde hij, en ik vroeg me af hoeveel hij had begrepen, met die koorts en de pijn aan zijn gemartelde handen. Hij was aan beide handen vingers kwijt, dat zag ik wel; hoeveel er

over waren, werd verborgen door het verband. 'Oversteken,' zei hij. 'Overkant.'

Terwijl we langs de ondergrondse weg naar beneden en langs de grauwende honden naar buiten strompelden, nam ik in gedachten de mogelijkheden door. Als Bran bij bewustzijn kwam en zou kunnen lopen... als Johnny stil en rustig bleef en ons niet afleidde... als er voor donker hulp kwam, dan zouden we het er misschien levend afbrengen en niet neergeschoten worden als vluchtelingen op de loop voor de gerechtigheid. Als... er waren te veel zinnetjes met 'als'. Toen we stilstonden op de noordkant van de heuvel, stond de zon al laag aan de hemel en begon het daglicht af te nemen. Op dit moment besefte ik dat dit de dagelijkse werkelijkheid van Brans leven was, en van dat van Meeuw; dat hun hele bestaan aan elkaar hing van zulke momenten, wanneer de kansen onmeetbaar klein leken, en je werkelijk de beste moest zijn, oplossingen moest vinden voor de moeilijkste problemen, en een kracht in jezelf moest ontdekken die bijna van de Andere Wereld was, alleen al om in leven te blijven.

'Weet u dit wel zeker?' Ze lieten Bran gewoon aan mijn voeten neervallen, waarna de grootste wacht een stap naar voren deed; hij praatte zacht. Hoog boven op de muur van het fort stonden mannen te kijken. 'Het is zelfs nu nog niet te laat. Laat dit galgenaas barsten en ga zelf naar huis met uw kleine jongetje.'

'Gaan jullie maar liever.' Ik knielde neer en nam Brans hoofd op mijn schoot. 'Heer Eamonn zal ongetwijfeld jullie verslag willen horen.'

'Laat u dan het kind hier. U kunt zo'n overtocht niet levend volbrengen. Die straathond is zo goed als dood, en de ander kan nog niet eens in een rechte lijn lopen. Als jullie dat pad nemen, zijn jullie er allemaal geweest. U zou de jongen achter kunnen laten. Er zijn hier mensen die voor hem zouden zorgen en hem veilig thuis zouden brengen.'

Er schoot me iets te binnen: de stem van mijn oom Finbar, lang geleden, die zei: *Het kind is van jou. En je wilt de man ook... is het weleens bij je opgekomen dat je ze misschien niet allebei kunt krijgen?*

'We nemen deze weg samen,' zei ik bijna tegen mezelf, en mijn hand streek zacht over Brans geschoren schedel, waar het weer aangegroeide krulhaar het woeste, raafachtige patroon verzachtte. 'Allemaal samen.'

De wacht zei niets meer, en even later hadden Eamonns mannen zich teruggetrokken binnen de muren van het fort, behalve twee wachten met een hond, die vlakbij patrouilleerden. We waren daar achtergelaten aan de rand van het donkere, sidderende moeras: Bran lag hulpeloos languit op de stenen, ik zat naast hem met het kind nog op mijn rug, en Meeuw keek over de wijde moerasvlakte uit naar de verre heuvels in het noorden. Hij stond lichtelijk op zijn benen te zwaaien.

'Slang,' mompelde hij. 'Otter. Anderen. Overkant.'

'Denk je dat ze er zullen zijn, als we aan de overkant kunnen komen?'

'Anderen. Aan de overkant.' Hij wankelde van de ene voet op de andere en ging plotseling zitten. 'Hoofd. Spijt me. Handen.'

'Ik zou er graag iets aan doen als ik kon. Wanneer we daar zijn... wanneer we een veilige plek bereiken, zal ik de pijn voor je kunnen verlichten en je een aftreksel geven om de koorts te laten zakken. Ik heb een boodschapper uitgestuurd om hulp te halen; maar ik kan niet met zekerheid zeggen dat die hulp zal komen, Meeuw. Begrijp je dat?'

'Begrijp dat,' herhaalde hij met zwakke stem.

'We hebben nog tijd tot de schemering om weg te komen. Zodra de zon ondergaat, zullen Eamonns boogschutters beginnen te schieten, en dan komen ze ook naar beneden met toortsen. Er is maar één pad dat we kunnen nemen. Als Bran... als de Baas niet op tijd bijkomt, weet ik niet wat we moeten doen.'

Op dat moment besloot Johnny om te laten merken dat hij er ook nog was, en er zat niets anders op dan hem los te maken en mijn jurk te openen om hem te voeden. Het leek erop dat Meeuw niet helemaal door de koorts beneveld was, want hij schoot snel toe om Brans hoofd en schouders met zijn knieën te ondersteunen, terwijl ik mijn zoon ging voeden. Daar zat ik dan, met Johnny aan de borst, in het licht dat om ons heen al verbleekte tot de tere tint van verse lavendelbloesem. Er was geen ander geluid te horen dan de schelle kreten van reigers in het moeras; en Bran lag daar maar, bewegingloos en onbereikbaar als een gebeeldhouwde krijger op een graftombe. En toen kon ik eindelijk mijn tranen niet meer inhouden. Wat had ik gedaan? Waarom had ik gedacht dat ik de waarschuwingen van de Feeën zelf in de wind kon slaan? Ik had op de een of andere manier gedacht dat ik deze mannen kon redden, dat ik voor hen en voor mezelf een toekomst kon maken. Nu leek het erop dat we allemaal zouden omkomen, en Johnny ook. Hem had ik kunnen beschermen, als ik niet zo ellendig trots was geweest.

'Hij gaat dood,' merkte Meeuw somber op. 'Klap op zijn kop. Wordt niet wakker. Hij zou om het mes vragen, als hij kon.'

'Maar dat kan hij niet,' snauwde ik, mijn tranen vergetend. 'De beslissing is niet aan hem. Hij mag niet doodgaan. Ik sta het niet toe.'

Ik hoorde iets wat op grinniken leek. 'De regel overtreden, jullie met zijn tweeën. Dat moet ik aan Slang vertellen...' Zijn woorden stierven weg in een snik van pijn.

'Meeuw. We zullen dit moeten proberen.'

'Begrijp ik. Lopen. Dragen. Ik ben sterk genoeg.'

'Daar twijfel ik niet aan. En je kent de weg, want je hebt mijn zuster ook naar de overkant gebracht. Maar je bent gewond en uitgeput, en hij zal je niet kunnen helpen.'

'Sterk genoeg. Dragen.'

'Dan moeten we nu gaan, zodra het kind genoeg gedronken heeft. Het gaat gauw schemeren, en het ziet er niet naar uit dat er op tijd hulp zal komen.'

Meeuw maakte een knorrend geluid en draaide Bran op zijn zij. 'Klaar,' zei hij. 'Jij moet wel helpen. Handen, onbruikbaar. Hiervoor.' Want het is natuurlijk onmogelijk om de arm of een plooi van de kleding van een man te pakken en hem op je rug te hijsen wanneer je handen zo zwaar gehavend zijn als die van Meeuw waren. Bij de minste aanraking vertrok zijn gezicht van pijn.

Stap voor stap. Dat was de enige manier om het te doen, met kleine stukjes tegelijk, en proberen niet te ver vooruit te denken, want als je dat deed, zou de moed je in de schoenen zinken en had je niet eens meer een strohalm om je aan vast te grijpen. Ik pakte Johnny weer in en bond hem zo stevig als ik kon op mijn rug vast. Hij was nu tenminste stil. Ik bukte om Brans schouders van de grond te tillen en probeerde Meeuw te helpen er zijn eigen schouder onder te krijgen, zodat we de hulpeloze man omhoog konden wrikken. Meeuws handen waren volkomen onbruikbaar. Hij kon zijn arm om Brans schouder buigen en kracht zetten met zijn knieën, maar vasthouden of iets pakken ging niet. Ik slikte de woorden in die op mijn lippen lagen. *Hoe kun je hem nou dragen? En als hij van je afglijdt?* Terwijl we samen ons best deden, lieten we hem al drie keer vallen voor Meeuw moeizaam op zijn knieën ging zitten en vervolgens wankelend overeind kwam met zijn vriend dwars over zijn schouders, het hoofd aan de linkerkant, de benen rechts en de armen erbij bungelend. Meeuw hield zijn eigen armen in elkaar gehaakt op zijn rug, zodat de gehavende handen stijf omhoog wezen in hun bebloede omhulsel. Vanaf de transen boven ons hoorden we hier en daar spottend applaus.

'Goed zo,' zei ik bemoedigend. 'Heel goed, Meeuw. Nu moeten we gaan.'

Er riepen nu talloze vogels, overal in het onbegaanbare terrein; ze kwamen in zwermen overnachten in de verlaten uithoeken van dit ongastvrije land dat hun thuis was. De ondergaande zon kleurde de poelen van open water bloedrood.

'Nu gaan,' zei Meeuw, en we keken elkaar aan en wendden beiden onze ogen af. Ik zag de waarheid in zijn door de koorts schitterende ogen. Dit was de weg naar de dood.

'Ik vind dat we hier straks samen een flacon heel sterke drank op moeten drinken, aan de overkant,' zei ik. Uit mijn woorden sprak zelfvertrouwen, maar het trillen van mijn stem verraadde me.

Toen stapte Meeuw het moeras in, heel voorzichtig; zijn blote voeten verplaatsten zich van de ene pol gras naar de volgende, rechts, dan weer rechts, dan links. En ik volgde hem op de voet, met mijn rokken in mijn gordel gestopt; het kind was gelukkig nog stil. Ik voelde dat het koude zweet me uitbrak over mijn hele lichaam; ik hoorde het snelle, ongelijkmatige geluid van mijn eigen ademhaling en voelde het bonzen van mijn hart. Een stap; en weer een. We kwamen langzaam vooruit, zo langzaam dat ik niet achterom durfde te kijken om de afstand te schatten waarover een boogschutter zijn doel nog zou kunnen raken, zijn doel nog zou kunnen vinden bij het licht van toortsen. En toen kwamen we bij een gedeelte waar de pollen vegetatie verder uit elkaar lagen, een flinke stap voor een man of voor een vrouw met lange benen, zoals mijn zuster Niamh. Voor mij een sprong. Ik aarzelde, maar voor me ging Meeuw verder. Ik kon niet zeggen: wacht, anders zou hij misschien schrikken en misstappen. *Snel, Liadan*, zei ik tegen mezelf. *Anders zie je hem niet meer, en dan...* Ik sprong, kwam ongelukkig terecht en mijn schoen gleed uit over het natte groen. Ik zwaaide met mijn armen om mijn evenwicht terug te vinden en dat lukte, wankelend stond ik weer op mijn benen. Rondom in het donkere bruin van de modder hoorde ik zuigende en blubberende geluidjes, hongerige geluiden. Meeuw kwam wel gestaag vooruit, al ging het nog steeds erg langzaam. Een stap; wachten; dan weer een stap. Hij liep diep voorovergebogen onder het gewicht van Bran; het zou wel moeilijk voor hem zijn om te zien waar hij heen moest.

'Liadan?' Zijn stem kwam terug naar mij, vreemd lichaamloos in de leegte.

'Ik ben hier.'

'Het is bijna donker.'

'Ik weet het.' Later, als er geen wolken kwamen, zou er weer wat licht zijn. Maar het zou een afnemende maan zijn, te zwak, en te laat. 'We moeten toch maar doorgaan, zolang het enigszins gaat.'

Hij antwoordde niet, maar ging weer verder, en ik zag hoe zijn blote voeten houvast zochten op het onvoorspelbare oppervlak. Zijn tenen krulden zich en zijn voet zorgde dat het lichaamsgewicht goed verdeeld werd. Ik zag ook dat hij, zelfs met machteloze en verminkte handen, de last die hij droeg goed onder controle had, en zich naar links of rechts boog, meer naar voren of meer rechtop, om stevig te kunnen staan. Maar in het donker zou hij de weg niet meer kunnen vinden. Dan deed het er niet veel meer toe hoe sterk hij was, of hoe handig hij hierin was.

Nu het licht begon te verflauwen, voelde ik korte, scherpe prikjes op mijn handen, op mijn enkels, mijn gezicht en in mijn hals en nek. Ik hoorde een hoog zoemgeluidje dat kwam en ging. Zwermen stekende insecten stegen op uit het moerassige terrein, waarschijnlijk dolblij een grote, sappige maaltijd aan te treffen. Johnny begon plotseling te huilen, met een scherp gejammer van nood. Ik kon niets doen om hem te helpen, en zijn paniekerige stemmetje schalde onbeantwoord over het moeras. En in de verte meende ik een andere kreet te horen; een hol, onaards geluid dat het midden hield tussen een gil en een lied. Misschien voorspelde deze stem weer iemands dood, zoals een jonge krijger een keer had gezegd. Ik zei tegen mezelf dat ik niet zo raar moest denken. Maar het geluid was er nog; het galmde in mijn hoofd, vibreerde in de ongezonde moeraslucht, brulde in het paarse licht van de schemering, aan alle kanten om me heen. De jammerkreet van de moerasgeest. Johnny was nu woedend aan het krijsen. Het was voor het eerst in zijn korte leventje dat hij huilde en dat er niet meteen iemand kwam om hem te helpen met wat hij nodig had: droge kleertjes, beschermende armen, lieve woordjes, een lotion van alsem en kamille om die kleine, zoemende beestjes weg te jagen die hem telkens weer prikten en niet wilden ophouden.

'Stil maar, Johnny,' mompelde ik terwijl ik wiebelend mijn evenwicht probeerde te vinden op een belachelijk klein plekje droge grond. Meeuw verwachtte toch niet dat ik helemaal dáárheen zou springen? Dat was te ver; het was niet eerlijk. Zo ver kon ik niet springen, zeker niet met het kind op mijn rug. Hield Johnny nou maar op met huilen; ik wou dat hij ophield... Ik tuurde voor me in het halve licht. Aan de overkant van een breed, ononderbroken vlak zwarte modder was Meeuw stil blijven staan. Hij stond heel stil en ik voelde dat hij zijn ogen dicht had. Hij zei iets, maar ik kon de woorden niet horen. Het was te ver. Ik zou halverwege in de modder neerkomen, en het moeras zou mij en mijn kind opslokken, en alles zou voorbij zijn. Mijn keel was droog, mijn lichaam klam van het zweet. Mijn hoofd bonsde. *Dit kan ik niet... ik kan het niet...* Toen zei Meeuw weer iets, en ik verstond wat hij zei.

'Liadan? Ben je daar nog?'

'Ik ben hier. Maar ik geloof niet dat ik hier...'

'Hulp nodig. Handen. Houd hem niet.'

Dana geef me kracht. Hij mocht niet loslaten, dat mocht niet. We waren toch niet voor niets zo ver gekomen?

'Ik kom eraan,' riep ik en ik sprong; door pure wilskracht dwong ik mijn lichaam over de onmogelijke afstand heen te komen. Ik kwam net voor het grotere plekje droog terrein neer waar Meeuw stond, zodat mijn voeten in de zachte modder wegzonken en mijn lichaam voorover viel op de met gras begroeide grond. Ik greep me stevig vast aan het gebladerte toen ik de gulzige greep van de modder om mijn benen voelde, die me omlaag trok. Johnny snikte in sidderende halen; hij vertelde me zijn kleine verdriet omdat de wereld plotseling anders was, en hij wilde dat ik er iets aan deed, liefst nu meteen. Mijn gezicht vertrok van inspanning terwijl mijn handen grepen en klauwden in de natte bladeren, en toen liet de zuigende modder me met een beslist onprettig geluid los. Ik kroop weg van de rand en krabbelde overeind naast Meeuw. Er was bijna geen licht meer; ik kon zijn gezicht nauwelijks zien. 'Doe je handen omhoog,' fluisterde hij, en zijn stem verried de pijn die ik in het donker niet meer op zijn gezicht kon zien. 'Neem het gewicht over. Niet lang. Rusten. Handen.'

Ik ging achter hem staan en duwde mijn handen omhoog tegen Brans slappe lichaam. Toen probeerde Meeuw zijn armen los te maken die hij omhoog had gebogen om zijn vriend stevig op zijn schouders te houden. Maar ze waren zo verkrampt dat hij ze bijna niet kon bewegen. Hij verbeet stoïcijns een kreet van pijn toen hij zijn omwonden handen langzaam omlaag bracht. Nu we stilstonden, leek Johnny te rekenen op een snelle reactie op zijn protest, want zijn stem werd luider en dringender.

Meeuw wankelde opzij en herstelde zich weer. Het enige wat ik kon doen om hem te helpen, was zorgen dat Bran niet van zijn schouders afviel; we zouden hem nooit meer omhoog kunnen krijgen, want één foutje op dit kleine plekje veilig terrein en hij zou eraf rollen in de zuigende modder.

'We kunnen niet zeker verder?' vroeg ik Meeuw op de man af.

'Verder.' Hij trachtte zijn vingers te buigen en maakte een hijgend geluid. Toen boog hij zijn ellebogen om ze te beproeven, maar kreunde erbij. 'Verder... moet wel. Wat anders?'

'We kunnen niet zien waar we lopen. En je kunt hem niet eindeloos op je rug houden.'

'Kunnen niet blijven. Mannen. Toortsen. Verder... overkant.'

Maar het was donker, en we konden niet verder gaan.

'Misschien moet je hem maar neerleggen.' De kou sloeg me om het hart, maar ik dwong mezelf om het te zeggen, hoewel dit eigenlijk hetzelfde leek als zeggen dat het mislukt was. Verder gaan had geen zin. Als Meeuw instortte, wat elk ogenblik waarschijnlijker leek, waren beide mannen verloren. En dat zou het einde betekenen voor Johnny en mij. Zonder Meeuw om ons te leiden konden we vooruit noch achteruit.

'Kan niet neerleggen. Nooit... meer optillen.'
'Goed. Laat me even nadenken. Misschien is er een oplossing.'
'Mannen... toortsen,' herhaalde Meeuw met een stem die bijna niet meer te horen was.
'Ze komen vast niet in het donker over het moeras achter ons aan.' Eamonn had alleen gezegd: *We zullen toortsen aansteken, en we zullen schieten*. Niet dat ze achter ons aan zouden komen. 'Dacht je van wel?'
'Luister,' zei Meeuw. En inderdaad, nu hoorde ik het, tussen Johnny's gesnik door, door het vreemde gorgelende lied van het moeras heen, tussen het schelle kwaken van kikkers en het onophoudelijke zoemen van de bloed zuigende insecten door. Ik hoorde mannenstemmen, wel ver weg, maar ze kwamen steeds dichterbij. Toen ik achterom tuurde in het donker dacht ik dat ik lichtjes kon zien, die langzaam naar ons toe kwamen over het inktzwarte oppervlak.
'Leg hem neer, zei ik treurig, 'want we kunnen niet verder.' Als we dan toch moesten sterven, zou ik dat doen met hen beiden in mijn armen, Johnny en zijn vader, en met de best denkbare vriend naast me. Daar was het weer, een spookachtige achtergrond van de nachtgeluidjes: die verre, klagende jammerkreet die de ziel in ijs veranderde.
'Sterk,' fluisterde Meeuw. 'Sterk. Staan. Dragen.' En hij hief zijn armen weer op en strekte ze omhoog om het lichaam van de ander te ondersteunen. Op mijn rug werd Johnny plotseling stil.
Toen kwam er opeens een ander geluid, een schorre kreet, en ditmaal kwam het van de andere kant, voor ons. Een krassend, schel geluid. De stem van een raaf. Mijn hart maakte een luchtsprong.
'Misschien is er hulp gekomen,' zei ik met een droge mond. 'Misschien is er eindelijk hulp gekomen.'
Nu konden we, in het noorden boven het moerasland, een kleine, dansende lichtbol zien, een vreemde, flikkerende vorm die snel naar ons toe leek te vliegen, en al naderend met Fiacha's stem riep. Boven het donkere oppervlak kwam deze vreemde verschijning steeds dichterbij. En naarmate ze dichterbij kwam, hoorde ik een soort geruis en gekraak, alsof het moeras zelf veranderde waar ze passeerde. Meeuw stond zwijgend naast me. En Johnny was nu stil, maar zijn handjes hadden mijn haar stevig vast. Al dat ge-

spring en gehops was te veel geweest, zeiden die handjes, en ik moest maar liever zorgen dat het nu afgelopen was.
Meeuw slaakte een zachte uitroep in een vreemde taal, en ik zei binnensmonds: *Dana, moeder der aarde, houd ons veilig in uw hand.* We zagen een licht dat leek op een brandende toorts in de vorm van een vliegende raaf, niet zozeer een vogel als wel een vuur uit de Andere Wereld in de vorm van een vogel. En waar dit licht over het moeras vloog, rezen vreemde planten op uit de modder, met lange takken en sterke ranken, die zich in elkaar weefden met hechtend loof en dooreenwarrelende twijgen om een smal pad boven het oppervlak te vormen; een pad dat voor ons uit leidde, recht naar het noorden, recht naar de lage heuvels waar het veilig was. Het licht, dat misschien Fiacha was, misschien ook niet, zweefde erboven en liet ons de weg zien.
Ik schraapte mijn keel. 'Gelukkig maar dat je hem niet hebt neergelegd,' zei ik. 'Kom mee.'
'Mee,' zei Meeuw, en stapte op de teer uitziende massa planten, amper twee handbreedten breed. Ze kraakten onder zijn gewicht, maar hielden het. Ik liep achter hem aan, en Johnny maakte een protesterend geluidje. Ik begon voor hem te zingen, heel zacht, om Meeuw niet af te leiden, die nog steeds heel voorzichtig moest lopen. We hadden nog een flink eind te gaan en hij moest zijn last ondersteunen en recht blijven lopen. Ik zong het oude wiegelied, een lied dat zo oud was dat niemand meer wist wat de woorden betekenden. Deze taal was misschien nog ergens bekend: misschien tussen de staande stenen met hun cryptische opschriften, die zwijgend hadden toegekeken toen ik met Bran in de regen lag en dit kind maakte. Misschien in de kernen van de oudste eiken die op de diepe, geheime plekken van het woud van Zeven Wateren stonden. Ik zong, en Johnny was stil, en we vorderden gestaag in noordelijke richting. De lichtbal vloog van de ene kant naar de andere, soms achter ons, soms voor ons, en bleef voortdurend bij ons. Het was beslist Fiacha. Een keer keek ik achterom, want de stemmen van Eamonns mannen waren nog steeds ergens in het donker te horen. En ik zag dat achter ons, waar wij over een smal, veilig pad van verwarde planten hadden gelopen, geen pad meer was, alleen een streep van bellen in de modder. Na enige tijd werden de stemmen achter ons zachter en verdwenen

de lichtjes, en wij waren alleen in de nacht met onze vreemde gids. Er was hulp gekomen, zoals me was gezegd, op het moment dat onze nood het hoogst was, toen onze eigen krachten nagenoeg uitgeput waren en we geen oplossingen meer wisten. Ik was doodmoe en mijn hoofd bonsde, maar ik stond mijn geest toe voorzichtig te denken aan wat ons te doen stond wanneer we droog terrein bereikten. Meeuw zei dat Bran te ver heen was om wakker te worden. Hij had gezegd dat de Baas om het mes zou vragen als hij kon. Als ik dat wilde weigeren, moest ik er een goede reden voor hebben. Ik had het mis gehad bij Evan, en had zijn lijden gerekt. Dit keer moest het lukken, als ik zei dat ik hem kon genezen. Ik moest hem weer tot leven brengen.

'Overkant,' zei Meeuw, die een eindje voor me liep. De krassende, fladderende bal licht die Fiacha was, vloog voor hem uit en de gestalte van Meeuw tekende zich af tegen het licht, voorovergebogen, zijn arme handen nog steeds machteloos naar boven wijzend. Ik zag de bewusteloze man, die stevig werd ondersteund door de brede schouder en steunende armen van zijn vriend. Deze mannen hadden zoveel kracht, zo'n enorm uithoudingsvermogen dat het geen wonder was dat eenvoudige lieden geloofden dat ze geen gewone stervelingen waren. Ze hadden samen een broederschapsband en waren zo trouw aan elkaar dat hun eigen leven nauwelijks telde wanneer hun kameraad in moeilijkheden was. Zo waren ze gewoon, zonder dat ze zich er zelf van bewust waren.

'Ja,' antwoordde ik. 'We moeten doorgaan tot we aan de overkant zijn. En hopen dat er hulp in de buurt is, want Eamonns mannen kunnen nog altijd gebruik maken van de weg, en zijn misschien al onderweg.

'Nee,' zei Meeuw. 'Overkant. Kijk.'

Verbaasd keek ik vooruit, en voelde mijn uitgedroogde lippen breed grijnzen, en mijn ogen vol tranen schieten. Geen tien passen voor ons uit was een oever die schuin omhooging, met bovenaan een rij ruige struiken, en daar stond iemand met een lantaarn. We hadden de overkant bereikt, met ons vieren. Het was ons gelukt.

HOOFDSTUK VIJFTIEN

Het viel niet mee om op het laatst dat behoedzame tempo over de smalle, geheimzinnige weg vol te houden; om niet toe te geven aan de plotselinge golf van opgetogenheid die lichaam en geest overstroomde waardoor je voorwaarts wilde rennen, lachend van opluchting. Maar Meeuw liep rustig verder, elke stap precies afmetend, en ik kwam achter hem aan, stap voor stap, want we droegen beiden een kostbare last, die niet mocht worden afgelegd tot we heel zeker wisten dat het veilig was.

De gestalte met de lantaarn stond heel stil. Een lange man met een zwarte mantel en kap. Na wat Meeuw had gezegd, had ik gehoopt dat er een aantal van hen in de buurt zouden zijn: Otter of Slang of Spin; als het meezat een aantal van hen en paarden. We liepen langzaam over het laatste stuk moeras, en ik kon het vervlochten pad achter me in de modder horen wegzinken. Niemand zou nog gebruik maken van deze weg. En eindelijk zag ik Meeuw op het droge stappen en een paar passen tegen de oever op wankelen, waarna hij bukte om Bran van zijn schouders op de grond te laten rollen. Ik liep verder tot ik naast hem stond, en keek op.

Fiacha, een lichtende, vlammende bal, vloog naar de schouder van de lange gestalte met de kap om daar neer te strijken. Zodra hij landde, was het licht weg en was hij weer een gewone raaf, als er tenminste een raaf is die gewoon genoemd kan worden.

'Zo,' zei Ciarán ernstig. 'Jullie zijn hier, en hij leeft nog. Dit was een moedige daad.' Hij keek even naar Meeuw en toen weer naar mij. 'Er is hulp in de buurt.'

'D-dank je,' stamelde ik; mijn vingers voelden aan Brans voorhoofd, voelden hoe koud hij was, en ik besefte hoe weinig tijd we nog hadden. 'Fiacha heeft je dus gevonden. Ik verwachtte niet dat je zelf zou komen. Wij vieren danken ons leven aan jou.'
'Aan Fiacha. Dat past beter.'

'Waarom heb je ons geholpen?' vroeg ik. 'Waarom heb je dit gedaan? Druist dat niet in tegen wat zij... wat je moeder zou willen?'
Hij keek me onbewogen aan, met iets wat leek op de gelaatsuitdrukking van mijn oom Conor. 'We zijn je iets verschuldigd, Niamh en ik. Nu is de schuld eindelijk ingelost, althans voor een deel. Wat de vogel betreft, ik ben zijn hoeder, maar hij maakt zijn eigen keuzes.'
'Dat was geen antwoord op mijn vraag.'
'Laten we er hulp bij halen. Deze man is de dood nabij. Je moet hem hier weghalen voor het te laat is.' Hij liet een kort, schel gefluit horen, en Fiacha kraste. 'Je moet snel handelen als je hem wilt redden.'
'Dat weet ik. Hoe heb je dit gedaan? Hoe heb je...' Ik maakte een gebaar naar het moeras achter me, waar nu geen spoor van een pad meer was.
'De vermogens van een druïde houden in dat hij gebruik maakt van wat er al is,' zei Ciarán. 'Wind, regen, aarde, vuur. Die vermogens hebben te maken met het begrijpen van de grenzen tussen wereld en Andere Wereld; ze hebben te maken met de wijsheid van al wat groeit. Wat ik deze avond heb gedaan, is niet zo veel. Een kunst die ik in de nemetons heb geleerd, meer niet. Er is hier geen sprake geweest van hoge magie. Maar ik ben geen druïde meer; en Conor zal eens beseffen dat zijn lessen voor mij slechts het begin waren. Hij zal ontdekken waartoe ik eigenlijk in staat ben.'
'Je bent zijn broer,' fluisterde ik.
'Als hij me dat had willen vertellen toen hij begon met zijn lessen, was het misschien anders geweest. Nu betekent het niets.'
'Wil je daarmee zeggen dat je van plan bent de weg van vrouwe Oonagh te volgen? Een afdaling in het kwade, omwille van de macht? Toch bescherm je Niamh als een kostbare schat; je bent gekomen om mij te redden en... en het kind.'

Zijn strenge gelaatstrekken werden verzacht door een uiterst vluchtige glimlach. Boven op de oever hoorde ik mannenstemmen, en er vlamde een toorts.

'Mijn moeder beschouwt mij als een bruikbaar werktuig voor haar doeleinden,' zei hij zacht. 'En ze kan me inderdaad veel leren. Conor zelf heeft me leergierigheid bijgebracht. Bovendien, dit is immers niets anders dan een groot strategisch spel? Maar goed, je mannen zijn er en ik moet gaan. Niamh kan niet lang alleen worden gelaten.'

Ik voelde een brok in mijn keel. Hij was mijn laatste schakel met mijn zuster en ik had het gevoel dat dit een afscheid voor lange tijd zou zijn. 'Ik wens je het beste,' zei ik. 'Ik wens je alle mogelijke vreugde. En... en dat je niet de weg naar de duisternis zult kiezen.'

'Ik ben voor alles gehouden je zuster te beschermen.'

'Zeg tegen Niamh dat ik haar koester in mijn hart,' zei ik zacht, al was ik er allerminst zeker van dat hij haar zou vertellen dat hij hier was geweest of dat hij mij en mijn zoontje had gezien.

Ciaráns stem klonk heel ernstig. Ik had de indruk dat hij nu bijna tegen beter weten in sprak. 'Ik aarzel het te zeggen,' zei hij, 'maar als je wilt dat je kind veilig is, denk ik dat je met hem weg zou moeten gaan. Zo ver weg als je kunt. Er zijn mensen die er veel voor zouden doen om te zorgen dat hij nooit opgroeit tot een man en een leider. Maar goed, het schijnt jullie beiden niet aan beschermers te ontbreken.'

Terwijl hij dit zei, naderde door de struiken een aantal mannen; mannen met vreemde, uitheemse tekens op de huid van hun gezicht, hun ledematen en hun lichaam, mannen gekleed in buitenissige kledij die gemaakt was van wolfshuiden, veren en metaal. Ze droegen helmen die hen het uiterlijk van wezens uit de Andere Wereld gaven, half mens, half dier. Ik voelde een domme grijns van opluchting op mijn gezicht komen, terwijl ik daar zat met Brans hoofd op mijn schoot en Meeuw naast me neergezakt op de grond. En toen ik weer naar Ciarán keek, was hij weg.

'Here Jezus!' Het was Slang, de man met het kledingstuk van leer en de tekening op polsen en voorhoofd. 'Wat is er met hem gebeurd?' Hij hurkte neer bij Bran en stak zijn vingers uit om de wondkorst op het hoofd te bevoelen. 'Een diepe wond; dagen oud. Je weet wat hij zelf zou zeggen.'

Ik hoorde gemompel van de mannen die in het donker om ons heen stonden.
'Vraag het haar,' zei Meeuw zwakjes. 'Vraag het aan Liadan.'
Slang richtte zijn felle, schitterende blik op mij. 'Denk je dat je hem kunt redden?' vroeg hij. De mannen werden heel stil.
Nu ik eenmaal zat, voelde ik me buitengewoon zwak en vreselijk moe. De stem van Slang leek van heel ver te komen, en mijn eigen stem klonk vreemd.
'Natuurlijk kan ik dat,' zei ik met geveinsde zekerheid in mijn stem. 'Maar we moeten snel zijn. Hij moet eerst in veiligheid worden gebracht. Buiten het gebied van Eamonn. Ik wil naar die plek waar we al eens hebben gekampeerd. Je weet waar ik bedoel. De plaats waar de staande stenen zijn. Waar je onder de grond kunt komen.'
Slang knikte. 'Een heel eind rijden,' zei hij.
'Dat weet ik. Maar we moeten er toch naartoe. En Meeuw moet ook hulp hebben. Zijn handen zijn ernstig verwond. En...'
Johnny begon weer te huilen, nu heel zacht, alsof hij wilde zeggen: Waarom luistert niemand naar mij? Ik ben moe, en nat, en ik heb honger, en dat *heb ik al tegen je gezegd.*
Weer hoorde ik gemurmel van stemmen en iemand floot zacht.
'Een kind!' riep Slang met gedempte stem. 'Van jou? Ben je over het moeras gekomen met een kind op je rug?'
'Mijn zoon.'
Weer floot er iemand.
'En waar is zijn vader dan?' vroeg iemand tamelijk brutaal van achter in de groep.
'Dat gaat je niets aan,' snauwde een stem waarin ik die van Spin herkende.
'Dit is zijn vader,' zei ik; het leek me beter dat ze de waarheid nu wisten, om het niet ingewikkelder te maken dan het al was. 'En hij gaat dood, als we niet gauw gaan. We hebben weinig tijd meer. Jullie kunnen de Baas beter op de rug van een van jullie sterkste mannen binden, zodat hij niet te veel door elkaar wordt geschud. Is er een paard voor mij?'
Heel even stonden ze aan de grond genageld, met stomheid geslagen. Toen begon Slang snel bevelen te geven. Spin kwam naar me toe om heel voorzichtig met zijn lange vingers het hoofdje van

de baby aan te raken en bood aan hem voor me te dragen.
'Dank je wel,' zei ik, 'maar hij is aan mij gewend, en hij is moe en angstig. Misschien later.' Ik had gedacht dat ik nog genoeg kracht had om op een paard te rijden. Maar toen er twee mannen kwamen om Bran heel voorzichtig op te tillen en Otter mijn hand pakte om me overeind te helpen, begaven mijn knieën het en tolde mijn hoofd. Er leken veelkleurige sterretjes voor mijn ogen te dansen. Toen werd er even overlegd wie mij en mijn kind voor zich op het paard zou nemen, tot Slang, die de leiding scheen te hebben, Spin aanwees, waarna Spin ons met een brede grijns op zijn grote paard tilde en er achter ons op sprong.
Het was een lange, vermoeiende reis. We hielden twee keer stil, op verborgen plekken tussen rotsen, en na wat rusten en een maaltijd en veel aandacht werd Johnny weer rustig, alsof onze gevaarlijke reis gewoon weer een nieuwe variatie in zijn leventje was. Echt een zoon van zijn vader, dacht ik lichtelijk verbitterd, en het verhaal van Cú Chulainn en Conlai schoot me weer te binnen. Het zou mijn taak zijn te zorgen dat ons eigen verhaal niet hetzelfde patroon zou volgen.
Bran werd door Otter vervoerd, op zijn rug gebonden zoals we ooit met Evan de smid hadden gedaan. Toen we stilhielden, liet ik hem tegen een boomstam neerzetten. Ik liet hen een beker vullen en proberen wat water bij hem naar binnen te krijgen. Ik had wel kunnen huilen, hem daar zo hulpeloos onderuitgezakt tegen die boom aan te zien zitten. Ik wist heel goed wat hij zou zeggen als hij zichzelf zou kunnen zien. Deze man is verder nutteloos, zou hij zeggen. Ik zag hoe Slang, de man met die woeste blik, heel voorzichtig het aangekoekte bloed van de diepe hoofdwond wiste en hoe de keiharde Otter een warme mantel om de slap liggende ledematen instopte. Ik zond een stille bede naar Díancécht, de grote genezer van de Túatha Dé Danann. Geef mij de kracht om deze taak te verrichten. Geef mij de kundigheid. Ik mag hem niet verliezen. Ik wil het niet.
Meeuw kon zelf niet rijden. Hij zat voor een grote, zwijgende man die ze Wolf noemden, op een groot, stil zwart paard. Toen we een rustpauze hielden, bekeek ik zijn gewonde handen. Ik kon niet veel doen zonder mijn genezerstas, zonder kruiden, zalven en instrumenten, zonder schoon verband en tijd. Maar ik zei zacht te-

gen Slang wat ik allemaal nodig zou hebben wanneer we onze bestemming bereikten, en hij antwoordde dat ze alles wat ik nodig had op de een of andere manier zouden halen. Het leek me beter om maar niet te vragen wat dit precies betekende.

Meeuw was drie vingers kwijt aan de ene hand en twee aan de andere. De wonden waren netjes dichtgebrand; maar mijn hart verkilde bij de gedachte dat dit het werk van Eamonn was, de man met wie ik getrouwd had kunnen zijn. Het deed er niet toe wie met de bijl had geslagen, hij of een ander. Het was zijn geest die deze wrede straf had bedacht.

'Barbaars,' mompelde ik terwijl ik een reep stof van mijn hemd afscheurde en hem om Meeuws hand wond. 'Een krankzinnige wraakhandeling.' Maar achter in mijn geest hoorde ik Eamonns stem, somber als de winter. Als het je niet bevalt wat ik geworden ben, is dat je eigen schuld. Een huivering voer door me heen.

'Doet me denken aan de smid,' zei Meeuw. 'Toen de Baas zijn arm afzaagde en jij de wond dichtschroeide met een heet zwaard. Toen ging ik bijna van mijn stokje. Dit is net zoiets.'

'Je hebt veel voor hem verdragen.'

'En jij dan? Je bent een bijzondere vrouw, Liadan. Geen wonder dat hij de regel voor jou heeft overtreden.'

'Op dat punt heeft hij de regel vast al eerder overtreden. Een man van zijn leeftijd kan niet zo sterk zijn in zelfverzaking,' zei ik, terwijl ik de uiteinden van het verband netjes wegstopte.

'Ik ken hem sinds hij nauwelijks meer dan een jongen was en ik heb hem nooit met een vrouw zien weggaan. Niet één keer. Zelfbeheersing. Vindt hij belangrijk. Misschien te belangrijk. Met jou was het anders. Jij gaf hem partij. Toen hij jou had gezien, was het alleen een kwestie van tijd.'

Ik antwoordde niet, maar er gingen veel vragen door mijn hoofd. Zou het mogelijk zijn dat die betoverde nacht die we samen hadden gehad, ook voor Bran de eerste keer was geweest? Vast niet. Dit soort dingen was anders voor een man. Een man vond het minder ingrijpend dan een vrouw, en bovendien had een man zoals hij natuurlijk gelegenheid te over. Ik voelde dat ik bloosde en draaide mijn gezicht weg van Meeuw.

'Liadan?' Zijn stem was zacht. 'We staan allemaal achter je, meid. We kunnen niet zonder de Baas. Zonder hem zijn we niets.'

'Je bent zo sterk geweest.' Mijn vermoeidheid klonk door in mijn stem. 'Zonder jou had ik het opgegeven.'
'Je had het niet opgegeven, hoor.' Plotseling veranderde zijn stem. 'Ik wil dat je het me zegt.'
'Je wat zegt?' Maar ik wist wat er zou komen.
'Wat zijn mijn kansen? Hoe erg zal dit me belemmeren? Het gevecht is mijn enige beroep, begrijp je. Als ik niet kan vechten, als ik me niet uit een moeilijke situatie kan redden, of als het nodig is zo'n situatie kan opzoeken, is het afgelopen voor mij. Vertel me de waarheid. Hoe ziet het eruit?'
'Waarom was je daar eigenlijk? Ik dacht dat het een eenmansopdracht zou zijn.'
'Wist je dat? Ja, hij ging er alleen opuit, en wilde ons niets vertellen, de idioot. Je zou haast denken dat hij wilde dat Northwoods hem zou doden. Het volgende wat we hoorden, was dat hij op weg was naar Erin in een kleine boot, bemand door mannen in het groen. Ik wist dat dat waarschijnlijk niet bij het plan hoorde. Ik probeerde de held uit te hangen. Een reddingsactie. Ik was een nog grotere idioot dan hij. Toch lukte het bijna. Eamonn was ons alleen net te slim af, speelde ons tegen elkaar uit. Dit is het resultaat. Zeg het nu.'
'Je zult een boog kunnen spannen met je linkerhand. Dat zul je jezelf opnieuw moeten leren. Je zult kunnen paardrijden, als je je handen blijft oefenen terwijl ze genezen. Je zult geen zwaard kunnen hanteren, geen steile wanden kunnen beklimmen of je vingers kunnen gebruiken om een man zijn strot dicht te knijpen. En je kunt leren genezer te worden. Dat zou ik je zelf kunnen leren. Deze bende heeft zo iemand nodig.'
'Ik dacht dat jij misschien...' begon hij, en zweeg toen.
'Dat hangt ervan af,' zei ik. 'Het hangt van hem af. Van wat hij wil.'
Meeuw bleef een tijdje zwijgend naar zijn verbonden handen staren. 'Wat zou de Baas zeggen? Zou hij me nog bruikbaar vinden?'
'Hij zal vinden dat je het waard bent bij de bende te blijven, denk ik. Vooral als ik hem vertel hoe je mij en zijn kind hebt gered. Hoe je hem op je rug door het moeras hebt gedragen.'
Meeuw keek me recht in de ogen. 'Jij hebt ons gered,' zei hij zacht. 'Als jij niet zo moedig was geweest, zouden we zijn omgekomen

in Eamonns kerkers. Weet je het zeker? Weet je zeker dat je hem terug kunt halen?'

'Jij was degene die daarginds niet toestond dat ik de moed opgaf,' fluisterde ik.

We reisden langs verscholen wegen, zoals tevoren, en als er van tijd tot tijd een paar mannen alleen wegreden, om enige tijd later in de groep terug te keren met een kleine tas of een bundeltje dat ze eerst niet bij zich hadden gehad, werden er geen vragen gesteld. Het was kort voor zonsopgang toen we de grote grafheuvel bereikten en afstegen onder de hoge beuken die de lage ingang overschaduwden. Spin hielp me van het paard af. Johnny had het laatste deel van de reis op de rug van een jongeman meegereden die ze Rat noemden, en het leek hem geen kwaad te hebben gedaan. Met zijn grijze oogjes keek hij aandachtig naar de veranderende vormen en kleuren rondom, en probeerde het allemaal te begrijpen.

'Goed,' zei Slang, terwijl de mannen wegliepen zonder orders te hoeven krijgen, om paarden te verzorgen, de wacht te gaan houden en een kookvuur te maken. 'Waar wil je de Baas hebben? Binnen, waar hij beschut ligt?'

'Nee,' zei ik, met een blik op de vreemde gezichtjes op de lateibalk boven de oude deuropening. 'Niet daar binnen. Je weet hoe hij... gebruik de grafheuvel liever voor je mannen, want daar kunnen veel mannen veilig en droog slapen. Kunnen ze voor ons een kleine schuiltent maken onder de bomen, misschien aan de andere kant bij het water? Droog en afgezonderd, maar ergens waar hij de hemel kan zien wanneer hij wakker wordt. Ik zal ook een vuurtje nodig hebben, en lantaarns voor later; en er zal wel wacht moeten worden gehouden. Ik zal een man nodig hebben om me te helpen.'

'Dat zullen we om beurten doen.' Ze waren intussen bezig Bran los te maken en hem voorzichtig van Otters paard af te halen, terwijl Otter zelf zijn ledematen boog en zijn rug strekte en ietwat voorzichtig afsteeg.

'Kruiden,' zei ik. 'Ik heb iemand nodig om ze te verzamelen. Ik moet een kompres maken voor de hoofdwond, en een geneeskrachtig aftreksel. Dat kan Meeuw ook goed gebruiken. Ik heb heelkruid nodig. En wijnruit, die bloeit nog wel, en ik weet dat ze hier groeit. Als jullie wilde tijm en steentijm kunnen vinden, zal ik de gekneusde blaadjes in een kommetje doen en dat naast hem neerzetten. Deze kruiden helpen verdriet te verdrijven; we moeten hem herinneren aan de goede dingen die hij achterlaat als hij niet bij ons wil terugkomen.'

Slang knikte. Hij gaf een paar snelle bevelen waarna de mannen Bran op een plank legden en hem naar de andere kant van de grafheuvel droegen. Paarden werden weggeleid, voorraden uitgepakt. Er heerste een kalme, ordelijke sfeer terwijl de mannen zo bezig waren. Ik hoorde het stemmetje van Johnny; de woorden waren onverstaanbaar, maar het klonk heel zelfbewust.

'Ik moet eigenlijk voor mijn zoontje zorgen,' zei ik, want ik vond dat degene die hem onder zijn hoede had, wel moest weten wat baby's wel en niet mochten eten, en waar ze wel en niet veilig waren. 'Die insectenbeten... ik kan een aftreksel maken om ze mee te betten, met helmkruid...'

'Het zal wel gaan met hem,' grijnsde Slang. 'Rat komt uit een groot gezin; je zult een goed kindermeisje aan hem hebben. Ga jij maar uitleggen wat je nodig hebt voor de Baas. Daarna moest je maar liever gaan rusten, en het kind ook. Het was een lange rit, voor een meisje.'

'Dat zeker. Het lijkt een eeuw geleden dat ik van Zeven Wateren weg ben gegaan. We zijn je veel verschuldigd. Hoe wist je wanneer jullie moesten komen, Slang, en waar?'

'We wisten waar ze waren, Meeuw en hij. We houden dat kasteel, Sídhe Dubh, onafgebroken in de gaten, sinds Eamonn zich al eens tegen een vriend van ons heeft gekeerd. Hij had een bondgenoot in het noorden, iemand die de Baas kende, een man die ons een paar keer een gunst had bewezen, ons onderdak en vrije doorgang had verleend toen niemand anders dat wilde doen. Deze man had een duidelijke overeenkomst met Eamonn over een stuk grond, dat dacht hij tenminste. Hij had ervoor betaald met mooie runderen, de koop was rond. Toen hebben de mannen in het groen op een nacht zijn buitenpost overvallen en tot de grond toe afgebrand, met de wachten er nog in. Wat het nog erger maakte, was dat een van de wachten zijn gezin daar op bezoek had, zijn vrouw en zijn dochtertjes. Allemaal dood, verbrand. Toen de

Baas dat hoorde, zei hij dat hieruit maar weer eens bleek dat zonen altijd naar hun vader aarden. De oude Eamonn, de vader van deze, die heeft zijn bondgenoten aan de Britten verraden.'

'Dat weet ik.'

'Ik dacht wel dat je dat zou weten. Maar goed, die buurman van Eamonn riep onze hulp in, en we hebben hem geholpen. Met Eamonns troep afgerekend op een manier die hem de stuipen op het lijf zou jagen. De Baas kon de verleiding niet weerstaan er een eigen accent aan te geven, met een afgehakte hand en zo. Die was natuurlijk van een man die allang dood was. Zoiets werkt goed, maar is niet leuk om te zien. Het is echt iets voor de Baas.'

'Maar,' kon ik niet nalaten te zeggen, 'de verhalen die ze over jullie vertellen, over de Baas en jullie allemaal – aan de bende van de Beschilderde Man worden allerlei wreedheden toegeschreven die minstens zo erg zijn. Hoe kunnen jullie Eamonn veroordelen als jullie precies hetzelfde doen?'

Slang fronste zijn voorhoofd. 'Wij zijn beroepsmoordenaars,' zei hij na een tijdje. 'Wij doden geen vrouwen en kinderen. Wij maken geen fouten door tegelijk met de vijand onschuldigen te laten verbranden. Bovendien moet je die verhalen niet geloven. Als wij verantwoordelijk waren voor alles wat ze ons toedichten, zouden we op vijftig plaatsen tegelijk moeten zijn. Vraag Rat maar eens wat hij van Eamonn Dubh vindt. Het waren zijn moeder en zijn zusjes die in die brand zijn omgekomen.'

Ik keek naar de plaats waar nu een lange rookpluim van het vuur opsteeg in de vroege morgenlucht, een eindje lager op de helling. Rat had Johnny op zijn knie en zijn vingers deden een spelletje waardoor mijn zoon op en neer hopste van pret. De lichte huid van het kind was bespikkeld met gemene rode bulten waar de moerasinsecten hem hadden gebeten; de grapjes van Rat verhinderden de handjes over de bulten te wrijven en de jeuk nog erger te maken. Ik kon zien hoe deze jongeman aan zijn naam kwam. Zijn ogen stonden dicht bij elkaar naast een lage, spitse neus, en hij had een onregelmatig gebit in een brede, lachende mond.

'Het is een beste jongen, die Rat,' zei Slang. 'Hij leert snel, al ziet hij er niet zo slim uit. Ga nu maar naar de Baas en laat de kleine Johnny een poosje bij ons. We zullen je roepen als het ontbijt klaar is.'

'Je hebt geen antwoord gegeven op mijn vraag. Hoe wisten jullie wanneer jullie moesten komen?'

'We kregen een boodschap. Een jongen met rood haar; hij zag er heel vreemd uit. We waren al in de buurt, want we wisten dat ze daar zaten, maar niet hoe we hen eruit moesten krijgen, want Eamonn had zijn verdediging versterkt. Die jongen zei dat we naar de oever moesten gaan en onder dekking moesten wachten op een teken. Niet lang daarna waren jullie er opeens. Als bij toverslag.'

'Dat klopt,' zei ik, en toen dwong ik mijn vermoeide lichaam om in beweging te komen. Ik liep omlaag naar de andere kant van de grafheuvel, waar de gladde stenen uitzicht gaven op de stille vijver. Waar de staande stenen, ingekrast met tekens zo oud dat zelfs een druïde hun betekenis niet kon interpreteren, zwijgende hoeders waren van de diepe mysteriën van de aarde. En toen ik erlangs liep, dacht ik dat ik een stem hoorde zeggen: *Goed. Goed.* Dit was geen plek van de Túatha Dé, met hun goden en godinnen, hun verblindende schoonheid en angstwekkende macht. Het was een veel oudere plek, veel donkerder. Een plek van de Ouden die mijn eigen voorouders waren geweest, als het verhaal over de bandiet Fergus en zijn Fomhóire-bruid geloofd mocht worden. Ik geloofde het. Ik voelde het vanbinnen toen ik mijn hand op de stenen van de grote grafheuvel legde. Er kwam een traag vibreren van diep in de aarde, en dat zei weer: *Goed.*

Erg weinig tijd. Erg weinig tijd om hem weer bij zichzelf te brengen voor hij bezweek aan zijn wonden, of aan wanhoop, of gewoon aan dorst. Bran kon niet drinken. De mannen hadden een schuiltent gemaakt bij de rotsen, een doek uitgespreid als dak. De voorkant was open zodat je uit kon kijken over de stille poel, of naar het vuurtje kon kijken dat tussen de stenen brandde. Hij lag daar bewegingloos op een stromatras.

'Je moet wel op het kind letten met dat vuur,' waarschuwde een man. 'We hebben het wat hoger aangelegd, als voorzorg.'

Maar het bleek dat ik me over Johnny geen zorgen hoefde te maken. Ze brachten hem bij me om gevoed te worden en te slapen; daarna stopte ik hem in op het bedje van varens dat ze hadden gemaakt en bedekte hem met een vossenpels als dekentje. Zijn eigen dekentje, dat met zoveel liefde gemaakt was, was achtergebleven in Sídhe Dubh. En als Johnny wakker was, zag ik hem ergens in de armen van grote, in leer geklede kindermeisjes, of hij werd gewiegd in een keurige hangmat, of hij werd hoog op brede schouders gedragen, of hij zat naast Rat op de met bladeren bedekte grond, met een korst brood in zijn ene handje, waar hij zijn nieuwe, mooie tandjes op uitprobeerde. De insectenbeten werden al minder; iemand had inderdaad helmkruid gevonden. Rat vertelde me dat het kind erg voorlijk was voor zijn leeftijd, en ik was het met hem eens. Ik aanvaardde het feit dat Johnny plotseling meer ooms had dan een jongetje ooit nodig kon hebben, en ik liet hen maar begaan, al speet het me wel. Hij was zo klein, zo onbevreesd.

Wat Bran betrof, durfde ik de anderen niet te laten weten hoe bang ik was. Ik had een kompres aangebracht op de hoofdwond, zodat hij een keurig verband om zijn hoofd had, over de snel groeiende krullen. Meeuw was degene die me hielp; hij weigerde weg te gaan om te rusten; ook Slang bleef in de buurt rondhangen. We zetten Bran rechtop en hielden zijn hoofd omhoog om een natte spons tegen zijn lippen te drukken. Maar de vloeistof liep langs zijn kin en over de deken, alsof hij de wil had verloren om zichzelf te helpen.

'Hoelang kan hij zonder water blijven leven?' vroeg Meeuw.

'Nog één dag misschien.' Ik probeerde mijn radeloosheid te verbergen, maar mijn bevende stem verried me. Ik kon zien dat het vlees van zijn wangen was weggeteerd, zodat de beenderen scherp uitstaken onder de woest getekende huid. Ik voelde hoe skeletachtig zijn vingers waren, hoe breekbaar zijn pols, waar de kleine beeltenis van een gevleugeld insect zich aftekende tegen de droge, bleke huid. Ik kon horen hoe zwak en traag zijn raspende ademhaling ging. Hoelang Bran in dat benauwde ondergrondse graf gevangen was gehouden, kon Meeuw niet zeggen, want hij was de tel van de dagen kwijtgeraakt terwijl ze in Sídhe Dubh waren.

'Je moet iets voor me doen,' zei ik tegen Slang, die aan het voeteneind van de stromatras stond.

'Alles wat je wilt.'

'Ik wil dat je iemand uitstuurt om te proberen mijn vader te vinden. Hij is Iubdan van Zeven Wateren, maar vroeger heette hij Hugh van Harrowfield, een Brit. Het is een lange man, krachtig gebouwd, met rood haar. Moeilijk over het hoofd te zien. Hij is vorig jaar midzomer over het water gegaan en had allang op Zeven Wateren terug moeten zijn. Hij zou op de terugweg kunnen zijn; dat zou hij zelfs moeten zijn, als het nieuws van thuis hem heeft bereikt. Als iemand hem kan vinden, zijn het jouw mannen wel. Maar ze moeten het wel snel doen.'

'Opdracht wordt uitgevoerd.'

'Dank je,' zei ik. 'Later wil ik dat de mannen hier bijeenkomen. We moeten... we moeten proberen de Baas terug te roepen. Op de een of andere manier moeten we hem laten begrijpen dat hij nog niet kan gaan; dat hij hier nodig is.'

'Ik zal hen halen. Als je hulp nodig hebt, moet je het aan ons vragen, Liadan. Je mag jezelf niet uitputten. Laat ons sterk zijn voor jou.'

Ik raakte zacht zijn pols aan, waar de armband van getekende slangen om zijn gespierde arm kronkelde. 'Dat zijn jullie al, Slang. Jij, en de anderen.'

Ik hield mijn bange voorgevoelens voor me. Ik twijfelde er niet aan of dit was de taak waarover Finbar had gesproken, een genezende taak die alles van mijn kennis en vaardigheden zou vergen. Maar Bran lag er levenloos bij, diep in zichzelf teruggetrokken, alsof hij vrijwillig gevlucht was in de kleine, donkere gevangenis waarin Eamonn hem had opgesloten. Haast alsof hij geloofde dat hij daar thuishoorde. Terwijl ik de zon omhoog zag gaan in de lucht, en daar zijn baan zag beschrijven, wist ik dat hij van me weggleed. Hij had een keer over zichzelf gezegd: *Alleen geschikt om in het donker te leven*, en: *Ga terug in je hok, straathond*. En in uiterste nood was dat precies wat hij gedaan had. Hij droeg zijn gevangenis vanbinnen mee en de deur was vergrendeld. Om die te vinden en te ontsluiten moest er een weg worden gezocht door donkere herinneringen, door geheimen waarvan hij had gezegd dat ze beter begraven konden blijven.

Maar ik was niet alleen. Misschien konden we samen de kracht opbrengen om hem terug te roepen, wij allen die van hem hielden. Dat zou de eerste stap zijn. Wat de tweede stap betrof, die kon ik niet zonder begeleiding zetten, want het was een taak waarvoor de dapperste ziel nog zou terugschrikken.

Slang was weg; Meeuw hield naast Bran de wacht. Ik ging naar buiten om op de stenen boven de poel te gaan zitten, waar Bran en ik ooit in elkanders armen hadden gelegen, zonder ons te storen aan de regen. Ik keek met een gevoel van groeiende zekerheid in het water en liet een stilzwijgende roep uitgaan naar mijn oom Finbar.

Oom? Ik ben hier, en ik moet u iets vragen.

Hier, onder de staande stenen, kwam het antwoord onmiddellijk, al was het zwak; een haast niet zichtbaar beeld op het oppervlak, nauwelijks de beeltenis van een man, meer een speling van het licht waardoor je dacht dat er heel misschien iemand was.

Liadan. Je bent dus in veiligheid.

Ik wel. Maar hij niet, nog niet. Hij is ver in zichzelf verzonken, en ik moet weten of ik gelijk heb, of ik hem terug kan vinden. Ik ben ervan overtuigd dat dit de taak is waarover u hebt gesproken, en ik zal hem uitvoeren. Maar het maakt me bang, oom. Ik ben bang voor wat ik zal ontdekken.

De man in het water knikte ernstig. *Wees gewaarschuwd, dochter. Hij zal al zijn kracht tegen je gebruiken, en zijn kracht is enorm. Hij zal zich tot het uiterste verzetten. Het is een wrede taak, want je moet de banden die zijn hart binden, losmaken en het blootleggen. Daar zetelt een diepe pijn; een pijn waarvan hij jou geen deelgenoot wil maken. Daar zit een verstard kind dat zich verstopt heeft in een gevangenis van verloren dromen. Vind dat kind; neem het bij de hand en leid het uit dat donkere oord naar buiten.*

Ik was koud tot op het bot. Hij praatte als een stem uit een andere wereld.

Ik zal het doen.

Als ik je kon helpen, zou ik het doen, kind. Maar dit is jouw taak. En je moet nu beginnen. Hoe langer je het uitstelt, hoe verder hij van je wegvlucht, tot er geen weg terug meer is.

Het water rimpelde, en hij was weg.

Ik riep Slang, en hij kwam met mij naast Meeuw onder de schuiltent zitten.

'Ziezo,' zei ik. 'Ik denk dat ons twee dingen te doen staan. Eerst het roepen, om hem uit zijn schuilplaats te voorschijn te laten komen. En dan het helen; hem weer in elkaar zetten, zodat hij bij

ons zal blijven. Met het eerste kunnen jullie me allemaal helpen. Het tweede zal ik alleen doen.'
'Niet veel tijd,' zei Meeuw zacht.
'Dat weet ik. Het moet voor zonsopgang gebeurd zijn, anders zal hij ons ontsnappen. Jullie moeten nu de mannen roepen, dan zal ik het hun uitleggen.'
'Liadan,' zei Slang schuchter. 'Je weet dat hij dit vreselijk zou vinden.'
'Wat wil je dan dat ik doe? Hem laten sterven van dorst, hem hier laten omkomen, rondzwervend in een oord dat wij niet kunnen zien? Of misschien hem een handje helpen met een scherp mesje? Is dat wat ik volgens jou zou moeten doen?'
'Niet een van de mannen hier zou dat zeggen. Alleen de Baas zelf. Als hij buiten zichzelf kon staan en dit zou zien, zou hij de eerste zijn om het mes over zijn keel te halen. Wij staan allemaal achter je, Liadan. Alleen wil niemand degene zijn die dit aan hem moet gaan uitleggen wanneer hij terugkomt.'
'Ik zal het aan hem uitleggen. Ga nu de mannen halen.'
We gingen naast Bran zitten en wachtten. Hij had zich niet bewogen; zijn gezicht was bleek en kalm, alsof hij sliep. Er was geen uitwendig teken van leven, behalve het geringe, trage op en neer gaan van zijn ademhaling. Zijn vingers waren slap en koud, en ik stopte de deken over hem in en hield zijn hand in de mijne. Ik vroeg me af of hij ergens, diep vanbinnen, kon voelen dat ik hem niet had losgelaten.
De mannen kwamen, alleen of met zijn tweeën, zacht aanlopen ondanks hun zware laarzen. De meeste van hen waren gewapend. Allen droegen de vreemde uitdossing van hun beroep, de huiden, veren en versieringen die hun trots en identiteit waren. Ze keken allemaal ernstig en verzamelden zich om de stromatras, zittend, gehurkt, staand, en zwegen. Niet de hele groep; zelfs op zo'n moment moest de wacht worden gehouden.
'Heel goed,' zei ik. 'Hij kan ons horen, dat is wel zeker. Hij heeft een hoofdwond, een ernstige wond, maar mannen zijn wel van erger hersteld, en hij is heel sterk, dat weten jullie. Maar hij kan niet slikken, en een man houdt het niet lang vol zonder water. We moeten hem uit zijn slaap halen.'
'Maar als hij er niet uit wil komen?' Dit was de grote man met

de donkere baard, Wolf. Ik had hem nog niet eerder horen spreken; hij had een diepe stem en een zwaar accent.
'Dat is het nu juist,' zei ik. 'Hij denkt dat het niet de moeite waard is om bij ons terug te komen. Wij moeten hem van het tegendeel overtuigen. Hij moet weten hoe jullie hem waarderen; hij moet eraan herinnerd worden welke goede dingen hij voor jullie heeft gedaan, en wat dat voor jullie betekent. Hij moet gaan inzien wat hij gegeven heeft, en wat hij te geven heeft. Alleen jullie kunnen hem daarbij helpen.'
Ze keken elkaar aan en bewogen onrustig.
'Wij zijn vechters,' zei Rat, die Johnny tegen zijn schouder hield en op zijn ruggetje klopte. 'Geen barden, geen geleerden.'
Een andere man zei verontschuldigend: 'Ik zou niet weten wat we zouden moeten zeggen.'
'Herinneren jullie je de verhalen die ik jullie verteld heb?'
Ik zag knikjes en vage glimlachjes.
'Nou, het is net zoiets, alleen korter. Elk van jullie vertelt een verhaaltje, een verhaal over de Beschilderde Man. We gaan het om beurten doen. En met onze verhalen roepen we hem terug. Het is eigenlijk heel eenvoudig.' Ik merkte dat Meeuw me een beetje spottend aankeek, en ik vermoedde dat hij wist dat mijn kordate zelfvertrouwen volkomen gespeeld was. Onder dat masker was ik koud van angst dat het niet zou lukken. Op hun gezichten begon een sprankje hoop te gloren.
'Goed zeg,' zei een man bewonderend. 'Hoe kom je erop. Jij bent me er eentje. Mag ik eerst?'
'Natuurlijk.'
De verhalen waren heel gevarieerd. Sommige waren aangrijpend, andere grappig, weer andere diep tragisch. We hoorden het verhaal hoe Bran Hond had gered van de vikingschepen, en Slang zei dat Hond, ook al was die arme kerel nu dood, er in elk geval iets voor had teruggedaan, want als Hond mij die dag in Littlefolds niet een klap op mijn hoofd had gegeven zou ik de Beschilderde Man nooit hebben ontmoet, en zou er geen Johnny zijn geweest. En, zei Slang verder, nu de Baas mij had, en zijn zoontje, zou hij wel gek moeten zijn als hij niet wakker wilde worden. Er waren verhalen uit het zuiden en verhalen uit het noorden, verhalen uit Cymru, uit Brittannië en uit Armorica. Er werden verhalen ver-

teld door Noormannen, door Ulstermannen en door Galliërs. Alle mogelijke verhalen. Maar er was een rode draad die door alle verhalen liep. In elk verhaal had de Beschilderde Man de hand gereikt aan een uitgestotene, aan een man die nergens heen kon in de wereld, en hij had hem welkom geheten in een bende kameraden, met een regel en een doel. Meeuw vertelde zijn verhaal fluisterend, een verhaal van bloed en verlies, van ellende en wanhoop. 'Je hebt me naar het leven teruggeroepen toen ik er een eind aan wilde maken. Jouw hand hield de mijne tegen toen ik wilde toegeven aan de duisternis. Nu volg ik jouw weg. Ik vraag je: ga niet verder weg, maar kom terug bij ons. Je werk is nog niet klaar. We hebben je nodig, vriend. Het is nu mijn beurt om je terug te roepen.'

We besteedden de hele middag aan het weven van een net van woorden. Het was een mooi, sterk net, net als de mannen die het hadden gemaakt. Nu naderde de schemering.

'Luister naar Meeuw,' zei ik, mijn tranen bedwingend. 'Luister naar ons allemaal.' Ik had tegen hen gezegd dat Bran ons kon horen. Nu betwijfelde ik of dat waar was, want hoe ik het ook probeerde, ik bespeurde niet het kleinste vonkje van denken in hem, niet het vaagste fragment van een beeld in zijn geest. Als hij niet al weg was, had hij een buitengewoon krachtige barrière opgetrokken.

'Bran,' zei ik zacht, en ik streek met mijn vingers langs de ingevallen wang. 'We houden van je. We zijn je vrienden. We zijn je familie. Kom naar buiten. Kom terug uit die donkere plek. Kom uit de schaduwen te voorschijn, lieverd.'

Meeuw maakte een kleine beweging met zijn verbonden hand, en toen kwamen de mannen een voor een naar voren om Brans arm aan te raken of hem even bij de schouder te pakken, en hier en daar zag ik iemand heimelijk een traan wegvegen.

Toen ze allemaal waren weggegaan, behalve Meeuw en Rat, nam ik Johnny in mijn armen en ging buiten bij het vuur zitten om hem te voeden; nu stond ik mezelf toe te huilen. Terwijl ik daar zat, kwam Slang terug met Wolf, en ze verschoonden Brans kleren en sponsden zijn lichaam af. Onder het werk praatten ze, een opgewekt, praktisch gesprek over een wapensmid in het noorden die een nieuwe procedure had ontwikkeld om ijzer te temperen, en

dat hij een prachtig, precies uitgebalanceerd zwaard maakte, en welke prijs voor zo'n superieur wapen betaald zou moeten worden. Ik wist dat dit gesprek voor de Baas bedoeld was, en ik was dankbaar voor hun pogingen. Maar ik was moe, bijna misselijk van moeheid, en onmetelijk treurig, en ik sloot mijn ogen terwijl ik daar zat. Toen was ik opeens in de greep van een nachtmerrie. Muren kwamen op me af, volkomen duisternis, geen gevoel van tijd of ruimte, geen geluid behalve het bonzende hart en de zwoegende ademhaling, en ik was bang, ik was bang dat oom me weer zou slaan. Ik voelde de stekende pijn op mijn rug en benen van de vorige keer, ik voelde de pijn in mijn armen van de keer dat ik die grote steen boven mijn hoofd moest houden... Ik had het niet volgehouden, ik had hem laten vallen, en als de riem pijn deed, was het mijn eigen schuld, want je werd alleen gestraft als je niet sterk genoeg was... er liep snot uit mijn neus, en ik veegde het gedachteloos weg, en mijn hart klopte sneller... geen geluid maken, dat was de regel, geen geluid of er zwaaide wat... het was moeilijk om niet te huilen als je in je broek had geplast en je het veel te warm had en dorst had en bang was en er niemand kwam... wanneer je niets anders kon doen dan tot tien tellen, telkens en telkens weer... als je wachtte en wachtte of ze bij je terug zou komen, want misschien, heel misschien, als je maar heel flink was, zou ze nog komen, ook nu nog...
Ik kwam met een schok tot mezelf, mijn hoofd bonsde, mijn hart bonkte. De angst was reëel, alsof ik zelf in die kleine donkere ruimte zat. Ik knipperde met mijn ogen en dwong mezelf langzaam te ademen; dwong mijn ogen het roerloze water van de poel te zien en de zachte wilgen, grijsblauw in de schemering. Ik voelde het warme gewicht van de baby in mijn armen.
'Liadan?' Meeuw stond naast me, zijn gezicht was bijna onzichtbaar in het afnemende licht. 'Gaat het wel?'
Ik knikte. 'Ja. Hij is er nog, Meeuw. Niet ver weg. Daar, net onder de oppervlakte, en hij is te bang, of misschien schaamt hij zich te erg, om naar buiten te komen. Hij heeft ons gehoord, dat weet ik.'
'Hoe kun je dat weten?' vroeg Meeuw met verbazing in zijn stem.
'Ik... ik hoor zijn gedachten. Ik kan zijn herinneringen en gevoelens delen, als hij me toelaat. Het is een gave, en een vloek. Het...

ik denk dat het gebeurd is toen hij nog heel jong was, wat het ook geweest is. Heeft hij jou ooit verteld...?'
'Hij niet. Leeft volgens de regel. Geen verleden, geen toekomst. Hij heeft nooit een woord losgelaten. Volgens mij is die man oud geboren. Ik wou dat ik kon helpen.'
'Het geeft niet,' zei ik, maar de moed zonk me in de schoenen. 'Dan moet ik gewoon mijn best doen hem te bereiken. Ik moet vannacht alleen met hem zijn. Ik zal Johnny in bed leggen in de tent, en dan moeten jullie ons alleen laten. Allemaal.'
'Ik blijf hier buiten op wacht staan.'
'Ach, Meeuw. Met die handen zou je in een ziekenhuis moeten liggen, waar goed voor je gezorgd werd. Je neemt te veel hooi op je vork. Zorg toch dat je in elk geval wat slaap krijgt.'
'En jij dan? Jij kunt ook niet onbeperkt doorgaan.' Hij legde zijn hand op mijn schouder. 'We zouden voor je zorgen, moet je weten. Als hij... dan zouden we voor jou en de jongen zorgen.'
'Houd op!' Mijn stem klonk schel. 'Zeg dat niet! Hij zal leven. Er wordt hier niet over een nederlaag gepraat.'
Het bleef even stil. Toen zei Meeuw: 'Jullie zijn voor elkaar geschapen. Allebei niet in staat om te falen. De jongen zal ongetwijfeld opgroeien tot een groot leider. Dat moet haast wel. Nu zal ik een hapje eten voor je laten halen en dan zullen we doen wat je zegt. Maar er moet iemand op wacht staan. Dat maakt niets uit, want we doen vannacht toch geen van allen een oog dicht.'
Ik was van plan geweest om hen allemaal naar de grafheuvel te sturen, zodat wij hier alleen waren op de plek van onze bestemming, bij de donkere poel onder de maanloze hemel. Hier roerden zich oude dingen; ik voelde hun aanwezigheid in de schaduwen, en wist dat dit een nacht van veranderingen was. Ik had gedacht dat Bran misschien in het donker naar me zou reiken zoals hij al een keer eerder gedaan had, en dat ik zijn hand zou kunnen pakken en vasthouden tot de morgen kwam.
Maar dit was geen plaats voor eenzame, uit wanhoop geboren handelingen; dit was een plaats van kameraadschap. Slang bracht eten en bier, en stond erop dat ik het buiten bij het vuur opat. En toen ik op een platte steen zat, met een kom stoofpot op mijn schoot, kwamen er anderen uit het donker naar voren om zwij-

gend om me heen te staan. Ik keek met nieuwe ogen naar Rat, nu ik zijn verhaal had gehoord. De brand die Eamonns mannen hadden aangestoken, had hem een groot onrecht aangedaan. Spin en Otter waren er niet; ze waren de hele dag afwezig geweest.

'Ik moet je iets vragen,' zei Spin schuchter.

'Wat?'

'Stel dat je een wonder verricht, en dat hij hieruit komt. Dat hij plotseling wakker wordt, en zegt: Waar ben ik? Hoe denk je dat hij kan leven met wat er gebeurd is? En hoe moet het met jou en het kind? Hij wil jou. Jij wilt hem. Maar hij zou het nooit goed vinden dat je hier bij ons bleef; geen leven voor een dame of voor een klein jochie. Hij zou jullie nooit op die manier in gevaar willen brengen. En hij zal dit leven ook nooit opgeven. Het is het enige wat hij kent; de enige manier om te rechtvaardigen dat hij doorgaat. Was je van plan hem op te lappen en dan weer naar huis te gaan? Dat zou voor alle partijen een wrede afloop zijn.'

'Vraag je me dat in ernst?'

'Misschien niet. Ik zie jou niet zoiets doen. Maar je weet hoe hij is. Hij zal je niet laten blijven. Hij stuurt je weg naar huis, en dan zal hij ervoor zorgen dat hij zo snel mogelijk gedood wordt. Ik denk dat het zo zou gaan.'

Er viel een stilte. Meeuw keek naar mij en naar Slang, en het leek alsof hij iets wilde zeggen, maar het niet deed.

'Wat is er, Meeuw?' vroeg ik.

'Ik heb eens nagedacht,' zei hij voorzichtig.

'Nou, zeg op dan.' Hij had meteen de aandacht van Slang. 'Als je een plan hebt, willen we het horen. Er is weinig tijd.'

'Een plan. Dat is het niet echt. Een idee, meer niet. Het spookte de hele tijd door mijn hoofd, toen we op weg waren door dat godvergeten moeras. Toen ik het eenmaal had bedacht, bleef het en werd het groter. Ik weet dat we niet terug kunnen gaan om weer in de wereld te leven als boeren, vissers en zo meer. Maar we kunnen wel het een en ander. Varen op zee, ongezien iemand achtervolgen, op allerlei manieren vechten. We weten hoe we een overval moeten beramen en perfect uitvoeren. We kunnen ergens binnendringen en er weer uit komen op manieren waar nog nooit iemand anders aan heeft gedacht. We hebben onze eigen methoden om problemen op te lossen en informatie te krijgen. Er zijn

heel wat clanhoofden, in dit land en aan de overkant van het water, die er mooie runderen en zilverstukken voor zouden betalen als we hun mannen die dingen zouden leren.'
Voor de zoveelste keer verbaasde ik me over Meeuw. Wolf luisterde met grote ogen.
'Waar dan?' vroeg Slang botweg. 'Er is geen uithoek van Erin waar we langer dan een paar nachten welkom zijn. Als we ons vestigen, komt er voor je het weet een of ander heertje dat we beledigd hebben met zijn beulen om ons kamp in brand te steken en ons in de nacht af te slachten. We moeten altijd twee stappen vooruit zijn. We moeten altijd in beweging zijn. Zelfs hier is het niet veilig; niet lang.'
Ik schraapte mijn keel. 'Bran heeft een keer gezegd... hij zei dat hij een plek had. Hij had een plek. Waar is die?'
'Daar weet ik niets van,' zei Slang. 'Hij is niet iemand om zich te vestigen, onze Baas.' Wolf en hij keken beiden naar Meeuw.
'We hoeven voor Liadan geen geheimen te hebben,' zei Meeuw zacht. 'Zij hoort bij ons.'
Na enkele ogenblikken knikte Slang, en Wolf bromde instemmend.
Meeuw wendde zich weer tot mij. 'De Baas heeft het jou dus verteld,' zei hij, met een blik op de man die bewegingloos in de open schuiltent lag.
'Ja. Lang geleden. Wat is dat voor plek, Meeuw?'
'Een eiland. In het noorden. Het is een woest, onherbergzaam oord. Gemakkelijk te bewaken. Minder gemakkelijk te bereiken. Heel mooi, op een bepaalde manier. Je zou daar een kamp kunnen bouwen. Er zouden mensen kunnen komen om les te krijgen.'
'Net als dat eiland in het verhaal,' zei Slang afwezig; zijn gedachten waren kennelijk zijn woorden vooruit gesneld. 'Het eiland van die krijgsvrouw, weet je nog? Hoe heette ze ook weer? En jij zou er natuurlijk ook moeten zijn, jij en de jongen. Net als in het verhaal.'
'Ik zeg het maar meteen: ik ben niet van plan de levensloop van Scáthach na te volgen, en ook niet die van haar dochter,' zei ik droog. 'Maar je hebt toch gelijk. Wat er ook gebeurt, ik wil bij hem blijven.'
'Welk clanhoofd zou goed zilvergeld betalen aan lui zoals wij?'

vroeg Rat. 'We hebben toch een slechte naam? Die heren moeten oppassen voor hun bondgenootschappen. Er is er vast niet één die vertrouwen zou hebben in zo'n onderneming.' Ondanks zijn woorden straalde de hoop uit zijn ogen.

'Wat dat betreft,' zei ik langzaam, 'denk ik dat het mogelijk is dat jullie onderneming na verloop van tijd geaccepteerd zou worden. Je hebt alleen een begin nodig. Beschermheerschap van een in hoog aanzien staand leider. Misschien ook nog wat extra middelen; daarover zou te praten zijn. Mijn broer zou in beide kunnen voorzien.'

'Je broer?' Meeuw trok zijn wenkbrauwen op. 'De heer van Zeven Wateren? Zou hij openlijk met lui zoals wij onderhandelen?'

Ik knikte. 'Ik geloof het vast. Mijn broer had het al eens over het leveren van gespecialiseerde diensten. Hij heeft zeker oog voor de waarde van wat jullie te bieden hebben. Toen Bran gevangen werd genomen, was hij bezig een opdracht van mijn broer uit te voeren. Sean is mij daarvoor een gunst verschuldigd, en voor een andere... transactie die ik voor hem heb uitgevoerd. Ik denk zeker dat hij hiermee zal instemmen.'

Slang floot zacht.

'Jullie zouden kunnen overwegen om jullie werkterrein uit te breiden,' vervolgde ik. Ik begon warm te lopen voor het idee. 'Een leger heeft behalve krijgers ook chirurgijns, genezers, astrologen en navigators nodig. En mannen moeten leren dat het leven meer inhoudt dan dood en vernietiging. Ik heb geen verlangen de enige vrouw op dat eiland te zijn.'

'Vrouwen?' Er klonk ontzag in Wolfs stem. 'Zouden er vrouwen zijn?'

'Ik zie geen reden waarom ze er niet zouden zijn,' zei ik. 'De wereld bestaat voor de helft uit vrouwen.' De mannen keken even naar Bran en naar elkaar.

'Werk aan de winkel,' zei Slang terwijl hij opstond. 'Denken. Plannen maken. Ik ga dit aan de andere jongens voorleggen. Wat een verandering zou dat zijn. Maar wie gaat het aan hem vragen?'

'Misschien moeten jullie strootjes trekken,' zei ik.

De mannen waren al diep in gesprek terwijl ze terugliepen naar het hoofdkamp en mij alleen achterlieten met Meeuw. De opgewekte, enthousiaste stemming zakte meteen weg; voor er over een toekomst kon worden gedacht, moest de strijd van de komende nacht gewonnen worden.

'Meeuw,' zei ik. 'Het is nieuwe maan.'

Hij knikte zonder iets te zeggen.

'Als ik hem vannacht niet kan bereiken, is het afgelopen. Laat me nu maar alleen. Geen licht. Laat het vuur uitgaan.'

'Als je denkt dat dat beter is.'

'Ik weet het zeker. Ik beloof dat ik zal roepen als ik je nodig heb. Maar houd de anderen weg. Ik mag niet gestoord worden, anders zou ik hem kunnen verliezen.'

Hij pakte de lantaarn en liep langs het vuur weg, zodat ik in het donker achterbleef. Johnny sliep. Ik legde mijn arm over Bran heen en legde mijn hoofd naast het zijne op de stromatras, zodat mijn gezicht vlak bij zijn gezicht was. Zijn ademhaling was oppervlakkig, met een eindeloze pauze voor hij weer nieuwe lucht inzoog. Bij elk keerpunt was er toch nog iets wat hem ertoe bracht die wilsinspanning te leveren. Ik sloot mijn ogen en vertraagde mijn eigen ademhaling, zodat we gelijk ademden... in... uit... leven... dood... en ik dwong mezelf om terug te gaan langs de weg van de tijd, langs de geheime weggetjes en kronkelpaden van het geheugen. Ik reikte met al mijn geestkracht naar hem, om hem te vinden in dat kronkelende labyrint. En eindelijk begon hij me door te laten, door schaduwsluiers en door lagen van donkerte heen.

Geen lucht, kan niet ademen, hart bonst, bloed stroomt snel, veel te snel... een en twee en drie, vier en vijf en zes... hoelang, hoelang voor de volgende keer... hoelang voor het weer licht is... ga niet op zoek naar deze man, hier in het hok, in het donker... hij is weg... allang weg...

De gedachten vervaagden en waren weg. Ik reikte verder, dieper in de schaduwen. *Zeg het me. Zeg het.* Het was alsof mijn eigen geest in de zijne vloeide en een deel van hem werd, terwijl mijn eigen lichaam een schelp was, zonder bewoner. *Laat het me zien. Verhaal. Vertel me een verhaal. Lang verhaal, vele nachten. Er was een jongen die een verkeerd pad insloeg... hij dacht dat hij wist waar hij heen ging... vier, vijf, zes... maar hij verdwaalde, verdwaalde in het donker, en er kwam niemand... hij dwaalde en viel... viel naar beneden...*

Ik zal je hand vasthouden, waar je ook gaat; wie je ook bent, zei ik tegen hem. *Ik zal iets wat ik liefheb nooit loslaten, tot het eind der tijden niet, dan nog niet. Kijk op, lief hart. Kijk op en volg het licht. Kom naar buiten, kom naar me toe.*

Hond, met zijn darmen uit zijn lijf. Evan, zo sterk en op het laatst zo hulpeloos. Meeuw, opgesloten bij die slager. Deze mannen volgden hem, en hun beloning was lijden en dood. Ze volgden hem tot in de schaduw... zovelen verloren... een verpletterende last... tel ze... tel de stenen in Sídhe Dubh, de lagen duisternis boven zijn hoofd die hem terneer drukken... uitvaagsel, niet waardig hoop te hebben... vlucht voor hem, want zijn aanraking betekent de dood... zijn liefde is een vloek...

Als je wilt tellen, tel dan de sterren, lief. Hoeveel sterren aan de hemel, die op ons neerkijken terwijl we in elkaars armen liggen en de vreugde proeven? Hoeveel glanzende vissen in het meer waar ik onze zoon in het water laat spetteren, terwijl zijn vreugdekreten door de heldere lucht schallen? Je hebt een mooie kleine zalm gemaakt, die nacht in de regen. Hoeveel keren klopt het hart, hoe snel stroomt het bloed wanneer we elkaar eindelijk aanraken, en weer aanraken, en dezelfde wanhopige verlangende adem inademen? Tel die dingen, want daaruit bestaat het leven, daarop is de hoop gericht.

Hoop... deze man is de hoop ontzegd. Raak deze man aan, en hij zal je meetrekken in het hok, in het donker. Woorden dwarrelen voorbij als dorre bladeren, fluisterend in de leegte... hij kan ze niet horen...

Hij ging weer van me weg, ontsnapte aan mijn greep, vluchtte door de lange, donkere gang naar zijn schuilplaats, diep vanbinnen. Hoe kon ik hem volgen? Hoe kon ik hem vinden wanneer de schaduwen hem weer verborgen? Ik riep al mijn kracht op en reikte naar hem. *Het verhaal. Vertel het. Een jongen. Een man. Hij ging op reis. Vertel me zijn verhaal.*

Toen het kwam, was het uiterst ijl, een gedachtedraadje. Maar het was een verhaal: zijn verhaal.

Vertellen... het verhaal vertellen... er is een man, en ze hebben hem geslagen, ze zijn ermee klaar, en iemand in groene kleren stopt hem in het gat in de grond en doet de deur dicht. Het is donker. Het is te donker, en klein. Maar hij moet doorgaan, omdat... omdat... hij weet niet meer waarom, maar het moet. Hij weet hoe hij moet doorgaan, hij heeft dit eerder gedaan. Hij heeft dit vele malen eerder gedaan. Tellen, om de andere dingen weg te houden, tellen, een, twee, drie... Er is een kind, en hij wordt op en neer geschud in haar armen, en hij vindt het niet prettig. Ze huilt en ze rent, en daardoor moet hij ook huilen. Dan zegt ze: 'Het komt wel goed, Johnny. Maak je nu klein en houd je heel stil. Het zal niet lang duren, schatje. Ik kom je halen zodra ik kan. Wees niet bang; maar blijf heel rustig en stil zitten, wat je ook hoort.' Ze stopt hem in een gat in de grond en doet de deur dicht. Duim in zijn mond, hand over zijn hoofd, knietjes opgetrokken, bonzend hart. Een, twee, drie, telt hij terwijl hij buiten lawaai hoort, gillen, en brandlucht en bloed ruikt. Vier, vijf, zes. Telkens weer herhaalt hij de cijfers, als een beschermende talisman. Een, twee, drie... een, twee, drie... Zo donker. Zo lang. Te lang. En toen... en toen...

De gedachten aarzelden en hielden op. Ik voelde me zo moe alsof ik in een veldslag had gevochten; mijn hoofd bonsde, mijn handen beefden, ik had tranen in mijn ogen. Ik bracht Brans koude hand naar mijn lippen.

'Goed,' fluisterde ik beverig. 'Dat is een begin.' Maar ik begreep er niet veel van. Had zijn moeder hem, lang geleden, in de steek gelaten? De Margery over wie mijn moeder met zoveel liefde en respect had gesproken. Hoe kon dat?

Laat me meer zien, vroeg ik met de stem van de geest. Ik probeerde hem zonder woorden te laten voelen dat, hoe zijn verleden ook was geweest, we nu van hem hielden en hem nodig hadden. Aan Sean, of Conor, of Finbar had ik zo'n bericht in een oogwenk kunnen overbrengen. Iemand zoals mijn vader, of Niamh, of zelfs Meeuw had ik met iets meer moeite kunnen bereiken, hoewel ze niet meer gevoeld zouden hebben dan een soort verlichting, een gevoel van welbevinden; ze zouden niet hebben geweten wat ik deed. Zo had ik op mijn zuster ingewerkt op Sídhe Dubh, toen ze bijna door wanhoop was overmeesterd. Maar ook al was hij gewond, Bran was een man met een geweldig sterke wil, en zoals Finbar had voorspeld, vocht hij tegen me. En ik was nu al uitgeput van mijn pogingen.

Kom naar buiten!

Mijn hart bonsde heftig. De Ouden waren gekomen om me te helpen. Hun stemmen riepen vanuit de diepten van de aarde, zacht en krachtig.

Kom uit het donker naar buiten. Wil je je zoon soms vaderloos achterlaten, je vrouw alleen en verdrietig? Wil je je mannen als wrakhout achterlaten, zonder doel? Kom naar buiten en neem deze uitdaging aan.

'Let niet op hen.'

Ik ging met een ruk rechtop zitten en klemde Brans hand in de mijne. Dit was een andere stem, en de eigenares ervan stond in een griezelige belichting aan het voeteneind van de stromatras. Het was de Vrouwe van het Woud; haar gezicht lichtte wit op in het donker en haar mantel was donker als de nacht, afgezien van de blauwe glans die erover lag. De Heer met het vurige haar stond achter haar; zijn licht was gedempt tot een spookachtig gloeien. Hun gezicht had een strenge uitdrukking, hun ogen stonden koel. Het werd me bang te moede toen ik hen hier zag, want ik herinnerde me hun woede toen ik had geweigerd te doen wat ze zeiden. Bran lag volstrekt hulpeloos naast me, en mijn zoontje was hier ook, en had niemand om hem te verdedigen behalve mij.

'Schenk geen aandacht aan deze stemmen,' zei de Vrouwe weer. 'Ze brengen je op een dwaalspoor. Ze zijn oud en in de war. Een oud, verdwaasd volk van de rotsen en bronnen. Hun woorden hebben geen betekenis.'

'Vergeef me,' zei ik huiverend. 'Volgens mij zijn het mijn eigen voorouders, want de mensen van Zeven Wateren stammen af van een sterfelijke man en een vrouw van de Fomhóire. Zij die u verdwaasd noemt, willen niets anders dan mij helpen bij mijn taak. De tijd dringt. Als u niet gekomen bent om te helpen, moet ik u vragen ons met rust te laten.'

De wenkbrauwen van de Heer werden hemelhoog opgetrokken. Hij wilde iets gaan zeggen, maar zij weerhield hem.

'Liadan,' zei ze, en haar stem klonk verdrietig. 'Deze man is stervende. Je zult hem niet terugroepen. Het is wreed hem zo vast te houden. Laat hem gaan. Hij verlangt ernaar om verlost te zijn. De man is beschadigd en gebroken, geen geschikte levensgezel voor een dochter van Zeven Wateren. Hij kan het kind niet beschermen. Laat hem gaan en breng de jongen terug naar het woud.'

Ik beet mijn kiezen op elkaar en zei niets.

'Luister naar ons, meisje.' Terwijl de Heer sprak, stegen er sterretjes op van zijn haar en zijn gewaad, zodat hij in een stralenkrans van gouden licht stond. Het gaf de ingevallen trekken van Bran een spookachtige schijn van gezondheid. 'Duistere krachten reiken naar je kind. Er zijn elementen die alles zouden doen om te verhinderen dat hij blijft leven. Wij kunnen hem veiligheid bieden. We kunnen ervoor zorgen dat hij sterk wordt naar lichaam en geest, geschikt voor de taak die in de toekomst ligt. Je moet hem terugbrengen. Of...'

Ik zag het begin van een idee opkomen in die veranderlijke ogen, en bliksemsnel sprong ik op en griste de slapende Johnny weg uit zijn bedje van varens, om hem stevig in mijn armen te nemen.

'Jullie nemen hem niet mee!' beet ik hun toe, terwijl een golf van schrik en woede door me heen sloeg. 'Of jullie nu Feeën zijn of niet, jullie zullen niet mijn zoon stelen en mij een of ander wisselkind in de maag splitsen! En jullie hoeven je ook niet van zijn vader af te maken. Ze zijn van mij, allebei, en ik houd ze allebei bij me. Ik ben niet dom. Ik ken het gevaar. Ik weet van vrouwe Oonagh, en... en...'

Ik liep terug naar de stromatras, waar ik mijn hele gezinnetje in mijn armen kon nemen, waar ik een sterke muur van liefde kon maken om ons drieën bij elkaar te houden. 'We zullen veilig zijn. We zullen voor elkaars veiligheid zorgen,' zei ik uitdagend. 'Dat weet ik zeker. We hebben hier veel beschermers. En wat de profetie betreft, als die vervuld moet worden, zal zij vervuld worden, wat ik ook doe of niet doe. Zij zal zich ontvouwen zoals zij zich moet ontvouwen.'

Terwijl ik dit zei, voelde ik een verdichting in de lucht, en de nacht die toch al diepzwart was, werd nog donkerder. Er trok een ijzige kou door me heen, die meer was dan kou; het was alsof ik tot in het merg bevroor. Er was nog een aanwezigheid; een wezen dat nu naast de stromatras stond en toekeek. Ik meende in het donker een golvend gewaad en een diepe kap te onderscheiden, en in die kap, waar een gezicht zou kunnen zijn, zag ik alleen oud gebeente, met lege holten als ogen.

'Je wilt tegen ons in gaan,' zei de Vrouwe ernstig. 'Maar háár kun je niet loochenen. Als zij hem komt halen, moet hij gaan. Het is zijn tijd. Zij zal hem van je afnemen, al klamp je je nog zo aan hem vast. Laat los, Liadan. Bevrijd deze gebroken ziel van de ketenen van het leven. Het is geen liefde, maar zelfzuchtige wreedheid om hem zo vast te houden. De donkere wacht. Zij zal hem de rust geven waarnaar hij smacht.'

Ik knarsetandde en knipperde mijn tranen weg. Toen ik mijn stem weer terug vond, was het niet meer dan gefluister. 'Niet waar. Hij mag niet gaan. Wij hebben hem hier nodig. Ik kan hem vasthouden. Ik kan het.'

De donkere gestalte bewoog en ik zag even een uitgestrekte hand, een hand die slechts uit beenderen en pezen bestond.

'Ga weg,' fluisterde ik. 'Allemaal. Ga nu weg van hier. Het kan me niet schelen wie of wat jullie zijn. Ik tart jullie vermogens en jullie eisen. Ik ben genezeres; mijn moeder heeft mij met liefde en tucht haar ambacht geleerd. Deze man zal niet sterven, zolang ik hem in mijn armen houd. Zolang ik zijn hart met mijn eigen hart verwarm, zal hij niet van me weggaan. Jullie kunnen hem niet wegnemen. Hij is van mij.'

En toen de gestalte met de kap niet weg wilde gaan, maar bleef staan, wenkend met haar skeletachtige vingers, begon ik te zingen. Ik zong heel zacht, alsof ik een kind in slaap wiegde. Telkens opnieuw neuriede ik mijn wijsje, en mijn vingers streelden de nieuwe haartjes op de getekende schedel van mijn gevallen krijger. Ik staarde in het donker en legde een uitdagende blik in mijn vermoeide ogen. *Hij is van mij. Jullie krijgen hem niet.*

'Dom meisje,' mompelde de Heer met het lichtende haar. 'Onzalige sterveling. Dat er van dat slag zoveel afhangt.'

Maar de Vrouwe stond naar me te kijken; ze dacht na. Ik vroeg me af waarom ze niet gewoon hun magische vermogens gebruikten om mij te dwingen mijn zoon aan hen te geven, of Bran van zijn laatste ademtocht te beroven, of zelfs om alle Britten van de Eilanden te verjagen, als dat was wat ze wilden. Johnny hoestte even in zijn slaap en zuchtte.

'Zoals je zegt, kind,' zei de Vrouwe. 'Het zal zich ontvouwen. Jouw keuze bepaalt wellicht of dat tegen een hoge prijs gebeurt, met bloed en duisternis. Jouw blik reikt niet ver; jij kunt niet zien wie te vertrouwen is en daarom zijn je beslissingen gebrekkig. Maar de keus is aan jou, niet aan ons. Onze tijd loopt bijna ten einde; het is aan jouw soort om de loop der gebeurtenissen te leiden en het tij te doen keren. Wat er ook gebeurt, wij zullen vervagen en ons verbergen, net als de Ouden hebben gedaan. We zullen weinig meer dan een herinnering zijn, voor de zoons en dochters van jouw kindskinderen. De weg die jij hier inslaat, zal lang voortgaan, Liadan. Wij kunnen niet voor jou kiezen.'

Word wakker. De stem van de aarde riep, zong, kreunde diep, zwaar van het gewicht van eeuwen. *Word nu wakker, krijger.*

Er kwamen tranen in mijn ogen en ik fluisterde ten antwoord. 'Ik zal hem wekken. Vertrouw op mij.' Ik wendde me weer naar de lange wezens die in het donker voor me stonden. 'Voor mij is er maar één keus,' zei ik standvastig.

'Het bloed van je zoon zal aan je handen kleven.' De stem van de vurige Heer beefde van een razernij die ver boven sterfelijke woede uitging, het geluid leek op de donder, maar toch verroerde het slapende kind zich niet. 'Je wilt te veel. Je wilt meer dan je kunt krijgen.' Hij verbleekte tot ik niet meer van hem kon zien dan een vage omtrek in vonkjes.

'Het is een lang verhaal,' zei de Vrouwe van het Woud. 'We dachten dat het eenvoudiger zou zijn. Maar het patroon begint zich te vertakken. Je zuster werd verleid. Jij bent gewoon koppig. Je hebt te veel van je vader in je. We moeten daarom langer wachten dan we hadden gedacht. Maar jij zult zien hoe het zich ontvouwt, Liadan. Je zult zien wat je vannacht hebt teweeggebracht.'

Ik huilde zacht terwijl ook zij vervaagde; ik huilde omdat ik wist wat ik moest doen, en omdat haar woorden uitdrukking gaven aan een vreselijke angst en een knagend schuldgevoel, dat ik al had geprobeerd te negeren sinds ik op weg was gegaan naar Sídhe Dubh, sinds ik voor het eerst had gevoeld dat Bran in moeilijkheden was en me nodig had. Stel dat ik me vergiste? Stel dat mijn koppigheid de dood van mijn zoon zou veroorzaken en opnieuw het kwaad zou afroepen over de mensen van Zeven Wateren? Wie was ik, dat ik de waarschuwingen van het Feeënvolk zelf in de wind sloeg?

Ik voelde iets. Een uiterst kleine beweging tegen mijn hand die Brans hand vasthield, alsof zijn vingers zwakjes probeerden zich om de mijne te buigen. Had ik me dat verbeeld? Nu was zijn hand weer slap en bewegingloos. Misschien was het Johnny, die had bewogen; hij lag lekker ingestopt naast zijn vader op de stroma-

tras. Maar ik was er toch bijna zeker van dat ik iets had gevoeld. Ik mocht het niet opgeven. Ik zou het niet opgeven. Ik moest weer beginnen, nu meteen, want de tijd ging snel voorbij en ik vond Brans ademhaling trager en oppervlakkiger dan daarstraks, de ademhaling van een man die over het laatste stuk weg loopt. De gestalte met de kap had zich teruggetrokken, maar ik voelde dat ze daarbuiten in het donker wachtte. Misschien kon zij geduld oefenen, want uiteindelijk nam ze immers iedereen mee?
'Help me,' fluisterde ik, en de stemmen kwamen terug, diep en zeker. *Kom, kom uit de schaduwen naar voren, krijger. Er wacht een opdracht op je. Wandel uit het duister weg.* Ik sloot mijn ogen weer.

Vertellen... het verhaal vertellen... er is een jongen, groter nu. Hij zit vol blauwe plekken, van de afranselingen. Hij moet gestraft worden omdat hij niet deugt, omdat hij uitvaagsel is. Dat zegt oom. Wanneer oom echt boos wordt, sluit hij de jongen op in het hok. In het hok is het donker. En nauw, steeds nauwer naarmate hij groeit. Hij leert zich stil te houden. Hij telt in zijn hoofd. Hij leert niet te huilen, niet te snuiven, niet te bewegen, tot het deksel opengaat en het licht naar binnen stroomt, fel en verblindend. Ze sleuren hem eruit, verkrampt en stinkend, en dan krijgt hij nog meer straf.
Er is een vrouw. De man slaat haar ook, en ze doen iets, dat grommende, stotende, zweterige iets. Hij moet toekijken van oom. Hij moet vaak toekijken van oom, ook bij andere dingen. De jongen zegt tegen zichzelf dat hij dat nooit zal doen. Het is iets donkers, geestloos, dierlijks; donker als de gruwel van het hok. Als hij dat doet, zal hij hetzelfde zijn als oom.
Er is een tijdlang een hond. De hond komt op een koude avond aanlopen en besluit te blijven. Hij is schurftig, de ribben steken eruit, de ogen staan wild. De jongen slaapt die winter warm, opgerold naast de hond in het stro van de schuur. Overdag loopt de hond achter hem aan, sjokt op zachte voeten in zijn schaduw.
Op een mooie lentemorgen slaat oom de hond omdat hij kippen heeft doodgebeten, en de jongen houdt hem vast terwijl hij sterft. Wanneer de jongen de hond begraaft, zweert hij een eed. Wanneer ik een man ben, zweert hij, de komende winter of de daar-

opvolgende, zal ik hier doen wat er gedaan moet worden, en verder gaan. Ik zal verder gaan en nooit achterom kijken.

Ik voelde tranen over mijn wangen rollen, die het linnen onder Brans hoofd en het mijne nat maakten. *Houd vol, lieverd.* Kon hij de stem van mijn geest horen, door de schaduwen die hem belaagden heen? *Ik ben hier naast je, met mijn arm om je heen. We hebben je hier nodig, Bran. Kom terug bij ons. Deze donkere droom is afgelopen.*

En zwak, heel zwak, dacht ik een antwoord te horen, als een zucht, een ademtocht, een gedachteflard.

... Liadan... ga niet weg...

Toen was er buiten plotseling licht bij het bijna gedoofde vuur, en het geluid van voetstappen, en Bran was weg; zijn innerlijke stem was ruw tot zwijgen gebracht, de broze verbinding onmiddellijk verbroken. Ik sprong woedend op en wankelde de schuiltent uit, want ik had niet beseft hoezeer mijn inspanningen me hadden uitgeput of hoelang ik daar zonder te bewegen had gezeten. Het was waarschijnlijk al diep in de nacht. Hoe durfden ze ons te storen? Ik had het toch duidelijk gezegd. Hoe durfden ze dit te doen?

'Ik heb het toch gezegd!' snauwde ik toen Meeuw naar me toe kwam. 'Ik had je gezegd dat je hier vannacht niet moest komen. Wat doen die mannen hier?'

'Het spijt me,' zei Meeuw berouwvol. Iets in zijn stem maakte dat ik op meer bleef wachten. 'Ik dacht dat je hiervoor wel gestoord zou willen worden.'

Bij de restanten van het vuurtje stonden vier mannen. Een daarvan was Slang en een was Spin, dat zag ik aan de lange, magere benen en de onhandige manier waarop hij met zijn handen gebaarde. De derde was Otter, met zijn brede schouders en zijn borstkas als een biervat, en dan nog een lange man met haar zo rood als een zonsondergang in de herfst. Terwijl ik naar voren liep, draaide deze man zich naar me toe, en het was mijn vader.

Ik rende naar hem toe en hij drukte me stijf tegen zich aan, en ik doorweekte de voorzijde van zijn hemd met mijn tranen. De andere mannen stonden zwijgend naar ons te kijken, tot Meeuw verlegen zei: 'We gaan wel weg, als je dat wilt.'

'Dat is misschien het beste,' snoof ik. 'Ik... ik moet jullie bedanken omdat jullie mijn opdracht zo snel en zo goed hebben uitgevoerd. Ik verwachtte niet...'
'Zo moeilijk was het niet,' bromde Otter. 'Iubdan hier was al op de terugweg. We hebben hem alleen tegengehouden. Die vader van jou kan hardhandig met de stok omgaan, hoor, het spijt me dat ik het zeg.' Hij wreef voorzichtig over zijn achterhoofd.
'Ik moet je alleen spreken, Liadan,' zei mijn vader. 'Je weet vermoedelijk al dat Liam dood is. We moeten morgenochtend teruggaan naar Zeven Wateren.'
'Hoezo, *we*?' vroeg Slang onvoorzichtig.
'Liadan kan niet mee.' Meeuws stem klonk effen, maar beslist. 'We hebben haar hier nodig.'
'Met alle respect,' zei mijn vader heel kalm met een stem die mannen geleerd hadden te vrezen, 'dat is aan mijn dochter en aan mij om te beslissen. Ik hoop dat jullie zo beleefd zijn om ons enige tijd onder vier ogen te gunnen.'
'De Baas is stervende,' zei Slang, en zijn ogen leken spleetjes toen hij mijn vader van top tot teen opnam, misschien om zijn leeftijd af te wegen tegen zijn grootte. 'Hij heeft haar nodig. Ze kan niet weg.'
Ik ging tussen de twee mannen in staan en pakte elk bij een mouw. 'Genoeg,' zei ik, zo kordaat als ik kon. 'Ik heb mijn vader nu nodig om me te helpen. Wat de andere kwestie betreft, zal ik jullie bij zonsopgang een antwoord geven. Ga nu.'
'Weet je het zeker?' vroeg Slang binnensmonds.
'Je hebt gehoord wat Liadan zei,' zei Meeuw. 'Schiet op nu. Doe wat ze zegt.'
Even later waren mijn vader en ik alleen.
'Zo,' zei Iubdan, terwijl hij zijn lange gestalte liet zakken om op de rotsen te gaan zitten en zijn gelaarsde benen voor zich uitstrekte. 'Ik verwachtte niet jou hier te vinden. Wat moet ik toch met jou, Liadan? Je schijnt de smaak te pakken te hebben gekregen van regels overtreden en conventies aan je laars lappen. Begrijp je niet hoe gevaarlijk het hier voor je is?'
'Vergeet dat nu maar even,' antwoordde ik kortaf. 'Er is een veel dringender kwestie waar we aan moeten werken.'
'Wat kan er dringender zijn dan de noodzaak terug te gaan naar

Zeven Wateren, nu Liam gedood is en Sean alleen is, nu onze buren zich verzamelen en eropuit zijn om hun voordeel te doen? We zouden daar moeten zijn, niet hier bij dit tuig.'
'Ik weet dat u naar huis moet gaan,' zei ik zacht. 'Sean heeft u harder nodig dan hij zelf beseft. Hij staat voor een grote uitdaging, en moet gesteund worden. En... en hij heeft behoefte aan mensen om zich heen die het hoofd koel houden, ervaren mannen die kunnen beoordelen welke bondgenoten te vertrouwen zijn en welke in de gaten moeten worden gehouden. U moet snel gaan. Maar ik heb hier een vreselijke taak te vervullen, vader, en ook ik heb uw hulp nodig. Slang sprak de waarheid. Bran is stervende. Hij staat op het punt de hoop op te geven, want hij denkt dat hij het niet waard is gered te worden. Zijn leven hangt aan een zijden draadje. Ik heb uw hulp nodig om dat draadje heel te houden, tot ik zijn hand kan pakken en hem terug kan halen. Moeder heeft u over het water gestuurd om de waarheid voor ons te ontdekken. Ik moet weten welke waarheid u hebt gevonden. Het is nodig dat u me dat nu vertelt, en snel.'
'Ik begrijp je haast, Liadan; ik erken de band die je aan deze man bindt en het vertrouwen dat je in hem stelt. En ik weet dat je genoeg gezond verstand hebt. Maar nu verwacht je toch wel een enorme gedachtesprong van me, dochter. Zijn dit niet juist dezelfde bandieten die je zuster hebben geroofd en haar bijna hebben verloren? Het is waar dat ze me boven verwachting beleefd hebben behandeld. Als je hoorde hoe ze over jou spraken, zou je haast denken dat je half koningin, half godin was. Maar waarom willen ze me niet vertellen hoe je hier terecht bent gekomen, zo ver van huis, en zo snel na het verlies van je oom? Ik kan haast niet anders dan vrezen voor jouw veiligheid.'
'Deze mannen zouden hun leven voor mij geven, en voor mijn zoon, stuk voor stuk. We zijn hier veilig, vader.'
'Je zoon? Is Johnny hier ook? Maar...'
'Alsjeblieft, vader. Vertel me alsjeblieft wat je hebt ontdekt. Ik moet weten wat er met Bran gebeurd is; wat er met zijn moeder gebeurd is. Ben je het verhaal van Margery te weten gekomen?'
'Ja, dochter, en het bleek een treurig en verwrongen verhaal te zijn. Ik heb ernaar gezocht in de nederzettingen van Harrowfield; ik heb het tot achttien jaar terug uitgezocht. Ik kan je niet het he-

le verhaal vertellen, maar in het dorpje Elvington, dat vanuit Harrowfield over de heuvels ligt, heb ik een deel ervan ontsluierd, dat lang geheim is gebleven.'

'Vertel het me. Of nee, kom liever mee om naast hem te zitten, en vertel het aan ons beiden. Hij... hij denkt dat zijn moeder hem heeft verlaten, dat ze hem in de steek heeft gelaten. Dat is een diepe wond in zijn ziel die hij al die jaren met zich meedraagt. Maar mijn moeder heeft me verteld dat Margery dol was op haar zoontje, en ik kan niet geloven dat ze hem uit vrije wil heeft verlaten.'

'Het aan jullie beiden vertellen?' Vader keek stomverbaasd terwijl we naar de tent liepen om bij de man te gaan staan die daar roerloos en met een grauw gezicht lag. 'Hoe kan hij ons horen? Deze man heeft toch geen besef meer van de wereld om hem heen. Hij is niet meer te redden. Misschien dat je door je liefde wonderen verwacht. Maar wonderen zijn zeldzaam, liefje. Ik heb wel vaker mannen gezien die er zo aan toe waren...'

'Houd op!' riep ik. 'Houd op! Als u alleen kunt praten over dood en nederlaag, had u net zo goed niet kunnen komen! Ik heb uw hulp nodig, geen onheilsboodschappen. Vertel ons nu uw verhaal.' Ik nam Brans getekende hand in de mijne en drukte hem tegen mijn wang.

Vader staarde me aan, zijn blauwe ogen lichtten bijna. 'Ik heb gezien,' zei hij, 'hoe de mannen je in dit bandietenkamp onvoorwaardelijk gehoorzamen. Ze spreken je naam uit met een eerbied die aan ontzag grenst. Toch begrijp ik de situatie niet. Geen man wil zijn dochter in dergelijke omstandigheden zien. Je moet me mijn openhartige woorden vergeven. Ik spreek zo omdat ik het vreselijk zou vinden als jou iets zou overkomen. Je moeder had het altijd bij het rechte eind. Ik heb haar nooit gezegd wat ze moest doen. De keuzes die jij maakt, zijn... voor mij moeilijk te accepteren. Maar ik heb je ooit iets beloofd, en ik zal me daaraan houden, al gaat het me aan het hart je zo te zien.'

'Vertel het verhaal.'

'Goed dan. Het is een verhaal van tegenslag, van gemiste kansen; een verhaal dat inderdaad enige kracht verleent aan de bewering van deze man dat ik zelf tot op zekere hoogte verantwoordelijk ben voor wat hij geworden is. Dat kan ik nog goedmaken. Het verleden kan ik niet veranderen; dat verhaal is al geschreven. Het

begon in het jaar dat Margery's zoon drie jaar oud was en zij met vrienden naar Elvington reisde, voor de wintermarkt.'
Ik luisterde naar zijn rustige, beheerste stem. Buiten had Meeuw de wacht weer op zich genomen bij het vuur, een donkere gestalte in het diepe duister van de maanloze nacht. Buiten de lichtcirkel waren schaduwen bijeengekomen onder de hoge beuken, tussen de oude stenen, en aan de overkant van de donkere poel. Daarbuiten wachtte ergens een aanwezigheid met een kap, zwijgend en bewegingloos, alsof ze zelf slechts een schaduw was.
'Je weet al,' zei mijn vader, 'hoe mijn vriend en verwant John gedood is terwijl hij mij diende. Verpletterd onder vallend gesteente terwijl hij je moeder bewaakte. Ik had hem dat opgedragen; maar Richard van Northwoods was degene die opdracht gaf tot de moord. Margery had het erg moeilijk na de dood van haar man. Ze waren innig verknocht aan elkaar, en haar man te moeten missen terwijl hun zoontje nog maar een baby was, dat was wel heel hard. Ze werd stil en teruggetrokken, en alleen haar kleine Johnny gaf haar de kracht om door te gaan. In hem zag ze de toekomst die John ontzegd was gebleven; in hem zag ze haar eigen levensvervulling.
In die eerste tijd, toen de wond van het verlies nog vers was, ging al haar aandacht uit naar haar kind. Zoals je weet, ben ik zelf binnen een jaar na Johns dood van Harrowfield weggegaan; Margery was toen nog in de rouw. Later wisten vrienden haar ervan te overtuigen dat het goed voor haar zou zijn als ze zich wat meer onder de mensen begaf. Daarom reisde ze, in de winter waarin Johnny drie jaar oud was, met een klein gezelschap van Harrowfield naar Elvington voor de midwintermarkt. Niet zo'n verre rit. Het kan gemakkelijk in een dag worden gedaan, of als je het kalmer aan doet, met een overnachting onderweg. Dat laatste deden ze, want het kind reisde mee en was eerder moe.
Hier begint het verhaal verward te worden. Mijn broer vertelde me dat het gezelschap ergens in de heuvels boven Elvington is overvallen. Wie deze overvallers waren of wat ze wilden, blijft onduidelijk. Misschien een troep Picten van over de grens, die schapen kwamen stelen. Toen er een groep mooi geklede mensen op hun weg kwam, moet dat een gelegenheid hebben geleken die ze niet konden laten lopen. Later die dag vond een herder de lijken

van de reizigers naast de weg, in de buurt van een van de afgelegen hutten; alle mannen en vrouwen waren gedood. Maar het kind niet. Hij werd niet gevonden, hoewel ze hem hebben gezocht. Dat was vreemd. Het idee dat de Picten hem misschien hadden meegenomen, als slaaf of gijzelaar, werd algauw verworpen. Daarvoor was hij gewoon te jong, te lastig voor trekkende mannen. Maar er werd geen klein lichaam gevonden. Wilde honden, was uiteindelijk de conclusie. Wilde honden hadden hem ergens naartoe gesleept, zoals ze een konijn of een hertenjong zouden meeslepen. Het had geen zin om verder te zoeken. Het bericht bereikte mijn broer en hij accepteerde het met spijt. Het was een droevig einde voor Margery, die vol verwachting als jonge bruid op Harrowfield was gekomen.

Dat had dus het einde van het verhaal kunnen zijn. Er verstreken zes jaren. De namen van John en Margery zakten weg in de geschiedenis van Harrowfield, evenals mijn eigen naam: heer Hugh, die eens meester van het landgoed was geweest, en die hen had verlaten voor een groenogige tovenares van over het water, een heks wier broers half mens, half dier waren. En zo gingen de jaren voorbij. Mijn broer huwde. Het werk op Harrowfield ging door. Edwin had Northwoods opgeëist en begon zijn manschappen te versterken.

En toen, bij de eerste volksvergadering van het nieuwe jaar, niet lang na midwinter, kreeg mijn broer Simon een heel vreemde zaak voorgelegd. Aanvankelijk was er geen reden om aan te nemen dat dit een vervolg was van hetzelfde verhaal. Er was een man vermoord in een afgelegen hut in de heuvels boven Elvington; een wrede, gemene kerel die door zowel buren als dorpsbewoners gehaat en gevreesd werd. Het had iets van een executie, keurig uitgevoerd met een kleine, precies aangebrachte steek recht in het hart. Het wapen was een smal, getand mes, een gereedschap dat meestal gebruikt werd voor het ontbenen van gevogelte. Pas na enige tijd was het lichaam gevonden, want niemand ging er graag heen. Rory kon een monster zijn als hij een biertje op had; hij was onderhevig aan gewelddadige woedeaanvallen en keek bovendien te begerig naar de jonge meisjes. Toen Simon me de naam van die man vertelde, herinnerde ik me hem heel goed. Hij was eens voor me verschenen wegens ernstige aanklachten; hij was ervan beschuldigd dat hij de dochter van een dorpeling had verkracht en een kind bij haar had verwekt. De straf die ik hem oplegde, beviel hem niet; ik heb nog nooit zo'n lelijk spervuur van bedreigingen en vloeken gehoord. Ik bepaalde dat de familie van het meisje schadeloos zou worden gesteld en ik verbande hem gedurende vijf jaar van mijn land. En nu was hij dood. Hij had geen vrouw; toen niet meer. Zij was domweg verdwenen, en geen wonder, zeiden de mensen. Hij sloeg haar geregeld, en de theorie was dat hij een keer te ver was gegaan en haar in stilte had opgeruimd. Niemand vroeg ernaar. Niemand durfde iets te vragen. Maar wie had hem dan gedood? Wie zou zoiets proberen, laat staan het zo doeltreffend doen? Velen wensten hem dood, maar niemand had de moed om het te doen. Er was niemand. Niemand behalve het kind.'

Ik had moeten raden dat dit nu zou komen, want dit had Bran me al verteld. *Ik zal doen wat me hier te doen staat, en verder gaan.* 'Vertel me over het kind,' zei ik.

'Er was een jongen,' zei mijn vader. 'Sommigen zeiden dat hij Rory's zoon was, anderen dat hij een vondeling was, iemands bastaard, een zwerfkind dat niemand wilde hebben, dat op een dag in de hut was beland en had mogen blijven. Een extra paar handen. Niemand kon zich herinneren wanneer hij daar was gekomen. Ze konden zich niet herinneren dat Rory's vrouw een baby had gehad. Ze zeiden alleen dat ze dat zielige, broodmagere jochie hadden gezien, onder de blauwe plekken. Een geestverschijning, leek het wel, maar geen zwakkeling. De jongens plaagden hem wel, en dan vloog hij ze aan als een wild beest. Op den duur leerden ze bang voor hem te zijn en hem met rust te laten.

Zo was de situatie dus: Rory met een keurige kleine wonde in de hartstreek en geen spoor van de jongen. De mensen van Elvington legden dit aan mijn broer voor, in het formele verband van de volksvergadering. Wat moest er gedaan worden? Moest de moordenaar vervolgd worden? En de hut van Rory, en zijn kippen? Wie zou die krijgen?

Simon gaf opdracht dat er navraag moest worden gedaan. Hij was zelf niet met John bevriend geweest en had Margery nauwelijks gekend. Maar ze waren bloedverwanten, en als de jongen nog leefde, moest hij gevonden worden. Het ging er niet zozeer om dat hij voor de rechter moest verschijnen, want het heengaan van Rory was een zegen voor de mensen van Elvington. Het was meer een kwestie van de waarheid blootleggen en fouten uit het verleden goedmaken. Er werd een onderzoek ingesteld, en daarbij werden Rory's hut en zijn schuren ondersteboven gekeerd. Er werd niet veel gevonden. De winst die de man met zijn kippen maakte, werd door hem opgedronken. Maar ze vonden wel iets vreemds, dat herinneringen bij de dorpelingen wakker maakte. Onder de vloer van de schuur was een kleine bietenkelder, in de aarde uitgegraven en ruw met planken gestut. En toen een paar van de dorpelingen dat zagen, begonnen ze zich dingen te herinneren van de enkele keer dat ze er waren geweest om een leghen of een paar eieren te kopen.'

Ik knikte. 'Daar sloten ze hem altijd voor straf in op,' zei ik.

Mijn vader keek me verbaasd aan. 'Hoe kun jij dat nu weten?'

'Dat heeft hij me verteld. Niet in woorden. Hij heeft het me laten zien. U zei dat hij geen besef meer heeft van de wereld. Maar u vergist zich. Zijn geest is nog volop bezig. Maar alleen maar met akelige herinneringen. Hij heeft nog niet zo lang geleden gevangengezeten in een kleine donkere ruimte. Als ik hem er niet uit kan leiden, lijkt het erop dat hij daar voorgoed in moet blijven. Ik heb gebruik gemaakt van mijn vermogen te zien wat hij ziet; ik heb mijn gedachten aan de zijne gekoppeld. Op deze manier hoop ik hem te bereiken voor het te laat is. Vertel nu wat de mensen zeiden over die ontdekking?'

'Je beneemt me de adem, Liadan. Dit is een gave, groter dan zelfs Conor tot zijn beschikking heeft. Een gevaarlijke gave.'

'Vertel het, vader.'

'Ze gingen zich dingen herinneren. Keren dat de jongen nergens te bekennen was, en Rory had gezegd dat je een bastaard beter in zijn hok kon houden, tot hij leerde gehoorzamen. Keren dat ze aan de deur waren geweest en geluidjes vanonder de vloer hadden horen komen, een kleine beweging, gekrabbel. Een rat, zei Rory. Een van de mensen had het gezien; hij had gezien dat Rory's vrouw het kind eruit haalde, bevend, rillend, zwijgend; zijn kleren bevuild waar hij zijn behoefte had moeten doen. Smerig zwijn, had ze gezegd, en hem een klap in het gezicht gegeven. Het vreemde was dat hij niets zei. Geen tranen. Ook probeerde hij niet zich te verweren. Hij bleef gewoon staan en wachtte tot ze klaar was. Daar werd ze nog bozer van, en ze sloeg nog harder. Mensen kwamen er niet graag; het beviel hun niet wat ze zagen. Maar niemand trad ertegen op. Ze waren doodsbang voor Rory. Bovendien, zeiden ze, wat iemand in zijn eigen huis deed, daar had een ander niets mee te maken.'

'Hoe kwamen ze erachter wie het kind was?'

'Ah. Dat kwam naar voren bij het doorzoeken van het huis. Daar was een voorwerp verstopt waaruit het duidelijk bleek.' Hij stak zijn hand in zijn zak en haalde er iets kleins, iets zachts uit, gemaakt van een mooie, sterke stof met een zijdeachtige glans erover. Hij legde het plat op de dekens tussen ons in, ter hoogte van Brans hart. Er was niet veel licht, maar ik kon iets van fijn borduursel zien, blaadjes, bloemen, kleine gevleugelde insecten. 'Het lijdt geen twijfel van wie dit was,' zei mijn vader. 'Margery was erg goed in borduren. Je hebt misschien wel soortgelijke figuren gezien op de blauwe jurk die je moeder vaak droeg...' Zijn stem stierf weg, want die wond was nog vers.

'Ja, zeker,' zei ik zacht.

'Margery kwam uit een familie van imkers, in het zuiden,' zei hij. 'Dit was haar buideltasje, waarin ze haar kostbaarheden bewaarde. Ze zal wat zilver bij zich hebben gehad, voor de jaarmarkt. Dat was natuurlijk weg; Rory verbraste alles wat hij in handen kreeg. Hij kon dit tasje niet verkopen, en de inhoud ook niet; daaruit bleek haar identiteit, en iedereen wist dat ze in die buurt was omgekomen. Het is niet te geloven dat Rory wist wie de jongen was, maar het toch liever geheimhield. Hij moet het geweten hebben zodra er met zoeken werd begonnen; misschien heeft hij zelf wel meegedaan, samen met de mannen van mijn broer. Waarom kwam hij niet voor de dag met het kind, om het naar huis, naar Harrowfield te laten brengen? Maar Rory liet de mensen liever het verhaal van de wilde honden geloven. Om de een of andere reden besloot hij de jongen te houden. Zulke mannen genieten van de macht die ze hebben. Ik vermoed dat hij dit slaafje grappig vond. Rory wist dat het kind familie van me was en hij koesterde uitsluitend haat en wrok tegen mij na wat ik met hem had gedaan. Dat is ongetwijfeld de bron van de verbittering van deze man jegens mij. Hij heeft natuurlijk niets dan kwaad over mij en de mijnen gehoord toen hij opgroeide.'

'Wat zat er in het buideltasje?' vroeg ik.
Mijn vader gaf me een klein metalen voorwerp dat aan een fijn kettinkje zat. Ik hield het in mijn hand en voelde het medaillon meer dan ik het zag; het leek me van zilver, gegraveerd met fijne lijntjes rondom een geëmailleerd middenstuk. 'Wat zit hierin?'
'Twee haarlokken. Een bruine, krullende lok; de andere blond en fijn als zijde. De eerste is van John; de tweede was van hun dochtertje dat kort na de geboorte is gestorven. Het medaillon was een geschenk van John, toen ze merkten dat zij in verwachting was. Een geschenk dat hoop uitdrukte. Margery droeg het altijd. Ze konden niet vermoeden dat het een symbool van dood en verlies zou worden. Hoe het in Rory's hut terechtkwam, weet niemand.
'Ah,' zei ik. 'Maar hij herinnert het zich, en dus weet ik het wel.'
'Hoe kan hij zich dat herinneren? Hij was amper drie jaar oud.'
'Haar stem. Haar handen. Ze verstopte hem in de bietenkelder. Ik vermoed dat ze dicht bij die hut waren, die alleen in de heuvels staat, toen ze werden aangevallen. Naar binnen gaan om zich te verstoppen zou zinloos zijn; de Picten hebben geen eerbied voor eigendommen, en zouden hen eruit hebben verdreven door de hut in brand te steken, of zich gewoon met hun bijlen en messen toegang hebben verschaft. Maar ze kon het kind wel verbergen, lang genoeg. Ze droeg hem op stil en rustig te blijven terwijl ze hem in de kleine donkere ruimte onder de vloer liet zakken. Hij deed wat ze zei, al vond hij het donker niet prettig, en de vreemde geluiden die van buiten kwamen ook niet. Ik denk dat ze haar kostbaarheden ook in de ruimte stopte – de buideltas, haar zilverstukken, het medaillon dat de liefde bevatte van de mensen die ze verloren had. Toen ging ze naar buiten en rende weg, om hun aandacht af te leiden, net zoals een moedervogel fladdert en haar vleugel laat hangen om het jagende dier weg te lokken van het nest waar haar hulpeloze jongen wachten. En zo stierf ze, en het kind hield zich stil. Het bleef vertrouwen, ook al duurde het steeds langer. Hij wachtte, en wachtte, en uiteindelijk werd zijn kleine gevangenis opengemaakt. Maar de handen die hem kwamen bevrijden waren niet die van zijn moeder. Het waren de handen van een monster; en toen maakte de duisternis zich werkelijk van hem meester.'
Mijn vader knikte ernstig. 'Ik moet je wel geloven, want dit komt

precies overeen met het verhaal dat de mensen vertellen. Ik vroeg aan mijn broer waarom de mensen het niet vreemd vonden dat er plotseling een kind verscheen, terwijl een ander kind verdwenen was. Maar ik kreeg op die vraag in Elvington geen bevredigend antwoord. Het scheen dat het kind eerst lange tijd verborgen was gehouden. De mensen hoorden soms wel gehuil. Maar in plaats van dat dat hun nieuwsgierigheid wekte, had het een tegenovergestelde uitwerking. Het is een bijgelovig volkje in die streken. Ze zeiden dat het een geest was, de geest van het kind dat door de wilde dieren was meegenomen. Dat hield de mensen weg. Later, toen de jongen wel gezien werd bij de hut en in het dorp, dacht niemand dat het dezelfde jongen kon zijn. Ze zeiden dat dat joch er niet uitzag als de zoon van deftige mensen.'

'Ze lieten hem al die jaren geslagen en mishandeld worden, en niemand deed er iets aan.'

'Er is veel moed voor nodig om je met de zaken van een man als Rory te bemoeien. Groot, sterk, gemeen. Een man met een reputatie. Iedereen was bang voor hem. Simon wist daar toen niets van. Als hij het geweten had, zou hij misschien hebben ingegrepen. Maar hij had zijn eigen problemen. Ik voel de verantwoordelijkheid hiervoor, die zwaar op me drukt. Dat Johns zoon onderworpen is geweest aan zoveel wreedheid, zo dicht bij huis, is onvergeeflijk. En je man had dus gelijk toen hij mij de schuld ervan gaf. Als hij een uitgestotene is geworden, kan hij mij daarvoor verantwoordelijk stellen. Ik had de dood van zijn moeder niet kunnen voorkomen. Maar ik had hem wel kunnen beschermen.'

'Het verleden kan niet herschreven worden, vader.'

'Dat is zo. Maar de toekomst kan beïnvloed worden. Als hij in leven blijft.'

'Hij zal in leven blijven. Hij moet alleen maar inzien dat er ooit iemand van hem hield, dat hij ooit het kind was van een man en een vrouw die goede mensen waren, die alles hadden willen geven om hem veilig en gelukkig te zien opgroeien, om hem iets van zijn leven te zien maken. Als hij dat inziet, zal hij vrij zijn.'

'Ik kan niet geloven dat hij ons heeft gehoord.'

'U zult het hem nog een keer moeten vertellen. U zult hem moeten vertellen wat dit voor u betekent. Misschien hoort hij het. Onze woorden vullen in elk geval de stilte op. Hoe gaat het verhaal verder?'

'Rory was dood, vermoord. Niemand liet een traan om hem. Het enige wat ze wilden, waren de hut en de kippen. Heeft de jongen hem gedood?'

'Hij heeft hem straf toegediend. Op doeltreffende wijze, zoals alles wat hij doet. Hij wachtte tot hij een man was, nam toen het heft in handen en liep weg van de nachtmerrie. Maar die was er nog, als een brandmerk in zijn ziel geschroeid. Zelfs nu draagt hij haar nog met zich mee.'

'Een man? Hij was toch pas negen jaar?'

Ik knikte. 'Oud genoeg om zijn eigen weg te gaan. Waarom heeft uw broer niet kunnen ontdekken wat er daarna van hem geworden is?'

'Hij heeft het geprobeerd maar hij beschikte slechts over beperkte middelen. Simon kreeg te maken met allerlei moeilijkheden. Edwin had Northwoods inmiddels stevig in zijn greep en de vete laaide weer op. Mijn afvalligheid, zoals ze het zagen, maakte het bepaald niet gemakkelijker voor Harrowfield om neutraal te blijven. En Simon was niet zoals ik opgeleid om het landgoed te beheren. Hij moest het snel leren. Elaine hielp hem enorm; zij heeft het meer in de vingers dan hij ooit zal hebben. Maar mensen herinneren zich alles. Men kon mij niet vergeven wat ik gedaan had, en er werden zware eisen aan mijn broer gesteld. Zelfs nu, zoveel jaren later, is zijn weg nog allerminst gemakkelijk.'

'Wat bedoelt u?'

'Het bericht van Sorcha's dood kwam erg hard bij hem aan. Hoewel hij een echtgenote heeft en respect geniet bij zijn mensen, behoorde zijn hart altijd aan je moeder toe. Dat verhaal is nooit in zijn geheel verteld, en dat zal het nooit worden. Hij leek bijna wanhopig. Hij vroeg me te blijven, maar dat was uiteraard niet mogelijk. Ik heb angst om hem, Liadan. Harrowfield heeft geen erfgenamen, en Edwin van Northwoods houdt de zaak scherp in het oog.'

'Geen erfgenamen?'

'Ze hebben geen zonen. De naaste bloedverwanten zijn Sean en ik. En... deze man.' Hij keek neer op het holwangige gezicht van Bran.

'Uw woorden verontrusten me, vader. Zou u terug willen gaan? Zou u weer de leiding willen nemen over Harrowfield?'
'Mijn broer heeft hulp nodig. Hij heeft iemand nodig met een sterke hand en een helder hoofd; iemand die zijn verdediging weer op peil kan brengen en Northwoods duidelijk kan maken dat hij zich Harrowfield niet zomaar kan toe-eigenen. Als Liam nog zou leven, zou mijn weg duidelijk voor me liggen. Maar ik kan de zaken van Zeven Wateren niet aan Sean alleen overlaten. Hij is nog jong en wil alles te snel, ook al heeft hij grote kwaliteiten. Mettertijd zal hij een uitstekend en kundig leider zijn, maar nu heeft hij mijn hulp nog nodig om zijn bondgenootschappen te herstellen en zijn plaats duidelijk te maken. We moeten opnieuw beginnen, met de Uí Néill. Mijn eerste plicht ligt bij mijn zoon. En ik vergeet ook mijn dochters niet. Ik wil jou veilig onder de pannen hebben. En Niamh; ik heb haar niet goed behandeld, en ik moet zekerheid hebben dat haar toekomst in goede handen is.'
'Maar uw broer dan? Zou Harrowfield niet verloren kunnen gaan als u wacht? Als Edwin zich meester maakt van Simons bezittingen, is onze kans om de Eilanden terug te krijgen zeker verkeken.'
'Inderdaad. Het is een dilemma, want het zou dwaasheid zijn als ik, of Sean, zou proberen aan beide kanten van het water een landgoed te beheren. Maar er is nog een mogelijkheid.' Hij keek weer naar de bewusteloze man.
'Bran?' fluisterde ik geschrokken. 'Dat is... dat is toch zeker ondenkbaar?'
'Ik heb zo'n vermoeden,' zei Iubdan effen, 'dat voor een man als hij niets ondenkbaar is, en niets onmogelijk. Dat zeggen ze toch over hem?'
'Jawel, maar...'
'Deze man is de zoon van mijn bloedverwant; hij is geboren in de vallei. Hij is, hoor ik steeds, zowel sterk als vindingrijk, maar hij zit nu enigszins op een verkeerd spoor. Je zou kunnen zeggen dat Harrowfield zijn bestemming is, Liadan, en ook de jouwe.'
'Er is zoveel waarmee hij in het reine moet komen; hiermee kunt u hem onmogelijk belasten. Nog niet.'
'Denk je dat hij niet de moed zou hebben om daarheen terug te gaan, naar de plaats waar zijn nachtmerrie begon? Dat valt niet te rijmen met de leider over wie zijn mannen met zoveel respect

spreken, een man die elke uitdaging aankan. Het valt niet te rijmen met de liefde en trouw die jij hem betoont.'
Ik slikte. Zijn woorden maakten me bang, maar ook blij. Dit was een opdracht: een stralende toekomst. Maar eerst moesten de ketenen van het verleden verbroken worden.
'Vader,' zei ik. 'Ik moet nu alleen zijn; alleen met Bran. Meeuw zal u een plaats wijzen waar u kunt rusten. Vertel me alleen nog één ding.'
'Wat is dat, dochter?'
'Vertel me snel, geef me een beeld van John en Margery, voordat die gruwelijke dingen hun overkwamen. Hoe ze samen waren, met hun zoontje.'
'John vond Margery het mooiste wat er bestond. Het kostbaarste. Hij zag haar op de boerderij van haar vader, waar ze honing gaarde. Hij nam haar mee naar het noorden. Vanaf het begin straalde de liefde tussen hen als een zon. Hij was een man van weinig woorden; sommige mensen noemden hem gesloten. Maar je kon het in zijn ogen zien wanneer hij naar haar keek. Je kon het zien in de manier waarop ze elkaar aanraakten. Ze verloor een kind kort na de geboorte, en ze rouwden samen om het verlies. Toen werd Johnny geboren, en bleef in leven. John was geweldig trots. Hij schaamde zich niet om met zijn zoontje te spelen, hem in de lucht op te gooien en hem in zijn sterke handen te vangen terwijl het kind kraaide van opwinding. Er was een keer brand in huis, en ik zal nooit de uitdrukking op Johns gezicht vergeten toen hij naar boven rende om zijn zoontje te redden, en evenmin de uitdrukking in Margery's ogen toen ze beiden veilig te voorschijn kwamen. Margery waakte over het kind en ze was dol op hem. De mensen zeiden dat hij snel leerde. Hij kon vroeg kruipen, vroeg lopen, vroeg woorden zeggen. Margery leerde hem al tellen. Ze legde een rij witte steentjes op de vloer en speelde een spelletje met hem. Een, twee, drie. Nooit is een kind met meer liefde grootgebracht, Liadan.'
'Dank u, vader,' zei ik. 'Misschien zijn het deze dingen die hem tot nu toe door de schaduwen heen hebben geleid. Vannacht zal ik hem dit vertellen. Nu kunt u beter gaan.'
'Deze man mag zich gelukkig prijzen, net als ik,' zei mijn vader zacht. 'De liefde van zo'n vrouw te winnen is een kostbaar ge-

schenk. Ik hoop dat hij er de waarde van begrijpt.'
'We hebben beiden dat geschenk ontvangen, hij en ik,' zei ik.
'Ik heb nog een kort verhaaltje te vertellen, en dan zal ik doen wat je zegt. Het gaat om iets wat Margery zei, iets wat ze me vertelde voor ik van Harrowfield wegging. Haar zoon was geboren op midwinterdag, net voor zonsopgang. Ik heb goede redenen om me dat te herinneren. Ze zei: een kind dat met midwinter geboren wordt, komt ter wereld op de kortste dag van het jaar. Vanaf dat punt worden de dagen steeds langer. Daarom loopt een kind dat met midwinter geboren is, altijd naar het licht toe. Zijn leven lang. Ze had het kind in haar armen toen ze dit tegen me zei. Onthoud dat goed, Johnny, zei ze tegen hem. Sorcha was ook een midwinterkind, en bij haar kwam deze kleine voorspelling zeker uit. Maar het lijkt erop dat deze man het vergeten is en alleen naar het donker streeft.'
'Zo lijkt het, maar dat is de oppervlakte. Diep vanbinnen is een lichtje dat nog steeds brandt. Vannacht zal ik het vinden.'
'Je bent erg zeker van je zaak.'
'Derde regel van het gevecht. Nooit twijfelen aan jezelf. Ga nu weg, want de tijd dringt.'
'Liadan.'
'Wat is er?'
'Je doet net of dit heel eenvoudig is.'
'De wereld is in wezen eenvoudig, geloof ik. Leven, dood. Liefde, haat. Verlangen, vervulling. Magie. Dat is misschien het enige ingewikkelde.'
Hij fronste zijn voorhoofd. 'Je streeft ernaar zijn wonden te genezen. Hem te bereiken, en op de een of andere manier zijn beeld van het verleden te veranderen. Dat is gevaarlijk, Liadan. Bovendien zei je immers zelf dat het verleden niet herschreven kan worden?'
'Ik ken de gevaren. Ik ben ertegen gewapend. Gewapend met liefde, vader. Mijn streven is niet deze wonden te laten verdwijnen, alsof ze er nooit geweest waren. Ik weet dat hij altijd de littekens zal dragen. Ik kan er niet voor zorgen dat zijn weg breed en recht wordt. Hij zal altijd kronkelen, en bochten maken, en nieuwe moeilijkheden opleveren. Maar ik kan hem bij de hand nemen en naast hem lopen.'

HOOFDSTUK ZESTIEN

Meeuw had het vuur gedoofd en zijn lantaarn uitgemaakt. Ik vermoedde dat zowel hij als mijn vader niet ver van me af op wacht stond in de zwarte nacht. Huiverend in de herfstlucht trok ik mijn schoenen, jurk, hemd en onderkleren uit. Toen schoof ik onder de dekens en ging naast Bran liggen. Aan zijn andere kant sliep Johnny nog steeds, als een klein, warm wezentje dicht tegen zijn vader aan. De duisternis was diep en maakte alles onzichtbaar. Boven, onder, links, rechts, het bestond allemaal niet meer. Je wist niet of de muren ver van je af waren of vlak naast je stonden en je insloten.

Dichterbij, fluisterden de oude stemmen. *Dichterbij*. Daarom verstrengelde ik mijn lichaam met dat van Bran, huid tegen naakte huid, en ik sloeg mijn armen stevig om hem heen. Ik kon zijn hart voelen kloppen tegen het mijne; mijn adem hield gelijke tred met de zijne. *Zo is het beter*, leken de stemmen te murmelen. *Blijf dichtbij. Laat niet los. Vannacht ben jij het enige licht.*

En ditmaal hoorde ik hem meteen, bijna alsof hij op me had gewacht.

... donker... te donker... een, twee, drie... te donker...

Het is vannacht nieuwe maan. Er zijn al eerder zulke nachten geweest. Maar nu is het anders. Ik ben hier bij jou.

... te donker... kan niet... te lang...

Ze zei dat ze terug zou komen om je te halen. Maar ze kon niet terugkomen, Johnny. Ze kon niet komen, al wilde ze het wel, meer dan wat ook. Ik kom je halen in haar plaats. Heb je nooit

gevraagd waarom ze niet gekomen was?
Zijn hart begon razendsnel te kloppen en ik streelde zijn huid met mijn vingertoppen. Ik wendde al mijn wilskracht aan om hem en mezelf kalm te laten blijven. Zijn geest was vol beelden van duisternis, pijn, verdriet; halfvoltooide beelden, verwrongen, door elkaar gehusseld. Mes; bloed; gegil; handen die loslieten. Dood. Verlies.
... ze is nooit teruggekomen... nooit teruggekomen...
Ze hield van jou. Ze gaf haar leven, opdat jij veilig zou zijn. Ze liet je niet in de steek, Johnny.
... uitvaagsel... de bastaard van een slet... mijn eigen moeder moest me niet eens... nog niet goed genoeg voor de mesthoop...
Dat zijn leugens. Ik zal het je laten zien. Neem me mee terug, Bran. Neem me mee terug naar voor die tijd.
Er is niets voor die tijd. Ze liet me achter. Heel stil zijn, Johnny... zo stil als een muisje, liefje, wat je ook hoort... wacht op mij... ik zal je komen halen zodra ik kan... haar handen, ze duwden me omlaag, omlaag naar het donker. Haar handen lieten me los. Deden de deur dicht. Ze is nooit teruggekomen. Dat is alles. Iets anders is er niet.
Ah. Maar ik ben gekomen om je te halen. Zij kon het niet doen, maar ze hield van je en wilde dat je veilig was. Neem mijn hand, Bran. Ik ben vlakbij. Strek je hand naar me uit.
Buiten de schuiltent ruisten de bomen rond de poel. Maar er was geen wind.
... het is donker... Ik kan je niet zien...
Neem me mee terug naar voor die tijd. Doe het, Bran. Doe het.
Ik zeg je toch, er is niets voor die tijd. Haar handen lieten me los... verder niets.
Wie heeft je leren tellen, een, twee, drie, helemaal tot tien? Een slim kind. Een kind zoals je eigen zoon, begerig naar kennis, belust op avontuur. Wie legde de witte steentjes voor je neer en leerde je de cijfers?
... een. Twee, drie, vier... haar vingers wijzen, haar nagels zijn schoon geboend, haar handen, klein en fijn... ik kom tot tien en ze klapt in haar handen. Ik kijk op, tevreden over mezelf, en ze lacht naar me. Haar haar is als zonlicht, haar ogen stralen. Goed zo, Johnny, goed zo. Wat ben je een knappe jongen! Zullen we

het nog eens doen? Laten we onze biggetjes op twee rijtjes leggen; ja, zo. Nu gaat de boer ze tellen, de helft gaat naar de markt, de helft wordt vetgemest voor de winter. Hoeveel liggen er in dit rijtje... een, twee, drie... maar ze ging weg... ze liet me gaan...
Ze zou nooit vrijwillig bij je zijn weggegaan. Ze verstopte je, en toen gaf ze haar leven voor je. Heb je het verhaal niet gehoord dat mijn vader vertelde? Je moeder was een buitengewoon moedige vrouw. Ze wilde een vreugdevol en zinvol leven voor haar midwinterzoontje; ze wilde dat hij altijd naar het licht toe zou lopen. En wat je vader betreft, zijn gezicht straalde van trots wanneer hij je hoog optilde in zijn sterke handen... je gaat omhoog, omhoog in de lucht... je gaat heel hoog, en je weet dat die handen je altijd zullen opvangen.
... ik kan niet... ik...
Altijd, altijd ving hij je op. Elke keer weer. Zijn ogen waren even grijs en zijn blik was even vast als de jouwe, en even waarachtig. Ga terug, Johnny. Ga terug naar de tijd ervoor.
Op, op en neer. Op, op en neer. Ik vlieg omhoog in de lucht. Ik val in zijn handen. Hij lacht. Krullend haar, verweerd gezicht. Zijn ogen stralen van trots. Ik schreeuw van opwinding. Nu niet meer, zoon, lacht hij, anders word ik te moe. Nog één keertje dan, op, op en neer. Dan, armen om me heen, warm, sterk. Ik leg mijn hoofd op zijn schouder, mijn duim in mijn mond. Goed. Veilig.
Ik voelde een druppel water op mijn gezicht, een warme druppel in de nachtelijke kou. Ik durfde mijn hoofd niet op te heffen om te kijken. Ik durfde niets te veranderen aan de houding waarin ik lag, dicht tegen hem aan gedrukt, uit angst iets kapot te maken dat zo breekbaar was als één draadje spinrag. Ik haalde diep adem en voelde het gewicht van diepe uitputting over me komen, bijna verpletterend. Rondom ons bewoog het hele bosje, de bladeren ruisten, de takken kraakten, het water golfde; zelfs de stenen leken te roepen in het zwart van de nacht.
'Help me,' fluisterde ik in het donker. En ik neuriede een stukje van het oude liedje, alleen het refrein met de rustgevende melodie. De vreemde wind streek over de top van de grafheuvel en maakte een krachtige stem los, een diep geluid dat bijna onder de gehoorgrens lag, een roep ouder dan de oudste herinnering van

het mensdom. Het schalde vanuit de grote heuvel, het klonk vanuit de diepten van de aarde, het vibreerde vanaf de staande stenen, een roep die niet genegeerd kon worden.

Kom naar buiten, krijger! Er ligt een opdracht voor je, een levenslange opdracht, die veel uitdagingen biedt, en waarvoor de beloning van onschatbare waarde is. Kom nu naar buiten en laat ons ware moed zien. Laat ons ware geestkracht zien, zoals je vele jaren geleden ook hebt gedaan. Want de kracht van het kind is de kracht van de man. Het kind en de man zijn één.

Het roepen hield op en het ruisen nam af tot een diepe, verwachtingsvolle stilte. Er werd iets van me verwacht, dat voelde ik, iets meer. Bran lag er nog even roerloos bij als daarnet. Vanbuiten was er niets veranderd, behalve de tranen die langzaam over zijn gezicht dropen en op het mijne vielen, zodat we het verdriet deelden om de goede mensen wier leven te vroeg beëindigd was, om de gemiste kansen. Ik moest iets doen, maar ik was moe, zo moe dat ik dacht wel eeuwig te kunnen slapen, warm ingestopt met mijn man en mijn zoontje, de diepe, onschuldige slaap van een klein kind... maar nee, daar mocht ik niet aan toegeven. Het werd bijna dag, en ik had hem nog niet. De stilte was volkomen, afgezien van een fluisterstemmetje in mijn geest. *Doe het.* Maar wat? Wat? Als hij al niet wakker was geworden door die klaroenstoot uit de oudheid, wat kon ik dan zeggen dat nog dringender kon zijn? Ik had alles gedaan, en nog steeds werd hij niet wakker. Mijn vader had gezegd dat ik deed alsof dit heel eenvoudig was. Maar het was niet eenvoudig, het was het moeilijkste wat ik ooit had gedaan... en toch was het antwoord uiteindelijk misschien heel eenvoudig.

Kom, Johnny. In mijn geest stak ik mijn hand uit en reikte omlaag naar het kind dat ineengedoken in de kleine, donkere ruimte zat. Hij wilde niet naar me opkijken; hij bedekte zijn ogen met zijn vingers, alsof hij door het licht tegen te houden zelf onzichtbaar zou blijven. *Neem mijn hand, Johnny. Er gaan tien treden naar boven, zie je wel? Maar misschien kun je nog niet tot tien tellen. Je kunt het wel? Dan lopen we met één tree tegelijk naar boven, terwijl we ze tellen. Wanneer we bovenaan zijn, zal de nacht voorbij zijn. Neem mijn hand, Johnny. Steek je handje nog iets verder uit. Ja. Ja, goed zo. Brave jongen. Nu tellen. Een, twee,*

drie... vier, vijf... goed zo... zes, zeven... acht... niet ver meer... je kunt het... negen... tien... goed zo, lief hart. Heel goed...
De stemmen van de Ouden herhaalden mijn laatste woorden, diep, sonoor, wijs. *Goed. Goed.* Toen werd ik, plotsklaps en totaal, overmand door vermoeidheid. Ik viel in een diepe slaap en droomde een heerlijke droom: ik lag hier naast Bran en voelde de zoute tranen op zijn wangen; hij werd wakker en legde zijn arm om me heen, drukte zijn lippen op mijn slaap, en was weer zichzelf. In mijn droom sloeg ik mijn armen om zijn hals en voelde ik zijn lichaam warm en levend tegen het mijne, en ik zei tegen hem dat ik van hem hield, en hij zei ja, dat wist hij.

Plotseling was ik wakker en het was licht, niet het zachte licht van de dageraad maar later, veel later, het volle licht van de ochtend. Hoe had ik mezelf kunnen toestaan in slaap te vallen, hoe kon ik? Ik stak mijn hand uit en voelde de kleine, slapende vorm van mijn zoon, in de deken gerold; we lagen samen op de strozak. Was ik half wakker geworden, had ik hem gevoed en was ik weer ingeslapen zonder het te merken? Hoe kon ik zoiets doen? Ik strekte mijn hand verder uit. Bran was weg. Mijn keel werd droog en koude vingers sloten zich om mijn hart. Hij kon niet wakker zijn geworden en zijn opgestaan. Dat was onmogelijk na zo'n lange tijd zonder eten en drinken, hij zou te zwak zijn. Dat betekende... dat kon alleen betekenen... Ik ging rechtop zitten en herinnerde me nu pas dat ik helemaal naakt was. Ik reikte naar mijn jurk, die ik vannacht naast de strozak had laten vallen. Mijn handen beefden. Ik kon hem niet vinden, en mijn hemd ook niet. Er lag wel een oud hemd, dat tot mijn knieën zou reiken. Ik trok het over mijn hoofd en strompelde de schuiltent uit. Er zaten drie mannen bij het opnieuw aangestoken vuur: Meeuw, Slang en mijn vader. Ze draaiden als één man hun hoofd naar me om.
'Waar... wat...?' was het enige wat ik uit kon brengen.
Mijn vader zag meteen aan mijn gezicht wat er in me omging, en hij stond op om mijn handen in de zijne te nemen en me geruststellend toe te spreken. 'Alles is goed, Liadan,' zei hij. 'Haal maar eens diep adem. Hij is wakker en bij zijn volle verstand. Je ziet zo bleek als een geest, dochter. Hier, kom even bij ons zitten.'
'Ik... ik... waar?'

'Niet ver; we houden hem in het oog. Daar beneden.' Meeuw maakte een hoofdbeweging naar de andere kant van de poel, vanaf de grafheuvel gezien.
'Hij wilde niet dat we je wakker maakten,' zei Slang verontschuldigend. 'Hij is niet in een al te best humeur, de Baas. Dat hadden we al voorspeld. Maar hij leeft. Het is je gelukt.'
'Is hij opgestaan, en kan hij lopen?' Ik kon het niet geloven. Hij was bijna dood geweest. Dit was natuurlijk weer een akelige droom. 'Hij hoort nog in bed te liggen. Hoe konden jullie toelaten dat hij...?'
'Hij liet ons geen keus. We kregen de volle laag. Maar hij heeft een hoop water gedronken, en zoals ik zei, hij wordt in de gaten gehouden. Voorlopig kunnen we hem beter met rust laten.'
'Wat zie je er elegant uit,' zei Meeuw, terwijl hij me van top tot teen opnam.
Ik bloosde. 'Waar zijn mijn kleren?'
'Ergens waar ze netjes voor je worden opgeknapt. We zullen wat nieuwe kleren voor je zoeken. Die zul je wel nodig hebben.'
'Ik moet naar... ik moet...'
'Nu misschien nog niet,' zei Meeuw. 'We hebben opdracht gekregen. Laat hem met rust. Later misschien.'
Mijn vader schraapte zijn keel. 'Ik heb tamelijk uitvoerig met hem gepraat, Liadan. Ik heb hem het verhaal verteld, zoals je me had gevraagd. Misschien is het het beste als je de raad van deze mannen ter harte neemt en hem tijd gunt.
'Dat denk ik niet,' zei ik, en ik liep weg onder de beuken op blote voeten en in mijn veel te grote hemd, naar de noordkant van de poel, waar lang geleden een grote boom was omgevallen. De massieve stam was inmiddels helemaal begroeid met fijne mossen, en de spleten en holten en de kleine donkere gangetjes daarin waren de schuilplaatsen van een menigte kleine beestjes.
Ik denk dat ik het nog niet echt geloofde, tot ik hem zag. Hij zat op de rotsen achter deze boom, met zijn rug naar me toe en een koppigheid in de houding van zijn schouders die ik maar al te goed herkende. Hij droeg zijn oude kleren van onbepaalde kleur, en ze slobberden om hem heen alsof ze aan een veel grotere man toebehoorden. Hij keek omlaag en zijn handen draaiden het zilveren medaillon om en om. Ik wilde niets liever dan op hem af

rennen, mijn armen om hem heen slaan en mezelf ervan overtuigen dat dit werkelijkheid was en geen visioen. Maar ik liep er voorzichtig heen en zorgde dat mijn blote voeten geen geluid maakten. Maar ja, deze man was nu eenmaal erg goed in zijn vak. Hij hoefde zich niet om te draaien om me toe te spreken, zodat ik op tien pas afstand bleef staan. Zijn stem klonk uiterst beheerst.
'Je vader vertrekt vanmorgen. Je kunt het beste je spullen pakken en met hem meegaan. Dat is het beste voor jou. En voor het kind. Je hebt hier niets te zoeken.'
Ik had het laatste beetje wilskracht dat ik bezat nodig om niet in tranen uit te barsten, om hem niet weer de gelegenheid te geven te zeggen dat een vrouw huilde wanneer het haar uitkwam, alleen om te krijgen wat ze wilde. Ik had het laatste beetje beheersing dat ik kon opbrengen nodig om niet naar hem toe te lopen en hem een oorvijg te geven, en te zeggen dat ik misschien geen dankbaarheid verwachtte, maar er toch niet op had gerekend weggestuurd te worden als een huurling die zijn opdracht heeft uitgevoerd. Ik had veel geleerd sinds ik hem had leren kennen. Ik had geleerd dat deze allerongrijpbaarste, allerlastigste prooi met zorg, geduld en fijngevoeligheid gevangen moest worden.
'Ik... ik herinner me dat je een keer hebt gezegd,' zei ik, terwijl ik probeerde mijn stem zo vast mogelijk te laten klinken, 'dat je niet tegen me zou liegen. Heeft mijn vader toevallig nog iets gezegd over een belofte die hij me heeft gedaan?'
Het bleef lang stil voor hij antwoordde.
'Maak dit niet nog moeilijker voor ons allebei, Liadan,' zei hij. Toen ik dichterbij kwam, zag ik dat zijn handen, die het medaillon vasthielden, beefden.
'Nou?'
'Ja.'
'Heel goed. Dan weet je dat dit mijn eigen keuze zal zijn, en niet die van mijn vader.'
'Hoe kan er een keuze zijn? Het is gewoon een kwestie van gezond verstand, dat je bij me weg moet gaan. Wat voor toekomst kan er zijn voor... voor...'
Ik ging naar hem toe en kwam voor hem staan, op drie pas afstand. Als de regel ditmaal weer doorbroken zou worden, zou het niet door mij zijn.

'Kijk naar me, Bran,' zei ik. 'Kijk naar me en zeg tegen me dat je wilt dat ik wegga. Vertel me de waarheid.'
Maar hij staarde op zijn handen neer en wilde me niet aankijken.
'Je zult me nu wel helemaal zwak vinden,' mompelde hij. 'Hierna verdien ik helemaal geen respect meer.'
En ondanks zijn verwoede pogingen zag ik een traan op zijn gezicht. Hij blonk aan de getekende kant van zijn gezicht; deze keer had hij hem niet kunnen tegenhouden.
'Ik zou willen dat ik je tranen kon drogen,' zei ik zacht. 'Ik zou zo graag willen dat ik dit beter kon maken voor jou. Maar ik weet niet hoe.'
Nog een ogenblik was het stil; een hartenklop in de tijd, waarin de bomen, rotsen en winden hun adem in leken te houden. Toen strekte hij blindelings zijn hand uit, pakte mijn arm en trok me naar zich toe. Ik stond daar met zijn hoofd tegen mijn borst en mijn armen om zijn schouders, terwijl hij de rest van de tranen liet stromen die hij zo lang had tegengehouden.
'Toe maar, Bran. Het is goed. Alles is nu goed. Huil maar, lief hart.'
Het duurde lang, of niet zo lang. Wie zou het kunnen zeggen? De mannen lieten ons met rust, en de hoge beuken keken zwijgend toe terwijl de zon hoger klom in een koele herfsthemel. Het is echt niet zo vreselijk als een volwassen man huilt. Vooral niet wanneer hij achttien jaren aan verdriet en rouw in zich draagt en wanneer hij eindelijk, na zo'n lange en pijnlijke reis, de waarheid heeft gevonden. Na verloop van tijd hield hij op met huilen. Ik nam een hoek van mijn onfatsoenlijke kledingstuk om zijn gezicht voor hem te drogen, en zei op strenge toon tegen hem: 'Je had nog niet eens uit bed mogen zijn. Heb je wel gegeten, vanmorgen, of had je het te druk met bevelen geven?'
Ik ging naast hem zitten op de rotsen, dicht bij hem, zodat onze lichamen elkaar bleven aanraken.
'Het was een wonderbaarlijke ervaring om wakker te worden,' zei hij met een stem die nog wat beverig klonk, 'en te merken dat jij daar naast me lag, met geen draadje kleding tussen ons in. Een wonderbaarlijke, maar ook frustrerende ervaring, omdat ik zo zwak was dat ik alleen maar naar je kon kijken. Zelfs nu kan ik mijn arm nauwelijks opheffen om hem om je heen te leggen, laat

staan profiteren van dat interessante kledingstuk dat je aan hebt. Ik heb zo'n vermoeden dat er niet veel onder zit.'

'Aha,' zei ik, en ik voelde dat er een blos op mijn wangen kwam. 'Je begint gevoel voor humor te krijgen. Dat bevalt me wel. Er komen nog meer ochtenden.'

'Hoe zou dat kunnen, Liadan. Hoe kan er tijd voor ons zijn? Jij kunt niet temidden van de mannen leven, ongezien reizen, altijd achterom kijkend, uitgestoten, vervolgd. Ik zou jou, of hem, nooit aan dat gevaar kunnen onderwerpen. De beslissing heeft niets meer te maken met wat jij en ik misschien voor onszelf zouden willen. Jouw veiligheid staat voorop. Bovendien, hoe zou je bij me kunnen blijven na wat er gebeurd is? Ik heb mezelf door die... die man laten pakken; ik heb toegelaten dat Meeuw verminkt werd, en dat jij op een afgrijselijke manier behandeld werd, jij en mijn zoon. Zelf ben ik niet meer dan een rillende, jammerende schim van een man. Wat moet je wel van me denken?'

'Ik heb mijn mening over jou niet herzien sinds onze laatste ontmoeting,' zei ik op vaste toon.

'Wat zeg je nou, Liadan?' Hij staarde nog steeds naar de grond en wilde me niet aankijken. Ik liet me van de rots waarop we zaten afglijden en ging op mijn knieën voor hem zitten, zodat hij wel naar me moest kijken. Ik nam zijn handen in de mijne zodat het zilveren medaillon nu door ons beiden werd vastgehouden en beschermd.

'Weet je nog,' zei ik kalm, 'dat je me toen op Zeven Wateren vroeg wat ik voor mezelf wilde? Ik zei dat je er nog niet aan toe was dat te horen. Denk je dat je er nu aan toe bent? Hoeveel herinner je je van wat hier gebeurd is?'

'Genoeg. Genoeg om te weten dat we door jaren heen zijn gelopen, niet door dagen. Genoeg om te weten dat jij daar naast me was. Juist dat maakt het zo moeilijk. Ik zou je moeten bevelen weg te gaan, en daarmee uit. Ik weet wat juist is om te doen. Maar... maar ik merk dat ik dit keer, uiteindelijk, niet bij machte ben afscheid van je te nemen. Hier in mijn hand houd ik de liefde van mijn moeder, en ik weet dat liefde voortduurt, tot na de dood. Dat een hart dat eenmaal is weggeschonken, altijd geschonken blijft.'

Ik knikte, en de tranen waren gevaarlijk dichtbij. 'Ze heeft de dier-

baarste dingen die ze had verstopt,' zei ik. 'Dit medaillon, met de aandenkens aan de mensen die ze verloren had. Haar beursje, met daarop de symbolen van wie ze was en waar ze vandaan kwam. En haar zoontje. Ze heeft haar leven voor je gegeven. John gaf zijn leven in de dienst van zijn vriend en verwant. Dat is de waarheid.'
Hij knikte nuchter. 'Ik heb me in een aantal dingen vergist. Je zult mij niet horen zeggen dat Hugh van Harrowfield een held is; maar ik heb gemerkt dat de man een paar goede kanten heeft. Hij was erg openhartig tegen me. Dat respecteer ik. Hij heeft meer van jou dan ik me had kunnen voorstellen.'
'Hij staat bekend om zijn eerlijkheid.'
'Liadan.'
Ik keek in zijn ogen. Zijn gezicht was erg bleek, zijn trekken leken uitgeput, leeg. Maar de ogen brachten een heel andere boodschap over. Ze keken hongerig.
'Ik heb nog geen antwoord gegeven, hè? Ik heb nog niet gezegd wat ik wil? Is het nog nodig dat ik het zeg, Bran?'
Hij knikte zonder een woord.
'Ik zei dat ik mijn mening over jou niet had gewijzigd, sinds je bij me kwam op Zeven Wateren en we de rest van de wereld een tijdlang bijna vergaten. Wat er in de laatste dagen is gebeurd, maakt deel uit van de reis die we samen maken. Samen lijden we, doorstaan we, en veranderen we, en lopen dan weer voorwaarts, hand in hand. Volgens mij ben jij ongelooflijk sterk; soms sterker dan goed voor je is. Ik zie in jou een leider, een man met durf en visie. Ik zie een man die nog steeds niet goed durft lief te hebben of te lachen, maar die bezig is allebei te leren, nu hij de waarheid over zichzelf weet. Ik zie de enige man die ik als echtgenoot zou willen hebben, en de vader van mijn kinderen. Jou en geen ander, Bran.'
Hij hief zijn hand op en stak hem uit om heel voorzichtig mijn wang aan te raken, alsof hij opnieuw moest leren hoe dat ging, nu alles veranderd was.
'Is dit... een huwelijksaanzoek?' vroeg hij aan mij, en er was een spoortje van een glimlach bij zijn mondhoek, iets wat ik nog nooit had gezien.
'Ik denk het wel,' zei ik en bloosde weer. 'En zoals je ziet, doe ik het zoals het hoort, geknield.'

'Hmm. Maar wat je aanbiedt zou, neem ik aan, een verbintenis tussen gelijkwaardige partijen zijn?'
'Heel beslist.'
'Ik kan de woorden niet over mijn lippen krijgen. Ik kan het niet opbrengen je te weigeren. Maar aan de andere kant, hoe kan ik het aannemen? Je vraagt het onmogelijke.' Zijn gezicht stond weer somber. 'Je vraagt me om de mensen van wie ik het meest houd te onderwerpen aan een leven van gevaar en vlucht. Hoe kan ik daarmee instemmen?'
'Ah,' zei ik. 'Ik had je dit liever nog niet willen vertellen, maar je laat me geen keus. Het schijnt dat er een plaats voor jou – voor ons – is, in Brittannië. Op Harrowfield. Een plaats, en een opdracht. Dat hoor ik van mijn vader. Zijn broer heeft moeite zijn greep op het landgoed te handhaven; Edwin van Northwoods ligt op de loer en hoopt zijn eigen gebied te kunnen uitbreiden. Mijn vader kan niet teruggaan om te helpen, maar jij zou erheen kunnen gaan. Het hoeft niet meteen, maar het is iets wat je in overweging zou kunnen nemen. Het is het land van je vader, Bran; het is het volk van je vader. Je hebt heer Hugh een keer gehoond omdat hij Harrowfield de rug had toegekeerd om zijn hart te volgen. Nu geeft hij jou de kans om te doen wat hij zelf niet kan doen: Simon helpen deze goede mensen opnieuw sterk en eensgezind te maken.'
Het bleef lang stil en ik begon spijt te krijgen van mijn woorden. Misschien had ik zo-even gelijk gehad. Misschien was het nog te vroeg om hem dit te vertellen.
'Zou Hugh van Harrowfield dat aan mij toevertrouwen?' vroeg Bran zacht.
Ik keek in zijn ogen. En daar zag ik onmiskenbaar een nieuw licht branden: een vonk van hoop, een doel.
'Hij zou het Johns zoon toevertrouwen,' zei ik. 'En de mensen van Harrowfield zouden dat op den duur ook doen, wanneer je jezelf hebt bewezen.'
'En zou jij dat doen? Zou je met me meegaan, helemaal naar Brittannië? Temidden van buitenlanders leven, ver van je familie?'
'Ik zou niet van mijn familie weg zijn, Bran. Overal waar wij met zijn drieën heen reizen, ben ik thuis. Bovendien vergeet je dat ik zelf een halve Brit ben. Simon van Harrowfield is mijn oom; deze mensen horen zowel bij mij als bij jou.'

Hij gaf een knikje; zijn hand greep de mijne steviger vast. 'Ik kan dit nauwelijks geloven,' zei hij. 'En toch geloof ik het. Mijn gedachten snellen al vooruit naar wat er gedaan kan worden, en hoe we dat zullen bereiken. Ik heb angst om daarheen terug te gaan; het is een plek van donker en doodsangst. En toch verlang ik ernaar terug te gaan en alles weer in goede banen te leiden. Ik verlang ernaar te bewijzen wat onmogelijk leek: dat ik de zoon van mijn vader kan zijn.'

Ik moest bijna huilen door zijn woorden; ik was nog doodmoe van de afgelopen nacht, en van veranderingen die zo snel kwamen dat ik het nauwelijks kon bijhouden.

'De mannen,' zei Bran opeens. 'Hoe moet het met de mannen? Waar moeten zij heen? Ik kan hen niet achterlaten, zonder een plek en een doel.'

'Tja,' zei ik. 'Het zou weleens kunnen dat deze mannen meer in hun mars hebben dan jij denkt. Laten we naar het vuur gaan. Kun je staan? Lopen, als ik je help? Mooi. Steun maar op mijn schouder. Toe maar, doe het. Niemand verwacht dat je de kracht van een god hebt, behalve jij zelf misschien. Alleen die hoofdwond was al genoeg om een man te doden. Je hebt dagenlang honger geleden en je bent een en al blauwe plek. Ik wil je een beetje water zien drinken en wat pap zien eten. Je mannen hebben een voorstel dat ze je willen voorleggen. Het zal je interesseren, en een antwoord zijn op zorgelijke vragen. Ze hebben heel trouw de wacht gehouden voor hun Baas, Bran. Misschien lukt het je een paar vriendelijke woorden uit te brengen. En ik moet afscheid nemen van mijn vader, want ze hebben hem thuis nodig. Later zullen we deze dingen verder met hem bespreken.'

'Ik...' Hij stond met een krijtwit gezicht te zwaaien op zijn benen, alsof hij zijn eigen geest was.

'Kom, lief hart. Steun op mij, en laten we samen het pad oplopen.'

Ze kenden hem heel goed. Daarom sprong noch Meeuw, noch Slang, noch een van de anderen overeind om steun aan te bieden toen we langzaam en voorzichtig op het vuur kwamen toe wandelen. Niemand deed bezorgd, niemand zei iets. Maar er was plaats waar we beiden konden gaan zitten, en water om te drinken, en ook bier, en simpele havermoutpap in aardewerken kom-

men. Mijn vader was er nog, maar hij was al gekleed voor de reis.
'Jullie hebben me iets te vertellen, begrijp ik,' zei Bran met een dreigende trek op zijn gezicht toen hij was gaan zitten. Rondom ons waren veel mannen bijeengekomen, alle mannen, dacht ik, behalve de paar die verplicht de wacht hielden aan de buitenrand van het kamp. Er hing een verwachtingsvolle sfeer, maar die werd snel verstoord toen Rat eraan kwam met mijn huilende zoon in zijn armen.
'Jullie moeten het maar zonder mij doen,' zei ik, terwijl ik het kind overnam en opstond. 'Dit zijn toch mannenzaken, denk ik.'
'Jij hoort erbij,' zei Bran kalm. 'We zullen op je wachten.' Hij draaide zich om zodat hij naar Meeuw kon kijken, met zijn handen in het verband; naar Slang, wiens getekende gezicht bleek was door meer dan één slapeloze nacht; naar Otter en Spin, die te paard een opdracht hadden vervuld; naar de grote, grimmige Wolf en naar de jonge Rat, die zich ontfermd had over het kleinste en kostbaarste. 'Ik heb een paar dingen tegen jullie te zeggen,' begon hij.

Terwijl ik Johnny voedde in de schuiltent, keek ik naar deze mannen. Ik hoopte dat ze niets zouden zeggen over Eamonn, en wat hij gedaan had. Het was duidelijk dat mijn vader de waarheid nog niet had gehoord; en het was ook beter dat hij er onkundig van bleef. Op dit moment was het evenwicht tussen de deelnemers aan het bondgenootschap erg wankel, en ik moest Bran zo snel mogelijk vertellen wat ik met zijn vijand was overeengekomen om zijn vrijlating te verkrijgen.
Johnny was al snel klaar en kronkelde op mijn schoot, klaar voor nieuwe avonturen. Ik zette hem op de grond en zag dat hij andere kleertjes aanhad dan het keurige hemdje en broekje waarin hij van Zeven Wateren was vertrokken. Dat leek erg lang geleden; het was alsof de hele wereld was veranderd sinds die dag. Iemand had de naald gehanteerd, en nu droeg mijn zoon een jakje van hertenvel en laarsjes van hetzelfde zachte bont, keurig genaaid met smalle repen leer. Onder het jak zat een soort tuniek die tot de bovenkant van de laarsjes reikte. De stof ervan was geweven in strepen van blauw, bruin en dieprood. Een mooie stof; iemand had zijn eigen kledingstuk opgeofferd zodat dit kleine meesterstuk

kon worden gemaakt. Johnny begon onder de tent uit te kruipen, en ik nam hem in mijn armen en ging naar buiten.

'Ik neem hem zolang wel,' zei mijn vader toen ik aan kwam lopen. 'Jullie zullen wel niet willen dat ik erbij ben als jullie plannen maken.'

'Volgens mij moet u erbij blijven.' Terwijl ik dit zei, keek ik vragend naar Bran. 'Want als dit plan doorgaat, zal mijn broer erbij betrokken zijn, en u dus ook. Het is beter dat u ervan weet.'

De uitdrukking op Brans gezicht werd nog dreigender.

'Ze heeft gelijk,' zei Meeuw. 'Of we doen dit met de hulp van Zeven Wateren, of het blijft zoals het is. Het levert geen gevaar op als we het hem vertellen.'

'Zo te horen bevalt dit me helemaal niet,' zei Bran. 'Maar vooruit, vertel op.' Zijn stem klonk woest; maar toen ik naast hem ging zitten en mijn hand in de zijne schoof, voelde ik dat die trilde. Ik wist dat hij de grootste moeite deed om de schijn op te houden. De dreigende uitdrukking straalde een duidelijke boodschap uit. *Ik ben de Beschilderde Man. Wie denkt dat ik zwak ben, moet het zelf maar weten.*

En dus vertelden ze hem hun plan. Ze zetten het uiteen, terwijl mijn vader op de grond zat met zijn kleinzoon tussen zijn benen, en een spelletje speelde met takjes en blaadjes. De een na de ander voerde het woord. Ze hadden het goed ingestudeerd. Meeuw schetste het plan in grove lijnen. Slang gaf wat meer bijzonderheden. Er werden geen gevoelsargumenten aangevoerd; er werd niets gezegd over vrouwen, over een vaste plek om zich te vestigen. Alleen een sluitende logische structuur; over de voordelen die het meebracht en winsten die te behalen waren, en hoe bepaalde problemen konden worden overwonnen. De volgende was Otter. Hij kon pas sinds de vorige avond van het plan hebben afgeweten, maar hij gaf gedetailleerd aan hoe de onderneming gefinancierd zou worden, hoe mijn broer erbij betrokken kon worden en hoe de winsten onderling verdeeld konden worden nadat de kosten van het voeren van de onderneming gedekt waren. En hoe de investering van Sean na verloop van tijd kon worden terugbetaald, in zilver, rundvee of diensten.

Bran zei geen woord, en de uitdrukking op zijn gezicht verried niets. Wat mijn vader betreft, het was maar goed dat hij een eind-

je verderop zat en op Johnny lette, want ik zag de geschokte uitdrukking op zijn gezicht, en dat hij moeite had om zich erbuiten te houden.
'Dan is er de kwestie van een onderkomen.' Het was nu de beurt van de grote Wolf, gewoonlijk een man van weinig woorden. 'Ik hoor dat er op dat eiland een paar boerderijtjes zijn, en nog wat stenen muurtjes om ervoor te zorgen dat de schapen niet van de kliffen vallen. We zullen meer nodig hebben. Eenvoudige, lage hutten, gebouwd voor slecht weer. Ik heb wat ervaring met bouwen. Ik zou het de anderen kunnen leren. We zouden het zo kunnen doen...' Hij hurkte neer en begon met een stok in de aarde te tekenen, en allen keken geconcentreerd toe. '... riet op het dak, goed vastgebonden... een oefenveld...'
Ik was moe en legde mijn hoofd op Brans schouder zonder er bij na te denken. Zijn hand klemde zich vaster om de mijne, en ik ving de blik van mijn vader. Daarin lag alweer de schaduw van een volgend afscheid.
Ze waren klaar. Er viel een stilte, waarin niemand de eerste scheen te willen zijn die iets zei. Iubdan was degene die de stilte verbrak. 'Willen jullie dat ik dit... voorstel... aan mijn zoon voorleg, wanneer ik terug ben op Zeven Wateren? Jullie beseffen, neem ik aan, dat Sean nog maar sinds kort het leiderschap over zijn túath bekleedt, en een zware last draagt voor zo'n jonge man?'
Bran knikte. 'Heer Liam was een krachtig leider, een evenwichtig man. Hij zal in deze streken zeker gemist worden. Maar je zoon heeft het in zich om het op den duur beter te doen. Hij heeft visie. Het is niet nodig dat jij hem hierover aanspreekt. Ik moet er eerst zelf over nadenken. Als ik besluit het te doen, zal ik een bijeenkomst beleggen. Ik heb informatie voor Sean; informatie waarvoor hij mij erop uit heeft gestuurd.'
'Die zou ik natuurlijk voor hem mee kunnen brengen,' zei mijn vader. Zijn stem klonk allesbehalve enthousiast.
Bran fronste zijn voorhoofd. 'Dat soort inlichtingen kan beter niet aan derden worden meegedeeld, tenzij het strikt noodzakelijk is. Het risico is het kleinst als de ene man ze rechtstreeks aan de andere overbrengt. Ik zal met Sean gaan praten wanneer de tijd rijp is.'
Iemand floot zacht. En Meeuw zei ongelovig: 'Zeg je nou dat je

er toch in bent geslaagd de opdracht uit te voeren, ondanks alles? Dat je het voor je hebt gehouden, zelfs toen...'

'Geen opdracht is te moeilijk voor de Beschilderde Man,' bracht ik snel in het midden. 'Het verbaast me dat je dat nu nog niet weet.'

'En nu weer aan het werk jullie, allemaal,' zei Slang terwijl hij opstond. 'Er is veel om over na te denken, en om in overweging te nemen. De Baas zal ons zijn antwoord geven wanneer hij zover is. Brengen jullie Iubdans paard in gereedheid, en degenen die hem begeleiden, controleer jullie wapens en proviand. Hij moet langzamerhand gaan.'

'Hier,' zei Rat, en hij hurkte neer bij mijn vader en stak zijn handen naar Johnny uit. 'Ik zal hem nu weer nemen.' Hij pakte het kind op en Johnny's armpjes sloten zich vol vertrouwen om zijn hals.

Mijn vader stond op. 'Heel goed,' zei hij met een afstandelijke klank in zijn stem, en hij stak zijn hand uit om zijn kleinzoon zacht over zijn wang te strelen. Toen was Rat vertrokken, in looppas naar het hoofdkamp met zijn kleine vriendje in zijn armen, hopsend en opgewonden kirrend. De mannen gingen uiteen, alle mannen behalve Meeuw, want toen hij hen wilde volgen, pakte Bran hem bij zijn arm en zei: 'Nee. Jij blijft hier.'

En daar zaten we dus met zijn vieren bij het vuur, met zoveel onuitgesproken woorden tussen ons dat je nauwelijks wist waar te beginnen. Na verloop van tijd keek Bran op naar mijn vader en begon zacht te spreken.

'Liadan heeft me verteld van je voorstel met betrekking tot Harrowfield. Er kan daar veel worden gedaan, denk ik. Bondgenootschappen kunnen opnieuw worden opgebouwd, grenzen beveiligd, de verdediging kan worden versterkt.'

'Je wilt misschien de tijd nemen om erover na te denken,' zei mijn vader voorzichtig. 'Je bent vermoedelijk niet gewend een dergelijke rol te spelen. Maar je bent familie van mij, en van Simon; je kunt er aanspraak op maken een functie te bekleden op het landgoed, en je kundigheid lijkt onbetwist.'

'Ik hoef er niet over na te denken,' zei Bran. 'We nemen de uitdaging aan. In de onmiddellijke toekomst wil ik Liadan en mijn zoon hier veilig weg hebben. We zullen naar het noorden trekken en een tijd weg zijn. Mijn mannen moeten hun plek vinden in hun nieuwe onderneming; dat zal niet eenvoudig zijn. Zodra dat gebeurd is, zullen we naar Harrowfield gaan. Liadan, ik en Johnny. Ik moet open kaart met u spelen. Ik stem hiermee in, niet vanwege heer Hugh, maar vanwege mijn vader en mijn moeder, en de plek waar ik geboren ben. Ik wil bepaalde dingen achter me laten; op die manier kan dat gedaan worden en kan ik een nieuw begin maken.'

Vaders blauwe ogen stonden koel. Maar met een kleine buiging van zijn hoofd erkende hij Brans kracht; ik zag wel dat dit hem verraste en dat hij onder de indruk was.

'Goed,' zei hij. 'Ik zal ervoor zorgen dat Simon discreet wordt ingelicht over onze plannen. Het nieuws zal hem een hart onder de riem steken. Ik ben niet helemaal gerust over de onmiddellijke toekomst. Ik zou je willen vragen erop toe te zien dat mijn dochter en mijn kleinzoon veilig zijn. Maar zo'n vraag lijkt hier niet gepast.'

Ik voelde Brans hand verstrakken in de mijne, ik hoorde hem zijn adem inzuigen.

'Hij is volkomen gepast, vader,' zei ik. 'Maar ik heb u verteld dat deze mannen dat heel goed afkunnen. U hebt immers vertrouwen in mijn oordeel?'

'Liadan is bij ons in goede handen,' merkte Meeuw op, en ook hij was boos. 'Ze is hier veiliger dan in de huizen van sommige mensen die u uw vrienden noemt.'

'Wat bedoel je?'

'Niets, vader. Meeuw doelt op het vermogen van deze mannen om ongezien overal te komen, om zich niet te laten opsporen en ongewone verdedigingsmethoden te gebruiken. U hoeft zich over mij geen zorgen te maken. Ik had nooit gedacht dat ik ver van Zeven Wateren weg zou gaan. Maar dit is de juiste keus. De enige keus.'

'Je wilt me dus mijn dochter afnemen,' zei Iubdan, terwijl hij Bran strak aankeek.

Bran keek hem ook aan, en de blik in zijn grijze ogen was vast en helder. 'Ik neem niet meer dan wat me vrijwillig gegeven wordt,' zei hij.

'U kunt beter gaan,' zei Meeuw. 'Het is een heel eind rijden. Onze mannen zullen u begeleiden tot aan uw grenzen.'

'Dat hoeft niet.' Vaders stem klonk koel. 'Ik ben nog niet zo gevorderd in jaren dat ik mezelf niet kan verdedigen of me van een vijand kan ontdoen.'

'Dat hebben we ook gehoord,' zei Bran. 'Maar toch zijn er gevaren waarvan je je niet bewust bent. Wie weet welke valstrikken voor een eenzame reiziger op de loer kunnen liggen? Mijn mannen zullen je begeleiden.'

'Ik zou graag nog onder vier ogen met mijn dochter willen spreken,' zei Iubdan zonder glimlach op zijn gezicht. 'Als dat kan worden toegestaan.'

Bran liet mijn hand los. 'Liadan neemt haar eigen beslissingen,' zei hij. 'Als mijn echtgenote zal ze dat blijven doen.'

Meeuw trok zijn wenkbrauwen op, maar hij zei niets.

Ik liep met mijn vader naar de waterkant en keek toe terwijl hij een gladde, witte steen opraapte en die over het water liet stuiteren, een, twee, drie keer.

'Zal dat lukken, denk je?' vroeg hij. 'Een school voor krijgers? Een tehuis voor bandieten?'

'Dat zal aan hem liggen. Het plan zal waarschijnlijk worden aangepast, gewijzigd en verbeterd in overeenstemming met zijn eigen ideeën. Het is een nieuwe weg voor hem; er zijn veel veranderingen die hij nog onder ogen moet durven zien.'

'Hij heeft je nodig. Ze hebben je allemaal nodig. Dat begrijp ik ook wel. Toch is het nog steeds een schok voor me dat je deze keuze gemaakt hebt. Ik geloof dat ik me vergist heb toen ik je zag opgroeien. Je lijkt in alle opzichten zo sterk op je moeder dat ik geen verrassingen van jou verwachtte. Ik heb nooit serieus gedacht dat je het woud zou verlaten. Maar ja, ik heb zelf ook zo'n soort keuze gemaakt, tegen alle regels in. En je bent net zo goed mijn dochter als de hare. Dat je later terug zult gaan naar mijn ouderlijk huis, naar Harrowfield, vervult me met trots en hoop. Ik zou willen dat ik het gezicht van mijn broer kon zien wanneer hij jou voor het eerst ziet. Maar ik kan me Zeven Wateren niet voorstellen zonder je moeder en jou. Het zal zijn alsof het hart van het huis stilstaat.'

'Conor zou het vast met u eens zijn. Maar het hart van het woud klopt heel krachtig en heel traag, vader. Er is meer dan dit verlies nodig om dat ritme stil te zetten.'

'Er zijn nog andere dingen die me zorgen baren. Er zijn hier geheimen die ik niet begrijp, die me verontrusten. Bedekte toespelingen. Een deel van het verhaal dat nog niet verteld is.'
'Dat moet onverteld blijven, vader. Ook ik ben gebonden door een belofte.'
'Je zei dat Niamh nog leefde en naar een veilige plaats is gebracht. Ze is mijn dochter, Liadan. Ik heb gesproken over onrecht dat ik wilde herstellen. Er is daar sprake van een onrecht waaraan ik aandacht moet besteden, daarvan ben ik overtuigd. Als je me kunt zeggen waar ze is, zou je dat moeten doen. Je moeder wilde heel graag dat we het goed zouden maken.'
'Het spijt me,' zei ik zacht. 'Ik heb een vermoeden waar ze zou kunnen zijn, maar ik mag het u niet vertellen. Alleen dat ik weet dat ze veilig is en dat er goed voor haar wordt gezorgd. Ze wil ons niet meer zien, vader. Ze wil niet terugkomen.'
'Dan ben ik jullie dus allemaal kwijt,' zei hij dof. 'Niamh, Sorcha en jou. En de kleine ook nog.'
'Er zal over een paar jaar een stoet kinderen op Zeven Wateren zijn. En u zult mij en Johnny van tijd tot tijd zien, daar zal ik voor zorgen. U zult het druk hebben, vader; te druk voor verdriet en spijt. Nu moet u naar huis gaan, naar Sean en Aisling, en hun uw steun geven. Jullie moeten gedrieën hard werken om Zeven Wateren sterk te houden. Jullie zullen te zijner tijd van ons horen. En breng Sean mijn beste wensen over.'
'Dat zal ik doen, lieverd.'
'Vader.'
'Wat is er?'
'Zonder u had ik dit niet kunnen doen. Waar ik ook heen ga, ik zal nooit vergeten dat ik uw dochter ben. Ik zal daar altijd trots op zijn.'
Toen riepen ze hem, en hij omhelsde me, snel en stevig, en verdween, een lange gestalte met vuurrood haar die met grote passen wegliep naar het kamp, waar mannen wachtten met paarden. Ik stond bij de poel en keek uit over het zilverige oppervlak, en terwijl ik keek, verscheen er een beeld, een weerspiegeling in het stille water: een statige, witte zwaan die daar dreef met toegevouwen vleugels. Geen echte weerspiegeling, want op het oppervlak was niets, er zwom niet één vogel op dat spiegelgladde wa-

ter. Ik knipperde met mijn ogen en wreef ze uit. Het beeld bleef, veren als sneeuw in de winter, sierlijke gebogen hals, ogen kleurloos als helder water, diep, heel diep.

Je hebt het heel goed gedaan, Liadan. Het was de stem van mijn oom Finbar. *Je bent hier een meester in, en ik groet je eerbiedig.*

U bent de meester. U hebt me laten zien hoe dit moest.

Ik had niet kunnen doen wat jij gedaan hebt; de donkere uitgedaagd en een man teruggehaald van de rand van de dood. Ik verbaas me over je kracht. En over je moed. Ik zal jouw weg, en de zijne, met belangstelling volgen. Vergeet me niet, Liadan. Je zult me nodig hebben, later. Het kind zal me nodig hebben.

Een plotselinge kou kwam over me. *Wat bedoelt u? Wat ziet u?* Maar in het water viel de mooie, omgekeerde vorm van de zwaan in stukken uiteen; ze verspreidden zich over het oppervlak en waren weg.

Drie dagen later waren we gereed om te gaan. Ik had me heel streng moeten opstellen en had ervoor moeten zorgen dat Bran at, dronk en rustte, want als ik hem zijn gang had laten gaan, zou hij geprobeerd hebben zijn beschadigde lichaam te dwingen onmiddellijk weer als vanouds te functioneren, met rampzalige gevolgen. Toch liet hij geen ogenblik verloren gaan. Wanneer hij verplicht rustte, was hij nog steeds bezig met plannen maken en bevelen geven, en popelde hij om weer op te staan en aan de gang te gaan. 's Nachts sliep ik, al had ik het liever heel anders gewild, afzonderlijk van hem en lag ik samen met mijn zoon op een bed van varens. Bran zei hier niets over. Ik had die nacht veel durf gehad, durf genoeg om me helemaal uit te kleden en zijn lichaam met het mijne te verwarmen. Nu voelde ik me weer wat verlegen, want wat er tussen ons was, was nieuw en breekbaar, en er waren veel mannen in de buurt. Bovendien leek het me dat sommige dingen moesten wachten tot hij weer op krachten was gekomen.

Er werden plannen gemaakt. De bende zou zich opsplitsen in drie groepen. Er was veel te doen. Otters groep zou naar het zuiden gaan met een niet nader aangeduide opdracht. Slangs groep ging naar het noordwesten, in de richting van Tirconnell. Onze eigen groep zou te paard naar het noorden gaan, naar de beoogde plek, en die in ogenschouw nemen voordat de definitieve beslissing zou worden genomen. Wolf zou nagaan of het eiland wel toegankelijk was voor mannen met bouwmaterialen. Meeuw zou bekijken wat er ter plaatse aan vakkennis aanwezig was en inschatten hoe de mensen tegenover zo'n onderneming zouden staan. Op een vastgesteld tijdstip zouden de anderen zich weer bij ons voegen, en dan zou de toekomst van de bende worden bepaald. Hij zou geen overhaaste beslissingen nemen, zei Bran tegen de mannen. Er stond te veel op het spel.

Het had me veel moeite gekost hem te weerhouden onmiddellijk naar het zuiden te galopperen en zich bloedig te wreken toen hij dacht dat hij wel weer te paard kon zitten. Ik had moeten uitleggen wat ik was overeengekomen om Meeuw en hem uit Sídhe Dubh weg te krijgen. Dat ik had beloofd te zwijgen in ruil voor hun vrijlating.

'Een belofte aan zo'n man is niets,' zei hij met een strakke mond. 'Na wat hij jou heeft aangedaan, is de dood nog te goed voor hem. Als ik hem niet koud maak, zullen je vader en je broer dat zeker doen wanneer ze de waarheid vernemen.'

'Die zullen ze niet vernemen,' zei ik. 'Niet van mij, en ook niet van jou of van Meeuw of van een van de anderen. Dit verhaal mag niet verteld worden. Ik heb Eamonn mijn woord gegeven dat we niets zouden zeggen, en met reden. Hij mag dan een overloper zijn, een man die verblind door zijn eigen begeerten en zijn belustheid op macht niet meer ziet wat goed is, maar niemand kan ontkennen dat hij een krachtig leider is. Hij is rijk, hij heeft invloed en hij is slim. En hij heeft nog geen erfgenamen. Als hij er niet meer zou zijn, zou er in zijn gebied een machtsstrijd ontbranden die het bondgenootschap ernstig zou ontregelen. Seamus Roodbaard is oud, en zijn kind is nog heel klein. Er zouden van alle kanten pretendenten komen. Het zou een bloedbad worden. Eamonn kan beter blijven. We moeten hem alleen goed in de gaten houden.' Over de bange voorgevoelens die dieper in mij leefden, zei ik maar niets. Want ik herinnerde me de waarschuwingen van de Feeën en Ciaráns woorden. Er was ergens iemand die nergens voor zou terugschrikken om te verhinderen dat mijn kind zou opgroeien tot een man. Iemand die haar eigen redenen had om niet te willen dat de profetie in vervulling ging. Ik had de uitdrukking op Brans gezicht gezien toen hij keek naar zijn zoontje wanneer het lag te slapen of boven op Rats schouders zat en met

verstandige oogjes om zich heen keek. Ik had op de harde gelaatstrekken van Bran het licht van een pas ontdekte verwondering gezien, en ik wist dat ik het niet tegen hem kon zeggen.
'Je kunt onmogelijk vertrouwen hebben in Eamonn Dubh,' zei hij met een gefronst voorhoofd. 'Hij zou zich immers elk ogenblik tegen je broer kunnen keren?'
Ik glimlachte. 'Dat denk ik niet. Mijn broer trouwt in het voorjaar met Eamonns zuster. Ik heb ervoor gezorgd dat dat zal gebeuren. En Eamonn weet dat ik hem in de gaten houd. Ik heb keihard met hem onderhandeld, met mijn en jouw stilzwijgen als inzet.'
'Juist,' zei Bran langzaam. 'Je bent een gevaarlijke vrouw, Liadan. Een uitgekookt strateeg. Maar je zet mij de voet dwars. Mijn handen zullen altijd jeuken om deze man de nek om te draaien. Als ik hem ooit weer tegenkom, kan ik er niet voor instaan wat ik zou kunnen doen.'
'Op de plaats waar wij heen gaan, zul je het te druk hebben om daar ook maar aan te denken,' zei ik.
'Je gaat er dus van uit dat we met deze onderneming doorgaan.'
'Ik weet dat je het niet over je hart zou kunnen verkrijgen de mannen hun droom te onthouden.'
Hij keek me aan en om zijn strenge mond speelde weer dat begin van een lachje. 'Ik zie wel dat ik voor jou geen geheimen kan hebben,' zei hij. 'Ik hoefde maar te zien hoe hun ogen straalden en de hoop in hun stemmen te horen, om te weten welke keus ik moest maken. Maar dat kon ik niet tegen hen zeggen. Toen nog niet. Dat zou een zwakke indruk gemaakt hebben. Bovendien is dit wachten een goede manier om hen te testen. Het dwingt hen het plan van alle kanten te bekijken, de sterke en zwakke punten ervan te peilen en de problemen aan te pakken.'
'Dat weet ik,' zei ik.

De plannen waren gemaakt, en er was nog maar één dag voor we zouden vertrekken. Het was ochtend onder de grote beuken, die nu kaal waren tegen een lichte hemel. Het was mooi, maar koud weer. Als het meezat, zouden we de afstand snel kunnen afleggen, ook al hadden we een kind bij ons. Deze laatste dag was bestemd voor overleg tussen de leiders van de drie groepen, en voor het opbreken van het kamp en het uitwissen van elk spoor van onze aanwezigheid. Deze werkwijze zou veranderen wanneer de onderneming van start was gegaan. De mannen zouden eraan moeten wennen in hun eigen bed wakker te worden, het gezicht van een vrouw bij de haard te zien, een vaste plek te hebben. Er zou een eind komen aan het patroon van vluchten en voortdurende verandering. Moeilijk voor hen, maar misschien niet al te moeilijk als ze zich ervoor inzetten. Ik dacht aan Evans vrouw, Biddy, met haar twee zoontjes. Misschien wachtte ze, ergens in Brittannië, nog steeds tot haar man haar zou komen halen. Zo te horen was ze een sterke, handige vrouw. Ze zouden een paar van dat soort vrouwen nodig hebben. Ik dacht dat ik daar later wel een balletje over op kon gooien.

Ik zat bij de poel met Johnny op schoot en droomde een beetje terwijl ik steentjes in het water gooide. Johnny vond het plonzende geluid dat ze maakten leuk en leek er tevreden mee rustig te zitten kijken. Achter me in het kamp nam het werk van de dag zijn loop, ordelijk en gedisciplineerd als altijd. Het was een vreemd gevoel, te weten dat ik morgen weg zou rijden en nooit terug zou komen in het woud, behalve als bezoeker; dat ik in de toekomst op het landgoed van mijn vader zou wonen en mijn zoon zou grootbrengen temidden van Britten. Ik hoopte dat mijn moeder dit niet als verraad zou hebben beschouwd. Ik hoopte dat de Feeën zich vergist hadden in wat dit zou betekenen.

Beter nu gaan.

De oude stem deed me schrikken; ik had niet gedacht dat ik de Ouden nog eens zou horen spreken, nu Bran gered was en onze weg bepaald was.

We gaan ook, zei ik stilzwijgend. *Morgenochtend. We zullen hier niet terugkomen.*

Ga nu. Ga. De woorden kwamen langzaam en laag, zoals altijd, maar ditmaal waren ze een waarschuwing.

Nu? U bedoelt... nu meteen? Maar waarom?

Het was dom van me om dat te vragen. In een oogwenk kreeg ik een visioen van het Gezicht. Ik zag een jonge krijger vechten, en ik dacht dat het Bran was, tot ik het gezicht zag zonder enige tekening, behalve een heel lichte tekening op het voorhoofd en rondom zijn ene oog, een vage aanduiding van een ravenmasker. Hij was gewond; ik zag hoe bleek hij was en hoorde zijn schorre ademhaling. Hij deed een uitval naar voren, en met een snelle beweging sloeg zijn tegenstander het zwaard uit zijn hand. Ik zag in de ogen van de jonge krijger dat hij besefte dat hij ging sterven. Zijn ogen waren grijs en vast; er was geen angst in zijn gezicht. Ik drukte het kind op mijn schoot stijf in mijn armen, zodat hij piepend protesteerde. Het visioen veranderde. Nu zag ik een meisje, een huilend meisje; haar hele lichaam schokte van het snikken en ze hield haar handen voor haar gezicht in een zinloze poging haar verdriet te beheersen. Haar krullen waren dieprood, haar huid blank als verse melk. Terwijl ze luid haar leed bejammerde, laaide rondom haar een vuur op, met knetterende vlammen, hongerig, verterend; en ik kreeg het vreemde gevoel dat juist haar kreten dit vuur aanwakkerden tot een woeste gloed. Toen was het visioen plotseling verdwenen.

Beter nu vertrekken, zei de stem nog eens, en zweeg.

Zo'n waarschuwing mag je niet naast je neerleggen. Ik ging op zoek naar Bran en vertelde hem dat het Gezicht me had laten zien dat we onmiddellijk moesten vertrekken. Wat ik precies had gezien, hield ik voor me. Dit was een kolfje naar hun hand. Nog voor de zon in het westen begon weg te zinken, waren we vertrokken en reden we geluidloos en doeltreffend weg in drie verschillende richtingen. Mijn eigen bende reisde via geheime wegen naar het noorden. We hielden stil toen het donker werd, want Bran stond erop dat het kind en ik zouden slapen. We kampeerden onder rotsen, halverwege een helling. Ik voedde Johnny; Bran en Wolf stonden op wacht; Rat maakte een vuurtje en kookte eten. Meeuw verzorgde de paarden, want hij wilde beslist zijn aandeel van het werk doen, ondanks zijn kapotte handen.

Na een tijdje kwam Bran de heuvel weer op om naast me neer te hurken. Johnny had genoeg gedronken; ik hield hem tegen mijn schouder en zo viel hij in slaap.

'Het spijt me,' zei ik zacht. 'Dat ik je plannen heb verstoord. We hadden waarschijnlijk nog wel een dag kunnen blijven. Het Gezicht laat niet altijd ware beelden zien, en die stemmen kunnen misleidend zijn.'

'Misschien niet,' zei Bran. 'Kom maar even buiten, ik wil je iets laten zien.'

Ik volgde hem naar buiten, naar een plaats op de rotsen waar je een ver uitzicht had naar het zuiden. Hier zou je bij daglicht mis-

schien wel helemaal tot het grote woud van Zeven Wateren kunnen kijken. Nu was alles donker. Alles behalve een bepaalde plek, niet erg ver achter ons; daar laaide een hoog vuur op.
'Vreemd, nietwaar?' merkte Bran op. 'Een blikseminslag misschien? Maar de hemel is helder; er is niets wat op onweer lijkt. En het heeft geregend; bomen, struiken en zelfs gras branden nooit zo fel, met zo'n verterende hitte, behalve als het heel lang droog is geweest. Zie je hoe dat vuur zich verplaatst en alles op zijn weg verwoest? En toch is het windstil. Buitengewoon vreemd.'
'Het is daar, hè?' fluisterde ik huiverend. 'Op de plaats waar we waren?'
Bran legde tamelijk voorzichtig zijn arm om me heen, alsof hij nog bezig was te leren wat hij van zichzelf mocht doen.
'Als jij er niet geweest was, zouden we vannacht allemaal door dat vuur zijn verzwolgen,' zei hij. 'Die gave van jou is krachtig. Je hebt ook een keer mijn dood gezien. Herinner je je dat nog?'
'Ja.'
'Ik heb het gevoel dat jij mijn sterven hebt voorkomen; dat je de dood hebt tegengehouden. Dat je de loop der gebeurtenissen hebt veranderd. Er zijn weinig dingen die mij bang maken, Liadan. Ik heb mezelf erin geoefend alles wat op mijn weg komt, tegemoet te treden. Maar dit maakt me bang.'
'Mij ook. Ik ben erdoor blootgesteld aan... aan allerlei invloeden, aan stemmen die ik liever niet zou horen, aan tegenstrijdige visioenen. Het is vaak erg moeilijk om te weten wanneer ik er gehoor aan moet geven en wanneer ik gewoon mijn gang moet gaan. Maar toch zou ik de gave niet willen missen. Als ik haar niet had gehad, zou ik jou niet hebben kunnen terughalen.'
Hij antwoordde niet, en de stilte duurde zo lang dat ik ongerust begon te worden.
'Bran?' vroeg ik zacht.
'Ik vraag me af,' zei hij aarzelend, 'ik vroeg me wel af of je misschien... of je daar misschien spijt van had. Bij nader inzien, bedoel ik. Nu je gezien hebt... nu je die dingen over me weet, dingen die ik nooit aan een mens heb verteld... ben ik niet de man die je eerst dacht dat ik was. Ik dacht dus dat je misschien...' Hij kon geen woorden meer vinden.
'Waarom?' Het verbaasde me wat hij had gezegd. 'Waarom zou

je dat geloven, dat ik je daarom niet zou willen, dat ik daarom minder van je zou houden? Ik heb je gezegd dat je de enige man op de wereld bent die ik naast me wil hebben. Niets zal daar ooit iets aan veranderen. Ik kan het niet duidelijker maken.'
'Maar...' Hij bleef weer steken.
'Maar wat, lief hart?'
'Waarom wilde je dan...' hij praatte zo zacht dat ik mijn best moest doen om hem te verstaan. 'Waarom wilde je dan ergens anders slapen, waarom vermeed je mijn bed na die nacht, die langste aller nachten toen ik wakker werd en jou daar naast me vond, als een geschenk zo waardevol dat het een leven vol schaduwen wegvaagde? Ik verlang er zo naar dat ogenblik weer te beleven, je tegen me aan te drukken, je te voelen, en... ik heb hier geen woorden voor, Liadan.'
Misschien was het maar goed dat het donker was. Ik lachte en huilde tegelijk, en kon nauwelijks bedenken wat ik zou zeggen.
'Als ik het kind niet vasthield,' zei ik beverig, 'zou ik je nu meteen laten zien hoe vurig mijn lichaam naar het jouwe verlangt. Ik vind dat je wel kort van memorie bent. Ik herinner me een middag aan het meer van Zeven Wateren, toen alleen de tussenkomst van onze zoon ons beiden weer bij zinnen bracht. En de afgelopen dagen wilde ik alleen je gezondheid sparen. Je hebt een zware beproeving doorstaan. Je bent nog steeds lichamelijk en geestelijk gewond. Ik wilde niet... meer van je eisen dan je zou kunnen...'
Ik voelde aan dat zijn gezicht woest vertrok, maar kon het in het donker niet zien.
'Dacht je dat ik onmachtig zou zijn? Was het dat?'
'Ik... nou ja, ik ben tenslotte genezeres, en het is niet meer dan logisch...'
Hij snoerde me de mond met een kus, een stevige, nuchtere kus. De kus duurde korter dan ik had gewild; Johnny zat tussen ons in en dreigde te worden platgedrukt.
'Liadan?'
'Mmm?'
'Kom je vannacht in mijn bed slapen?'
Ik voelde een blos naar mijn wangen stijgen. 'Reken maar,' zei ik tegen hem.

De godin zegende ons, denk ik. Iemand was ons die nacht goed gezind, want Johnny viel in slaap en werd pas de volgende morgen weer wakker; en de anderen slopen weg en regelden de wacht, en we hoorden geen van de drie ook maar een woord fluisteren. En mijn man en ik, wij lagen in elkaar verstrengeld onder de beschutting van de rotsen, en we hielden ons niet meer in dan we die middag bij het meer hadden gedaan, want het was lang geleden. We klampten ons hijgend aan elkaar vast en huilden van verlangen naar elkaar, tot we eindelijk uitgeput in slaap vielen, samen onder een deken, onder het grote gewelf van sterren. Bij zonsopgang werden we wakker uit de zoete warmte van een gezamenlijke slaap; we bewogen nauwelijks, behalve om elkaar zacht aan te raken, om met lippen over huid te gaan, om woordjes te fluisteren, tot we Rat hoorden die met het vuur bezig was, en Meeuw die iets zei over waar we waren.

'Er komen nog meer ochtenden,' zei ik zacht.

'Tot dit moment heb ik dat eigenlijk nooit geloofd.' Bran stond met tegenzin op en bedekte zijn prachtig versierde lichaam met de eenvoudige reiskleding die hij het liefste droeg. Ik keek ongegeneerd toe en verwonderde me over het geluk dat me ten deel was gevallen.

'We moeten het maar geloven,' zei ik, en op dat moment werd Johnny wakker en begon dringend om zijn ontbijt te roepen. 'We moeten geloven in een toekomst, voor hem, voor deze mannen en voor onszelf. De liefde is vast sterk genoeg om daar een basis voor te vormen.' Ik geloof dat deze woorden meer voor het Feeënvolk bedoeld waren dan voor ons. Maar als ze me hoorden, lieten ze het niet merken. Ik had mijn beslissing genomen. Ik had de loop van de dingen veranderd. Als dat betekende dat ik nooit meer iets van hen zou horen, dan moest dat maar.

En dus reden we weer weg naar het noorden, zonder veel omhaal, een kleine, ordelijke groep reizigers, gehuld in kleding die geen aandacht zou trekken. Een man wiens gezicht een studie in licht en donker was, wiens trekken getekend waren met het moedige, felle patroon van de raaf en tegelijkertijd jong en blank waren. Welke kant je zag, hing alleen af van de manier waarop je naar hem keek. Een vrouw met donker haar in een vlecht op haar rug en vreemde groene ogen. Een zwarte man met handen die er raar uitzagen en met een meeuwenveer in zijn gevlochten haar. Een jongeman die een kind vasthield, en een grote, zwijgende kerel op een groot, zwijgend paard. Steeds verder naar het noorden reden we, naar de ruige kust die uitkijkt naar Alba, waar de krijgsvrouwen wonen. Achter ons ontwaakte het land van Ulster in de morgen; een herfstzon verlichtte een nevelige, zachtgroene vallei, het fonkelende meer en de donkere pracht van het grote woud van Zeven Wateren. Achter ons was de brand bijna uitgedoofd; een grijze rookpluim markeerde nog de plaats waar zijn vernietigende kracht tekeer was gegaan, een kracht die met Anderewereldse precisie en woede had toegeslagen. Misschien dacht de tovenares dat wij dood waren, dat wij in die oven waren omgekomen. Maar wij keerden die plek de rug toe en reden steeds verder weg, en al rijdend hoorde ik het nog een keer in mijn hoofd, al lag de plaats van de grafheuvel nu ver achter ons; het diepe, zoemende geluid van de westenwind die over de top van de oude aardheuvel streek, en over de nauwe opening die daarin was uitgespaard om de midwinterzon toe te laten als een geheimzinnige pijl van licht. Het leek de lage, oude klank van een groot instrument; een groet van erkenning en vaarwel. *Goed gedaan, dochter*, bromden de stemmen van mijn voorouders. *Ja, moedig gedaan.*